朱镕基上海讲话实录

人民出版社
上海人民出版社

1989年2月5日，江泽民、朱镕基陪同邓小平与上海市党政军负责同志和各界人士共迎新春佳节。右三为邓小平夫人卓琳。

1988年4月19日至30日，上海市九届人大一次会议举行。图为江泽民和朱镕基在主席台上亲切交谈。

1988年4月18日，江泽民、朱镕基与上海市政府成员合影。左一为副市长谢丽娟，左二为副市长倪天增，左三为副市长李肇基，左四为市政府顾问汪道涵，右一为副市长钱学中，右二为副市长叶公琦，右三为副市长刘振元，右四为副市长黄菊。

1990 年 3 月 3 日，朱镕基考察上海市嘉定县农副产品交易中心。

1990 年 4 月 14 日，朱镕基与干部职工一起参加上海“爱国卫生月”活动。图为朱镕基与大家亲切交谈。左二为副市长谢丽娟。

1988 年 7 月 9 日，朱镕基考察上钢三厂并慰问战高温工人。右一为平炉分厂厂长倪鼎兴，左二为平炉分厂党委书记马国兴。

编辑说明

1987 年 12 月至 1991 年 4 月，朱镕基同志先后担任中共上海市委副书记、市长，市委书记兼市长。《朱镕基上海讲话实录》选入了朱镕基同志在上海工作期间的部分讲话、谈话、信件、批语等 106 篇，照片 83 幅，批语及书信影印件 9 幅。所选文稿均根据音像资料、文字记录稿和手迹编辑而成，绝大部分为首次公开发表。

编者对正文中涉及的部分人物、事件和专有名词等，做了简要注释，专有名词再次出现时只注明首次注释的页码。对当时担任党和国家领导职务的同志不做注释，正文中提及职务的人物不另注释。本书文稿的多数标题为编者所加。

朱镕基同志逐篇审定了编入本书的全部文稿。

中央领导同志对本书提出了宝贵意见。中央有关部门和有关省、自治区、直辖市负责同志对本书的编辑工作提出了指导意见。中共上海市委、市政府及上海市有关单位提供了大量资料和照片。人民出版社和上海人民出版社对本书出版给予了大力协助。在此，一并表示谢忱。

参加本书编辑工作的有：李炳军、廉勇、张长义、谢明干、林兆木、高小真、鲁静、侯春同志。张林俭、黄家乐、郑辛逸同志对本书的编辑、整理工作提出了具体修改意见。马东升、李立君同志参与了有关资料的收集整理等工作。

本书编辑组

2013年8月

目　录

把“桑塔纳”轿车国产化搞上去*

（1987年12月24日）

我受吕东[1]、宝华[2]同志委托，代表国家经委来参加这次“桑塔纳”国产化会议，并且向参加这次会议的代表表示热烈的祝贺！

这次会议是由中汽联和上海市政府，在做了大量准备工作和深入细致调查研究的基础上联合召开的。上海市江泽民市长，黄菊、李肇基副市长亲自抓这个工作，使我们能够顺利召开这样一次周密准备的会议。我们要特别指出，“桑塔纳”国产化工作是在国务院领导同志的直接关怀下进行的，特别是今年以来，国务院领导同志多次过问，中央各部委也很支持。我想，有中央和各部委的支持，上海的同志又激发起了干劲，这个工作是一定会成功的。

下面讲几个问题：

---

* 这是朱镕基同志在中国汽车工业联合会和上海市政府共同主持召开的“上海—桑塔纳”轿车国产化工作会议上讲话的主要部分。朱镕基同志当时任国家经济委员会副主任。1987年12月22日，中共中央决定，朱镕基同志任上海市委副书记，并提名为上海市市长人选。

〔1〕 吕东，当时任国家经济委员会主任。

〔2〕 宝华，即袁宝华，当时任国家经济委员会副主任。

一、“桑塔纳”轿车国产化的意义。

从一般意义上讲，“桑塔纳”国产化工作，是引进技术消化吸收最重要的项目之一。从 1983 年开始，根据国务院的部署，我们引进了 1.6 万项关键技术和设备，花了 100 多亿美元，其中，国家经委用 37 亿美元引进了 3900 项，改变了一批企业的技术面貌，对于繁荣国内市场、增加出口，起了很大的作用。但是，这些项目还没有完全发挥作用，只有 60%投产，明年是投产的高峰，后年才能充分发挥效益。这次引进技术一个很大的问题是还没有消化吸收和国产化，有的引进了技术、进口了设备，但缺少原材料和配套技术，因此很难发挥

1991 年 2 月 6 日，朱镕基陪同邓小平考察上海大众汽车有限公司。前排左二为邓小平夫人卓琳，右一为上海大众汽车有限公司董事长陆吉安，右二为邓小平女儿邓榕。

效益。要真正发挥效益，就要抓好消化吸收工作。

从 1985 年起，国家经委的工作重点开始转向引进技术的消化吸收。今年 8 月，国家经委在大连召开了全国引进技术消化吸收和国产化工作会议，制定了五条优惠政策〔1〕，已经国务院批准以国发〔1987〕99 号文件〔2〕转发了。会上根据引进技术的状况及其在国民经济中的作用，确定了“三百条龙”〔3〕的安排。第一批的“一百五十条龙”已经下达，第二批的“一百五十条龙”正在积极准备。我们相信，如果这“三百条龙”三年内实现了国产化，我们的企业面貌就会大大改观，企业的技术水平就会真正上一个台阶。“三百条龙”中，有的一条龙就有好几十、几百个项目。目前最大的项目是彩电，三年内要实现国产化。我国现在每年进口彩电散件 6 亿美元，随着引进技术项目的投产和生产规模的扩大，每年可以节省外汇不止 6 亿美元。

轿车的国产化是一个非常重大的项目，现在每年我们得花几亿美元来进口轿车及散件，如果不加快国产化，这种进口有扩大的趋势。所以，“桑塔纳”国产化是“三百条龙”中非常重要的一条。明年要贯彻稳定国民经济的方针，财政、信贷要收紧，投资规模要压缩，投资结构要调整，新的项目不能上。在这种情况下，搞国产化有一

〔1〕 五条优惠政策，指对列入国家重点支持的引进技术消化吸收和国产化项目采取的优惠政策：第一，减免产品税；第二，产品内销可以收取部分外汇；第三，减免进口关税、产品税；第四，各部门、各地区在安排外汇、贷款、科技开发费用和分配物资时，对国家重点支持的消化吸收和国产化一条龙项目，要重点照顾，优先安排；第五，承担国家重点支持的消化吸收和国产化一条龙项目的企业、事业单位，按期完成工作目标、成绩优异的，应给予表彰和奖励，可发给一次性奖金。

〔2〕 国发〔1987〕99 号文件，指 1987 年 11 月 12 日发布的《国务院批转国家经委关于推动引进技术消化吸收和国产化工作报告的通知》。

〔3〕 “三百条龙”，指列入国家重点支持的三百个引进技术消化吸收和国产化一条龙项目。

定的困难。但是，国务院支持我们的国产化工作，在紧缩财政、信贷的情况下还是允许我们上一点新项目。最近国家经委加强充实了中国新技术开发公司，调入了十几个局长，给这个公司的主要任务是实现“三百条龙”和引进技术的消化吸收。这次他们都到会了，就是要和上海市、中汽联，在银行、财政部门的支持下，把国产化搞上去。

从中国轿车工业发展形势和需要来看，以“桑塔纳”国产化为基础来建立中国轿车工业的零部件生产体系是当务之急。今年8月12日，国务院在北戴河召开会议，决定要发展中国的轿车工业，成立了振兴汽车工业协调小组，姚依林同志担任组长。中国汽车工业是有很大发展前途的。在载重汽车方面，中型汽车满足有余；“缺重少轻”的情况也在逐步改善，我们已经引进了“斯太尔”技术〔1〕和其他重型汽车，发展起来是可以满足国内需要的；轻型的和微型的卡车也发展得很快。最缺的是轿车，轿车现在是靠吃老本。1984年、1985年进口汽车有些失控，1985年一季度以后加强了控制，国务院改变了审批办法，凡是进口汽车须集中报国务院审批。今年6月，李鹏、启立〔2〕同志嘱咐甘子玉〔3〕同志和我起草一个停止进口小轿车的通知，这样进口小轿车停止了，国产的又没有，怎么办？日子现在还能混两年，因为我们前些年进口了许多小轿车，但是对我的压力越来越大。我主管这个工作，许多部门来问我要小轿车，说北京吉普速度慢，上海“桑塔纳”标准低、数量不够，要求进口量很大。国务院领导同志

〔1〕“斯太尔”技术，指1983年12月17日，中国重型汽车工业联营公司与奥地利斯太尔－戴姆勒－普赫股份公司签订重型汽车制造技术转让合同，引进的“斯太尔91”系列重型卡车以及配套转向器和变速器等技术。

〔2〕启立，即胡启立。

〔3〕甘子玉，当时任国家计划委员会副主任。

已经意识到，需要大力发展国产小轿车。现在看来，发展轿车已成为振兴我国汽车工业的一个重要方面。

上海“桑塔纳”轿车国产化工作的意义有两个方面：第一个是引进技术需要消化吸收，第二个是发展轿车工业特别是建立零部件生产体系已成为当务之急。发展轿车工业应建立在我们自己生产的零部件基础上，不能靠散件组装，因为我们花不起外汇。这不是上海一地的问题，而是全国性的问题。

二、“桑塔纳”国产化工作的进展情况和这项工作的迫切性。

对“桑塔纳”国产化，上海市、中汽联已做了许多工作，特别是今年，这是不容易的。但这个工作还是远远落后于需要，我们抓得晚了。这个工作我们应自己做，不能只靠德国人，因为靠 CKD〔1〕他们照样赚钱，他们不会比我们着急。“桑塔纳”国产化工作取得了不少进展，但又存在不小难度，比广州“标致”、北京“切诺基”、天津“大发”难得多。尽管存在难度，可我们应承认，这个工作还是慢了。在今年以前，喇叭、天线、轮胎等的国产化率只有 2.7%，今年虽已达到 12.6%，但总的看来还是低。北京吉普国产化率是 17.8%，不仅经过鉴定，而且已停止向美国采购，这是扎扎实实的国产化。而上海 12.6%的国产化率还没有完全采用到汽车上去，只停止采购 6%，还须努一把力。我感到上海的同志要有危机感，我们没时间了，只有三年，三年内如果达不到 85%的国产化率，就有关门的可能。我不是危言耸听，因为“桑塔纳”车型有弱点，高不高、低不低，公务用车标准太低，私人用车标准太高。价格也没有竞争力，每辆 CKD 进口要花 9500 美元，卖出去要 1.69 万美元，太贵了。现在完全是靠行政干预，停止进口其他小轿车来维持“桑塔纳”，这样才供不应求。这

〔1〕 CKD，是英文 Completely Knock Down 的缩写，指以全散件形式进口整车。

次我和陈祖涛[1]同志去美国底特律，我看“桑塔纳”没有竞争力，比不上美国的，更不能和日本、南朝鲜的比。“桑塔纳”这个状况挡不住进口，对上海来说，喘息时间也只有三年了。上海同志在三年内必须奋发图强，实现“桑塔纳”的国产化，把成本降下来，不要外汇，这样才有竞争力，那时就是“一汽”和上海竞争了。所以现在国务院给上海两个框框：第一，进口 8.9 万辆散件是合同中定下来的，买完这 8.9 万辆就不再买了，因为我们没有外汇；第二，每年准许上海生产轿车的数量按国产化率递增，不能无限制地搞 CKD。现在搞 CKD 可能赚钱，但国家没有外汇，不能这么搞。所以对上海同志来说，搞国产化只有破釜沉舟，背水一战。上海同志在全国的支持下，认真地搞，一定能搞得好。

我们搞“桑塔纳”国产化不只是为了一个“桑塔纳”，我们是以“桑塔纳”为基础，统筹安排中国轿车工业零部件生产体系。要把这个问题放在全国的位置上考虑，这是完全必要的，也是完全可能的。这次我到美国考察，有这么几点感想。我一到纽约，几个大银行都请我去，他们把美国轿车工业的发展以及同世界各国合作的情况都收集起来给我。他们为什么这么做？因为今后中国发展轿车工业需要筹资就会去找他们。他们不光懂银行，也懂技术，有一批专业性强、懂经济的人才。我举一个例子：联邦德国大众汽车公司在美国的厂关门了，我问德国人是什么原因，他们只告诉我是由于汇率的变化，他们也不太清楚。但美国的银行家能详细地告诉我各种各样的原因，除了汇率变化外，还有成本高、车型不适应美国需要等，分析得清清楚楚。我们到了底特律以后，得到这么一个信息：现在世界轿车工业的市场竞争越来越激烈。福特汽车公司告诉我们，到 1992 年将有 700 万辆小

[1] 陈祖涛，当时任中国汽车工业联合会理事长。

1987年12月25日，中共中央政治局常委、国务院副总理姚依林，中共中央政治局委员、上海市委书记兼市长江泽民和朱镕基出席“上海—桑塔纳”轿车国产化工作会议。

轿车的剩余生产能力。他们的战略是：高质量、多品种、低成本。高质量是指提高技术水平；多品种是指看准市场需要，选准汽车品种；低成本的最主要办法是国际化，把厂子搬到国外去。所以，我们发展汽车工业具备很多条件，要和他们合作。我们把生产轿车零部件的体系建立起来后，虽然现在不能出口整车，但可以大量出口零部件，它成本低。原来“二汽”认为以出口为主恐怕不行，但到美国看后，美国的市场是比较开放的，另外同美国汽车公司合资经营出口美国，他也有一半利益在内。上海“桑塔纳”的技术标准不低，如果我们首先通过上海“桑塔纳”的国产化，把零部件生产点定下来，引进一些技术，配套改造，使之达到国际标准，这样，“一汽”、“二汽”及全国的汽车厂都向我们靠拢，并且可以出口。建立一个这样的零部件生产体系，我想至少有三点要求：

一是一定要高标准、高质量，绝不能搞“瓜菜代”。我们搞轿车一定要搞国际水平的轿车，否则不能与进口汽车竞争。我国现在是个开放的国家，再搞老“上海”牌，有人要吗？不能搞行政命令。因此，这个体系必须配套引进技术，不能把它看得太简单。听说“二汽”化油器厂已从日本引进了技术，但为了给上海大众生产化油器配套，还必须引进一些软件，还要几十万美元。看来将来有必要组成共同体，看看缺什么工艺、技术，或自己开发，或引进。靠手工不行，那不是现代化轿车工业。

二是要专业化、大批量。没有大批量，成本降不下来。成本降不到进口价格，国产化还有什么意义？

三是必须考虑国内外市场，不能只考虑“桑塔纳”，还要考虑“一汽”、“二汽”，因为国务院已决定“一汽”、“二汽”、上海大众为轿车生产基地，同时还要考虑出口。所以，我们最近一直重视与德国大众谈判出口零部件。最近大众汽车公司来了一位董事，我们谈了这个问题，提出一批可以出口的清单，但他的价钱出得太低。有一样东西我们觉得还可以，叫机油滤清器，要500万个，每个出价2.7马克，也就是1块多美元，这么一笔，就是几百万美元。上海可以做，我们做他一大批，这对零部件批量生产大有好处。大家需要从长远利益来看这个问题。

建立这样一个体系，应有一些原则：

第一，尽量利用我们现有企业的生产能力，特别是我们的国防工业能力，在现有企业内搞，尽可能不要布新点。我们一定要搞一个

“国家队”，搞一个“中华”牌。江泽民同志一再强调不要搞“上海”牌，要搞“中华”牌。不是光在上海搞，而是要放眼全国。我想中汽联的同志可以统筹全国，和上海的同志妥善安排，把各方面的力量集中起来，又快又省地建立这个体系。

第二，全国招标，择优选点，需要竞争。你说你能做，但要价高，我们又没那么多钱，那就允许重新在全国招标，然后择优选点。所以我们想，这一次能谈得下来就谈下来，包括成本、资金的投入，国家补助多少和自己投入多少，你能够提供多大批量，质量是否符合要求，今后的进度是否能符合我们的需要等，符合条件，那就签订协议、合同。在这里定下来，那就进了“一条龙”，享受国家给你的五条优惠政策了。如果做不到，会后就全国招标。但是我要讲，定点不是终身制。当然，我们既然定了点，买卖双方必须承担义务。如果我试制出来，你又不要了，那不行。但合同不能定得很长，也不能定死，也就是说，总得有些竞争，如果别人不要国家一分钱，做出来的比你的还便宜，那你也不能禁止我去采购他的产品。

第三，价格要合理。大家要有战略眼光，从长远角度来考虑这个问题。价格是个很大的问题，而且大家心里还没有底。批量小、价格低，有些厂家的确有些困难，但我想这个价格一定要定下来，否则签订的协议就成了一纸空文，到时候都可以推翻。从双方来讲，上海大众要把散装件的入库价换算成人民币，一定要如实报，也不能再高了，否则上海大众的成本也下不来。我知道就是这样的价格，许多厂家还是承受不了，特别是考虑到投入资金，国家虽然能给你补助一点，但你还得还贷款、付利息，成本也会加高。我希望各位厂长要有战略眼光，要考虑到将来发展的远大前途。建立这样一个中国轿车工业零部件生产体系是光荣的历史使命，进了这条龙、这个体系，将来是会发财的。将来整个经营战略会有一个很大的转变，你的厂就会跨进世界水平的行列。要克服暂时的困难，否则价格谈不下来。我要求把明年国产化部分的价格都谈下来。

第四，要集资来建设，共担风险，共同发展。就是刚才讲的，你要真正生产出高水平、国际水平的零部件，如果不投入，就靠你现在的设备、工艺，我估计你做不到。国防工业部门已经引进了一些技术的工厂可能有一部分能做到，但相当大一部分也做不到，还要投入。投入的资金，我们采取集资的办法，也就是说，你自己要拿出一部分钱来，国家也拿出一部分。国家已下决心在这方面花钱，但财政、信贷紧缩，没那么多钱，只能补助一点，特别是外汇很困难。上海能解决一些，上海之外的地区解决不了。我希望同志们回去以后向你们的负责同志汇报，请他们把这个任务列入优先地位，把你们的留存外汇花在这方面。外汇有没有呢？我看多得很。现在各地引进冰箱、洗衣机生产线成风，外汇哪里来的？你们别搞那些东西了，再搞就是积压。希望大家把外汇资金用在轿车工业上，这个是中国将来真正的工业支柱，是支柱产业。希望同志们采取集资的办法来共担风险，共同发展。

第五，要签订合同，组成一个共同体，承担经济责任，实行奖惩措施。我是希望这次所有到会的兄弟企业组成一个中国轿车工业零部件生产的共同体，不限于“桑塔纳”。这个共同体不改变现有的隶属关系，这也是一个企业结构改革。组成一个集团，可以松散一些，也可以紧密一些。在这个共同体中，大家承担一些共同的命运，这对于大家都有好处。北京吉普就有这么一个共同体，美国、日本也都是这么搞的。共同体经常开会，交流经验，进行合作。合同一定要有约束条款：一是要有明确的质量标准和技术认证条件；二是要有明确的价格条款和金额；三是要有对配套进度和配套数量的明确要求，对试制和认可、批量供货和技术改造的进度都要有明确的规定；四是要有资金和外汇的保证条款，并落实到责任单位；五是要有明确的奖惩条款，和企业的经济利益挂起钩来。只有这样，才能真正做到奖优罚劣、各负其责，我们才能说“桑塔纳”的国产化真正落到了实处。如果我们的合同条款中没有这些东西，我看是靠不住的。当然，我们也不可能要求这次会议把这些东西都做到。我们只是提出一个要求，至少将明年要实现的国产化项目按这个要求把合同协议签订下来。

我们想提出这样的目标：今年“桑塔纳”的国产化率是12.7%，明年力争达到30%，再使一把劲，后年达到50%。我希望不要等到1991年，1990年就达到85%以上。要快点，要赶快改变“桑塔纳”在大家心目中都是进口的形象。为了实现这个目标，有两个问题要注意：一是组织推动监督检查。谁来做这件事情？让国家计委、经委、机械委及中汽联几个部门和上海共同组成一个联合组织，监督这个计划的实施，协调解决这个工作过程中的困难和关系。特别是国家经委，因为他主管引进技术的消化吸收。这是一个很大的系统工程，需要密切注意进度要求。我认为这个问题很重要，不能一开完会全散了，上面没人来抓，这样不行。如果我们是认真踏实地把这个工作抓下去，那就得一个月一个月地检查进度，及时协调解决问题。二是开展竞争，在横向配套和纵向配套之间开展竞争。什么是纵向配套？就是整个“桑塔纳”汽车零部件的35%是由上海大众自己来解决的，比如发动机、车身。其他65%是由上海大众以外的协作厂来生产配套的，属于横向配套。现在看起来，纵向配套落后于横向配套。初步计算已落后于合同的进度一到两年了。美国通用汽车公司建立一个厂只要三年，而我们这里已过了两年，纵向配套还什么也没有，当然工作还是做了许多。上海大众的同志们要争气，否则你们自己上不去，国产化是完不成的。前一段丧失了许多时间，原因很复杂，不要责怪哪一方，大家都有责任。那天听刘炎生[1]同志汇报：德国人不了解上海实际情况，进度拖慢了。针对这个问题，我们要做工作。这次我与他们的一个董事说：横向配套不行，找我；纵向配套不行，找你。在责任方面要相互承担、相互支持，但德国大众、上海大众的责任也要划清楚。

总而言之，只要齐心协力地把这件事抓到底，我们是可以把“桑塔纳”国产化工作顺利完成的，也是可以把中国轿车工业零部件生产体系顺利建立起来的。

〔1〕 刘炎生，当时任上海大众汽车有限公司生产规划部中方经理。

把解决市民副食品供应作为工作的突破口 *

（1988 年 2 月 10 日）

这次来上海工作前，我向李瑞环同志请教了两次。李瑞环同志认为，干好工作很重要的一条是要振奋人的精神，增强人民的信心。人民的信心鼓起来了，相信你了，愿意与你合作了，那事情就好办了。否则，干什么都没人响应。他的经验是要选好突破口。上海要从城市建设入手作突破口，难度太大，欠账太多。我想来想去，还是田纪云同志讲的首先抓“菜篮子”可行。我看，除了猪肉，其他副食品上海搞到 80%至 90%自给并不是很难的事。北京的鸡、鸡蛋供应搞得好，现在限量供应主要是制止外地抢购。养鱼是天津搞得好，李瑞环同志提出“苦干三年，吃鱼不难”，500 亩一个大鱼塘，搞了 10 万亩，现在人均 30 多斤鱼，既保证了供应，又使农民得到了好处。上海苦战几年，吃鱼也是不难解决的。猪的问题还要做一下对比和研究，是从外省市调入合算还是上海自己养合算，其他副食品都可以较快地搞上去。

第一，抓好副食品生产基地所需设备的生产。建设副食品生产基地需要一些设备，这对上海来说，在资金、技术上都是可以办得到

---

* 这是朱镕基同志在听取上海市农业委员会负责同志工作汇报后讲话的要点。

1989年3月21日，朱镕基与出席七届全国人大二次会议的中共中央政治局委员、天津市委书记兼市长李瑞环在大会休息室交谈。

的。一部分可以进口，一部分可以自己搞。搞好了，还可以供应全国。但是，现在金山县农牧设备制造厂的产品技术水平太低，工业部门要把这件事抓一抓。

第二，改进副食品供应体制。解决副食品供应，除了抓好副食品生产基地的建设之外，还有一个供应体制的问题。我向来主张要从生产抓起，出口也是这样，不抓生产，没有东西，出口还是空话。当然，上海有其特点，财贸系统的组织比较严密有效，但是，也应该学习天津和北京的经验，对流通体制加以改革，划分职能，明确责任。这是一个大题目，要认真加以研究。

第三，抓好副食品加工和储藏。要搞好副食品的供应，还要设几道防线：搞好农田基础设施建设，增强抗灾能力；抓好对副食品的加工和储藏工作，在淡季、旺季以及灾年、丰年之间调剂余缺；多品种、多渠道，保证副食品均衡上市、均衡供应。不能菜一受冻，市场供应就骤减，价格就暴涨。要稳定市场，你手里得有点东西。要搞一点加工厂，东西多了就开工，少了就停工，算总账还是合算的。以后还可以发展成食品工业，出口创汇。

关于利用外资和发展外贸的意见*

（1988年2月12日）

一、要大胆放权。

现在我们的一些政府机构管了许多不该管的事，既牵制了自己的精力，又往往由于对情况不明而误事。现在搞承包，项目的效益怎么样、有没有承受能力，承包人自己最清楚，搞坏了他自己负责任，我们不要去过多地干预。市纺织局梅寿椿[1]同志给我开了个单子，上面列了27个合资经营项目，已和外商谈好，但市有关部门却迟迟不批准，外商都到广东去了。这多可惜！我的意见是，可以放手让他干，如果干坏了他自己要负责。我认为，上海干部的思想素质和管理水平是好的，应该肯定，他们是不会乱来的。市农委汇报时提出，要求把500万美元和1000万元人民币以下规模项目的审批权下放给区县，综合部门要放权。中央领导同志要求，上海要有100亿至200亿美元的外商直接投资，现在只有18亿美元，要达到这个水平，不放权不行。尤其是审批权，放下去嘛，让他们自己定，但要上报备案，综合部门实施监督。

---

* 这是朱镕基同志在听取上海市对外经济贸易委员会负责同志工作汇报后讲话的要点。

〔1〕 梅寿椿，当时任上海市纺织工业局局长。

二、要以法治代替人治。

现在基层搞一个项目确实很难，有人统计过，要盖 109 个图章。有的事，一会儿说行，一会儿又说不行；这个人说行，到那个人又说不行了，没个依据。要用法来管理。你先把项目的情况和有关法律法规对照，依法办事，不要盖那么多图章。但是有一条，如果事后有关部门在检查时发现项目情况不符合法律法规，就重重地罚你。我们要搞法治，不要搞人治。现在是人治，官的权力太大了，想卡就卡，提高效率就是一句空话。

1990 年 8 月 23 日，朱镕基视察上海商品交易会预展。左二为市政府财政贸易办公室主任张俊杰。

（吴文骥摄）

三、要把政策放得更宽一点，调动各方面搞“三来一补”[1]的积极性。

为了促进“三来一补”、大进大出，政策上要优惠一点。有些方面不能照搬广东的做法，因为广东搞“三来一补”已经有了一定的基础，他在外汇分成比例上对企业可以紧一点，而我们才刚刚开始，所以比广东的现行政策要更优惠。一开始就要给企业以足够的刺激，给以重利。要一针下去让他跳起来，否则没人愿意干。在“三来一补”的外汇分成比例上，除上缴中央的外，头两三年地方政府可以一点不留，全部给企业。区县局可以留一点，但比例不要高。

四、要抓紧搞好外贸承包。

外贸包干很重要，要尽快落实到基层。光包到外贸公司还不行，还要包到工业企业。工业企业的承包要把上缴利润和出口创汇结合起来。我看这里有三种情况：第一种是工业企业直接对外。对那些有权直接对外的工业企业，包括企业集团，要把出口创汇指标分解出来，由他们承包。第二种是工贸结合。这里又分三类情况：一是已有的工贸公司和正在组建的工贸公司，创汇指标和补贴指标等也都要明确下达给他们。有些产品出口，不搞工贸结合不行，要抓紧组建新的工贸公司，外贸方面要调些懂行的人到这些新的工贸公司中去支持他们开展工作。二是工业企业或企业集团自负盈亏，委托外贸公司代理，创汇和补贴指标也下到工业企业。三是工业企业（集团或行业）和外贸公司合并、联合，可以搞试点。第三种是外贸公司承包，收购工业企业的产品。这也要工贸双方签订合同予以落实，外贸公司承担创汇任务，工业企业承担拨交量任务，双方签订包括品种、质量、数量、价格的合同，共同承包。

---

〔1〕“三来一补”，指来料加工、来样加工、来件装配和补偿贸易。

转变思想观念，上海就大有希望*

（1988年2月27日）

我在国家计委、经委工作时，对上海就很关心。可能旁观者清吧，我觉得，如果不转变思想，不提高认识，上海要振兴很难。但光着急，思想问题不解决不行。我看有三个问题要解决：

一是满足，有点沾沾自喜。平时一讲，就是我这个企业比过去如何、在全国如何。情况可能确实是这样，但这种地位已岌岌可危了，有的已被别人超过了。贵州过去销上海货，现在被广东货取代了。企业年奖金已发到七八个月工资，有的奖金、工资各占收入一半，这是其他地方没有的。总的感觉是上海奖金不低，日子过得挺舒服。

二是埋怨，怨天尤人。企业不积极搞技术改造，后劲堪忧，厂长不着急。“给我广东政策，我会搞得更好”，这种情绪很普遍。

三是保守，故步自封。跟他讲，不正面顶，回去后又说行不通。我具体说的是市农委，三年解决副食品供应问题，不错的，工作也做得不错。但根据上海条件，加上包干，力量动员起来，是否可以提前完成？可以研究。我到县里去调研时，一些同志在路上讲得很好，非常赞成，说可以提前，但昨天的汇报反映不出来。各县都反映搞得上

---

* 这是朱镕基同志在中共上海市委常委会议上讲话的主要部分。

去，只是怕菜多了不收。解决城市供应问题，“大路菜”就是要保证供应，价格要保证，品种要多样化。当前城市菜价完全放开是不行的，“大路菜”还是要计划生产，安排面积，签订合同，保证上市，好像市农委的同志不太听得进去。

上面这三个问题要解决，否则将阻碍上海实施沿海地区经济发展战略。上海人很可爱，管理水平高，讲话逻辑性也强，但是思想观念需要转变。

第一，一定要从产品经济观念转到商品经济观念。江苏一个采购员可提成1%至1.5%；上海太低，提到1%，不超过江苏，也可以嘛。

第二，一定要把内向型经营思想转到外向型经营思想。现在有些干部的思想总是搞内向型经营，觉得保险。我一来，就抓了外贸，搞了三个集团，否则不解决问题。

第三，一定要把过去吃中央财政的思想转到包干思想。包干后会发生巨大变化，大家尚无体会。区县包干会有很大潜力。只要上面少干预一点，让他包死，他可以大有作为，办法有的是。

从这三方面转变思想观念，上海就大有希望。

工作中有不同意见，要展开讨论，我欢迎反驳我的意见。当面同意，有意见也不反驳，事后又不执行，这就不好了嘛！有的单位对我讲的，根本不当一回事，把我交代的事当作耳边风，说到底，就是“你说你的，我们工作做得不错了，你总来指手画脚，挑毛病”。这不行！遇事我要问到底的，你不给我办的事，我是没有完的，每次开会我都要提。

搞活上海金融，支持经济振兴*

（1988年3月2日）

没有银行的配合和支持，是很难办成事的，将来的趋势是小财政、大银行。金融不搞活，上海就没有希望。市长能调度的资金是有限的，银行是大老板。各地一般都是银行的楼最高，过去上海也是这样，现在的市政府办公楼就是以前的汇丰银行。事实上，国外的大资本家没有几个是完全靠自己的资本起家的，他们靠的是银行贷款。上海目前困难很多，希望银行的同志积极支持和帮助上海克服困难。

一、周转外汇要赶快放下去，让它发挥效益。

手里的外汇要尽快放出去，尽快投入使用。现在，一搞大进大出，谁都到国际市场上去进口原材料，价格必然上涨，我们要看到这一点。原材料进不来，上海还搞什么大进大出？我们和李岚清〔1〕同志已经谈妥了，对外经贸部从国家统一经营的九种商品中切一块给上海，由上海自行进口。我们要抓紧落实。此外，企业用于周转外汇进口原材料的配套人民币资金，银行方面也要尽早安排。

听说每年中国银行总行下达给上海的外汇贷款指标往往用不完，

---

* 这是朱镕基同志在听取上海市银行系统工作汇报后讲话的要点。

〔1〕 李岚清，当时任对外经济贸易部副部长。

1988 年 10 月 20 日，朱镕基在中国工商银行上海市分行静安寺储蓄所考察工作时看望职工。右一为市政府副秘书长、办公厅副主任兼研究室副主任施惠群。

其实上海的生产是有潜力的，外汇用不出去的关键是思想不解放，项目审批手续太复杂，企业也缺乏积极性，坐在那儿干等。上海不缺乏综合经济的能力，可是就是搞不活。要下决心改变这种情况。

二、银行在信贷政策的掌握上要灵活一点，要有一点战略眼光，来支持上海经济振兴。

现在在银行贷款的投放上有些提法值得研究：一是要重点投向基础工业，压缩加工工业；二是要支持短线产品，压缩长线产品。这些方针当然是正确的，但是在执行过程中也要有所区别，要灵活点。比如，基础工业和加工工业的问题，我看上海不能不发展加工工业，当然是发展深加工。在长线产品和短线产品问题上，我们也要看到有些产品从全国看是长线，但是上海的产品有竞争力、有潜力，能进入国际市场，别的地方肯定搞不过上海，那么这种长线产品上海就不一定要压缩。当然，主要是搞产品质量、品种，更新换代，而不是上基本建设。从长远看，这对整个国家的经济发展和产业结构调整也是有好处的。

三、要压缩流动资金，提高资金使用效率，更要注意使企业保持活力。

由于各种原因，过去上海主要是原材料靠分配，产品靠调拨，占用资金少。现在转向商品经济，企业流动资金占用额逐年上升，因此，有必要规定企业压缩流动资金的任务，加速资金周转，以促进企业提高资金使用效率。但是，我们更要注意使企业保持活力。现在，企业普遍搞了承包，生产积极性很高。生产上去了，企业留利也会增加。在这种情况下，银行方面可能马上会从企业抽走流动资金贷款，要企业完全以自有资金抵补。我看，这不是个办法，还是要让企业缓一口气。企业真正搞活了，生产发展了，银行资金的潜力会更大。要从长远的、辩证的角度看问题、做工作。

加快实现大规模集成电路国产化*

（1988年3月11日）

上海贝尔公司S－1240程控交换机的国产化既符合中国的国家利益，也符合上海贝尔公司的利益，双方的利益是一致的。上海贝尔公司在发展过程中，曾经遇到过两个困难。第一个是技术上的困难，开始时只开通了合肥、青岛局，这种状况使上海贝尔公司声誉一度不怎么好。也由于这第一个困难，引起了第二个困难，即上海贝尔公司的订货很少，大量的外国交换机趁机打入中国市场。订货不足又造成了产品成本高，缺乏竞争力。应当指出，在你们最困难的时候，中国政府尽了最大的努力采取一系列措施来帮助你们。你们现在仍很困难，要做到在技术上、价格上占有优势还有很长的一段路要走，所以中国政府仍然要帮助你们。但是，光有中国政府的努力是不够的。我们今后要共同合作，解决所有的技术问题，让用户踊跃订货。同时，你们还必须降低成本，这里就有个很大的问题，即国产化。只有实现了国产化，才可以减少使用外汇，降低成本。中国的市场是很大的，只要我们真诚合作，共同努力，上海贝尔公司还是能占领市场的。

---

* 这是朱镕基同志在中国与比利时合资创办的上海贝尔电话设备制造有限公司国产化现场会上讲话的主要部分。

我完全同意艾伯乐〔1〕先生的意见，就是国产化的元器件必须是高质量的。你们要把标准毫无保留地告诉我们，我们就按这个标准国产化。“桑塔纳”轿车的国产化就是这么搞的，最后国产化了的零部件质量都超过了联邦德国方面要求的标准。

国产化的核心是专用大规模集成电路，所以双方要对贝岭公司〔2〕的成立尽最大的努力。张劲夫同志 1 月份召集国务院有关部门负责同志开会，对这个问题进行了协调，确定了对上海贝尔公司在财务上给予支持。现在的问题是尽快落实。今天市里所有的权威人士都在场，既然大家一致同意，就得加快建设。贝岭公司的进程这样慢，怎么行呢？我们光在嘴里说要改善投资环境而不采取切实措施是不行的，关键还是要办好现有的合资企业。现在上海比较有影响的合资企业无非是上海大众、上海贝尔这两家，因此必须办好！这里，我也要告诉比利时朋友：第一，上海贝尔公司是中国和比利时友好合作的象征，比利时前首相和中国领导人都曾关心过这个企业。这个项目也是以大规模集成电路的技术转让为前提的，这一点希望你们能保证做到。第二，在初期，国产化元器件的批量小，一下子做到与国际市场价格相同是不可能的，应有一个价格曲线。但是我相信，前景是很好的。你们肯定能从国产化中得到好处，即使价格暂时和国际市场价格一样，也可以省下运输费、手续费等，算总账还是合算的。贝岭公司的合资合同 4 月底无论如何要签约，希望你们能做一点友好的让步。

除了占总成本 47%的专用大规模集成电路外，其他零部件也要尽可能地实现国产化。上海贝尔公司要负责提出要求标准，帮助我们

〔1〕 艾伯乐，当时任上海贝尔电话设备制造有限公司总经理。

〔2〕 贝岭公司，指由上海贝尔电话设备制造有限公司同上海无线电十四厂合资设立的上海贝岭微电子制造有限公司，于 1988 年 9 月正式成立，生产供应上海贝尔公司使用的集成电路。

来实现国产化。中方要成立一个国产化领导小组来推动，并由仪表局负全责来解决这个问题，直到最后。对仪表局来说，你们不要想赚钱，就是赔钱，你们也得干。我给你们的国产化期限不是五年而是三年。要动员上海所有的科技力量来攻关，一旦上海贝尔公司占领了中国的程控电话市场，你们就可以赚钱了，眼光一定要放远一点。

团结一致，齐心协力抓好经济工作*

(1988年3月21日)

当前上海的经济形势，同全国一样是好的。经济发展基本上实现了“既要稳定，又要增长”，尽管速度比较慢一点。由于种种原因，上海目前还处于比较困难的时期，还没有能达到“既要有较好的效益，又要有较好的速度”，但是我们还是应该相信自己的力量，有信心来扭转困难的局面，利用中央给予我们财政包干〔1〕的有利条件，走出困难的谷底。这个条件不可多得，全国仅广东、上海两家。上海财政包干以后，好多省市要求包干，中央都没有同意。这对上海是个有转折意义的变化。现在许多同志的思想还没有转过来，还是停留在吃中央“大锅饭”的水平上，要赶快转变观念。我们还未走出困难的谷底，但走出谷底、进入“柳暗花明又一村”的局面，相信不会太远了。

当前困扰我们最急迫的是两个问题。一个是肝炎〔2〕。屋漏偏逢连

---

* 这是朱镕基同志在上海市党员负责干部会议上的讲话。

〔1〕 财政包干，1988年2月21日，国务院原则批准上海市《关于深化改革，扩大开放，加快上海经济向外向型转变的报告》，同意上海市从1988年起实行财政“基数包干，一定五年”的财政管理体制，包干上缴基数为105亿元。

〔2〕 肝炎，1988年1月，上海因部分市民食用带肝炎病毒的毛蚶，出现甲型肝炎的暴发流行。至3月中旬，上海全市甲肝流行得到控制，累计甲肝患者达29.2万人。

夜雨，本来已经很困难了，又加上甲肝流行。但是经过全市人民团结一致的拼搏，现在已经取得了基本的胜利。这是很不容易的。泽民同志为此花了许多心血，在北京开会时，天天给谢丽娟〔1〕同志挂电话、做指示。谢丽娟同志与有关部门同志也都认真负责地做了很多工作。尽管这次肝炎流行有许多教训可以吸取，但处理好这件事本身说明上海人民有着高度的组织性和管理素质，具有应对突发事件和临危不乱的能力。

另一个问题是物价上涨，刚才黄菊〔2〕同志已做了说明。我想市委、市政府有决心，会尽一切努力，实现今年物价的基本稳定。3 月底以前，非调价不可的几种商品的调价方案都将出台完毕。这对上海全局还是有利的，可以扭转企业亏损。但是，对于那些未经市物价局批准，违反物价管理权限，趁机乱涨价的单位，要由市物价局、经委、财贸办、工商局严肃查处。4 月份准备实行按人均定量的副食品补贴，由暗补改成明补。测算要搞细，办法要周全，做好一切准备工作，4 月 2 日泽民同志回国后，由他来主持决定。希望这个措施能产生积极的效果。

当然，今年物价能不能稳定、形势能否继续好转，关键还在我们自己的工作。我今天想提出当前需要团结一致、齐心协力去办好的几件经济工作。抓好了，今年上海的经济形势，就会既有较好的效益，又有较好的速度，物价也一定会基本稳定。如果不是这样，而是怨天尤人，互相指责，精神涣散，号令不行，我看即使神仙来了，上海也无法扭转困难局面。

下面，我想讲八件具体工作：

---

〔1〕 谢丽娟，当时任上海市副市长。

〔2〕 黄菊，当时任中共上海市委副书记、副市长。

第一，迅速把生产抓上去，变下降为增长。

现在生产情况不好，这比什么都使人着急。生产上不去，上海经济无法振兴。今年一二月份看起来工业生产增长5%，实际上是乡镇企业增长，而国营企业是负增长，预算内地方工业产值下降0.7%，利税下降11.5%。3月上旬仍然没有好转，仍在下降，其中主要是市冶金局、化工局、纺织局、二轻局的下属企业下降。我们看看别的省市，1至2月，广州增长23.6%，北京增长14%，天津增长8.8%。为什么别人能快我们不能快？确实应找找主观原因。1至2月，我市财政收入下降4.9%。今年是财政包干第一年，这个下降趋势很值得我们警惕。现在包干了，增产增收，都是我们自己的，你垮下去了，大家都没有好处。希望市经委与各工业局无论如何要振作精神，狠抓生产。

首先，要把拳头产品生产抓上去，3月份不能再下降，二季度开始要把一季度丢掉的补回来。无非是一个原材料问题嘛，但现在应该说不能完全归结于原材料。春节期间，好多部门的同志加班，把原材料问题搞清楚了，去北京汇报，国家把储备都拿出来借给上海了，使我们的生产可以维持到四五月份。有的由我们拿外汇去国家物资储备局买，这比我们自己去买好多了。我们自己买不到，现在拿外汇可以买到了，包括冷轧薄板、马口铁、矽钢片、橡胶、纸浆等等，这是国家对我们极大的照顾，是依林[1]同志亲自交办的。但我们自己不能老是吃“皇粮”，还得靠自己想办法。市纺织局现在组织五路大军外出找原料，我说方向对头。现在要赶快进口，赶快搞协作，赶快把采购人员动员起来，自己去找食吃。如果生产能力放空，我就找你们局长、厂长，客观原因不要多讲了。我一来就抓“桑

〔1〕 依林，即姚依林。

塔纳”轿车。这次李鹏、依林同志亲自过问，同意我们今年生产1.5万辆，比原来多生产5000辆，财政收入可以多增加3个亿。希望市经委、搞工业的同志要有点紧迫感，要抓住类似的产品不放，出现问题要下去协调。市计委确定抓16种拳头产品，市经委抓60种拳头产品，你们得认真抓，要狠狠抓，这是解决当前困难最重要的一招。其次是要加强劳动纪律。现在劳动纪律有些松弛，当然物价、肝炎问题有很大影响，但还是要多做些思想工作，不要老议论物价问题。把副食品生产抓上去，菜就有了，物价就稳定了。抓一抓劳动纪律，把积极性调动起来，无论如何要把生产抓上去。

需要指出的是，外贸出口情况比较好，1至2月，外贸出口总值增长18%，出口商品进货总值增长11.6%。但是也要提出要求，出口是增长了，大进的问题还没有解决。现在我们有外汇，但进不来原材料。要向外贸部门同志提要求，赶快进口原材料，行动要快，签证我们想一切办法去解决。原来有九种原材料是中央统一进口的，现在进口权下放了，上海可自行进口，还不赶快动作？除了广东以外，全国谁有这样的条件？市外经贸委的同志要赶快动作，特别是纺织原材料，市纺织局原计划进口3.3万吨，现在计算需要进口8万吨，不出一身汗进不来。市纺织局与外贸部门无论如何要衔接好，上海出口的三分之一靠纺织，这是我们的生命线。我们5月准备开“双增双节”〔1〕动员大会，动员企业把生产搞上去，把节约抓起来。现在各个企业潜力很大，经济效益要靠管理，不是靠涨价。

第二，认真控制消费基金的增长，严厉压缩机关事业单位的社会集团购买力。

这个问题很值得注意。1至2月，工资性支出包括发奖金，增

---

〔1〕“双增双节”，指增产节约、增收节支。

长18.6%，社会商品零售总额增长21.6%，而社会集团零售额增长31.6%，虽然有些客观原因，如受肝炎影响增加了药品补贴、加班费、各种临时开支等，但终究增长幅度太大了。公琦[1]同志开了会，做了部署，要加强督促检查。发奖金一定要促进生产、提高效益，而且要防止平均主义。滥发奖金是浪费，有害无益，并不调动积极性，只会促使市场供应紧张。

第三，狠抓副食品生产基地建设和蔬菜禽蛋购销体制改革。

刚才讲过，如果我们不抓紧副食品生产基地的建设，现在暗补改明补，搞不好明补又要回到暗补。最近我们开了市农村工作会议，已经提出来要加速、提前实现副食品生产基地建设的三年计划。等三年，上海人民等不及了。区县同志的积极性很高，他们都认为生产有希望，担心的是流通体制，怕生产多了又出现“卖菜难”、“卖猪难”。所以，对上海的副食品购销体制一定要进行改革。

第四，层层落实承包经营责任制和基数包干。

吕东同志来帮助我们搞承包，他回去以后，《人民日报》3月1日头版发了一个消息，把我们的承包说得很好。实际上，我们没有那么好。这件事无论如何要落实。最近，市经委、财政局抓得很紧，1000多个企业已签了合同。要继续抓落实，要注意三点：

一是要落实“三包一挂”[2]。全国都是“双包一挂”[3]，我们加了“一包”，包出口。生产企业要定出口的拨交量，工业企业与外贸公司

---

〔1〕 公琦，即叶公琦，当时任上海市副市长。

〔2〕 “三包一挂”，指1988年2月16日上海市政府批转的市经委、财政局、劳动局《关于完善全民所有制工业企业承包经营责任制的意见》中提出的：包上缴利润、包技术进步、包出口创汇，工资总额与经济效益挂钩。

〔3〕 “双包一挂”，指1988年2月27日国务院发布的《全民所有制工业企业承包经营责任制暂行条例》规定的：包上缴国家利润、包完成技术改造任务，实行工资总额与经济效益挂钩。

签订出口合同，这件事无论如何要下决心实现。工贸结合的几个试点一定要抓好。谁在这件事上不积极贯彻，要追究谁的责任。工贸结合不搞好，上海怎么大进大出？

二是要引入竞争机制。一定要把 101 厂抓好。我希望市经委和叶龙蜚〔1〕同志一定要好好把这个点抓好。这一炮打不响，今后引进竞争机制的文章就做不好，要下点功夫研究这个问题。

三是区县财政包干也要层层分解，不能就到区政府、县政府为止。鲍友德〔2〕同志工作深入，一个区、一个县地去对话，对话完了一两天内就要赶快下达这个基数，要求他们层层落实到基层。

第五，切实贯彻沿海地区对外开放工作会议的精神，改善投资环境，下放审批权限，实现“一个机构、一个窗口、一个图章”对外。

上次在北京开会，是李肇基同志去的，田纪云、谷牧同志主持的沿海地区对外开放工作会议，对上海寄予很大的希望。谷牧同志讲，今后上海一定要成为太平洋西岸最大的城市和最大的金融、信息中心。今年 2 月份，谷牧同志对我交代，上海一定要改善投资环境，简化审批手续，“一个机构、一个图章”对外。但现在看起来阻力重重。我看到一些简报，有些部门总觉得一放权，天下就大乱了，有无穷的忧虑。上海现在吸引外资只有 18 亿美元，远远落后于广东。中央领导同志要求我们吸收 100 亿到 200 亿美元的外商直接投资，现在这种状况能行吗？我接到几封人民来信，反映这两年已经有多家外商，包括原来培罗蒙西装店的老板，都要求和我们合资经营，帮助我们在香港搞一个门市部，扩大出口，但是我们有关委办卡了两年也没给人家答复。几十万美元的事，你卡他干什么？奉贤县一封人民来信反映，

〔1〕 叶龙蜚，当时任上海市仪表电讯工业局局长。

〔2〕 鲍友德，当时任上海市财政局局长。

去年报了五个项目搞“三来一补”〔1〕，我们有关委办一年多也不给人家答复，按照规定你20天就应该答复人家。“三来一补”你怕什么？我和泽民同志在市农村工作会议上已宣布了放权，“三来一补”项目完全由县政府审批，500万美元以下的利用外资项目完全由县政府去审批，但是如果城建、环保、规划部门卡在那里，那我们讲的就都是空话。我一直讲，城市现在有总体规划，有分区规划，详细规划由区县为主去搞嘛！他会同你规划局搞，你帮助他搞嘛！最后报给你规划局审批，你批准了由区县自己去执行嘛！不要每盖一幢房子都要你规划局来批。有什么可怕的？乱不了，都在你眼皮子底下。对这件事，我们应该改变工作方式，要采取到你那里备案、由你来实施监督的办法。不要怕乱，当然，我也不希望乱。防乱的办法是监督，你拿出法规，实行法治，就不会乱。有些同志有无穷的忧虑，为什么不忧虑上海的开放？上海这个状况能吸引外资吗？最近，小平同志指出，实施沿海地区发展战略，要放胆地干，加速步伐，千万不要贻误时机。我们上海已经贻误了很多时机，现在已经财政包干了，我们不能再贻误下去了。大家为什么不着急呢？这个国际市场还能等吗？你不赶快抓紧干就进不去了。小平同志总是鼓励我们要勇于改革，勇于开拓，不要怕担风险。他担心的是我们犹犹豫豫，过于谨慎，贻误时机。当经济振兴的重大机遇到来的时候，很需要有马克思主义的胆识和勇气，很需要紧迫感。

我希望同志们认真考虑这个问题，希望市计委、经委、外经贸委、建委、规划局、环保局，你们应该赶快放权，今天下午就要讨论这个事。放权，“三来一补”项目、500万美元以下的合资经营项目、1000万元人民币以下的基建项目，统统下放给区县和各工业局自行

〔1〕 见本书第18页注〔1〕。

审批。限额以上的项目，成立一个机构，可以叫“外国投资局”，对外国人叫“外国投资服务中心”，把有关委办局主管这方面的得力干部抽出来搞一个窗口，一致对外，就是一个图章，不能再盖126个图章了，再盖126个图章就永远不会有大量外资进来。所以，大家不要老是在那里忧虑。你把权放下去，同时要考虑怎么加强宏观管理，想出个办法来。这件事由肇基[1]、天增[2]同志负责，把实施细则很快搞出来。

第六，科技与生产相结合。

科技是上海最大的一个优势。中央要求上海把科技力量组织起来，围绕出口这个目标，帮助企业使产品上档次、上水平，而且要同外贸部门组织在一起。泽民同志多次讲过：“技术进步是上海经济新格局的一个支柱。”一定要抓好这件事情。我们要瞄准国际水平，一个产品一个产品、一个技术问题一个技术问题攻关，要落实到一个一个项目上去。选择重点主攻项目，要以出口为目的，以国际先进技术标准为目标，以产品的更新换代为龙头，把技术开发、技术攻关、技术引进、技术改造等一条龙地抓起来。最后的结果不能只是抓出一个样品，而是要抓出大批量的工业化的生产能力。

第七，城市建设要加快利用外资步伐。

国家允许我们利用外资32亿美元，现在我们用得还不多，里面一部分就是搞五大工程。今年，三大工程要开工：苏州河合流污水治理、黄浦江大桥、上海地铁一号线。现在已经成立指挥部了，天增同志抓得很紧。三大工程开工，才能给上海人民一个希望，上海的形象才能改变，城市建设才有点出路。另外，为了配合城市建设，就得赶

〔1〕 肇基，即李肇基。

〔2〕 天增，即倪天增，当时任上海市副市长。

1988年10月27日，朱镕基出席苏州河吴淞路闸桥工程开工典礼。左一为长江口及太湖流域综合治理领导小组组长王林，左二为水利部部长杨振怀，左三为市水利局局长朱家玺，右一为交通部三航局二公司经理刘怀远。

快把另一部分外资用于能赚外汇的技术改造项目，现在还有6亿多美元的项目没有批可行性研究报告，要迅速地批下去，5月份以内一定要批完，并力争尽快谈判签约。一方面促进企业技术进步，一方面使我们的外汇能平衡。最近国际机场候机楼建设项目已经和荷兰签约了，可以加快建设。地下铁道建设项目，对外经贸部在帮助我们争取联邦德国的优惠贷款，另外，加拿大也有比较好的优惠条件。希望肇基、天增同志抓紧研究、比较，和哪个国家合作，赶快决定。

第八，改善市容，狠抓环境卫生。

天增、丽娟〔1〕同志已经采取措施，开了会，要赶快落实。现在上海的脏、乱、差实在是看不过去了。在路上走，到处是垃圾。这个事情就这么难抓？无非是包干，企业搞包干，我看这个事也得包干。天津就是这个办法，一段一段，分段包干，每个单位自己负责；扫街的人也是包干，都得有人检查，你扫得不干净，马上换人。我就不相信上海的脏乱都解决不了，短时期内要很大改变交通状况不行，很大改变住房状况不行，欠了几十年的账一下子还不清，但是脏和乱总还是可以解决的。我真担心春天一来马上又要发生传染病，请天增、丽娟同志无论如何负责把这个事抓一抓。

〔1〕 丽娟，即谢丽娟。

在上海市九届人大一次会议上的讲话*

（1988 年 4 月 25 日）

同志们：

根据大会的安排，现在我向大家做一个自我介绍，也许要超过大会规定的时间，因为如果我不讲的话，也许过不了这个关，一会儿还得提问题，还不如我主动“交代”为好。

第一，我的简历。我参加革命的时间比较晚，经历比较简单。我 1928 年 10 月出生于长沙，中学都是在湖南省念的，1947 年毕业于湖南省立一中，同年在上海考取清华大学，念电机系。入大学后就参加了学生运动，1948 年冬天参加中共地下党领导的中国新民主主义青年联盟，1949 年加入中国共产党。1951 年从清华大学毕业分配到东北人民政府工业部计划处，担任生产计划室副主任。当时的计划处处长先是柴树藩同志，后是袁宝华同志。1952 年东北人民政府撤销后，我随马洪〔1〕、安志文〔2〕等同志到了国家计委，这时是 1952

---

*　1988 年 4 月 25 日，上海市第九届人民代表大会第一次会议第四次全体会议选举产生上海市国家机关领导人员。选举前，朱镕基同志作为市长候选人同市人大代表见面，介绍自己的简历、政绩和施政纲领。

〔1〕　马洪，1952 年任中央人民政府国家计划委员会秘书长。

〔2〕　安志文，1952 年任中央人民政府国家计划委员会委员。

1988 年 4 月 25 日，朱镕基在上海市九届人大一次会议第四次全体会议上讲话。

年11月。在国家计委一开始是管电，1954年到工业综合局负责综合处工作，之后我担任国家计委副主任张玺同志的秘书。后来由于张玺同志患癌症，我同时就兼任了国家计委机械工业计划局综合处负责人，直到1957年，赶上了"大鸣大放"、反右派。在"大鸣大放"的时候，同志们说，你是党组领导的秘书，你不跟党组提意见那谁提啊？一定要我提。我就在局里面讲了3分钟，但出言不慎。在10月份以前大家都觉得我的意见提得不错，到10月份以后就说你这个意见要重新考虑，到1958年1月就把我划为右派了。但是对我的处理还是非常宽的，我想是因为国家计委的领导和同志们对我都十分了解吧。因此，我被撤销副处长职务、行政降两级、开除党籍之后，还继续留在国家计委工作。在开始的一两年，我担任国家计委老干部的业余教员，教数理化，后来恢复我的工作，在国家计委国民经济综合局工业处工作。我非常感谢国家计委党组织对我的关怀，始终没有把我下放，使我有继续为党工作的机会。"文化大革命"时期，我在国家计委农场劳动了五年，这五年对我是极大的教育。尽管我们还是国家计委的干部，在一个集体农场，但终究是在农村，所以对农村的了解、对劳动的体会还是不少的。这五年，我什么都干过，种过小麦、水稻、棉花，放过牛、放过羊、养过猪，当过炊事员。1975年后，我回到了北京，当时我的关系还在国家计委，但被分配到石化部管道局电力通信工程公司工作。我就带了一支徒工队伍，从爬电线杆开始培训，一直到能安装22万伏的高压线和11万伏的变电站。这一段有两年多一点的时间，对我也是极大的教育，使我有一点基层工作的经验。到1978年，马洪[1]同志要我到中国社会科学院工业经济研究所担任研究室主任。不久，在党的十一届三中全会前夕，纠正了错划我

〔1〕 马洪，1978年任中国社会科学院工业经济研究所所长。

右派的问题，同时恢复了我的党籍，恢复了我的职务。这个时候是袁宝华同志担任国家经委副主任，康世恩同志担任主任，要我回国家经委，因为国家经委实际上是从国家计委分出去的。1982 年新的国家经委成立后，我开始担任经委委员兼技术改造局局长，1983 年担任经委副主任，1985 年担任党组副书记、常务副主任，一直到今年年初，就到上海来了。这就是我简单的经历。

第二，同志们要求我说说政绩。这个是难以启齿，不好说啊！当然，在我 30 多年的工作期间，尽管在 1957 年以后遭受很多挫折，但在工作方面组织上对我的评价还是不错的。我自己的特点、我的信条就是独立思考，我心里是怎么想的，我认为就应该怎么讲。我是一个孤儿，我的父母很早就死了，我没有见过我的父亲，我也没有兄弟姐妹。我 1947 年找到了党，觉得党就是我的母亲，我是全心全意地把党当作我的母亲的。所以我讲什么话都没有顾忌，只要是认为有利于党的事情我就要讲，即使错误地处理了我，我也不计较。党的十一届三中全会前夕恢复了我的政治生命，同时也可以说是焕发了我的政治青春，我始终相信我会得到我们党的正确对待。我就是有这么一个特点，或者说我是力求这么做的。

第三，自我评价。我觉得作为上海市长我不是最佳人选，我有很多缺点，在很多方面比我的几位前任，特别是比江泽民同志差得很远。我讲三条：

第一条，我只有领导机关的工作经验，没有基层工作的经验。刚才讲了我 25 年在国家计委、10 年在国家经委工作，基层工作经验就是在管道局很短的一段时间，既没有当过厂长，也没有当过区县的领导。江泽民同志很早就当厂长，而且是大厂的厂长。我也不是从农村基层上来的，对人民的疾苦了解不多。这是我很大的一个弱点，今后恐怕在这些方面还要犯一些决策的错误。

第二条，我只有中央工作的经验，没有地方工作的经验。我没有在地方工作过，一直坐在北京，所以到上海来了后，这三个月的白头发比什么时候都多。江泽民同志预言一年之内我的头发全部变白，这是他的体会，我已经感受到了。工作确实是复杂，确实是难做，所以江泽民同志经常讲他的神经处于紧张状态，我现在也体会到了。

第三条，我性情很急躁，缺乏领导者的涵养，干工作急于求成，对下面干部要求过急、批评过严。这一点我应该向江泽民同志好好学习。宋平同志在我来上海工作之前和我谈话，他说你要求干部严格不是你的缺点，但是你批评人家的时候不要伤人，说话不要太尖刻。这些都是语重心长的话。说到我的缺点时，他说你应该学习周总理，批评同志后让人感到你应该批评，觉得是你对人家的关心。我确实是缺少领导者这样的一种品质，但我希望同志们监督我改正。说老实话，江山易改，禀性难移啊，不是很容易的，但是我一定要很好地改正自己的缺点。

第四，施政纲领。这个很难讲，施政纲领在江泽民同志的工作报告〔1〕里明确阐明了，要求非常明确，我的任务是创造性地去完成、去实现，所以就不可能再讲出更多的东西了。如果要具体化，那也应等到全体市政府领导班子当选后认真地讨论，来研究具体实施步骤，现在让我一个人来讲这个事情确实很难。但好像不讲一点又过不了关，我也没有跟江泽民同志商量，就是在通知我以后，昨天晚上加了一个夜班想了这个问题，所以我就讲一些个人的意见。

我认为，上海最重要的还是要扎扎实实地去落实，要说到做到，而不是提出很多的纲领、很多的要求。我觉得江泽民同志报告提出的

---

〔1〕 工作报告，指江泽民在上海市第九届人民代表大会第一次会议上所做的《政府工作报告》。

任务和要求是实事求是的，我们是有可能实现或者是提前实现的。有一个老同志打电话跟我讲，你说三年改变上海的面貌，如若不然，引咎辞职。我说我不会狂妄到这个程度，我没有说过这个话，这是个误会。我讲了一句什么话呢？那是关于上海大众“桑塔纳”的。现在“桑塔纳”是非常赚钱的，一辆汽车要赚好多万，但今年计划只能生产1万辆，为什么？因为现在国产化的程度很低，你大量生产等于买人家的散件来装配，花费大量的外汇，所以国务院的政策是卡住上海不让多生产。但是我考虑，上海现在这么困难，如果不再多生产一点“桑塔纳”赚一点钱的话，日子过不下去。因此我就给李鹏同志写了一个“陈情表”〔1〕，这个“陈情表”是江泽民同志签发的。我在里面讲，第一，关于“桑塔纳”的国产化去年已经开过会、订了计划，国产化率去年年底达到12.7%，今年要达到25%，到1990年认证的国产化率可以达到80%以上，三年就基本国产化了。我说多生产一点、多装配一点并不影响国产化，计划都做了，正在认真实行。第二，上海现在有生产能力，国内市场也很需要，尽管国产化率低一点，但总比进口整车好。另外，现在上海的原材料非常困难，就得靠“桑塔纳”去换原材料，不然就要停产了，因此无论如何请求生产1.5万辆。多这5000辆汽车，财政收入就可以增加好几个亿啊！现在我们的处境很困难，但是我认为，生产1.5万辆“桑塔纳”还是完全正确的，也确实得到了李鹏等中央领导同志的支持，允许我们生产1.5万辆。但如果三年我们不能实现国产化，那我怎么向中央交代啊？所以我就在给中央的“陈情表”上写了这样一句话，如果三年不实现国产化，我就向中央引咎自责，还没敢说辞职。我这个话是说给上海大众汽车公司

〔1〕“陈情表”，指朱镕基同志于1988年2月28日就“桑塔纳”轿车增产问题致李鹏、姚依林同志的信。

1988 年 4 月 30 日，上海市九届人大一次会议闭幕，新当选的上海市市长朱镕基举行第一次中外记者招待会。右二为市委宣传部副部长龚心瀚，右三为副市长顾传训，右四为副市长倪鸿福。

听的，说给市经委、计委听的，你们要不好好抓国产化，那我就得辞职了，我的命运跟你们拴在一起了。我说这个话就想起到这个作用。但这话传到外面，就变成了我三年不改变上海面貌就引咎辞职。这个事情我可不敢这么说，也绝对没有说过这个话。三年、五年解决上海几十年积累的问题很难，我想同志们也会谅解这一点的。

声明一下，我只来了三个月，我既不是诸葛亮，也出不了“隆中对”。如果我当选为市长的话，这个话有必要说明一下，因为在简报里有一个同志对我提意见：还没有选你当市长呢，你在北京中外记者招待会[1]上怎么就说如果你当选为市长的话呢？太不谦虚了。我能体会这位市人大代表的意思，我也接受你的意见。但是我也要向这位代表做一个说明，这个话不是我要讲的。在北京开中外记者招待会之前，大会副秘书长曾涛同志帮助上海为这次记者招待会做了大量的工作。因为我不能用上海市委副书记的名义举行记者招待会，所以曾涛同志说，你可以在记者招待会上说："如果我当选为市长的话"，这样大家就都清楚了。我就是这么讲的。（江泽民同志插话：朱镕基同志啊，你举行记者招待会是以中央提名候选人名义的，所以我认为朱镕基同志讲这句话从原则上讲没有错，特别是招待外国记者。而且我跟你有点默契，当你举行记者招待会的时候，我并没有跟你通电话，因为我人在机场接受 BBC 专访。记者问，现在党政不是要分开吗？那你现在又是市委书记又是市长，怎么回事啊？我立即就讲，很快将要召开市人民代表大会，现在中央已经确定朱镕基同志到上海来参加市委领导工作，今后他就在下一次的市人民代表大会里选举成为市长，那当然要通过选举了。）

下面我就讲几条：

第一，如果我当选为市长的话，我决心让下一届市政府成为全心全意为人民服务的、廉洁的、高效率的政府，这是我的决心。首先，从小事情做起，一定要坚决地刹住吃喝风和受礼风。这不但是节约，而且是树立一个勤俭建国的风气。江泽民同志提倡的"四菜一汤"在全国都出名了，国务院已经是这样做了，但在我们上海有时候还附加了很多名目，八个碟子那是算冷盘不算菜，后面一个大火锅只

〔1〕 中外记者招待会，1988 年 3 月 30 日，第七届全国人民代表大会第一次会议举行第二次记者招待会，邀请上海市、福建省代表团负责人回答中外记者提问。

算是汤，再来十个点心也不算菜，还是搞得很浪费。所以我想先从我做起，从市政府做起，我们市政府的人员下基层、到工厂，无论如何要做到“一菜一汤”。当然一个菜里也可以多放几样，但搞得太厉害了也不行，反正不要上什么海味、大虾，上点鸡蛋、肉、小菜就可以了，平常在家里请客也就是这个水平嘛。“一菜一汤”就不会浪费。1985 年我到上海电视机一厂，当时我是国家经委副主任，在那里召开现场会，就是关于电视机出口的事情。当时招待我们的就是一个菜，里面分四样，我觉得很好。关键不是你如何招待我，关键是要出口，真正把生产搞上去嘛！当然我们在接待外宾、接待中央和其他地方来的同志时还是要执行“四菜一汤”，搞得太过分，那也不好。

成为一个廉洁的政府还有一点很重要，就是关于送礼问题。这次会议上有一位香港的陆先生，向我提了一个很好的意见。他说开政治协商会议、开人民代表大会都要发一个包，这个包一点用处也没有，谁也不用这个包。是不是可以把它简化了，那不是可以节省一笔钱吗？我想这个意见是非常正确的。我在北京出席全国人民代表大会，发了一个包，我用这个包就足够了。回上海之后，市人代会又给我发了一个，市政协也给我发了一个，实际上都是没有多大用处的。像在这种小的方面，我们一些党外人士都看出了问题，这是我们应该做到的。今后我们市政府任何会议严禁发包，这是一个象征，就是说以后不要搞送礼、发东西这种风气，能够节省很多钱。首先由我们市政府带头，希望区县政府也都这样做，我想这个风气完全是可以改变的。

还有，就是现在党政领导参加的剪彩、礼庆活动实在是太多，电视上成天都在播这些东西，实际上大家都忙得要死，何必在这个方面花那么多时间呢？所以我想，以后这种活动除了国家规定必须参加的以外，尽可能减少。我们可以请一些德高望重的老同志参加，他们对上海的建设做出了很大的贡献，让他们多出出面，上海人民不会忘记他们，何必老让我们出面呢？耽误很多事情。这些活动是不是可以分散到一些同志特别是老同志的身上，让我们扎扎实实地去做一点落实的工作。当然我知道，市委书记或者市长不出席，电视台就不去拍电视。无非就是把我们当个广告、当个宣传。所以，以后我就敬请各界谅解、支持。特别是新闻界，如果你要看级别的话，还是看看这些老同志过去的级别。我看最好还是不要看级别，你看会议重要不，重要的尽量报道、拍电视。不要一定是市领导出场，你才拍这个电视。这样我想我们互相谅解、互相支持，就可以把政府的效率提得更高一点。

当然，要使政府成为高效率的政府，最重要的一点是要下放权力。这在江泽民同志的报告里面也讲了。我过去说了一句话，像上海这样1200多万人口的城市，靠一个市长、几个副市长是干不好的。全世界这样的城市也不多，那是不好管的。所以我希望12个区的区长就成为12个“市长”，这样的话，上海的工作才能做好，10个县长也要担负起责任。当然，江泽民同志的报告里也讲了，还是要保持政令的统一，不能各行其是。你们12个“市长”还得听这个大市长的，不然的话就乱套了。就是说，你们自己应该发挥主人翁的责任感来把工作做好。市委、市政府有决心实现这一点，下放权力，而我们市政府的各个委办局也应该转变自己的职能，多把精力放在宏观管理和监督方面，能够让区政府、县政府办的事情尽可能让他们去办，他们会办得更好。说老实话，条条不容易办事，还是要靠块块。为什么要搞包干？好多事情，中央条条是难以贯彻的，还得靠块块扩大自主权。市政府也是这样的，条条很多事情难办，包括环境卫生，还是块块办效率比较高。所以各个委办局要加强宏观管理、调节，然后监督，哪里出了毛病就去制止，我看我们应该转变这个职能。

我这里要讲一个事。我昨天看简报，嘉定县代表提意见，说嘉定县已经实行了“一个图章”，但是在江泽民同志的报告里没有提，害怕我们又缩回去了，是不是碰到困难又不敢实行“一个图章”了？我在这里代表江泽民同志郑重声明，江泽民同志是完全支持“一个图章”的。这一点我们是有决心做的，报告里虽然没有提，但是在黄菊同志的报告〔1〕里还是提了，因为在江泽民同志那个报告里不需要把每一件事情都讲得那么具体嘛。我考虑这件事情要经过周密的准备，因为真正实现“一个图章”必须成立一个新的机构，靠老的机构是不行的。要把各个部门主管项目审批的人都调到这个新机构里来，这样才有权威，而且不能是个联合办公室，联合办公室不解决问题，什么事情也办不成。必须把这些人调来，他才有足够的经验、知识和权威，在这个机构里面就盖这一个章。对这样一个机构的要求是效率非常高，工作非常累，24 小时都要办公，天天都要准备加班。我这一次在北京就向宋平同志报告了，我说我要成立这么一个机构，这个机构工作人员的工资我看应该提高一点，为什么？因为这个工作太累。宋平同志说：我赞成啊，你就搞啊。因为我怕稍微提高一点工资，有人就去告状。我想，这应该成为改革我们政府机构的一个开始。现在政府机关盘子大得不得了，里面人浮于事，好多人是不干活的，都大幅度提高工资，那怎么受得了？财政负担不起，而且也不能够起到奖勤罚懒的作用。必须首先转变政府工作的职能，少管一些你管不了的事情，完了以后再精减人员，提高他的工作效率，最后多给他点钱，那就可以了，这样工资总额就不会增加了，我们消费基金就控制得住了。我就是准备以这个机构为开始，作为改造我们政府机关的样板。根据江泽民同志的意见，也是中央的意见，我们决定今年政府机构不动，明年再考虑。今年是要稳定干部队伍，稳定人心，把生产、出口

〔1〕报告，指黄菊在上海市第九届人民代表大会第一次会议上所做的《关于上海市 1988 年国民经济和社会发展计划（草案）的报告》。

搞上去，不能够搞得人心惶惶。但是我今年就是要做这一件事情，成立这么个“一个图章”的机构，完全是以一种新的模式来搞，里面的工作人员既要是各个机构的骨干，而且要实行公开招聘考试，从现有机关人员中选拔，要选拔一批有志于振兴上海，全心全意为人民服务，懂技术、懂业务、懂管理的人到这个机构里面来。

现在上海是非常困难，我们在转向商品经济的过程里缺乏经验，这方面我们不如广东、江浙，因为我们吃“皇粮”已经吃惯了，一下子改过来不容易。但现在每个省区市都想搞上去，都想大进大出，基本上对上海形成一个“封锁”了，原材料进不来，上海又没有原材料优势，都是议价买进来，你怎么搞得过人家？现在，我们首先还是要转变到商品经济，搞国内的大循环，加强横向协作，跟其他省区市搞好关系，这方面对我们还是主要的，尽管有困难还是要这样做，但是形势也逼着我们要下太平洋了。你不跳下去是没有办法的，不对外是不行了。对外很不容易，“三来一补”〔1〕你搞不过广东，他跟港澳很近。虽然搞不过他，但是我们还是想和他比一比。最近我们把“三来一补”的审批权下放给区县，得到的好处基本上都给了区县，所以他们的积极性非常高，第一季度“三来一补”的项目有大幅度上升，这是一个非常好的苗头。我希望区县的同志和广东好好赛一赛。我们虽然天时、地利不如广东，但是我们的科技人才比他强，这方面我们还是有我们的特点的，江泽民同志讲有上海的特色。我们不光可以搞劳动力密集的，还可以搞知识密集一点的，甚至有点技术密集的东西。这样上海的“三来一补”还是带有上海的特点，我相信还是可以和广东赛一赛。二是产品马上大幅度地出口。打到国际市场上去，不是那么容易，这个问题我下面再讲。此外，很重要的一点，就是现在赶快

〔1〕 见本书第18页注〔1〕。

把外国直接投资吸引过来，这是建设上海城市的一个很重要的手段。用大量的投资来改造我们现在的企业，和我们的企业全部合营或者部分合营。把合资、合营企业搬到浦东、搬到闵行去，这样整个城市建设也会跟着上去，可以解决我们资金、管理、技术缺乏等问题。去年国务院要求我们吸引 100 亿到 200 亿美元的直接投资，我们一定要努力实现，这样可以大大地加快上海振兴的步伐。但是审批项目如果像现在这个状况，一个项目审上几年，那就没有人来了，所以首先必须简化审批的手续，这个机构必须搞起来，使所有的外国人认为上海项目审批的手续是完全符合国际惯例的，是效率最高的。我想，如果这个声誉出去以后，上海就有希望了。

第二，一定要把市政府置于上海市人民代表大会及其常委会和上海市人民的监督之下。这一次市人民代表大会和市政协会议的简报，我不敢说都看得很仔细，但是每一份我都看了，同志们提了很多很好的意见，我觉得这是振兴上海的一个很好的群众基础。有很多问题概括得非常好，对很多问题都提出了很多明确的可行的建议。我想这是今后市政府工作的一个很重要的思想宝库。希望以后我们上海市人大常委会能够把这些意见加以分类整理，当然市政府也应该派负责的工作人员来参加整理，作为将来市政府施政的依据。这个工作我希望能够很快地完成，然后市政府根据归纳的意见研究实施。当然，对这里面的很多意见不一定马上能够做到，但是也要有一个交代，今后逐步实行。

第三，我想上海市政府今年一个首要的工作是把生产和出口搞上去，这是当前最迫切的任务。如果我们搞不上去，一切就都成为空话。仅仅完成财政包干任务，没有超额，那我们很多事情也办不成。所以，我们当前的任务是把生产、出口搞上去。简报上有同志讲，应该认识到目前上海的困难还没有到谷底，应该有一种危机感，然后从危机感里面激发起奋发图强的精神，哀兵必胜啊。这个话讲得很好，但是现在有另外一种情况，就是信心不足。由于目前存在的种种困难，特别是物价上涨，有些同志的生活水平下降，对各种问题，大家有很多牢骚，这些都是可以理解的。但是，有些工厂的工人由于对自己的福利待遇或是其他问题不满意，破坏生产设备。这种情况，我昨天已经向江泽民同志汇报了。江泽民同志讲这个事情应该严肃处理，他们这样做已经过线了，你发牢骚可以理解，但破坏设备是绝对不允许的，你违法就应该依法严肃处理。这样做对解决上海的困难、振兴上海没有丝毫好处。我希望有关部门的同志、厂长同志应该十分注意这个问题。现在是要振奋人心啊，不能够再泄气了。

把生产和出口抓上去，首先是要把拳头产品抓上去。最近已经让市计委、经委确定了几十种拳头产品，一定要把它们搞上去。另外，我们花了一千几百万美元干了工业缝纫机这个项目，这是我在国家经委就经手的，现在是远东第一，比日本还先进，国内外市场供不应求。去年生产 1 万台，出口了 4000 台。它的生产能力是 9 万台，我是要求它生产 3 万台，最好统统出口，这样可以占领国际市场。但是最近看简报，它第一季度生产不但没有增加，反而在下降。这个厂长你得好好地干啊，你对上海人民是有责任的呀。今天不知道市轻工业局局长吴承璘同志来了没有，如果没有来，我希望转告他，务必第二季度把它抓上去，如果抓不上去，我建议他去这个厂子里当代理厂长。花了这么多钱，你不好好干，那上海人民怎么吃饭啊？现在一季度我们地方国营工业的生产是下降的，财政减收了 8%，我们应该有危机感，应该奋起直追，赶快扭转这个局面。我们请示江泽民同志以后，准备要在最近召开一次“双增双节”〔1〕的全市大会，要动员全市

〔1〕 见本书第 30 页注〔1〕。

人民把劲往这方面使，把生产、出口赶快搞上去。这一着棋搞好了，全局都活了。

第四，新一届市政府要选择“菜篮子”作为工作的突破口。为什么？我从物价问题说起。要稳定物价，首先是要加强对物价的管理，就是说我们不能够随便涨价。属于国家控制的、国家定价的产品或者由上海市定价的产品，调价要非常慎重。前一时期调整了一些产品价格，那确实是迫不得已的，如果不调整，企业就无法生产，没有利润。现在上海是物价的谷底，如果不调的话，对上海市的全局没有好处。今后对于这些产品的调价要十分慎重，我们要求企业在将来几年以内，无论原材料如何涨价，你要通过“双增双节”运动增产节约、发挥潜力把它消化掉，不能靠涨价。但是涨价最多的还是副食品。去年我们消费品物价指数是8.8%，其中6.6%是由于副食品涨价，别的东西涨价所占的比重很小。对小商品，我们采取了价格放开的办法，如果你不放开，就没人生产了。现在外面来的原材料都涨价了，你不让他相应提高价格，他没有生产积极性啊。如果你采取控制小商品价格的办法，最终结果是你连针头线脑都找不到了。现在，上海已经大不如前了。上海的小商品不但不如江浙、广东，连北京、天津都不如了，好多东西买不到了，因为原材料困难，没有生产积极性。但是，这种小商品放开对大家的生活并没有很大的影响，看起来涨价面那么广，好像上千种产品都涨价了，实际上在生活中占的比重是很小很小的。最重要的就是副食品，所以一定要把副食品搞上去。

同志们，上海现在的几个爆炸性问题都是难以在短期内解决的，交通问题、住房问题、环境污染问题都不是短期能够解决的，群众骂我们还得骂上几年，这是没有办法的。但是“菜篮子”问题可以解决吧？上海的气候条件、工业基础难道不如天津、北京？只要我们使一把劲，努一把力，完全可以把它搞上去。只有把这项工作做好了，才能够动员起上海人民的劲头。因为这个“菜篮子”是天天要买的啊，他一感到价格涨了、买不到了，他就骂啊。

所以，我们要选择这件事情作为一个突破口。这件事情，江泽民同志和我委托裴先白〔1〕同志，带领市财贸办和市农委的人在春节前考察了北京、天津的经验，之后花了两个月时间做了大量的调查、研究，和市财贸办、农委的同志一起制定了一个发展郊区副业生产和改革购销体制的办法。市委成立了一个领导小组负责副食品生产和供应，要我当组长，叶公琦同志是副组长。我跟叶公琦同志讲，不管你以后干什么，这件事情没有完成不能卸任。另外请裴先白同志当顾问，他搞财贸工作几十年，他这两个月的工作如果让我来做，我一年也做不出来。现在制订了一个初步听起来是非常好的计划，肉、禽、蛋、菜一条龙，都找市农委负责，从生产一直到批发管起来，将来上海没有菜吃，你就找市农委主任，搞责任制。实际上这个工作现在已经在做了，市农委的同志还是抓得很紧的。当然，这要求我们市农委和市财贸办很好地合作，不依靠这两个部门共同努力，这个工作还是做不好的，但同志们也不要期望过高。我向同志们保证，今年下半年主要的精力是抓副食品生产。

第五，狠抓科技同生产的结合，发挥科技的优势。刚才陈沂〔2〕同志写了个条子，要我表态把上海已经失去的优势给夺回来。科技优势还没失去，还在上海，现在是怎么样把它发挥出来。江泽民同志和我委托一位老同志顾训方〔3〕，他在“文化大革命”前就是市“赶超办”〔4〕

---

〔1〕 裴先白，当时任上海市人大常委会副主任。

〔2〕 陈沂，曾任中共上海市委副书记、市委宣传部部长、市人大常委会副主任等职。

〔3〕 顾训方，曾任上海市计划委员会副主任、工业生产委员会副主任、经济委员会副主任、生产技术局局长等职，当时任中共上海市顾问委员会常务委员。

〔4〕 市“赶超办”，指二十世纪六十年代成立的上海市赶超国际先进水平办公室。

的，我们就用那一套办法来搞这个事情。现在经过他召集各路科技大军，开了好多次座谈会，写了好几稿，最后确定要抓 23 个重点科技项目，通过各路科技大军把它们拿下来，这样的话，就把整个上海的科技和生产带动起来了。我的初步意见，不要 23 项，太多了，市政府抓 10 项就够了，其他可以由各委办局、各区县自己抓。比如说，把“桑塔纳”的国产化搞出来，1990 年达到年产 6 万辆，过几年达到年产 15 万辆，这个就不得了啦。再比如，36 万台程控电话，上海贝尔公司的国产化全部实现了，我们集成电路的技术也掌握了，上海整个水平就提高一步了。还比如，我们把 30 万吨合成氨、30 万吨乙烯成套设备，60 万千瓦的发电设备攻关出来以后，那一年就是很大的产值和利润。市政府就集中力量把这 10 项攻出来。我建议组织 10 个领导小组，请 10 位老同志出来分别负责这 10 个领导小组。

第六，要把发展教育事业放在首要位置。江泽民同志已经讲了，这也是党的十三大的精神，我们要贯彻。我想根据代表们的意见讲一讲。一是大家要求增加经费，江泽民同志已经做了原则性的表态，我们一定根据这个原则去做。但是也有代表提出怕我们说话不算，这次市长候选人就要承诺加 1500 万元，否则的话，对你投弃权票。这一点请同志们谅解，我们暂时还不能承诺，因为困难很大，谁也难以预言生产、出口能不能搞上去，财政收入能不能完成包干任务。我现在就许诺的话，等于是说空话。我能够保证的是什么呢？如果我们完成得好，首先增加教育经费；如果我们完成得不好，我们首先砍行政经费、基本建设经费，也绝不砍教育经费。我只能说到这个程度了，同志们是不是能谅解啊？二是应该加强中小学教育，这是基础性的东西。根据我的体会，中小学教育是非常重要的，我学的东西印象最深、记得最牢的是中学的时候。现在回忆我在中学学的代数，比我在大学学的微积分印象深刻得多，上大学以后很多东西都记不住了。所

1988 年 5 月 20 日，朱镕基在中国福利会少年宫与上海市红领巾理事会、市第二届少先队代表大会的部分代表亲切交谈。（周先铎摄）

以我对中学的老师怀着深深的敬意，中学老师、小学老师的形象始终是难以忘记的。我觉得上海最重要的是加强中小学教育，提高这方面的水平，然后在这个基础上加强职业培训，这样上海的振兴指日可待。我并不是说不要加强大学教育，没有这个意思。大学主要是质量而不是数量，对中小学教育应该给予更大的关注。职业培训是非常重要的。前段时间与德国大众汽车公司的领导人谈话，他们说德国振兴的秘密很简单，就是职业教育。我专门去德国考察过职业培训，到过好几个州，确实了不起，每个工厂都有职业学校，拿最好的设备培训学徒工，而学徒工并不一定在他的工厂工作，可以到别的工厂去，私营企业做到这一点是很不容易的。他有这么强大的培训网，所以能做出世界上质量最高的产品。我们现在这些学徒工未经培训就上岗，好多设备不搞坏才怪！现在急需加强中小学教育，然后搞职业培训，不要大家都往大学跑，这样上海才能真正振兴起来。三是要加强管理教育。最近有些外国人到上海考察，写了个报告，说他们跟一些厂长谈话以后非常失望，中国搞大进大出、搞商品经济的人才都不够水平。确实，对我们的厂长、经理的培训非常重要，上海好多厂长还不够外国的一个车间主任的水平。有些厂长说，你不给我原材料，我就没法生产啊，产品没有销路，那我也不管啊，亏损你来补啊，你给我免税、优惠啊。这样的厂长、经理根本不够格，要对他们进行现代化管理教育。我想上海有这么多的管理学院，应该把上海市的厂长、经理培训系统地抓起来，特别是搞大进大出，现在能说外语，又懂技术、懂法律、懂业务，能跟外国人谈判的人才不是很多，要抓紧培训。如果我们没有上万个这样的人，整个国家怎么大进大出啊？怎么能够把上海搞好啊？这个庞大队伍的准备工作现在就要开始。

教育问题不是增加经费就能解决的。现在有个问题，对人才的重视没有引起注意。人才外流在上海非常严重，我发表了三条意见，上海的报纸没有登，但是北京的报纸登了。怎么保住上海的人才？我想，第一，我们的科研人员要到大中型企业里面去，要消除门户之见，你跟他结合了，你的价值才能体现出来，在外国都是这样的。我到日本、美国去的时候看到，他们那里科研人员也是要到企业里面去。我们的大中型企业有困难，搞不活，自己没多少钱，但是这个情况即将改变，上海财政包干、企业承包以后，他的钱会越来越多。另外，竞争也逼迫企业要越来越重视科学技术。现在重视不够，老产品可以销，将来就不行了，有远见的厂长现在就应该重视人才、重视技术。我想把两方面的积极性调动起来，就能够把科技和生产搞好，又可以逐步提高知识分子的收入。第二，科技人才可以到“三资”企业里面去，“三资”企业的工资总是高一点。第三，你至少还能去乡镇企业，郊区有很多乡镇企业，他们的体制可以搞得更活点，这样可以改善一下知识分子的待遇。但是也不光是一个钱的问题，最重要的是提高中小学教师的社会地位，我们应该尊敬他们，以各种形式提高他们的地位。我想这也是我们留住人才的一个办法，采取各种灵活的形式，比如说更加重视教师节，虽然物质条件一时难以改善，但是精神上我们应该给他们更多的温暖。当然要做这件事情也不容易，在目前这个阶段、在很多措施没有见效以前，我希望各级领导同志能够对要外流的技术人员多做一些思想工作，请他们照顾一下全局。我相信他们也是想振兴上海的，希望他们暂时克服一点困难，不要再往外流了，存在的问题我们会逐步加以解决的。

第七，城市交通建设和住房问题。这是一个爆炸性的问题，大家对这个问题的期望也是最高的，我收到的人民来信大量的都是讲这个问题，确实做不到有求必应，这个问题我想哪一届市政府都很难在很短的时间内解决。这里面是不是有个先后次序的问题？首先是把上海的交通搞上去，交通不改善，房子往哪里盖？目前我们的希望是开发浦东，黄浦江上面多建几座大桥，把工厂、人口向浦东疏散，这样旧市区才便于改造。这件事情是非常重要的。浦东是上海未来的希望，那边要建设一个“新上海”，以减轻“老上海”的压力。所以对开发浦东，江泽民同志很重视，最近要主持讨论这个问题。这个建设是一个宏伟的计划，不可能在短期实现，但是我们总是要扎扎实实地去工作，先苦后甜。当前最主要的是加强现有基础设施管理，可以采取一些办法，比如人车分流，不能大改变，总可以改善。市环境卫生局被我批评两次后，把垃圾问题解决了，我很高兴。我想只要我们大家努力，环境卫生问题大家齐动手，包干，各区、县长负责，这个事情是可以搞好的。另外还有环境污染，希望工业方面的同志特别是厂长要注意，我们现在治理很困难，你至少不要增加新的污染。现在好多工厂的厂长不顾大局，在水源上游盖工厂，什么东西都往里面排，对这些厂长要进行警告，再这样对上海制造污染，我想在座的人民代表是不会答应的。在环境的污染方面一定要严格，一定要预防，不能继续污染下去。

今天我只能讲到这里。简报我已经看到了，对我的信任我很感动，同志们对我的支持，我是非常感谢的，但是同志们的期望确实使我感到任务艰巨。我今后一定在党中央、国务院、上海市委和江泽民同志的领导下，依靠在座的人大代表和全市 1200 多万人民，兢兢业业，努力工作，鞠躬尽瘁，死而后已。

以改革和求实精神抓好副食品生产供应工作*

（1988年5月3日）

我赞成先白[1]同志的讲话和在他主持下制定的改革方案。我讲三点意见。

第一点意见，把改善副食品生产和供应作为今年市政府工作的突破口，这是市委、市政府、泽民同志和我的一致意见。市政府工作能否做好的关键是能不能把大家的士气振奋起来，振兴上海必先振奋士气，这次市“两会”都提到了这个问题。但是，说老实话，我们现在没有“资本”啊，城建、交通、住房都不是短期内能见效的。说来说去，只有副食品工作多少具有一定的基础，有可能在短时期内改善。这件事关系到千家万户，如果我们把这件事办好了，就可以振奋上海的士气，让市民看到市政府还能干点实事，其他的事情才比较好办。同志们，我们现在困难得很呀，一直到4月份，生产还在下降，财政收入还在滑坡，第一季度地方财政收入下降16%，整个财政收入下滑8%，4月份还未扭转这个趋势，所以希望就在于把这一仗打

---

* 这是朱镕基同志在上海市副食品生产工作会议上的讲话。

〔1〕 先白，即裴先白，1988年8月至1992年2月为上海市政府市政工作咨询小组召集人之一。

好。现在很多市民给我来信，说你讲得很好，我们拭目以待。这不是我个人的问题，而是对市委、市政府的信心问题。如果我们不能做一两件实事，大家看不到希望，士气上不来，我们就不能从困境中走出去。所以，我到上海工作后，就把裴老请出来。我们对这个改革是寄托了很大希望的，无论如何要下决心把这件事抓好。

第二点意见，要勇于改革，以改革来总揽全局。刚才先白同志的讲话都是用改革精神来做文章的。为什么要这样提出问题呢？因为现在不是讲上海副食品工作多么差，目前总的情况还不错，过去做了大量的工作，是有基础的，并不见得比北京、天津差多少，但是，市民还是很不满，骂得很厉害。总的来说，副食品供应要真正做到品种多样、数量充足、价格便宜，还是有相当难度的。它是一个系统，从生产一直到批发、零售，不建设一个现代化的、规模经营的、高效率的系统，就做不到这一点。所以，建议这个讨论稿的题目是不是改一改，不光是提建设副食品生产基地的问题，文章要做在产供销一条龙上。相对而言，建设副食品生产基地还是比较容易的，上海有这个力量。我认为最难的是产供销一条龙的改革，文章要在这方面做足，形成一个现代化的副食品生产、管理系统，一定要靠改革。我 2 月份就提出这个问题。很快请先白同志“出山”，到处学习、调查研究，现在方案的讨论稿出来了。这次改革的出发点，就是要按照中央的精神和其他城市的经验，把责任制落实好。确定市农委从生产向批发延伸一下，一条龙管到底，也就是为了加强责任制。要研究与市财贸办如何衔接好，这方面改革的经验不多，要冒一点风险。但是，如果还是光考虑建设副食品生产基地，不能达到稳定、均衡供应的目标，稍有灾害就出问题，我们还要挨骂。通过改革，把责任分清楚，层层落实，一抓到底，工作就有希望。改革总是有风险的，任何一个改革方案总有利有弊，这个方案当然也有不足，但是“两害相权取其轻，两

1988 年 6 月 8 日，朱镕基考察上海益民食品一厂。后排左三为上海益民食品一厂厂长高积华。

利相权取其重”，如果这个方案有利于建立和健全责任制，有利于调动各方面的积极性，那么我们完全可以在实践中去不断改进和完善它。在这一点上，我们要统一认识。可以说，今年上海的工作都是带有改革性质的，实行财政、外贸包干，建立“一个图章”的机构，还有副食品产供销一条龙，都是很大的改革。每一项都是一环扣一环的，不能失败。我们是下定决心改革的，准备承担点风险。

第三点意见，这次改革一定要以求实的精神，讲求实效，不要搞一窝蜂，一拥而上，办没有效益的事。我们主观上希望上海市场副食品供应状况能早日改善，但我们也要量力而行，不能搞短期行为，有多大力量就办多少事情。改革要改出实效，不能为改革而改革。建设副食品生产基地不能急于求成，要做好周密的可行性研究，讲究经济效益。如果市里拿出大量资金补贴给你，你生产出来的副食品仍然贵得惊人，还要靠政府补贴，这个路子不行。

方案还应考虑的一点就是，将来副食品多了怎么办？要开展加工、贮藏、保鲜，还要组织出口创汇，应动员农业科技力量研究攻关。这个改革方案的讨论稿是农商两家搞的，其他部门也要参加意见。比如，工业如何支援农业，像农膜问题，上海有 30 万吨乙烯的原料基础。此外，还有农药供应、农副产品运输等都应有一个科学的规划，逐步实施，这样才能大大提高经济效益。如果上海郊区能够建成全国集约化程度最高的农业经济，城市副食品问题就可以解决了。上海人民的积极性调动起来，上海的振兴才有希望。

对这次改革，各单位都要统一思想。改革只能成功，不能失败。方案定稿前，大家都可以畅所欲言、品头论足，但应该是积极的，而不是消极的，拿出切实可行的改进意见，不能就说个“不行”，这样事情肯定干不成。我是相信先白同志几十年的经验和判断的，但我也要虚心地充分听取大家的意见。我们宁可多花些时间，力求使方案尽可能完善。先白同志建议搞一个月，我很赞成，这比集中在一起开几天会好得多。改革方案确定后，就要全力以赴去实施。

同志们，刚才说了，今年市政府的工作部署是一环紧扣一环的。第一环是工业生产，尽管有困难，但我认为还是有希望的；第二环是引进外资，“一个图章”的机构搞起来后，引进外资要比去年增加；第三环就是副食品产供销一条龙的改革，要对生产和市场有所改进，当然改进很多也难。这三件事都是全市具有战略意义的，必须慎重实施，不能失误。

外经贸系统是上海发展外向型经济的先锋队 *

（1988 年 5 月 4 日）

市外经贸委的领导同志让我到这个会上来与同志们见见面，给同志们打打气。首先，我认为今年第一季度外贸的形势是好的，一季度出口的增长速度达到 21%，不算低。这个指标使我心里有一点安慰，向同志们表示感谢。

现在看起来，如果今年不完成创汇 43 亿美元的任务，困难解决不了啊！我不是压指标，现在吃大米都要外汇。重油没有了，停电了，也要用外汇去换重油。现在就是看有没有本事赚到外汇，把 105 亿元财政包干任务完成了，把 15 亿美元外汇交了，我们上海人说话腰杆子才硬，现在腰杆子不硬。我希望同志们再接再厉，把这个好的形势保持下去。另一方面，我看同志们取得这个成绩是不容易的。比如说今年的“小交会”〔1〕，那个时候肝炎〔2〕很严重，是上海最困难的时期，我们到北京去都成为“不受欢迎的人”，在这种情况下，成交额还超过了去年。过去也表扬过，我认为这很不容易，上海人还是

---

* 这是朱镕基同志在上海市外经贸系统处以上干部会议上的讲话。

〔1〕“小交会”，指 1988 年 3 月 1 日至 10 日在上海展览中心举行的第六届上海对外贸易洽谈会。

〔2〕 见本书第 27 页注〔2〕。

有办法。最近看到广交会，上海又名列前茅，这很好。我想，同志们鼓鼓劲，特别是我们再进行一些改革，把权力下放，把区县的积极性调动起来，我们在“三来一补”〔1〕方面跟广东赛一赛。然后我们把“一个图章”的机构搞起来，简化审批手续，改善投资环境，让吸引外资有比较大幅度的增长，今年的困难就可以缓解。

市外经贸系统开办了很多学习班，帮助区县培养外贸方面的人才，这个做法好。现在不是批判“全民经商”的口号吗？但是我看上海倒是全民都要懂一点外贸，上海是一个外向型的城市，要跟外国人打交道，要赚外国人的钱，要学会这个本事。所以市外经贸系统的同志们大力培训各行各业、区县、基层的干部，为他们开办训练班，让他们学习对外经济技术合作、对外经贸的一些规定、办法、国际惯例和对外金融，给他们灌输一点知识，让他们学会跟外国人打交道别吃亏，我看这个作用非常大。单靠我们外经贸系统 3.4 万人的队伍是不够的，我看你们其中相当一部分人将来都要派到国外去。我们要有一支很宏大的队伍，能够常驻世界各国，熟悉他们的行情、关系、渠道。没有这样一套本事，你想在国际市场上找碗饭吃不大容易。市外经贸系统开始在做这个工作，我感到很高兴。希望同志们再接再厉，把这个工作抓下去，我们的日子就好过了。这是我讲的第一点。

第二，我希望市外经贸系统的同志们认识到自己所担负的历史重任。现在上海正处于一个历史的转折点，这个转折点就是中央的沿海地区经济发展战略给上海指出了一条振兴的道路，另一方面也给我们自主权，给我们财政包干。我们现在活动能力大得多了。最近，李岚清同志又批了一份文件，重新肯定我们进口权力的扩大，就是我们上海可以自行进口国家统一经营的物资，对外经贸部驻沪特派员可以

〔1〕 见本书第 18 页注〔1〕。

发许可证，这是又继续给我们放权嘛。所以我们现在具备了这个条件，来振兴上海。现在是一个时机，如果我们工作做得好，上海的振兴可以加速；如果我们这一届 5 年的工作没有做好，振兴上海的事业可能耽误 10 年到 20 年，错过这个时机就不行了。

今年没有问题，明年看起来也没有什么问题，后年就难讲了，谁知道会发生什么情况啊。那天我跟香港申新纱厂陆先生谈话，他的企业现在有 7 万工人，4 万在香港，3 万在广东。如果市场一有风吹草动，他首先就关广东那 3 万人的厂。所以他说，上海搞对外开放，要有点上海的特点。我们还是要看准国际市场，还是要有一些拳头产品打到国际市场去，还是要认认真真地吸引一些外国比较大的公司到上海来直接投资，能够成为上海的支柱产业，这就要搞点扎扎实实的事情。不然的话，国际市场一有点风吹草动，我们就会全面垮台，那就太脆弱了。现在是一个时机，不能丧失这个时机。这是历史的重任落在我们的肩上，我们要兢兢业业，不敢松懈啊！

要把上海建设成为一个外向型的城市，实行大进大出的政策，上海外经贸系统的同志们，你们是先锋队。首先要靠你们“打出去”，你们打不出去，上海经济就活不了啊。我还要加一句，你们也是众望所归，大家都把希望寄托在你们的身上，对你们有很高的期望。

现在事情确实是不那么容易做，上海的困难确实是比较大。原来计划内那一块是给上海的，现在没有了，也不是说不给你，给你可以啊，加价，收外汇，上海受得了吗？财政包干里面没有这一条啊。每一个省，特别是上海周围的这些省，都想搞大进大出，都要采取各种措施，发展自己，上海就等于被封锁了。我上次说，这是逼着我们下太平洋，去找出路啊。但你不这样怎么办呢？这就得靠同志们哪！我一直要求工业做你们的后盾，给你们提供价廉物美的产品，但是工业也有很大的困难，原材料价格这么猛涨，怎么受得了啊！上海是个加工工业城市，产品不涨一点价，生产不下去，企业一点积极性都没有了。但这一涨，外面的省市骂我们还不算，上海的老百姓也在骂我们了，涨这么多！所以我批评市纺织局不应该把产品都销到外地，销到深圳，去拿外汇，不给市纺织品公司提供货源。我固然是批评他，但他也有他的困难。他是“双承包”〔1〕，他还得上缴利润，105 亿元任务摆在那个地方，压得他也很重啊，他还得发奖金呢。还有一个，现在工人的积极性，说老实话，不是太高，这就是我们自己的问题了。效率很低，全国只有上海第一季度劳动生产率下降，其他哪个城市劳动生产率都是上升的。这么一个状况确实是有困难。现在是外销不如内销，换汇成本很高，上海算是低的了，但也不行啊，补不了他的亏。

现在产生工贸种种矛盾，不是没有客观原因的。在这种情况下，怎么办呢？一个是要求外贸部门的同志努力促进工贸结合，把工业企业推到第一线去，采取各种办法使我们的产品卖得起价钱，不要老放在地摊上卖。缩短交货期，把信息很快反馈到企业，那才能改进产品质量，增加品种。小批量，多品种，交货期很短，价钱才卖得起来呀。另外，我们的工业企业要大力降低换汇成本。只有靠这个，不然的话，没有前途。老扯皮扯下去，问题也解决不了。不是大家都来想办法，事情是搞不好的。所以，我就希望市外经贸系统的同志，认识到自己作为先锋队的光荣责任，努力促进工贸结合，千方百计地去占领国际市场，把我们的产品“打出去”，帮助我们的企业降低换汇成本，提高效益。我们今年搞了几个工贸结合的试点，全面代理、直接对外的，工贸完全紧密结合的，无非就是为了把工业部门的同志跟外贸部门的同志紧密地团结起来，大家一个命运、穿一条

〔1〕“双承包”，也称“双线承包”，指工业部门和外贸部门共同承包出口创汇的相关指标，是在外贸出口体制由收购制改为代理制基础上推行的一种承包方式。

裤子，把价钱卖高一点，把出口增加一些，就是想达到这个目的。不这样做，上海没有出路。所以我希望同志们在这方面要统一认识，把这个工作做好。由于所处的地位不同，工贸双方总有一点矛盾，但是大家都要在这个共同目标下，统一认识，互相谅解，互相帮助，把事情做好。

日本的商社跟工业企业的结合非常好。我到日本去访问，每一次参观工厂，都感到很奇怪，不是工业企业的人来陪，总是商社的人来陪，服务得非常周到，帮工业企业说好话、拉关系。商社跟工业企业的关系非常好，几乎是一体，围着他们转，这是一种形式。美国采取什么形式，我不清楚。不管采取什么形式，反正工贸要结合，总得让工业企业直接面向市场，产品能完全根据国际市场的需要来生产，这一点必须做好。

第三，我们市委、市政府是非常重视外经贸系统这支力量的，是充分认识到外经贸系统的同志在振兴上海过程中起的作用的。我们对你们的工作十分关注，你们的各种刊物、各种信息，包括你们各个公司的简报我都是看过的。最近我特别关心五矿公司〔1〕，五矿公司不把冷轧薄板、马口铁、矽钢片给我弄进来，上海轻工业就要停产了，税利都没有了。现在既然放了权了，就要千方百计到国际市场去买原材料，没有大进何来大出啊！我现在愿意承担一点风险，高价也买进来，相信我们上海有这个本事能够吃得消，总比现在停产好。三分之一生产能力现在没有发挥出来，纺织原材料没有，轻工原材料没有，化工原材料没有，家电工业、轻纺工业停了相当大一部分生产能力，所以我很关心，你们要想尽办法把这些东西弄进来。现在在国内搞原材料也很困难，价钱相当高。我们叫市纺织局提供了一张对照表，就

〔1〕 五矿公司，指上海市五金矿产进出口公司。

是按我们现在到各省区市去议价买来的原材料或平价原材料，跟国际市场价格一对比，发现相当大一部分都超过了国际市场价格。那么为什么不赶快到国际市场上去买呢？当然，我也不是要放弃跟国内省区市搞长期的协作关系，采取合作的方式共同建设原材料基地。我很关心同志们的工作，因为你们的工作关系到上海经济的发展，作用是很大的。

我想跟同志们解释一下。有同志说，朱镕基搞工业出身，偏向于工业，一来就狠狠批评外经贸系统，偏心眼儿。说我偏心眼儿，有可能，如果有这种偏向或者片面的地方，请同志们谅解。为什么？因为我对工业了解得比较多，人也比较熟，很可能对他们的弱点看得比较少。工业我搞了25年，或者说30年，对外经贸，我接触前后也就是不到10年，对情况不如工业方面了解，人也不如工业方面熟悉，提出批评的时候可能有点片面，可能有点轻重不同的地方。但是同志们，中国有一句古话："爱之弥殷，责之愈切。"就是说，我跟你们是同舟共济的。你们搞不上去，我心里着急得不得了。你们是先锋队啊！你们不"打出去"，上海就没有希望啊！所以，我对同志们的期望很高。我是要和同志们同舟共济，因此在你们还做得不够的地方，我责备的时候就比较重一点，更多一点。但话得说回来，我对工业部门的批评，恐怕也是相当厉害。现在厂长对我的意见很大，同志们知道不知道？因为我在各种场合"刮"厂长，我说上海有的厂长连外国一个车间主任的水平都不够。你不管原材料，不管产供销，算什么厂长啊？算什么企业家？搞什么经营管理呀？厂长要培训，车间主任要培训。我对他们的批评也是很严的。当然我今天也表扬了市第二毛纺织厂的厂长，他有困难，不找市长找市场，自己想办法。我主观上没有想对哪一个更严，客观上有可能偏向他们了，请同志们谅解，我以后要改正。今天本来我是不能来的，因为下一场就是两个大的外事活动。我想不久还要到市外经贸委来，跟处长以上的干部同志再座谈一下，谈一些比较深的问题。今天来就是表示一个态度，我要跟市外经贸委的同志同甘共苦、风雨同舟，为振兴上海、发展上海的外向型经济共同努力。

在上海市政府第一次常务会议上的讲话*

（1988 年 5 月 10 日）

我们新一届市政府诞生，正处在这个历史转折时期，也就是上海实行了财政包干，中央制定了大进大出的沿海地区经济发展战略，国际形势、国内形势都对上海的振兴有利。所以，我们这届市政府的工作是至关重要的。我们市政府的领导和在座的同志们绝对不是做五年舒舒服服的太平官，要准备奋斗。这五年对我们来讲，应当是艰苦奋斗的五年，是同困难斗争的五年，是团结拼搏的五年，是我们同甘共苦的五年。

从我个人来说有很多缺点，希望同志们帮助。我一再讲这不是谦虚，诚心诚意希望同志们对我进行帮助，对我提出意见，使我能够把市政府的班子领导好。

第一，我觉得现在上海是需要速度，需要效率，需要果断行事，需要雷厉风行。尽管我在进行决策的时候要慎重，要虚心听取同志们的意见，但不能老是坐而论道、议论纷纷，这样什么事情也办不成。任何一个决策，都不可能没有缺点，所以，我希望同志们尽可能提出意见，帮助我。但是一经决定，必须令行禁止，不能够评头品足，涣

---

* 这是朱镕基同志在上海市新一届市政府第一次常务会议上讲话的一部分。

1988 年 4 月 25 日，朱镕基在上海市九届人大一次会议上投票。前排右一为副市长叶公琦，右二为市人大常委会主任胡立教，左一为市人大常委会副主任赵祖康。

散军心，这对上海的工作是极端不利的。

第二，我觉得应该提倡实干、办实事的精神。几十年积累的矛盾这么多，刚才道涵〔1〕同志是很形象地概括了我们当前的处境，机构重叠，职能不清，扯皮是很难免的。在这种情况下，如果我们老是

〔1〕 道涵，即汪道涵，曾任中共上海市委书记、市长等职，当时任国务院上海经济区规划办公室主任、上海市政府顾问。

坐在这个地方，不去办实事，不去解决具体问题，那什么事情都办不成。因此，我是强调宏观管理，但不是不管实事。宏观管理是什么意思呢？就是你别把权卡在自己手里，你不要争权，要调动各个方面、各级干部和群众的积极性，让大家都去做。你别卡人家，也别把权卡在手里，自己又不办。我是说你要考虑宏观，把权力尽可能地下放。不要把什么事情都揽到自己手里，那样什么事情也办不成。本来有人办的，就让人家办；他办不了，你就高效率地帮他办好。加强宏观管理，不是让你不办实事，你还得监督实施，还得去协调、仲裁。下面扯皮，你还得下去解决这些问题，你不去协调、仲裁，他搞不好啊！你还得提供咨询服务，还得下去拿主意，告诉人家怎么办这个事情。希望我们的各位副市长、局长都能够独立地以办实事的精神、实干的精神，从垃圾、粪便的问题到“菜篮子”的问题，一个一个去解决。我们不提倡说空话，希望每一个同志都能成为解决问题的能手。领导干部不要老是坐在那里讲，不下去。现在，好多工人的积极性不高，基层干部的积极性不高，老在那里拖拉、扯皮。你老坐在那里，不下来抓住具体问题、解决问题，谁干啊？不瞧着你啊？你有本事，就下去抓住具体问题拿主意、想办法呀！协调、仲裁，把事情办好，你才算领导。所以我说，我们这一届市政府就要看实绩，看政绩。你是不是把“菜篮子”搞满了，把物价搞下来了或者稳定了；你是不是把生产搞上去了，把经济效益提高了；出口是不是增加了，外商投资是不是增加了。你要搞出政绩来，不要讲空话。我看，对有实绩的同志、扎扎实实工作的同志，要把他提到领导岗位上来，把那些老说空话、占在那个位置上不办事的人拉下去。应该有这么个风气，我们的政府工作才有转机。不要搞关系学，不要怕得罪人。从我来讲，到上海来工作就我一个人，连秘书也回去了，我对上海的干部没有什么亲疏。要任人唯贤，我希望在座的同志都本着这个原则去办，提拔一个人通过组织、群众的考察；不要任人唯亲，不要自己想提拔哪个人就提拔哪个人，要听组织的意见、群众的意见，要看实绩。

第三，现在，群众对我们这届市政府的评价和期望很高。我们这届市政府能不能有成绩、能不能符合人民对我们的期望，关键是我们能不能在党中央、国务院领导下取得上海1200多万人民的支持。得不到他们的支持，我们一事无成。但能不能真正得到他们的支持，最重要的是看我们是不是一个廉洁的政府，人家拭目以待是看这一条。为什么今天第一次召开市政府常务会议，就讨论建设廉洁政府、艰苦奋斗、艰苦朴素问题，就做这个规定〔1〕呢？就是因为这一条。如果发现在狠刹吃喝风、受礼风时，再发生任人唯亲、以权谋私的情况，我们是绝不留情，毫不手软。我希望同志们互相勉励，一定要做到，就不要往这个枪口上撞了。当然我也知道，各种习惯势力、阻力是很大的，有可能搞不好这个工作，但是，我没有任何个人的考虑，我愿意为此做出牺牲。我想，我们这样做是党中央、国务院对我们的希望、关怀和支持。最重要的是1200多万上海人民眼睁睁地看着我们，支持我们。因此，我相信是会成功的，我愿意和同志们共勉。

---

〔1〕 规定，指《上海市人民政府关于对政府机关局级以上领导干部发扬艰苦朴素作风的若干规定》。主要内容是：(一) 礼仪活动所必需的招待宴请，标准从简，一律“四菜一汤”，并严格控制陪餐人员；(二) 下基层检查工作或做调查研究，需在基层就餐时，一律吃客饭，不超过一菜一汤，并按规定付费；(三) 一般外事宴请也应“四菜一汤”；(四) 参加礼仪活动和会议时，不得收受礼品，参加外商投资企业的开工、开业、纪念等庆祝活动不例外；(五) 不得以试用、鉴定等名义收受样品和礼品；(六) 市政府机关召开会议，不得以任何名义向与会者赠送礼品（包括皮包、圆珠笔）和礼券；(七) 对难于拒收的礼品，可在收下后上缴本单位统一处理；(八) 外事活动中的礼品问题，按有关外事规定执行。

发挥科技优势，打好重点工业项目会战*

（1988年5月11日）

一、发挥科技优势组织攻关是一件非常重要的事。

去年12月，中央领导同志到上海，多次强调上海搞大进大出的出路就是科技与生产相结合，发挥上海的科技优势。这个任务很重，怎么完成，确实是个难题。如果上海不发挥科技优势，就走投无路。我们没有多少资源和原材料，再不把科技优势发挥出来，与生产结合，打入国际市场，大量吸引外资，困难状况就扭转不了。中央让的这点钱很快就会被花光，财政继续滑坡，群众对我们的不满情绪积累到一定程度就会爆发。所以，科技与生产相结合就是摆脱困难非常重大的课题，可以把上海的优势发挥出来。我们没有原材料，但有科技优势，外地还是搞不过上海。

现在，上海怎样发挥科技优势来完成党中央、国务院交给的任

---

* 这是朱镕基同志在上海市生产、科技相结合攻关会议上的讲话。1988年，中共上海市委、市政府就发挥上海科技优势、全面实施上海经济发展战略问题进行调研，在听取300多位专家、学者和实际工作者的意见基础上，确定了14个产品能出口创汇或替代进口并能带动相关产业技术进步的项目，作为全市的重点工业会战项目，进行科研、开发、技术的国产化、技术改造以及批量生产一条龙攻关会战。

务，并没有成熟的方法。想来想去，还是尝试确定几个大项目搞攻关。有人说，攻关是老办法，行不通。我也想集思广益，听听有什么新办法，但等了两个多月，听来听去，还就是攻关这个办法。有些老办法不能丢，如行政干预在中国目前这种情况下是不能丢掉的，丢掉了，没人抓，工作就搞不上去。即使在外国也是这样。如果完全靠经济利益，靠涨价、发奖金，毕竟有限，也会搞乱。老办法不能丢，新办法要考虑。要用经济办法，按照价值规律，把各方面力量通过经济办法维系在一起。我们的办法还在完善之中，但决定了就要坚决地干，不要动摇，要有信心沿着这条路子走下去。经济办法加行政干预，这是一条新路子。

二、最重要的是把攻关的大项目定下来。

只有把攻关项目定下来，才能把人才维系住。关键是振作起来，把人才吸引过来。要看到上海是有希望的，真搞起来也很快。香港在五十年代还落后于上海，就是这些年才发展起来的。最近，薄一波同志批了一个材料，他期望上海花10年时间搞上去。这个要求很高，但我们要有这个信心。

现在定的12个重点项目，包括彩色感光材料生产线和原材料的国产化，是市政府抓的样板。这些项目协作面比较广，协调难度比较大，扯皮也比较多，由市政府来抓，能够比较快地搞上去。各工业局回去也要抓一些样板，定出攻关项目。由此取得科研与生产结合的经验，形成一套路数。相信朝这条路子走下去，上海工业几年就能改变面貌。一定要赶快把攻关项目定下来。

我认为，年产30万吨乙烯和30万吨合成氨装置国产化还是要列入重点项目，什么时候列入可以再研究。这两个项目是比较大的产业，也是上海工业的拳头。今后，中国要发展，还得搞这两样东西，设备由上海包了，不需要再进口。我们就得有这个雄心壮志。

三、项目组织要搞全国经济合作。

项目的组织不一定搞“上海”牌，还是要搞全国的合作。要旗帜一举，把全国的力量团结在上海周围。把科研、设计、加工等精华部分放在上海，上海就能发挥带头作用。在“桑塔纳”轿车国产化问题上，江泽民同志和我一再讲要搞“中华”牌，不搞“上海”牌，这样就把全国搞汽车的力量团结在上海周围了。这一点超越了上海的行政范围，要用经济办法来维系。

四、项目资金要多渠道筹集。

资金问题分两个部分：

第一，技术开发费。定了项目，要有开发费。没有这笔钱，科技人员留不住；搞出来的东西，也是低水平的。开发费怎么筹集？首先，利用现有的技术开发费。各工业局要对现有开发费的安排做适当调整，把开发费集中到攻关项目上来。其次，向国家争取新的开发费。如贝尔程控电话项目，国家经委已答应拨款。其他项目也要向国务院各部委争取拨点款。再次，久事公司〔1〕、实事公司〔2〕贷一些长期、低息的贷款。

各工业局不要有门户之见，要舍得花血本。真要攻关，拿出高

〔1〕 久事公司，即上海久事公司，成立于1987年12月，是上海市政府根据国务院的国函〔1986〕94号文件《关于上海市扩大利用外资规模的批复》精神，为加强城市基础设施建设、加快工业技术改造、增强出口创汇能力、发展第三产业和旅游业（此项政策简称“94专项”）而成立的专门经济实体。

〔2〕 实事公司，即上海实事公司，成立于1988年3月，是上海市政府为贯彻落实国务院批准的上海市《关于深化改革，扩大开放，加快上海经济向外向型转变的报告》精神而成立的直属市政府领导的企业单位，主要职能是综合经营、开发，使1988年上海实行新的财政包干体制后，当年多分得的14亿元市财政收入快速增值，促进上海市的生产和出口，同时为城市建设积累资金。1990年1月，实事公司与久事公司合并，成立新的久事公司。

水平的东西，还是要把各路科技大军的力量集中起来。

向实事公司贷款，是担点风险的。现在先贷款搞开发研究，经过三至五年出了产品，再归还。这笔钱总要还的，因为实事公司的钱是上海市民的血汗钱。

第二，技术改造费。从三个方面解决：企业自筹，与外地联营，利用外资（由久事公司贷款）。这就是经济办法。要善于经营。

这样做，和以前攻关不一样，不全是老办法。老办法是无偿投资、吃“大锅饭”，现在没有了。总的看来，项目资金落实的情况分为这几种类型：

一是资金已解决的。“桑塔纳”轿车及其配套国产化项目的资金已经自给有余。下一步组织攻关，就是原班人马。

二是资金有希望解决的。贝尔程控电话项目虽然资金不足，但国家支持，条件成熟后，国家就给钱。这个项目要争取列入国家经委的国产化一条龙项目。市仪表局要把它作为一个重点项目搞。这个项目已经有现成机构，也有眉目了，资金问题可以逐步解决。

三是资金还没有落实的。年产 30 万吨乙烯和 30 万吨合成氨项目的资金没有落实，但是有一批技术人员，有龚兆源〔1〕这块牌子，有陈根林〔2〕当厂长的经验，在这个基础上可以成立会战指挥部，组织一个公司，逐步搞活。把精华部分放在上海，上海还是龙头。

此外，各工业局也有一批项目的资金需要进一步落实。

五、奖励政策是最重要的政策。

对完成这十几个项目真正有功的人员，要授予“特等劳动模范”的称号，发他几千元奖金，住房困难也要帮助解决。以此类推，对完

〔1〕 龚兆源，当时任上海市乙烯工程办公室主任。

〔2〕 陈根林，当时任上海吴泾化工总厂副厂长。

成局级攻关项目的人员，也要给奖励，授予“劳动模范”的称号。总之，奖励要精神加物质，给人一个奔头，使为振兴上海立功的同志受到大家的尊敬。

六、领导机构人员不要挂虚名而要干实事。

市政府成立一个会战领导小组〔1〕，建议顾传训同志担任领导小组组长，刘振元同志担任副组长。领导小组下设一个办公室，由市经委副主任蒋以任同志担任主任，市科委主任金柱青同志担任副主任。市经委和市科委两家可以搞联合办公，一个星期召开一次或两次办公会议。

领导小组顾问顾训方同志负责全面协调，主要是研究、制定政策，检查进度，发现并解决一些重大问题。主要工作还是由每个项目的领导小组自己去干。

每个项目的领导小组，结合原来谁抓这个项目的就由谁来抓，但要明确责任，产生一个领导小组组长。可以请老同志当顾问，顾问名单由各主管单位来定。

除了领导小组之外，每个项目还应有实体。“桑塔纳”轿车及其配套国产化项目有大众汽车公司为依托单位，其他项目也要有经济实体，最好放在工厂里。

〔1〕 会战领导小组，1988年6月10日，上海市政府成立市科技结合生产重点工业会战项目领导小组，朱镕基任组长，副市长顾传训、刘振元任副组长，聘请顾训方任顾问。

成立上海市外国投资工作委员会的几项原则 *

（1988 年 5 月 12 日）

振兴上海的希望很大程度寄托在市外国投资工作委员会这个机构上。说老实话，上海靠一年 14 亿元〔1〕解决不了大问题，不采取大动作把上百亿美元外资吸引进来，上海的根本面貌改变不了。要下决心投入力量，把最强的干部调到这个机构来，一下子搞上去，改变上海在外面的形象和信誉。外国人是很敏感的，他要看什么人下决心，怎么样的人马、什么方式来办这件事情，这是非常重要的。现在有了转机，外国人对上海的信心提高了，要因势利导，在涉外方面一个接一个出大措施，扩大影响，建立信誉。宣传部门不要泼冷水，外国人

---

* 这是朱镕基同志在上海市外国投资工作委员会第一次预备会议上的讲话。为改善投资环境，简化审批手续，实现“一个机构、一个窗口、一个图章”对外，上海市于 1988 年 6 月 10 日成立外国投资工作委员会，直属市政府领导。市长朱镕基兼任主任，副市长黄菊兼任第一副主任，下设常务副主任一名，并由市计划委员会、对外经济贸易委员会、建设委员会和经济委员会各派一名副主任任外资委副主任。该机构负责审批投资额在 500 万美元以上、3000 万美元以下的外商投资项目；推进、督促和协调解决外商投资企业在筹建和生产经营过程中的问题，并做好服务工作；指导并监督各区、县、局对 500 万美元以下的外商投资项目的审批工作。1990 年后，市外经贸委与外资委“两块牌子，一套班子”，以利协调与配合。

〔1〕 参见本书第 75 页注〔2〕。

相信上海的投资环境在改善，一个一个来了，来一个就报道一个。吸引外资上去了，上海才有希望，浦东才能真正开发。

靠批租土地，短期内不会有很大发展。我不是说不要搞，要积极试点，但不能把主要希望寄托在这上面。一些台湾、香港人士建议，千万不能把沿海滩的土地批租出去，都批租出去，连出海口都没有了。

不能单独为了开发浦东而开发，开发浦东是为了改造旧城区。整个上海的人口要向浦东、崇明和其他郊县疏散，上海的花园洋房才能恢复，金融中心才能建立起来，交通问题才能解决。现在一天我们收到100多封人民来信，都是讲粪便横溢、垃圾成堆、交通拥挤、住房紧张，简直就要爆炸了。上海旧城区怎么能维持下去？搞一个浦东与旧城区不发生联系，我要你这个浦东干什么？因此，最大出路还是吸引外国直接投资。现在“三来一补”〔1〕放在郊县，大有希望，但解决不了什么大问题，国际市场一有变动，马上就没有了。拳头产品打入国际市场，谈何容易。我是极力在搞科技与生产结合、攻关，但也不可能真正还上海几十年的欠账。真正解决问题，就是要大规模吸引外国直接投资。还是要靠老上海的信誉，吸引外资。

上海将来的希望主要在浦东。开发新区，要靠你们高效率的工作，提高上海投资环境的名声。凡是扯皮的问题，调查后，叶龙蜚〔2〕同志主持外资委常务会议拍板，我们签字就定下来。今年能解决几个大项目，就能搞上去了。

市外资委的成立要坚持以下几项原则：

一、委员不兼职。联合办公室的很大缺陷是不能提高工作效率，讨论问题要通过决议不那么容易。你们是各部门的权威，情况熟悉，

〔1〕 见本书第18页注〔1〕。

〔2〕 叶龙蜚，当时任上海市仪表电讯工业局局长，并负责上海市外国投资工作委员会筹备工作。

办事情合情合理，就是有关部门的头头研究，也只能这么干。这个机构的权威，建立在三个基础上：第一，市政府的规定；第二，方案正确，符合上海情况，经过我们这些人判断，不会出什么大毛病；第三，通过法规形式，不是个人说了算。我一直说，成立机构并不难，最艰巨的是一个月要把必要的法规拿出来，然后再逐步完善。叶公琦〔1〕同志对我讲，市人大要把制定涉外法规作为法规建设重点。有了地方人大公布的法规，办事就比较方便一些，对外国人也好讲一点，他们对法律比较信任。你们各位委员晚一点免去原来职务是可以的，但委员是专职的，不再兼原来职务。

二、人员配备要最强的。这个机构是个非常重要的机构，必须集中上海优秀的干部、干实事的干部到这个机构来。委员的级别实际上比你们当副主任要高，现在不动你们的级别。对外算委员，实际上级别很高，我当主任嘛。下面一级干部，也要调很强的局长来，是办事的，工作效率要很高。许多国际组织都是一个人带个秘书，管一个部门工作。我们将来人不能很多，管一个方面，至多只有两三个人，非常精干，办事效率很高，直接动手。几天之内开个会，着手筹备工作。委员是不是还要增加几个？市财政局、交通办必须调个负责人来当委员。看还有什么单位的人需要调，调来不一定都当委员。人很能干，但级别不是很高的，可以调来放在中层一级。市规划局能否调个精干的人？副局长一级，不一定当委员，你们的下级可以是副局级，也可以是处级，还可以把能干的破格提为处长。再下面一级，建议人少一些，年纪轻一些，外语很好，经过锻炼可以接替老同志。现在抓工作，太年轻不行，太年轻干不了事情。中层年龄大一些，60岁也没关系。现在懂外语、外贸的人才很少，直接对外企业都需要既懂外贸又懂外语的

---

〔1〕 叶公琦，当时任上海市人大常委会主任。

人才，要赶快培训。要不要公开招聘，你们商量。反正要把126个图章中关键性部门最得力的人抽来，不惜一切代价，各个层次都可以调。

三、工作范围是管外国直接投资。他主要对改善投资环境负责，但不能把一切都包下来。别的部门干得很好的，不要收上来；发现人家干不了的，你们就要干预，马上拿来干。分工就根据这个原则。我个人倾向是，“三来一补”不要管，市外经贸委完全可以管，你们制定政策，加以监督。对利用外资、对外经援的宏观管理、总盘子，你们不要管，这是市计委的事。现在问题是，直接投资的审批项目是否完全集中到你们这儿来，值得考虑。500万美元以下的，由区县局、市外经贸委批，甚至500万至3000万美元的，他们能搞的工作也由他们先搞，他们解决不了，才到你们这儿来，这样可能更好一些。我的话供你们参考。我的意思是说，你们一上来就要改变面貌，把工作抓起来，但不能影响原来机构的积极性，他们能办就让他们干，你们就是利用我的权威啃“硬骨头”。我这是提的原则性意见，能否吸引一两百亿美元，就在你们身上了。你们要清楚，区县局和委都置于你们监督之下，这是指外国直接投资方面。要动员一切力量干这件事，但不包在你们身上。特别是法律咨询、外资投向咨询，尽量让一些咨询公司来干，你们把他们团结在周围，也不一定限于一个机构，要开展竞争，谁干得好，就多介绍生意。还有信息，也不能在委里边搞个专门的信息中心，要利用社会上、各部门的信息中心，只要有一两个人，利用各种渠道，把信息集中到你们这儿来。我赞成你们集中管直接投资，改善投资环境。你们是个突击队，几天就能拍板，下边能办就办了，不能办的到你们这儿马上就能办了。另外，把明志澄[1]同志调来。最主要的是保证外资企业按国际惯例经营，这条是最重要的。你们把这

〔1〕 明志澄，当时任上海市经济委员会副主任。

条做好了，外国人自然就来了；做不好，就成了空话。已有的都办不好，怎么会有新的来呢？要保证他们的物资、水、电、煤气供应，别的企业能停，外资企业不能停，就是要给他们开“小灶”，这就是创造小气候嘛。现在外资企业没多少，将来多了，上海的供应情况也改善了，能源、交通、电信状况三年后总得改善了。要保证原材料、能源、交通条件，要拿一套法规出来，保证他们的人才流动，保证他们能按国际惯例管理企业。

关于权力下放的几点意见*

（1988年6月3日）

第一，这几个月实行下放权力，看起来情况是比较好的。一是市政府把权力下放给区县，把区县搞活；二是各委办局把权力下放到企业，把企业搞活。这是我们今年要做的两个带根本性的事情，在权力下放、职能改革方面，一定要抓住这两个问题。现在看来，权力下放到区县比权力下放到企业做得好一点，把企业搞活还做得不够，下半年要好好地抓一下。我们要肯定下放权力这个方向，各委办局要积极地、真心诚意地把责权利配套下放下去，一个放到区县，一个放到企业。

第二，权力下放、财政包干以后，区政府也要转变观念，把下放的权力用好、用活。区政府一定要明确，你是一级政权，一定要把全区事务综合平衡、统筹安排好，把下放给你的事真正管起来，把下放给你的权用好。这是一条，我看各区县都是这样做的，很努力。我

---

* 这是朱镕基同志在上海市新一届市政府第一次区长会议上讲话的主要部分。1988年，在中央对上海实行财政包干后，中共上海市委、市政府做出对区实行承包、分权明责的决定，以财政包干为核心，在计划、外经贸、商业、劳动人事、城建等方面配套放权。1988年3月，上海市政府决定对郊县实行包干上缴的财政管理体制。4月，上海市政府进一步向区县下放固定资产投资审批权限。

举个例子，上海人民广播电台一个材料反映，杨浦区对去年以来发生的停工停产、上街游行以及上访等等事件，分析得很细，包括原因是什么、怎么做工作、如何防止这些事情发生等。看了这个材料，我觉得应该鼓励各区都做这些事，就是要对这个区的工作全面负责。尽管你这个区里有些企业是中央的企业、市属的企业，有好多事情你管不了，但不管怎么说你是一级政权，你们都是在那里管这些事情的，你们管不了可以告诉我，我可以帮助你们来管。这样，很多条条管不了的事情，你们能够比较有效地、比较及时地把它们解决了。把很多隐患、很多闹事的苗子都消灭在萌芽状态，这就要靠你们了。当然不是那么绝对，但你们应该更加体会到群众的脉搏，更加掌握他们的情绪，这一点恐怕比我们条条的领导、比我都更直接一些。所以，很多事情需要靠你们做，上海的事情办得好不好，是要靠你们出力了。

第三，我们强调你们 12 个区长都是“市长”，你们要全面负责，但我也讲了一定要服从统一政令，不能够各自为政。很多事情没有把握的，还是要跟有关委办局打招呼，不要乱来，乱来也不得人心，别的区不会同情你。有些事情要统一协调，一条街道横跨几个区，如果各自为政，不打招呼，也不服从全市协调，会搞乱。这是要求区长有全面观点，考虑问题周到一些，多想想上下左右，多打招呼，多联系。

第四，区里也应该简政放权。你们也是一个综合平衡的机构，不要把什么事情都抓在自己手里，如果你们下面又是“条条专政”，那什么事情也办不成的。上海的企业和别的地方企业不一样，基础好的很多，能人很多。你们把他们的能量释放出来，他们能办很多事情，不需要你们事事去指导。上海管理水平很高，卡人系统也很严密，人管人、人卡人一套套的，对各种各样的法律法规都背得很熟，结果把人束缚得死死的，发挥不了积极性。我说，把这些事情砍掉一点，关键是要把第一线的企业、事业单位搞活，事情就可以办得更好。这一点，希望同志们注意，你们也是以宏观管理为主，但你们比我们微观一点，好多事情你们接近第一线，但也还是要以宏观管理为主。

第五，各区的领导同志要会市政管理，特别是会理财。市政管理是一门科学，同志们都要来学习。你不懂市政管理，什么事情也干不成。我昨天去南市区，看了城隍庙、集市贸易。城隍庙是个“金饭碗”，但不如我想象的好。大家都知道，城隍庙是国际知名的，前几年看还不错，过了几年，眼界也高了，我觉得现在连珠海的九洲城和经济特区的好多集市都比不上，上海确实落后了。对这样一个国际知名的城隍庙，我们利用不够。把里面的民房腾出来，不然，人在下面吃东西，上面晾着尿布，这样外国人怎么能去？里面还可以一步步翻修，我看周围可以很好地建食品街，又能玩，又能看，又能吃，还要有停车场，要有厕所。区长要学会看什么地方出财源，要去抓这个事情，要搞活一点。还有，你们现在是在抓钱，可是你们不要把街道都占掉了。我担心你们越发展，就越搞到街上来了，将来把交通搞得一塌糊涂。我们下周就要通过一个在三五年内改善上海交通状况的决定，这里面有条措施，就是要把街道让出来，不然的话，今后交通问题怎么解决？总还得有一个稍微长远一点的考虑，改善交通管理很大一部分工作要依靠区政府去做。还有一个市容市貌、环境卫生问题，各区是不是可以抓一抓？这也是政府工作的一个方面。市容市貌搞得不好，群众的情绪就不好，要他们上班卖劲就很难。在我们力所能及的范围里，领导重视，经常过问一下，市容市貌总还是可以改善的。我因为开会，在市里到处跑，见到到处是垃圾，心里很难受，实在是太不文明了，希望大家把这件事抓一抓。

在上海市外国投资工作委员会成立新闻发布会上的答问

（1988年6月10日）

日本驻上海总领事吉田重信：我的问题比较简单，就是在一年多以前，曾经成立过一个机构——上海市外国投资事务办公室。随着上海市外国投资工作委员会的成立，以前的这个办公室是撤销了呢，还是同时存在？

朱镕基：吉田先生你提出的这个问题很好。成立上海市外国投资工作委员会后，以前的那些外资工作机构就撤销了。以前在市外经贸委有外资事务办公室，这个机构里的人已经转到这个委员会里来了。所以，可以说他不存在了，也可以说他跟市外资委合并了。成立市外资委，是为了更快更好地来审批外国投资项目，加快吸引外资的速度。原来的机构能够做的事情，还是由原来的机构来做。譬如说，沈被章[1]先生领导的市外经贸委，他能做的工作还是继续做下去，叶龙蜚[2]先生不准备抢他的生意。所以，你们外国企业家原来有的一切渠道，你们都照常进行。但是，如果有原来的那些机构办不了的事情，或者办得很慢，那你就来找叶龙蜚先生。这样说

〔1〕 沈被章，当时任上海市对外经济贸易委员会主任。

〔2〕 叶龙蜚，当时任上海市外国投资工作委员会常务副主任。

是不是恰当一些。

上海浦江之声广播电台记者：我们很欣赏本届市政府为改善投资环境所做的努力。我有几个问题：第一，过去一个外国投资项目的审批，要盖多少个图章，一般要花费多少时间？第二，现在成立上海市外国投资工作委员会后，审批一个项目，估计要盖多少个图章，预计一般要花费多少时间？第三，黄菊先生刚才讲的六条优惠措施，对台湾的商人来上海投资是不是也适用？或者对台湾的商人还有更优惠的措施？

朱镕基：老实说，在上海审批一个外国投资项目，需要盖多少个图章、花多少时间，我没有统计过。我看过一个调查报告，有一个项目审批是盖了126个图章。但是，后来又有一个报告统计数超过了126个。究竟需要盖多少个，我也搞不清楚。现在的问题是大家都要求“一个图章”。只盖“一个图章”，这个发明的“专利权”不在我。江泽民同志在他当国家进出口管理委员会副主任的时候，就提出过把所有的图章集中在一起一次盖上。我在他当年的基础上提出，与其把所有的图章一次盖上，不如把它们合并成一个大图章一次盖上。可以说，我的这个“专利权”是在江泽民同志“专利权”的基础上发展起来的。至于现在盖“一个图章”要多长时间，那就很难说了。我刚才问叶龙蜚先生需要多长时间，他说要看不同的项目才能决定。但请你们相信，我们一定以最快的速度进行。如果你告诉我们说哪个国家批同一个项目比我们还快，那我们就要赶上他。至于你提的另外一个问题，我们这些优惠措施是不是对台湾地区投资者适用？完全适用。

美国驻上海总领事馆商务领事斯洛茵：总领事孙学理先生要我今天特别对你和黄副市长说，这是他到上海以后对他来说最重要的一件事情。也许更重要的是朱市长当选了。但很抱歉，今天他不能来，他要我把每件事都报告给他。我们美国商人倒是有两个问题。第一个问题是，因为每个合资企业每天都有很多小事儿，那都是从陆国贤[1]先生那儿解决的。现在你把陆先生调到这个委员会以后，这些小事情他怎么能带过去呢？第二个问题是，美国商人问我们，听说朱市长对吸引外资很卖劲，像香港的那个投资合作项目，为了一个墙的事情，朱市长亲自到那儿去解决问题，而且解决得很快，他们都很高兴。但他们说，是不是每一次有这样的事情，朱市长都有这些精力可以亲自去处理？假使有 150 个合资企业，朱市长也还有其他的工作，将来怎么处理这么多事情？

朱镕基：谢谢你的关心，斯洛茵女士。谢谢你们总领事先生的好话。关于小事儿的问题，第一，陆国贤先生走了以后，沈被章先生那里马上就有人来代替陆先生管你说的小事儿。如果你觉得沈先生那里那个代替陆国贤先生的人不解决问题，你再来找陆国贤先生。至于我们这个外国投资工作委员会和我本人，从来不拒绝过问小事。我不管它是大事、小事，就是要解决问题。如果是解决了的问题，大事我也不管；如果是没有解决的问题，小事我也得管。大连市市长魏富海先生是我的朋友，他提出设立一个“市长专线”，就是有任何外国投资的问题，都可以给他打电话。我不想学习他的这个经验，因为上海市有 1200 多万人，我如果把电话号码告诉上海市民的话，一天至少可以接到 10 万个电话，三天就得上医院。我现在平均每天接到 100 多封人民来信，有三个人帮助我看信。凡是他们能解决的，就不给我看了；解决不了的，我再来过问。所以关于外国投资工作方面，由叶龙蜚先生来代替我当这个“市长”。叶龙蜚先生也管不了这么多事情，

---

〔1〕 陆国贤，曾任上海市对外经济贸易委员会副主任，当时任上海市外国投资工作委员会副主任。

下面还有四位“大将”，我给你们说一说他们的分工。如果你们到上海来投资，要找伙伴，找陆国贤先生，你们一进门就到他那里去。投资伙伴找到了，谈判快成功了，要批项目的时候，你们找吴祥明先生，他是上海市计委副主任。当你们的项目进入实施阶段，要征地、建设，要用公用设施、水、电、煤气等，你们找叶伯初先生，他是上海市建委副主任。你们的项目投产了，如果不能正常生产，又缺电、又缺原材料等，找明志澄先生，他是上海市经委的副主任。他们四个人在这几个方面是上海市的权威。如果问题他们还不能解决的话，那我也解决不了啦。

外国的企业家还是尽可能利用原来的渠道来解决投资工作中的一些问题。我想现在来解决这些问题，要方便得多。比方我们的区县都有很大的权力来解决这些问题。很多问题是不必找我们这个市外资委的。但是，如果你们觉得他们都不解决问题，一定要找到我们这里来，我们保证会尽力帮你们把问题解决了。至于你们是否满意，我也很难说，但是我们将尽我们的所能。

我过去曾经说过这个机构要 24 小时值班，目前还难以做到。我们正在采取几个手段，一个是配备录音电话，一个是配备传真。在这些手段没有完全实施以前，这个机构将委托上海市政府值班室来记下大家的问题，随时给予回答。我是指办公时间以外，你们可以找市政府值班室。

英国《金融时报》记者：我刚才听了朱市长关于上海投资管理情况的介绍，感到很奇怪，为什么作为权威性的委员会里没有金融界人士参加?

朱镕基：要盖 126 个图章不是没有理由的。如果每一个方面的人都要调到这个机构里来，这个机构就太大了，所以，不能调 126 个人到这个机构里来，我们只能从主要的部门调人。现在有的是已经调了，比方说，刚才我提到的这四位主要领导，还有一些领导正在商调。你讲的金融界很重要，我就是要把中国人民银行上海市分行的行长调到这里来，但是这不是我所能决定的，这要由中国人民银行总行才能决定，我们正在商量。

澳大利亚驻上海总领事馆官员：我们欢迎上海市政府成立上海市外国投资工作委员会。许多澳大利亚商人实际上也是很有兴趣来上海投资的，但是其中有些人因为遇到一些困难，后来就离开了。现在新的委员会成立了，我们相信他们会回来的。我的问题是这样的：委员会里有四个从有关部门调来的负责干部，他们原来都是上海的一些委办领导。现在他们是继续担任那个领导职务，同时又在这个新的外国投资工作委员会里工作呢，还是他们的全部时间都在这个委员会里工作？我们非常感谢、欣赏上海启用“一个图章”进行外资项目审批。我想问一下，是不是除了审批项目以外的其他所有问题也可以找他们？就是说，他们管的事情是到外资项目审批完了就完了呢，还是对这个项目投产以后所碰到的问题也帮助解决？

朱镕基：你的第一个问题，我们确实曾经讨论过。究竟他们几位是兼职还是专职，我们最后讨论的结果：兼职等于是“联合国”，效率不会高的。所以现在他们四位全是专职，不再兼任原来的工作了。第二个问题，他们是管外国投资的全过程的。刚才我介绍了这四位的分工，实际上也包括整个外国投资的全过程。所以，一切你们认为没有解决的问题，都可以带到这个委员会里来。

我对于参加今天这个新闻发布会的外国朋友和中国同志表示衷心感谢。我希望外国朋友们，向你们的国家、你们的人民和你们的企业家传达这样一个信息，就是说，上海市决心为改善投资环境做扎扎实实的工作。

在成立这个外国投资工作委员会以前，上海市的外国投资工作就已经有改善了。今年1至5月份，我们审批外国投资项目142项，比去年同期的71项增加了1倍。特别是4、5两个月，我们一共批准了99项，比去年同期的31项增加了2倍多。同时，我们在改善投资环境方面已经做了一些重要的工作。譬如说，我们已经按照国际惯例免收外国投资企业的城市建设配套费和公用设施的增容费，仅此一项，市政府每年就承担了减少几千万美元收入的损失。但是我们决心这样做，给外国投资者以优惠。同时，对于上海“太精明、不高明”这样的批评在减少，这个情况也在改变。因为上海的企业家已经想通了，外国企业家要是不来赚钱的话，这个钱我们也不一定能够赚到。所以大家也在想，外国企业家在上海不论赚多少钱、获得多少利润，我们绝不眼红，只要我们也赚得到。这就是我提倡的口号。我们还将要在改善投资环境方面做一系列扎扎实实的工作。包括物资公司、外汇调剂中心，这些机构不但继续工作，而且要健全。一些小问题也要解决啊，如出租汽车的问题、厕所的问题等。不然的话，外国投资者到上海来工作很困难。

因此，改善投资环境，保证外国企业在上海能够按照国际惯例来进行生产经营，这是我们上海市政府的一个审慎的决策，而且是一个长远的方针，绝对不会变的。

上海现在的形势很好。今年5月份生产出现转机，工业发展速度达到8.5%。上海的市场供应在全国说起来是比较好的。所以，我希望外国朋友们能够传达我的信息，希望外国的企业家对到上海来投资增加信心。我特别强调“信心”这两个字。

谢谢大家。

会见美国作家索尔兹伯里时的谈话*

（1988 年 6 月 14 日）

朱镕基：江泽民书记不在上海，因此我来见你。我看了你写的书，是中译本。我对你访问上海表示热烈的欢迎。

上海过去几十年对中国建设做出了很大贡献，把 80%的财政收入上缴中央，虽然有助于其他省区市的发展，但自己的建设受到了一定影响。目前上海城市建设欠账很多，交通拥挤，住房紧张，城市许多设施需要更新。

我来上海工作已有几个月，1200 多万人口对我是个沉重的压力。由于上海主要是加工工业城市，原材料特别是农业原材料都是从其他省区市来的，这些原材料涨价，使上海生产成本上升，财政收入下降，处于一个困难的境地。前一个阶段物价涨得比较多一点，因此，群众对我们的工作也不太满意，尤其是大学生，对我们持批评态度。（索尔兹伯里：他们希望你们干得好点。）我们确实干得不是太好，但今年以来，上海有了一个转机，因为中央给了上海比较大的自主权，实行了财政包干的政策。也就是说，过去上海把 80%的财政收入上

---

* 这是朱镕基同志在会见美国作家哈里森·埃文斯·索尔兹伯里时谈话的主要部分。索尔兹伯里所著《长征——前所未闻的故事》中文版于 1986 年 5 月由解放军出版社出版。

缴中央，现在缴70%，以后搞好了，创造的价值更多的话，上缴比例还可以少一些。这样，我们就有了比较大的自主权，来安排自己的建设和人民生活。

现在上海有一种荣誉感，希望恢复过去上海在全国第一的地位。因此，上海市人民的士气正在逐步提高，逐步克服了一些比较大的困难，如今年一度近30万人得肝炎[1]，但这个困难已过去。过去上海是实行计划经济模式最集中的地方，现在商品经济观念正在逐步树立。

今年5月，我看是上海历史上的一个转折点。从5月份开始，上海的工业生产转入上升，前几年工业发展速度是4%至5%左右，今年5月份是8.5%，而且这种趋势不会减弱。因此，我对于今后上海的发展充满信心。

当然，上海发展的一个很重要的条件，就是要执行中央制定的沿海地区经济发展战略。这方面形势应该说很好。上海正在大力改善投资环境，外国企业家对上海的兴趣也比过去增加了，到上海的投资也增加比较快。我们计划在黄浦江东岸建设一个“新上海”，这样可以把黄浦江西岸的工业转移到东岸去，西岸的交通拥挤及其他一些问题就比较容易解决了。现在黄浦江上已经有一条隧道，第二条隧道今年年底可以通车，今年年底前黄浦江大桥开工，明年年底前再开始建一座大桥，还要相应建设港口、机场，发展通信及程控电话。现在正在使用世界银行和国际货币基金组织贷给上海的32亿美元。尽管前面还有不少困难，但我有信心把上海建设好。

索尔兹伯里：朱市长谈的是既大胆又现实的计划。据我了解，上海还要建地下铁路。

朱镕基：地铁今年开工，先利用外资搞一期工程，大约要四至五

〔1〕 见本书第27页注〔2〕。

年以后形成地下铁道网。

索尔兹伯里：大概几年前就该这样搞了。你同意我这样讲吗？

朱镕基：过去没条件，没钱。

索尔兹伯里：现在有权、有钱，可以搞了。我听了很高兴。好多年前就听你们讲要建地下铁路，这对上海发展是一件好事。

刚才听到要建机场，我很感兴趣。上海机场确实需要改建。一方面，停机坪不够；另一方面，处理行李的设备也不够，要改进。

朱镕基：民航的建设不在上海地方，管辖权限在中央。我只是作为一名乘客提提意见。

索尔兹伯里：我很同情你。过去两三个月，我一直坐中国民航飞机外出，每坐一次都抱怨，都有意见要提。

朱镕基：我来上海工作后，就不坐飞机坐火车了。

索尔兹伯里：我还有个建议，你也许已经想到了。美国有往返的班机，如纽约到华盛顿、纽约到波士顿，每隔一个小时、两个小时飞一趟。北京到上海的距离也差不多这么远，运量又这么大。上海建立航空公司后，可以每一两个小时开设一个航班，而且简化手续，乘飞机像坐汽车一样。既方便乘客，同时还可以赚很多钱，尤其是往返于北京、上海的商人更需要这样。

朱镕基：如果我管，就这样办。

索尔兹伯里：在这方面，人民的反映是最重要的。

朱镕基：现在问题太多，要一个一个来解决。再举一个例子，上海的不少地下自来水管道是三十年代修建的，有 50 多年历史了。管道老化，经常发生爆裂，把马路也冲开了。最近就接连发生了四五起这样的事，使我很头痛。一出这样的事就停水，弄不好还会有人身伤亡。

索尔兹伯里：这事在纽约也存在，我很了解。你如想找人商量，可以找纽约市市长。纽约的有些地下自来水管不是三十年代的，而是

1988 年 6 月 8 日，朱镕基在西藏中路与北京路十字路口察看自来水管爆裂情况。

1860 年修的，有 100 多年历史了，也经常爆裂，甚至把一块地方也淹了。没有别的办法，只能逐步地一段一段地更新。

朱镕基：上海还有两万多个工厂，设备大部分陈旧，存在着起火爆炸的危险。我感觉自己是坐在火山上，不知哪一天会爆发。

索尔兹伯里：当市长的总有这么一种感觉。

朱镕基：我想，纽约市市长的日子比我好过。上海有 90% 以上的工业企业是国营的，要我管。

索尔兹伯里：纽约市市长用不着管工业生产，但他也有很多事要管。如怎么吸引企业到纽约来开办，市长的三分之二时间是会见商人和外国企业家。他还要管怎样保住纽约的劳动力。当市长不容易，所有问题都要解决。

朱镕基：每个人都有一本难念的经。

索尔兹伯里：朱市长说市民有抱怨，他们抱怨什么呢？

朱镕基：第一，物价问题。中国人几十年来习惯于物价不动。现在尽管工资增长的幅度已经超过物价上涨的幅度，但市民还是抱怨。广东的物价比上海的更高，工资也比上海增加得多，那里的老百姓已经比较习惯于涨价了。

第二，交通问题。上海的公交公司有 7.6 万名职工，但工作还满足不了市民的要求，他们挤在公交车里骂。我已经收到很多人民来信，要我不坐小车，也去挤挤公交车。

第三，住房问题。上海最近才解决了人均住房面积在两平方米以下的困难户，但要解决上海的住房问题很困难，因为老百姓不想离开市中心。由于商业、交通、教育等条件受限制，郊区盖了房，他们都不愿意去。我们开发浦东，就是要把住房盖得漂亮，把设施搞得配套，不然老百姓不肯去。他们是宁要浦西一张床，不要浦东一套房。（索尔兹伯里：这也很自然，等地铁搞好了能解决。）仅靠一条地铁也难解决，要建成地下铁道网络。

第四，环境污染问题。现在工业发展快，但污染治理没跟上。（索尔兹伯里：治理环境污染的速度总跟不上工业发展的速度。）

解决这些问题，不知还要多少年，也许要 20 年。但是目前我要解决上海市民副食品供应的问题，这是比其他问题更重要的事。我想，要让老百姓吃得好、吃得便宜，我把这项工作作为来上海后全部工作的突破口。这几个月来，副食品供应情况大有改观，也许是老天爷帮忙。今年，全国夏粮减产，但上海增产10%以上；蔬菜产量上海比去年增加，价格也比北京和上海周围的地区低。当然，不可以过分乐观，郊区生产很大程度上还取决于天气。但是，上海有强大的工业和科技力量，我们用两年至三年在上海建立集约化、现代化的副食品生产体系，是有可能的，从而建立起稳固的副食品生产基地。

最近，我们还提出了改善上海交通的五年计划。目前，还不能马上把浦东开发起来，只能利用现有的设施，先实行机动车与非机动车分道行驶，搞一点高架公路，拓宽一些马路，再采取一些管理措施，这样经过五年的努力，上海的交通状况能有一番改观。

市政府研究室要成为市长的智囊*

（1988年6月15日）

市政府研究室人员的素质还是很好的，年富力强，知识结构也比较合理，学经济的占很大比重，学中文的也不少，学技术的有一点，少了一些。这没关系，你们年轻，求知欲强，多学习、多锻炼，是可以成为全面人才的。

市政府研究室要成为市长的智囊，为市长服务，围绕市长决策提供各种信息和决策方案。天津李瑞环市长的经验，就是有这么一个20多人的班子，成天在那儿研究。我就是想搞这么一个机构，研究需要市长考虑和决策的各种问题。当然，有些问题我没有想到，你们可以向我提出来，我认可后进行研究。

我认为，市政府研究室要具备三方面功能：

第一，信息输入功能。现在国内外、市内外和政府内外每天有大量的信息，我每天除了参加各种活动外，要看大量的文件、材料和人民来信，掌握大量的信息，没有情报、信息就活不下去，无法进行正确的决策。但是，我最头痛的是时间不够，许多很长的文章、论文没有时间看。你们能帮助我看东西，把各种有价值的观点、信息资料

* 这是朱镕基同志在参加上海市政府研究室党支部组织生活会时发言的主要部分。

提供给我，就是对我最大的帮助。如果你们看一本书，把主要观点整理成很短的一篇文章，我看一下就等于看了一本书，当然，要整理好是不容易的。你们要根据我的思路，把你们认为值得市长重视的各种信息，包括中国、外国的经济界、企业界、政府机关和民间的都收集起来，整理出观点，对我将是很大的帮助。要把信息输入、储存起来，室里要订大量的报刊，国内外主要的刊物都应该有。

第二，信息加工功能。你们提供的信息，应是经过加工的信息。现在的《上海摘报》〔1〕是初级信息，没有加工，"养料"太少。你们还要提供决策思路，也就是经常要对一些重大问题进行议论，通过"头脑风暴法"，互相撞击，互相启发，形成新的思路。如家禽是否提价问题，我上星期六去青浦，与县里干部交谈，很有启发。在上面，听到的意见是非涨不可，否则生产者就没有积极性，家禽就要没有了。但县里同志的一致意见是不提价，说现在的收购价已足以刺激农民的生产积极性。家禽便宜一些，需求量大，也有利于生产发展。而且家禽的粮食转换率较高，2 斤粮食可生产 1 斤肉，猪是 5 斤粮食产 1 斤肉。多吃家禽，改变食物结构，是很经济的。我们财贸工作的思路，不能局限在东西少了提价、东西多了压价的老路子，而要考虑怎样把批发和零售很好衔接的问题。部门研究这个问题有局限性，不容易从全局高度来考虑。如市财贸办认为农口搞不成一条龙，实际上农口提出的农民进城卖菜，把补贴给农民，是值得研究的。这样，服务质量和态度就能改善，城市居民也能吃到新鲜的蔬菜。这类问题就需要市长从全局高度来决策，你们要进行可行性研究，拿

---

〔1〕《上海摘报》，指由上海市政府研究室主编的反映市情、民情以及与上海相关信息的简报，主要任务是及时把海内外社会各界对上海工作的各种评论、反映、批评、建议，以及国内外发生的重大事件、重要动态中对上海有借鉴意义的工作经验进行摘编。

1990 年 12 月 13 日，朱镕基参加上海市政府研究室党支部组织生活会后与大家合影。前排左一为市政府办公厅副主任张林俭，左二为市政府办公厅副巡视员余凛，左三为市政府研究室主任施惠群，右二为市政府研究室副巡视员朱展良。

出方案来。今后，市政府的重大决策，先要由分管副市长提出意见，市长认为可以了，才能拿到市政府会议上讨论，最后由市委把关。我现在越来越感到要有这样一个机构来帮我进行研究，从宏观、全局的角度进行决策研究，你们市政府研究室今后就要干这件事。有些问题，你们可以受我委托的名义组织研究机构去研究，然后集中向我汇报。

第三，信息输出功能。决策以后，还有个执行问题。现在是互不服气，谁也说服不了谁，许多事情就延误了。决策后，必须用强有力的行政手段强制推行下去。先要讲清道理，引经据典，从理论上把大家说得心悦诚服。你们研究室要帮我写文章，文章要写得很精彩，道理要从理论和实际结合上讲透。来上海工作这几个月，我主要处理火烧眉毛的事情，抓得比较具体，起了一定作用。前一阶段不抓得这么细，就不会有今天的好形势。现在看来，要逐步转到宏观的、大的决策方面，要拿出一整套重大措施来推动上海经济发展。你们要根据我讲话中提出的思路、观点，进行深入研究，形成完整思路，写出文章来。

在复旦大学的讲话*

（1988年6月27日）

同志们，同学们：

为了纪念中国共产党诞生67周年，市委决定由我来向全市高校的党政负责同志们做一个形势报告。同时，复旦大学的党委书记、校长也反映了老师们、同学们的要求，要我到复旦来讲话。我应该来，但是，我确实也在考虑现在来讲话是不是时候，因为上海现在还处于困难之中，群众当中还存在相当多的不满和消极情绪，士气不振仍是当前的一个很大的问题，而进一步改革的前景和思路还没有明朗化。在这种时候，我到这个地方来讲话，风险很大。我不是没有犹豫，但我还是来了，我作为市长，不能知难而退。

应该承认，现在上海确实存在着不安定因素，市区700多万人口，加上流动人口约200万，差不多是1000万人口集中在370多平方公里的土地上，这在全国是绝无仅有的，在全世界也不多。而且，上海又面临着财政滑坡，欠账很多，老设备超负荷运转，矛盾非常突出。前一个阶段，高温持续了那么两天，一些高校出现供水不足。两

---

* 这是朱镕基同志在上海市高校党政负责同志和复旦大学师生大会上讲话的主要部分。

天之内，五个地方的自来水管爆裂。特别是在北京路与西藏中路十字路口，我去看了一下，水管爆裂，把马路都冲开了。只要一个地方出了点交通事故，就有几千人、上万人堵塞。一点小事情都可能酿成大问题。

要解决这些问题，不是一个人或者一些人能够做到的，这是全民的事业。如果我们不能把1200多万上海人拧成一股绳，把大家的力量凝聚起来，特别是把我们的共产党员、先进分子团结起来，是一个问题也解决不了的。所以今天我应该到这里来，向同志们说明这些情况。我到这里来，既不能给大家带来什么实际的利益、实惠，也不能够来一个哗众取宠的许愿，说上海何时能够如何如何。我不能在这里说这个大话。因此我到这里来讲话，没有什么“资本”。但是，我带来了一颗心，一颗矢志振兴上海的赤诚之心。我到这里来是寻求同志们、同学们的理解，寻求你们的支持，呼吁你们同市委、市政府一起来共渡难关，为振兴上海而团结战斗。

一、向大家汇报一下今年上半年的工作。

上海目前的困难，一是财政滑坡，二是欠账太多，这是当前两个根本的困难。

财政滑坡是什么意思呢？我说几个数字。大家可能记得，我们在1981年开始调整，那时候上海的情况还是不错的，财政收入是171亿元。但是1982年财政收入就下来了，是165亿元。1983年下滑到153亿元。从1984年开始，由于进行了技术改造、技术引进，中央也给了一些支持，生产又逐步上去了。1985年的财政收入达到181亿元，比1981年还高。从1986年开始又出现滑坡，1986年只有176亿元，下降了5亿元；1987年只有165亿元，又下滑了11亿元。今年上海的财政收入预计是153亿元，就是说，比去年下降12亿元。

另外一方面，这几十年来，上海对全国的贡献很大，但是自己的建设受到一定的影响。这么一个老城市，人口增长这么快，很多基础设施跟不上，造成了交通、住房、环境污染等问题非常严重，这就是上海今天所面临的困难形势。当然我们还有一些新的困难，譬如今年年初闹了一场肝炎〔1〕，约30万人染病。这也是今年一季度生产上不去的一个原因。

根据这样一些情况，我们今年做了哪些工作呢？

第一，就是把生产、出口、财政收入搞上去。生产搞不上去，所谓改善人民生活、进行市政建设，都是一句空话；包括增加教育经费，也是一句空话。今年是我们的一个转折点，怎么是转折点呢？去年12月29日，中央领导同志在这里拍板，给上海实行财政包干。就是说，中央承认上海今年财政收入只能达到153亿元，比去年减少12亿元，对这一点中央"认账"了，同时只要求上海上缴国家财政105亿元。这意味着如果我们收进来153亿元的话，上海便可以增加机动财力14亿元。这14亿元就可以成为我们振兴上海的基金了。这是很不容易的。当然，今天我不敢说这14亿元一定能保住，还要奋斗。因为还有好多因素在财政包干时都没有算进去。比如说大米，原来的合同签订了，但现在要涨价。煤炭，指令性计划的运不出来，现在买协作煤，一吨120元，这个在财政包干里也没有。困难还是很大，但是不能再去向中央喊困难了，中央已经给我们最大的照顾了，得靠我们自己了，困难也要自己去克服。所以必须把生产搞上去，把出口搞上去，把财政收入搞上去。

要把生产搞上去，一个最大的困难是没有原材料。从年初开始，我们就千方百计地筹集原材料，一方面派出代表团到北京去呼吁，最后感动了中央有关部门的领导同志，为我们"开仓济贫"，把国库里

〔1〕 见本书第27页注〔2〕。

的东西借出来给上海；另一方面，把各路大军派到各个省区市，有的去催，有的去求援，有的拿“桑塔纳”轿车、电冰箱去换，还千方百计地进口。现在看起来，5月份的生产是个转折点。1到4月，工业增长4.8%，但地方国营工业是下降的。5月份的生产速度达到8.5%，地方国营工业也从下降转为上升。这样，1到5月累计增长速度就达到了5.8%，超过了“保四争五”的目标。预计6月份的生产速度是8.3%，基本上维持了5月份的速度。如果我们能够保持这个势头，今年超过6%的生产速度是可能的。而且高税利产品的增产在下半年，如果我们不松劲，能把工人同志的积极性再提高一点，我相信今年完成甚至超额完成财政收入153亿元是有保障的。这样，我们就保证了上缴105亿元，同时保住了14亿元的机动财力。

光生产搞上去还不行，原材料靠国内不大靠得住，还要搞大进大出，进口原材料。进口原材料要外汇，所以就要赚外汇。我们的财政包干任务中还要上缴中央15亿美元的外汇。我们有信心完成这15亿美元，同时还能赚回来我们进口原材料所要的外汇。现在的形势还比较好，1到5月，我们的出口增加了15.9%。按照这个趋势，不但能够完成43亿美元，还可以超过。

总的来说，生产、出口、财政收入的形势是好的，或者说比我们预料的要好一点。如果完成了今年的承包计划，就为明年的生产和建设打下了一个很好的基础。

第二，把副食品的生产和供应作为市委、市政府工作的一个突破口。我们反复研究，上海目前士气不振，很多带爆炸性的问题一时难以解决。如交通问题，我们最近推出了一个改善交通的五年计划，正在发动专家讨论，近期难以有很大改善。再如住房，尽管现在住房的建设已经加快了，今年1到5月竣工面积比去年同期增加了10%，开工的面积也增加了，但是跟大家的需要比起来还差得很远。还有环境保护，都是要花钱的。没有几百个亿，治理不好上海。这些方面不能许愿，也不能马上见效。我们能够解决一些问题，使大家生活过得稍微好一点的就是改善副食品供应。所以我们把力量集中在这方面，制定了一个副食品生产、购销体制改革的方案，今年预定要建设 300 多个肉、禽、蛋生产基地，有 200 多个已经开工，其中有一部分已经建成了。郊县的积极性很高，蔬菜的供应形势是好转了。

现在看来，购销体制的改革是一个很迫切的问题。一方面，菜多了；另一方面，价钱并没有便宜。这就要解决一条龙的问题或者说产销一体化的问题。不仅从生产到批发，而且从批发到零售都要加以改革。我们要把所有菜场统统开起来，让农民进城，小贩也可以进菜场，让国营菜场、集体菜场有个竞争的对手。另外，要鼓励他们去搞食品加工，把储存、保鲜搞好，引进一点先进技术，最后做到蔬菜出口。总而言之，现在副食品生产形势是比较好的，购销体制的改革方案不久就要出台。我们还要调整食品结构，1 斤猪肉要 5 斤饲料粮，1 斤鸡鸭只要 2 斤饲料粮就够了。鸡鸭靠郊区完全能自给自足，而猪肉有四分之三要从外省调运进来，鸡鸭的营养又比猪肉好，所以我们要大力发展家禽，改变一下食品结构。

第三，就是进一步改善投资环境，搞好开放。上海这几年为改善投资环境做了很大的努力，投资环境有所改善。吸引外商直接投资 18 亿美元，这是很有成绩的。利用外资分两种：第一种是我们政府借钱搞基础设施建设，中央批准我们在“七五”期间可用 32 亿美元，主要是用来搞基础设施建设；还得借一部分外资来发展加工工业，能够出口产品，换回外汇，不但还自己的钱，而且要还基础设施建设的钱；另外还有用于发展旅游业等第三产业，这是能够赚钱的。最近三个月里，审批项目的速度加快了，13 亿美元的引进技术、改造现有企业、增加出口的项目通通批完了。第二种是吸引外国的直接投资，搞合资经营、合作经营或独资经营，这种形式是最好的。前面讲的借钱还债，要非常慎重，不然，搞到后来，你可能偿还不了。而直接投资是外国人和我们共担风险，我们或者是出地皮，或者是出厂房、劳动力，对方出设备，共同经营，共担风险。他进来了以后，可以帮我们找到出口的渠道、国外的市场，引进一些先进的技术和管理。这样吸收 100 亿到 200 亿美元的直接投资进来以后，上海的面貌就要改变了，现有企业的面貌也就可以改变了。

这件事情关系上海的未来，非常重要。靠我们自己借钱来建设上海是很难的，没有几百亿美元不行，这么多钱我们怎么还呀？还是走吸引外资、改造现有企业的道路是最好的办法。所以，我们要抓紧改善投资环境，这也是中央领导同志非常关心的。我来上海工作以前，谷牧同志对我说，你去上海以后，马上成立一个由你挂帅的外资工作委员会，搞“一个图章”对外。现在，我们已经基本上解决这个问题了，效果很好。总而言之是一条，保证外国经营者在上海能按照国际惯例来经营管理。为此，我们不惜做出一点牺牲，不做出一点牺牲，人家会来吗？最近，我们把中外合资、中外合作宾馆的市政设施更新改造配套费和外商在沪投资企业的自来水、煤气、污废水排放增容费全部免了，外商反映非常好。我们要承担多少损失呢？一年少收 5000 万元人民币。少收这 5000 万元，可以吸引来更多的外资，将来我们征的税就不止 5000 万元。因为什么配套费、增容费，在英文里都无法翻译，这不是国际惯例。收这个费、那个费，这样摊派，人家不习惯。另外，是人才流动问题。最近，好几个外商投资企业招聘职工，原单位不放。因此，我在一个文件上就批了一句话：不管谁，不管中央的企业还是市里的企业，凡在上海的，都得听市政府的。人才流动是中央的政策，怎么能不放？这样形象不好，招几个人都招不进来，人家怎么在这里按国际惯例经营企业？最近逐步有一些改善，特别是成立市外资委以后，解决问题比较快。最近有个项目，也是搞了好久了，吵了八个月解决不了，市外资委下去一协调，开一个会就给它解决了，证明这样一个机构还是有效率的。没有这样的效率，就不能吸引国外投资。

第四，物价问题，同志们最关心，我想对这个问题做一点解释。一是对 3 月份、4 月份的工业品涨价，人民来信很多，骂我们骂得比较厉害。这件事情要请同志们谅解。这是由于上海的物价一直处在谷底，很多产品，如洗衣粉，去年 12 月全国就都提价了，上海没有提。现在财政一包干可就不行了，因此就要涨一点价，不涨一点价的话，原材料老是在涨价，财政收入怎么保？没有财政收入，市政建设等什么问题都解决不了，影响的是上海人民的最终利益。所以今年三四月份，根据财政包干以后中央给我们的定价权，提了一批产品的价格。可能提得过于集中了一点，幅度稍微大了一点。但现在邻近地区的价格又上去了，上海物价并不高。原材料涨价，群众感觉不到，谁也不要吃钢材，也不穿棉花。上海的产品主要是消费品，一涨价就不得了，全国人民都把你抓住了，因为哪个城市里都销上海产品。洗衣粉一涨价，在好几个城市都引起了抢购。这样涨价不行了，从那次以后，我们已经注意这个问题了。属于上海市定价的产品，我们今年基本上不涨价了。今年夏天的冷饮本来是要提价的，因为糖都变成议价的了，糖价涨了一倍，如果冷饮不提价，生产厂家就没有积极性。但我们还是没有提价，宁可财政补贴，也要保持冷饮价格的稳定。

但是，我们从来没有说今年什么东西都不涨价，谁敢说这个话？有两种东西不在我们掌握之内：第一种，是国家定价的产品（如前些时候，国家物价局决定全国彩电每台涨 400 块钱），而且是对广大市民影响不大的产品，那我们就得涨。第二种，小商品不能不涨价。小商品，针头线脑，现在原材料涨得那么厉害，已经是本小利微了，你不让它们价格放开的话，就没有货了，对大家更不方便。这些小商品涨点价对你的生活没有很大的影响，在你的支出里比重非常小。现在很多省市的小商品都很丰富，北京很丰富，浙江就更不用说了，但上海就是没有，没有就是因为价格没有放开。这些东西的价格应让它们放开，放开了，外地商品也能进来了，因为有点竞争，价格还可能稳定。

这是今年上半年的工作，是在党中央、国务院的领导下，在市委的领导、市政府和全体同志的努力下取得的成绩。

二、讲讲明年的改革和上海的对策。

刚才讲了，今年如果不发生大的意外事故，形势是会好的。但明年就难说了，因为明年我们要面临新的挑战。大家知道，价格必须改革，价格不理顺，很多关系扭曲了以后很难办。现在钱没少花，但生产刺激不上去。所以，价格必须理顺，必须放开，必须按照价值规律进行市场调节，而且要接近国际市场的水平。按这个方向来进行改革、调整，风险是要冒的，这一关是不能绕过去的，但是步子要稳。中央现在正在研究方案。不管采取大方案也好，中方案也好，小方案也好，对上海总体是有利于深化改革的，但暂时又是不利的。为什么？原材料涨价，钢材价格放开，农产品可能要提价，运输客运可能要涨价。粗算一下，上海明年要增加成本40多亿元。怎么消化？消化不了，财政收入就要继续滑坡。所以，我们面临着非常严峻的挑战。上海人民现在就应该有思想准备，要能经得住风险，顶得住困难，使改革对上海产生好的作用。

要应对这些挑战，出路在于提高经济效益。不把经济效益提高，任何改革都不能成功。我对于上海明年改革的形势是乐观的，因为上海的经济效益到目前还处于全国的首位，劳动生产率现在高出全国一倍以上，这是我们的优势。当然，光靠现在的经济效益不行，因为物价又涨了，还是适应不了、消化不了。但是我们提高经济效益还有很大的潜力。我初步考虑，用提高经济效益来应对挑战的办法有四条：

一是要调整产业结构，下决心搞几个原材料的大项目。国内的趋势是原材料涨价，世界市场的趋势也是原材料涨价，所以上海要搞原材料，必须利用中央让给我们的财力搞几个大项目。把原材料搞上去，我们的经济效益就可以发挥了。如冷轧薄板，如果现在有冷轧薄板的话，轻纺工业、家电工业还可以大量地发展，效益可以提高很多。我们一定要在上海现有的500万吨钢生产能力基础上，把冷轧薄板在两年内搞出来。另外一个就是石油化工。我们要抓住金山石化，搞化学纤维、搞塑料，这样，我们就有原材料了。还有一个东西也非搞不行，就是彩色显像管。上海现在有400万台黑白电视和100万台

1988年7月2日，朱镕基考察上海石化总厂三期建设工地并听取工作汇报。前排右一为上海石化总厂党委书记周公侠，右二为副市长顾传训，左一为上海石化总厂总经济师吴亦新，左二为上海石化总厂厂长王基铭。

彩电的生产能力，但是我们现在彩色显像管没有，所以大家买不到彩电。彩色显像管需要进口，非常困难。上海的彩电可以大量出口，但没有彩管。现在，我们的彩管厂已经开工了。只要有彩管，整个上海的电子工业就可以大发展，经济效益就可以大大地提高。另外，彩色显像管用的玻壳也得自己搞。在别的地方搞，长途运输，怎么得了？我们集中全力打歼灭战，一下把它搞上去，经济效益就出来了。我们上海人就是要学会本事，看准了，能上的就赶快上，一搞就要搞成。

二是要加强横向协作，在内地各个省区市建立原材料基地。上海没有原材料基地，以至于一些矿产、有色金属，都要去搞协作、投资，但是总结历史经验教训，往往是钱花了，东西拿不到。所以要很好地总结经验，钱投下去要真正能拿得回来原材料。现在最现实的，也是最原始的办法，是以物易物，我给你电冰箱、彩电，你给我有色金属、棉花。总而言之，在这方面要想办法，搞国内大循环。但是要“精明”一点，当然也要“高明”，也还得要着眼于长远，看得准。

三是要大进大出，进口原材料。进口原材料，最重要的是抓住时机。外国人已经掌握了中国人的习惯：每年 11 月份开计划会议，定下明年的生产指标，然后要进口多少原材料，把外汇拨给你，到第二年 1 月份派代表团出去。他就在那个时候涨价。我们研究，上海今年打破常规，今年的局势已笃定了，现在要搞明年的了。最近，我们就要把明年进口的物资定下来，就要派代表团出去。要很好地研究国际行情，不能迟疑，看准了就要抓住时机赶快买下来。大进大出，这是上海很重要的措施。

四是要发挥上海的科技优势，加强技术开发，优质优价。原材料涨价，我们的产品就跟着涨价是不行的，这样做，上海人反对我们，外地人反对我们，中央还批评我们。涨价太厉害不行，变相涨价也不行。比如说三分钱一个烧饼，你撒上两粒芝麻，叫芝麻烧饼，卖一毛，老百姓还是要骂你的。所以，我们不能做这种没有出息的事情。上海有自己的优势，就是科技。我们要大力加强科技与生产的结合，加强各企业的科研开发机构，要使产品能升级换代、提高档次，然后再优质优价，这个人家不能说你涨价。你拿个老面孔出去涨价，那怎么行呢？现在很多省市，上海货的市场份额越来越小，广东货的市场份额越来越大，所以我们再不开发新产品是不行的。同时，这也是应对原材料涨价的一个最好办法。必须使我们产品的质量、品种、档次不断地提高，推陈出新，上海应该有这个本事，可以做到这一点，涨了价，人家还没多少话说。我想我们最主要的办法是在这个方面，所以今年市政府搞了 14 个项目的攻关，就是想通过这 14 个项目带动所有的企业都加强技术开发和攻关，搞新产品。

三、关于教育和人才问题。

要发展教育事业，要留住人才，这是我们振兴上海的根本。现在听到一些反映，说学校里一些同学学习热情不高，有新的“读书无用论”，打扑克的较多，打麻将的也不少。我想，这种现象应该是暂时的。我们应该对他们进行形势和前途的教育，应该看到振兴上海的希望。上海是用人才的地方，是人才大有用武之地的地方。我们的人才不是太多了，现在真正适应商品经济、外向型经济的人太少了。这次在北京开中美工业、贸易和经济发展研讨会，我规定了一条，凡是参加这个代表团的都要能懂英语。结果效果非常好，人家没想到上海代表团的人都能和外国人周旋几句。现在外贸系统很缺乏懂外语、懂经济的人才。将来我们大进大出，吸引上百亿美元的外资，需要多少人才！

所以，希望同学们很好地念书，把基础科学技术知识念好，把经济管理学、外语念好，不要光学修电视机。振兴上海需要各方面的专业知识，特别是法律知识，各方面的人才都是需要的，希望你们好好地学习。上海的振兴可能是很快的，暂时有困难，就让我们共渡难

1989年11月16日，朱镕基在复旦大学与师生座谈。左一为上海市人大常委会副主任、市教育卫生工作委员会党委书记陈铁迪，左二为复旦大学校长华中一，右一为复旦大学党委书记林克。

关嘛。当然，我们要想办法，给上海的教育事业提供政府应该提供的帮助，但这要根据我们的能力。我们研究了几条可以做的：第一条，我们要保证上海教育经费的增长高于财政收入的增长。第二条，我们要保证上海市财政支出中的教育经费所占比重全国第一，至少是高于全国平均数。现在上海生均教育经费是全国第一，最高的。第三条，我们要建立各高校发展生产的基金，准备在实事公司〔1〕里开辟这个基金。各个高等院校要办生产事业、科研事业，可以到实事公司去借钱，是长期的、低息的贷款，帮助高等院校发展生产，解决一部分经

〔1〕 见本书第75页注〔2〕。

费。随着上海生产的发展、收入的增加，教育经费肯定是会增加的。

振兴上海，归根结底，士气要振奋起来，因为这是全体上海人民的事业。埋怨、品头论足能解决什么问题？振兴上海，这是符合上海人民根本利益的。上海具备振兴的一切条件，前途是非常好的。现在就怕人心不齐，上海人才很多，议论起来没有个完，把时机都丧失了。我到上海来工作，为什么要厉害一点呢？你不厉害一点，不决断，可以议论一年还做不了决议，把时机都失掉了。现在人家都在上去，广东、江苏、山东、辽宁，一个个往上挤，我们应该着急啊！应该看到上海在全国的地位正在下降，很多方面正在落后，我们要下决心振兴上海。

我想提这么几句话："振兴上海，从我做起，团结协作，共渡难关。"总的口号是"振兴上海"。现在确实是难，我们面临严峻的挑战。我们上海就怕"窝里斗"，怕"人卡人"，不要这样，要团结协作，要从我做起。有人说，你那个廉洁政府，我看做不到；你朱镕基能做到，上海就做不到。我说可以，只要我能做到，我就相信上海能做到，就怕我做不到。总有一天，社会风气会转变。如果大家都来从我做起，都来奉献，做出自我牺牲，我相信，上海的振兴是指日可待的。所以，我今天到这里来，就是要寻求同志们、同学们的理解、信任和支持，希望大家和市委、市政府一起来共渡难关。

同志们、同学们，你们是我们人民中间思想最活跃的一部分，你们担负着将来振兴上海的任务，你们中间的许多人可能在历史上要起很大的作用。我希望同志们、同学们振作起来，为振兴上海而团结战斗。

谢谢大家。

对全市局级以上干部的三点要求 *

（1988 年 6 月 28 日）

第一，希望全市局级以上干部要解放思想，勇于实践，做敢于承担风险的改革者。就这个问题，今年 3 月份，泽民同志在市理论工作座谈会上讲过话，分析了上海干部队伍的思想状况，讲到我们要克服老大自居、埋怨畏难和故步自封这三种思想情绪，使我们的思想真正能够转变到适应社会主义商品经济、适应外向型经济和财政包干的政策轨道上来。我想，这个问题值得我们很好地研究。由于长期的思想束缚和体制上的问题，我们的思想确实不适应现在的发展。我看到一篇文章〔1〕，对广东人和上海人的商品经济意识做了比较，我是深有感触。如果我们不从思想上解决问题，不去解放思想，还是这么个老状况下去，而社会经济现在变动得这么剧烈，上海的地位是很难保住的，中央让给我们的这点东西，很可能我们一年就把它花光了。到了明年，我们又穷了，财政又得往下滑。所以，我们一定要有改革的思想。我现在最头疼的是，我们提出一桩事情，有些同志就说，这件

---

* 这是朱镕基同志在中共上海市委举办的局级以上干部形势教育讲习班开班会议上所做报告的一部分。

〔1〕 文章，指上海社会科学院王大悟撰写的《上海与广东商品经济观念比析》，发表于 1988 年 5 月 19 日的《社会科学报》，同年 6 月 5 日被《人民日报》转载。

事上海过去不是这么办的，我跟你讲讲过去的历史吧！我就说，我愿意听来龙去脉，但现在需要变革，需要改革。不是说过去不能办的现在都不能办，也不是说什么东西都要改，但总不能一听说这个办法跟过去不太一样，马上就反感、抵触吧。如果你这个办法能够制止财政滑坡，我就照你这个办法办。现在的问题是不能制止财政滑坡，就得想办法改。所以我想，这个问题很值得我们进一步研究和分析，看当前怎样赶上去。当然，解放思想要从实际出发，学习某省先进经验，我们也只能有所学有所不学、有所为有所不为。要向乡镇企业学习，但乡镇企业有些东西也不一定能学。我认为，上海大中型企业要真正搞活，必须靠他的管理，靠他的产品质量，靠他的硬功夫。绝对不能把企业行为搞乱，如果把我们大中型企业的行为搞乱了，那对中国造成的影响绝对不是任何一个省能够相比的。我们不能那样做，还是要靠加强企业管理。从厂长一直到分厂、车间、班组，都要实行招标，让能人都能脱颖而出，拿出本事来。要把思想政治工作做好，把全体职工的积极性调动起来，甚至可以搞股份制，这样可以把职工利益和企业利益拴在一起，可以把一部分消费基金变成生产基金，这些都可以在上海试点。总之，我觉得要靠我们的企业管理，靠我们的产品质量，靠我们的科技成果，把上海的经济效益搞上去。

第二，为政清廉，办事高效，做问心无愧的人民公仆。这些口号都是中央提出的，我们应该身体力行。“廉洁政府”和“高效政府”口号的提出，受到了人民群众的欢迎。只有这个行动，才最能振奋上海人民的士气。我们在 4 月 25 日提出这个口号以后，5 月份我收到 3696 封人民来信，现在每天还有 100 多封。其中固然有一部分是要求解决自己的问题，如房子、职称、纠正冤假错案等，但还是有相当大的一部分是对政府提出建议，对我们干部进行监督。如揭发谁吃了、谁喝了、谁受礼了，人民群众积极性很高。尽管他们在来信里面说，你说了能不能做到，我们将拭目以待，但是这么大量的人民来信，还是说明人民群众对政府是关心和信任的。这个事情，我看关键是要从高级干部做起，所以，市政府关于刹吃喝风、受礼风的决定主要是针对局级以上干部制定的。言教不如身教，你以身作则了，别人就会跟着来。现在先从我做起。有些问题是要靠法制来解决，要采用各种方式来接受人民群众的监督。比如说，“七所八所”的问题，就是设在基层的税务所、派出所等等，他们都是直接跟人民群众打交道的。这里面确有一些违法乱纪的事情，这些事情怎么解决呢？我觉得就是要严刑重罚，逐步健全法制。另外，就是要把每个所的工作范围、工作制度公布于众，让大家来监督，这样风气才能好转。现在我们准备在一个区、一个县先试点。上梁正，下梁才能不歪。只有我们的 506 个局长，包括区长、县长行得正、坐得稳，下面的“七所八所”才能够正。不然，人们是不服的。我可以向同志们讲，这几个月的情况还是不错的。所有揭发局长吃喝的材料，经我们查实，结果都与事实不是很符合。从政府系统来看，我们这 506 个局长目前还确实是规规矩矩地在那里认真工作，比较负责任的。我相信，只要我们坚持下去，社会风气是能够好转的。

第三，要下放权力，深入基层，加强监督，善于协调，做解决问题的能手。这是对我们领导干部，包括对我自己提出的要求。今年上半年，市政府在市委的支持下，下放了两个权：一个是，凡是区县能办的事，市政府把权力下放到区县；另一个是，凡是企业能办的事，应该由企业办，各委办局把权力下放到企业，委办局主要搞宏观管理。这两个权力的下放，前面一个做得好一些，下放比较彻底一些，区长、县长的积极性很高。各委办局还是不要把那些分钱分物的事情抓在自己手里，对企业进行过多的行政干预。刚才讲厂长不适应商品经济要求，有一个原因是你们把权卡在自己手里，他怎么到商品经济海洋里去游泳呢？你们要把权给他，把责任也给他，把责权利一起下放给他，我们少管一点。政府对企业干预过多并不利于企业发展，这是一条真理。你们不要干预得太多，但又不能完全不干预，搞歪门邪道，你们能不干预吗？质量下降，你们能不管吗？但是，要向少干预的方向发展，要使市场引导企业。所以，我希望各委办局，还有一些类似于行政性的公司，你们不要搞那种分钱、分物、抽肥补瘦的事，今天照顾这个，明天照顾那个，这对提高上海经济效益是没有好处的。应该让企业自己放手去搞，自负盈亏。发不出奖金，让工人去找厂长，不要找政府来闹事。这件事该由厂长管，就让工人去找厂长。

另外，把权力下放以后，我们还应该加强监督。前一时期我们发现某一个项目，一个外商和我们四个县都签了合同，他在那里搞“货比三家”，看哪个便宜，就和哪个搞，他在钻我们的空子。所以我们就要赶快通报这个情况，不要相互压价。这种监督，在工作中是需要的。我们还要善于协调，块块条条之间总有些问题，领导干部要多下去了解情况，哪里扯皮打架，就去哪里协调。哪里有问题，你就到哪里去解决问题。这就是我们领导者的本事。把下面的积极性调动起来，事情让他们去办，你们就是去协调，去监督，不要去加重下面的负担。

我有一个建议请大家考虑，是不是可以少搞点形式主义的东西？我们的工作方法要改善一下。我一到上海来工作，就给自己提出“五戒”，即不登报、不上电视、不剪彩、不题字、不受礼。现在，我经常“犯戒”。不登报，记者不答应，非要登报不可。我现在每个星期要去一个工厂、一个区、一个县、一个局。如果都要报道，天天报上都是我，这有什么好处呢？我哪有这么多好思想、好点子呢？登它干什么呢？不上电视也不行。当然，我下厂绝对不允许电视台记者来，

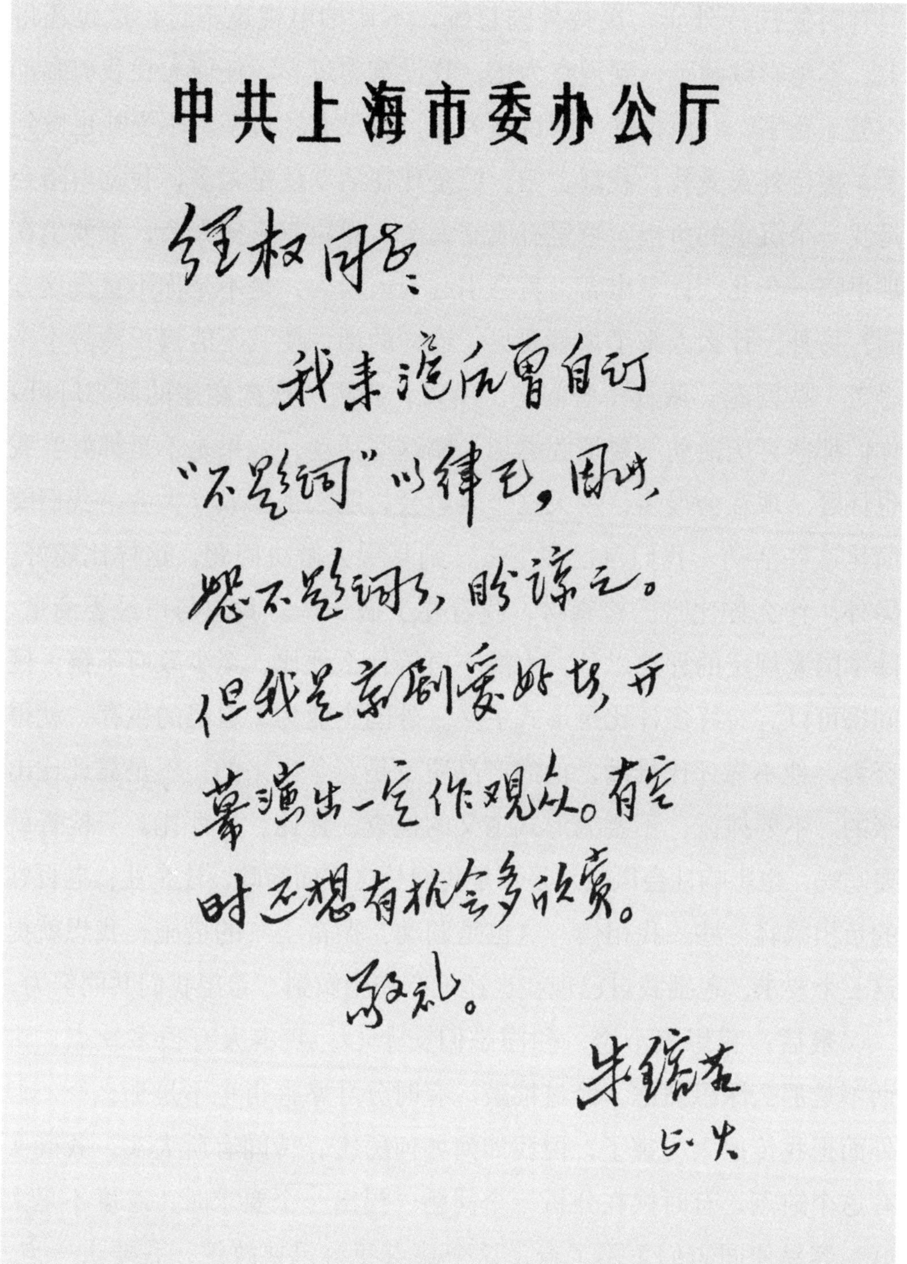

中共上海市委办公厅

经权同志：

我来沪后曾自订“不题词”以律己，因此，恕不题词了，盼谅之。但我是京剧爱好者，开幕演出一定作观众。有空时还想有机会多欣赏。

敬礼。

朱镕基
5.4

图为1988年5月4日，朱镕基写给中共上海市委常委、市委统战部部长、市政协副主席毛经权的信。

但有时候接待外宾，接待外国总统，不让拍电视也不行，这也还得上。不剪彩做到了，到现在为止，我没有剪过彩，任何人找我剪彩都不剪。题字，一概拒绝，到目前为止，我没有题过字。不受礼也做到了，接待外宾受礼，我都上缴。但是现在活动还是太多，我觉得陪会是我一个沉重的负担。哪里有成立大会，哪里有喜庆大会，都要坐在那里陪一会儿，你不出席，就会引起很大误会，是不是你不重视这方面？另外，什么人来了你都要见，这样的话，使我不能真正冷静下来思考一些问题、调查一些问题。所以，我再一次向在座的同志呼吁：你们那些喜庆活动不要请我参加。搞这些活动，效果是不是都好？我也怀疑。现在会很多，今天这个表彰会，明天那个成立大会，我们要简化这些活动，我们自己多下去，到基层去解决问题，这样比较好。另外，什么评比呀、检查呀，我看要少搞一些。我想与市经委商量，除了国家规定的评比以外，上海不再搞什么评比，至少政府不搞，民间搞可以。有好多评比是形式主义。外国企业为了自己的生存，就得努力，他不靠评比推动，他的产品质量是竞争出来的，不是靠评比出来的。不要摊派，不要搞形式主义的检查、评比。一评比、一检查就要吃喝，也影响社会风气。是不是我们从这方面简政，让企业、老百姓的负担减轻一些。我相信，这也是调动、振奋士气的措施。我想就提这三个要求，包括我自己现在也还没有完全做到，希望我们共同努力。

最后，我想表个态，和同志们交个心。我本人有很多缺点，讲话不是那么深思熟虑、经过推敲，有时分寸掌握得也不是那么好，但外面把我传得太厉害了，说我如何如何厉害，传闻有所失实。我确实有这个缺点，有时候在分析一个问题、提出一个要求时，态度不是太好，容易使同志们下不了台，这个缺点我自己要改正。我要讲一点，只要是同志们对我提出的意见，我都是认真地考虑、认真地改正。不论你有什么不同的意见、我有哪一点不对，都可以向我直截了当地提出来，我会认真考虑的，我相信自己可以做到这一点。但是，现在上海确实需要加速振兴，需要迅速决策，不能再耽误时机了。上海现在面临着这样一个严峻的挑战，各方面的主意很多，上海的能人也很多，议论来议论去是没有完的，所以在这个时候需要决断。任何一个决断都不可能十全十美，总会有这样那样的缺点。我们所有的重大问题都是经过市委常委讨论的，都是由泽民同志把关的，都是听取老同志们意见以后才决策的。如果决策错误，由于具体执行的是我，由我负责，我绝对不会上推下卸。但一经决策，一定要令行禁止，要万众一心，把这一决策贯彻到底，不要动摇。

接受香港《英文虎报》记者辛格莱采访时的谈话

（1988 年 6 月 29 日）

辛格莱：请朱市长谈谈香港与上海关系的现状和未来。最近，你在报上说，在上海的外来投资已达 20 亿美元。你估计来自香港的投资大体有多少？将会达到多少？

朱镕基：香港在上海的投资项目有 149 项，投资额 5 亿美元，在外来投资中居第二位，仅次于美国。我认为，上海与香港的合作是很有前途的，因为上海有技术方面的优势，香港有金融、信息等方面的优势，上海和香港在亚洲都是比较大的城市，应该有进一步的合作。现在，香港和广东由于地理上比较接近，合作的项目多一点。地理上接近，对于劳动密集的合作比较有利，但在技术、知识密集方面与上海合作也有利。过去香港和上海合作发展不快，不单是地理原因，上海的投资环境也存在一定问题。我很坦率地承认广东的投资环境比上海的好，广东的商品经济意识比上海强，但我们已经在做扎实的工作，改善上海的投资环境。今后，上海与香港经济技术合作的步伐会加快。

最近，我看到一些香港报纸对上海的一些消极面报道得比较多一点，如财政滑坡、士气不振、城市建设落后等。我想，这些报道是有根据的。但我觉得也应该看到上海存在的积极因素，上海有一大批具备较高文化、科技素质的人才，是全国工业行业最齐全的一个城市，配套能力非常强。从这个意义上讲，上海的投资环境是全国最好的。

由于人口增长很快，上海的基础设施建设跟不上，但这方面问题并不难解决。如电话，刚解放时，上海有7.2万门，比香港的多，但过去了几十年，上海只增加了7万多门，1978年达到14.2万门，现在香港的电话是上海的十几倍。最近几年，我们采取了一些优惠措施来发展程控电话，增加了将近1倍。这七八年来，上海每年增加2万门，今年就要增加7万门，1990年可达到50万至60万门。按这样的速度，电话设施要赶上香港并不是很难的。因此，香港应该看到上海的积极方面，特别是今年上海实行财政包干后，有了更大的自主权和更大的财力。上海有权直接利用外资，这在中国目前还是唯一的城市。我们在“七五”期间要利用32亿美元贷款，同时还准备大量吸收外国直接投资。我希望你回去后，多报道上海积极的一面，现在香港报纸上的上海形象是“灰色”的。我也希望香港对上海恢复信心。我对这一点还是很乐观的，我看到了上海人民中积极的一面，他们在逐步获得一种新的活力。

最近在北京举行了一次中美工业、贸易和经济发展研讨会，美国方面有1000人参加，中国方面20多个省区市都派出了代表团。在这次研讨会上，上海代表团最引人注目，也是最受美国人欢迎的一个代表团，在会上洽谈的项目数上海最多。所以，会上有人说，现在上海开始发起“进攻”了。

从我们今年的生产形势看，上海五六月份的工业增长速度都超过了8%，农业生产增加了10%以上。

对于物价和工资进一步改革的前景，上海是充满信心的，因为上海的经济效益目前还处于全国首位，经过近几年大规模的工业技术改造，工业生产是有后劲的。所以，你回去后，完全可以告诉香港企业家，来上海投资，来上海进行经济技术合作，是不会感到失望的。

当然，投资环境不可能一下子有很大的改善，但确实在一点一点地改善。我们的目标，就是保证外资企业在上海能按国际惯例进行生产和经营。如最近我们对外商投资企业免掉了许多不符合国际惯例的费用，虽然上海为此承受了很多损失，但在所不惜。

另外，恐怕香港人认为，与广东相比，上海人是更困难的谈判对手。目前，这种情况也有所改变，因为我们提出了一个口号：不管外商在上海赚多少钱、赚多少利润，我们不要眼红。我们不要老看别人口袋里有多少钱，要看到通过这种合作，我们也可以赚到钱。据我了解，最近，一些比较大的外国公司代表团正陆续来上海谈判。昨天，荷兰飞利浦公司与上海签订了大规模集成电路合作项目。很多类似这样的项目正在谈判。我想，上海今年吸收利用外资的步伐会大大加快。过去上海和香港就有非常密切的关系，希望今后这种关系继续得到发展。

辛格莱：朱市长反对官僚主义的讲话和做法，在香港有很高的评价。如原来外商要盖 126 个图章才能办完的事，现在只要盖一个图章。许多香港商人对此非常高兴和赞赏。我还为澳大利亚《公报》写了文章，现在上海已经有澳大利亚的合资企业，上海是不是希望吸收更多的来自澳大利亚的投资？

朱镕基：我们很希望与澳大利亚发展合作关系。上海和澳大利亚的产业具有一种互补的关系。澳大利亚的羊毛、铁矿石和一些高技术产业都是上海所需要的，而上海的很多轻纺产品也是澳大利亚需要的。我们很愿意与澳大利亚建立长期合作的关系。这方面，上海过去做得不够。如江苏在澳大利亚建立了羊毛基地，上海就没有，以后也要建立。今年，黄菊副市长已经访问了澳大利亚。我们希望澳大利亚政府负责人来上海访问，进一步发展双方的经济技术合作关系。

刚才，你提到的“一个图章”，就是上海市外国投资工作委员会，已经正式成立，开始工作，并在短短的时间内取得了很大效果。如有个项目，中科院上海技术物理研究所与中日合资的上海尼赛拉传感器有限公司谈判了一年没解决，市外资委接过来，开一个会就解决了。前几天，报纸上报道了上海与美国合作的一个轴承生产项目，经过70天就批准了，也是通过这个机构办的。我们说，官僚主义还会有，但情况总是越来越好。

辛格莱：朱市长在4月份谈到，上海实行了财政包干。请问包干的固定基数是多少？

朱镕基：105亿元。

辛格莱：上海自留的比例增加多少？

朱镕基：原来上海留成23%，现在要超过30%。

辛格莱：这部分钱上海是否有权用于市政建设？

朱镕基：是的，完全由上海自己来支配。

辛格莱：使用这部分钱，市长优先考虑哪些项目？

朱镕基：首先使用这部分钱支持和发展上海的生产，优化产业结构，把生产搞上去。市政设施建设主要利用外资来解决。

辛格莱：朱市长几次谈到，交通问题是上海最主要的问题之一。对此，你是怎么看的？打算怎么解决？现在国外游客，特别是通过香港来上海的游客，感到空中交通很不方便。

朱镕基：空中交通是市外交通。相比之下，市内交通更难解决。现在市区有700多万人口，加上200万流动人口，共有1000万人集中在370多平方公里的土地上，中国十分之一的工业也在这块土地上。从根本上解决这个问题，要把老市区的工业疏散到浦东去，建一个“新上海”。我们现在建造黄浦江大桥和越江隧道，就是准备开发浦东，建设“新上海”。最近几年还是要利用老设施，通过加强管理来改善市内交通，除了要修地铁，还要建高架公路，拓宽一些道路，并实行自行车与机动车分道行驶。我们已经制订了一个五年之内改善市内交通的计划，正在组织专家讨论，一个月后，这个方案可以向全体市民宣布。实现这个计划，需要全体市民的支持。

刚才讲到的民航问题，属于民航局管，是需要大力改善。我们也有一个上海航空公司，用租赁的方式向美国波音公司租飞机。我们要通过民航局和上海航空公司的努力，改善上海的空中交通。

让企业自己到市场中去游泳*

（1988 年 7 月 11 日）

要研究如何把上海 1700 多个大中型企业搞活。现在搞很紧密的集团，说实话，也没有人搞得成嘛。成立一个集团，搞很多人，就是收钱收物，搞得企业更不活了。几十个企业搞在一起，你有本事把他们搞活吗？而且往往是让一些退下来的同志或者即将退下来的同志负责，又要成立好多公司把他们管起来。那边卸任，这边又抓起来，你这样是搞不活的。应当培养一批年富力强的厂长，让他们自己抓起来，使企业活起来，到国际市场、国内市场生龙活虎地活动。现在把企业的钱提成都交给集团，由集团去分钱分物，这样能搞得好吗？还不是过去的那一套做法！所以我看，现在对集团要修改原来的规定，原来的规定不一定适应新形势的要求。上海是大中型企业非常集中的地方，很多厂都是相当大的，利税上亿元的单位就有 17 个，这么大的企业你还搞集团，你有多大本事？能管得起来吗？让他们自己活动不是更好吗？对他们用行政管理的办法能解决问题吗？上海电子计算机厂就提出来，如果没有这个集团，他们能发展得更快。

至于说横向联合，通过市场嘛，通过市场大家都可以搞联合，

* 这是朱镕基同志在上海市政府第十次市长办公会议上讲话的一部分。

不见得要你这个集团才能搞。最近上海市衡山集团公司刚成立，马上要求增加人，我说你何必要增加人呢，这几个饭店都生龙活虎，经营得很好，你非要搞一个很大的集团来管他们，这些饭店都没有积极性了，有什么好处？你就搞一个非常精简的宏观监督的小班子就可以了。再搞这个部、那个部干什么？下面饭店都没有积极性了。让你来搞吧，你又搞不好。

成立集团现在成风了，成了一个热潮了。今天一个集团，明天一个集团。说老实话，就是增加一些人在那里吃。全国3.7万个公司，哪有那么多东西啊！现在关键是把大中型企业搞活，包括试行浙江兰溪的经验。吕东〔1〕同志最近专门到浙江兰溪去调查，他有四个国营企业，六个方面完全放开，政府不管了，他也没有什么“挂靠”，完全由他自己去经营。吕东同志调查回去后，我打电话问他，他说这是解放企业的一个办法，放权了，大中型企业的问题就好解决了。我看我们要试行，材料我要来了。现在走了一个“爹”，又来了一个“爷”，他名为“经济实体”，实际上管得更死。所以，我几次讲话一再强调，上海现在搞集团别着急，先搞松散一点，不要增加企业负担，给企业放权，让企业搞活。还有一种形式是联营性质的，大家都有发言权，干就干，不干就退出。

各委办局的指导思想要改变。现在我们的方向是国家调控市场、市场引导企业。不要用过去那一套行政办法，成立一个系统，层层都可以抓，手里都有权，成天坐在那里分钱分物、抽肥补瘦、填平补齐。今天照顾这个，明天照顾那个，给你一点平价原材料，给他两个钱，这样搞法，企业始终搞不活。因此，对目前的集团、行政性公司和行业处、各委办局的职能，要好好地进行调查研究，然后提出意

〔1〕 吕东，当时任中央财经领导小组顾问、中国工业经济协会会长。

见。怎么个搞法？也不要一下把集团都否定了，不是不要集团，而是集团应该怎么办？什么叫联合？目前集团起什么作用？现在好多集团已经回到原来的老路去了，这个办法不好。好好研究一下，引入竞争机制，把大中型企业搞活。上海的企业已经够大了，而且能人很多，再搞那么多集团干什么呀？

会见联邦德国经济合作部国务秘书冷格尔时的谈话

（1988年7月11日）

朱镕基：我们很关心与联邦德国合作建设上海最大的地铁项目〔1〕。对于这个项目，很多国家都感兴趣，因为这并不限于项目本身，这是一个系统工程，会有很大的合作空间。这事已经谈判了很久。经过与好多国家的接触，竞争主要在英国、法国和联邦德国三个国家之间进行。这三个国家的领导人都很关心这件事。英国和法国政府领导人向上海市的前任市长、现任市委书记江泽民同志表示了对地铁项目的关心和支持。联邦德国政府对此也做了同样的表示。我们在这个问题上没有做出最后的决定。应该说，联邦德国政府和冷格尔阁下为此做出了很大的努力、给予了很大的支持。现在看来竞争很激烈，英国和法国政府都表示，联邦德国政府能提供的优惠条件，他们也都能办到。坦率地讲，联邦德国在地铁工程方面的实绩不如英国，尽管我相信联邦德国的技术和产品质量是优良的，价格除车站、电力供应等少数设备比英国和法国高之外，其他还是有竞争力的。现在有一个很大的问题，想听听你的意见，就是

〔1〕 上海最大的地铁项目，指上海建造的第一条地下铁道（即“地铁一号线”一期工程），1990年3月开工，1994年12月建成，1995年4月全线通车。全线南起锦江乐园，北至上海火车站，全长16.1公里，设站13座，总投资59.5亿元人民币。

1989 年 5 月 13 日，朱镕基参加上海地铁一号线合同签字仪式。右一为市政协副主席徐以枋，右二为市人大常委会副主任、市建设工作委员会书记孙贵璋，右四为市委副书记、副市长黄菊，右五为市政府顾问汪道涵。

你们政府承诺的贷款额度小于地铁项目所需的投资数，差了两亿马克，这怎么办？所以，你们的驻华大使来电说你要来上海，我说请你马上来，现在，你来得正好，是个关键时刻。这个时候你们不来人，事情就不好办。

冷格尔：感谢市长给我介绍了现状。市长讲得很对，我们联邦德国比其他国家建造地铁要来得晚，巴黎地铁是本世纪初建造的，柏林和汉堡的地铁是二十年代修的，比巴黎晚了 20 年。可是我们能够保证在建造地铁方面的技术是最先进的，我们有在慕尼黑建造地铁的经验，慕尼黑像上海一样，地下施工有很多困难。第二次世界大战后，我们被迫重建的工厂企业和交通设施比以前更好，所以，我们当时生产出了比战胜国价格更廉、质量更好的产品。特别是战后在建造地铁方面研制出了新技术。我知道同行之间的竞争是很激烈的，也听说了英国和法国代表的表态，联邦德国能提供的优惠条件，他们也都能办到。但是，我要指出，在发展援助合作方面，英国与中国、法国与中国跟联邦德国与中国的合作不同，我们是每年都向中国支付一样多或更多的钱款。我们在 1983 年、1984 年、1985 年各支付了 5000 万马克，现在是两亿马克，明年援助的钱款将更多。这个合作是长期的，支付的钱款还会逐年增加。我也成功地说服了联邦德国议会的预算委员会，在正常支付的钱款之外再给中国 2 亿至 6 亿马克。我的看法是，英国和法国包括意大利在内，只是针对特定项目给予援助，即使一次性给你们一大笔钱，但以后很多年不会再给了。所以我想，中国与联邦德国的合作，跟中国与其他国家的合作不一样。我也知道联邦德国支持中国其他地方建核电站或发展农业，对市长你来讲兴趣不大，因为你想在上海建地铁。所以，我想今天能给你带来一个好消息，我们同意支付还需要的两亿马克，而且不要中国给予任何特殊优惠。虽然这个决定给我们带来了困难，因为欧洲共同体规定不能提供百分之百的软贷款，其他国家会讲联邦德国对中国有偏爱，但我还是很愿意同你与你的同事谈这件事，同地道的商人谈判。

朱镕基：你带来了好消息。我先要把情况弄清楚，不然怎么当“商人”呢？因为借的钱都要由我们还的。上海的企业大部分是国营企业，一切债务都要由政府来还。这个地铁项目需要外国投资 4.6 亿马克，原来你们已承诺给 2.6 亿马克的贷款，现在又同意再支付两亿马克。那么，这两亿马克是在给中国对外经贸部的贷款总额之内，还是额外的?

冷格尔:这两亿马克，已答应北京郑先生[1]了。以前答应给的2.6亿马克是附加的，这两亿马克也是附加的。我们答应对外经贸部一共给上海4.6亿马克，但这是在合作建设地铁项目的条件下答应的。不建地铁，就不给了。

朱镕基:请原谅。我要把这件事弄清楚，因为我们身上背了32亿美元的外债。

冷格尔:当然要弄清楚。我们与中国对外经贸部签订的这个合同，与我们对中国长远的开发援助没有关系。这项谈判是特殊谈判。按谈判签订的合同，4.6亿马克是专门用于建设地铁的软贷款。这个项目的工程要进行6至7年，每年我们支付6000万至8000万马克，这是一个大概的数字，实际支付多少与建设的进度有关系。

朱镕基:我很高兴，你做出了这样友好的表示和很大的努力。这个谈判结果可不可以向我们的对外经贸部明确一下?

冷格尔:我们在当时答应支付2.6亿马克的情况下就这样做了。这次我回国后，为再支付2亿马克，也会这样做的。

朱镕基:我对你的友好合作精神表示感谢。英国曾提出对项目管理人员提供免费培训。这笔费用相当于2000多万美元的赠款。

冷格尔:我向你们的国务委员李铁映先生介绍过联邦德国建立“双轨制”技术培训的情况，已经有20位中国专家来德国考察这项工作。我想，只要你们愿意，在地铁合作方面也可以附加类似的内容。上海进行技术培训的条件是优越的，你们有潜在的力量，我们只要提供理论和培训的章程。但这件事我是刚听到，我回国后再积极努力。我们已经投入了4.6亿马克，不会因为2000多万美元而使谈判失败

〔1〕 郑先生，即郑拓彬，当时任对外经济贸易部部长。

的。对此，德国工业界也非做出相应的努力不可。我在北京就对郑拓彬先生及其同事说过，我不代表任何一家公司的利益，只为联邦德国发言。如果我作为联邦德国经济部的国务秘书只代表某一家公司说话，那魔鬼就会把我抓走。

朱镕基：你的讲话非常友好，感谢你对培训这件事给予支持和考虑。就我个人来说，愿意同联邦德国进行进一步合作。上海已经有一个最大的中德合资企业——上海大众汽车有限公司。这个项目进展很顺利，将进入更大发展的阶段，朝着年产30万辆轿车的目标努力。其他一些项目也合作得很好。我们在地铁这样关键性的项目上建立合作关系，合作的前途将是非常好的，上海的目标是在不远的将来吸引100亿至200亿美元的外国投资。这样就需要进行很大规模的基础设施建设，包括建造地铁、大桥、隧道。希望联邦德国在建设“新上海”的伟大工程中成为我们最亲密的合作伙伴。当然，我们也欢迎其他各国来上海合作。

冷格尔：我很高兴，你们重视培训工作。联邦德国创造的经济奇迹的秘密，其实也不算什么秘密，就是专业工人有高度的素质。联邦德国战后的情况与中国相似，原有工厂、设备都遭到破坏，也没有钱，但是我们有相当数量的专业人才。有了这些人才，购进材料就能投入生产。我们通过“马歇尔计划”得到了钱，制造出最先进的机器，就把经济搞上去了。这多亏我们国家建立了“双轨制”培训，人才既在学校里培养，又在工厂实际工作中培训，不增加国家负担，由企业承担培训费用。在联邦德国从东到西、从南到北都是这样做的。联邦德国这些做法同美国、英国不同，他们的培训由国家负担，在一块空地上造所房子，放几个马达，请几个师傅，就进行培训了。这样脱离企业进行培训有一个很大的缺点。技术天天在进步，而有的师傅已离开工厂六七年，他的技术知识还是六七年前的，

2002 年 12 月 31 日，朱镕基和德国总理施罗德出席上海磁悬浮铁路示范运营线试运行通车剪彩仪式后，一同乘坐磁悬浮列车前往示范运营线终点站——浦东国际机场站。后排左一为中国工程院院长徐匡迪。（新华社记者马占成摄）

这样就跟不上实际。所以，那些国家的学生从学校毕业出来就比实际现状落后三至五年。学生们也知道自己所学的一套技术是脱离实际的，因此学得不努力。

朱镕基：你谈得非常好。你们政府的领导很得力，这里谈判发生了问题，就派你马上来了。

冷格尔：联邦德国还研制了一种磁性高架铁道[1]，时速 600 公里

〔1〕 磁性高架铁道，指磁悬浮高速轨道交通系统。世界上首条高速磁悬浮交通商业示范运营线，于 2001 年 3 月 1 日在中国上海开工建设，2002 年 12 月 31 日试运行通车，2006 年 4 月 27 日正式投入商业运营。该线路引进德国先进技术，正线全长约 30 公里，设龙阳路和浦东国际机场两个车站，列车设计最高时速为 430 公里。

至 700 公里。用这种铁道连接上海与香港，3 个小时就可以到达了。这也可以成为我们合作的项目。不过，现在先搞地铁。

朱镕基：祝你们的这个项目取得成功。

冷格尔：已经成功了，我们的试验线路已经运行几年了。市长如果到联邦德国来做客，我安排你参观这个项目。

朱镕基：我很高兴有这样的机会。

冷格尔：我将以书面方式重复这个邀请。

开展优质服务，改善投资环境*

（1988年7月18日）

江泽民同志提出，要改善上海各方面的服务态度和投资环境。投资环境不仅仅是“一个图章”能解决的，各方面服务不配套，人家不愿意来，你审批项目快也没有用。上周开新闻记者座谈会，泽民同志和我参加，有记者同志讲，北京多家报社的记者代表团来了以后，受到了种种“待遇”，回去以后赌咒发誓再也不到上海来了，看来情况是越来越严重。昨天我还收到日本经济新闻社驻上海的记者负责人尾崎春生给我写的一封信，主要是反映邮电部门不负责任。他说报纸都得买两份，为什么？订的报纸早晨看不到，晚上才来，只好到报摊上去买，每天都得买几十份重复的报纸。我把来信批给市邮电局的局长徐志超同志，请你们下到邮政局、电报局、电话局，和基层商量商量，帮助上海改善投资环境。问题实在是太严重了，现在上海从机场、港口根本进不来，进来以后出不去，买不到票，局长那里留了票，处长那里留了票，科长那里留了票，到窗口根本就没有票了，完了你要买票，得走好多后门，想种种办法。宾馆现在要统一管理，要提高市旅游局的权威，你把宾馆管起来，管他什么锦江宾馆、什么东湖宾馆的，都得管。现在大家在窝里斗有本

---

* 这是朱镕基同志在上海市政府第十一次市长办公会议上讲话的一部分。

事，互相压价，到外面去赚钱没有本事，这怎么振兴上海？比如有个很有名的美国作家[1]，写《长征——前所未闻的故事》的那个，他上次见我，谈完话以后说，请你给我买一张飞机票，我想回北京，我回不去。这简直是笑话，要市长买票。我也跟他开了个玩笑，我说，这航空公司都不是我管的，我这个地方官管不了中央企业，但我跟他们私人关系很好，我给你买一张票吧。这实在是不像话！要把层层留下的票想办法统一管理，不能走后门。现在外国人要走，只能买高价票，否则根本进不来、出不去，这怎么得了？这种情况下，外国人想投资也不会来，旅游也开展不了。现在我们确确实实对内要振奋精神，对外要改善上海的形象。

当然，服务态度不好与肚子里有气有很大关系，反映了对当前形势没有正确的认识，没有信心。现在是上海人对上海没有信心，外国人对上海的信心比上海人还好一点。这次虹桥第一块批租土地，日本孙氏企业有限公司投标，他投了1亿多元人民币，比标底高了两倍，这说明他有信心，他觉得可以赚钱。上海的地下铁道工程，三个国家抢得一塌糊涂。他们看准了上海这个地方将来要大发展，能赚钱，而我们自己却没多大信心。所以我们一方面要大力宣传，一方面确实要把服务态度整顿一下。这里提了一些措施，请振元[2]、天增同志开一些会研究，看进一步怎么做。

文件[3]提出的十条措施很好，但我觉得这些事情落实很难。因为这些部门都不在我们管理之下，火车站归铁道部，港口归交通部，机场归国家民航局，他们是否都承诺了你们的任务？

这些事情我们要通过一定形式，召集有关方面讲一讲，最后形

〔1〕 美国作家，指哈里森·埃文斯·索尔兹伯里。

〔2〕 振元，即刘振元。

〔3〕 文件，指提交上海市政府第十一次市长办公会议讨论的《上海市人民政府关于改善上海旅游、投资环境开展优质服务工作的决定（稿）》。

成文件，也要搞公开、透明，把目标、责任明确起来。

另外我可以开一点口子，如果他们没有钱，我们两家抬。市财政局的负责同志在这里，我开个口子，在上海的预备费里面拿。什么叫两家抬？机场的电话总是应该搞吧，乘客一下飞机，到处都能打电话，甚至国际电话，多设几个亭子，邮政、电信在机场、港口、车站一定要搞得很方便，这个钱本来应该他们投资，他们要是不够，市里拿一半。他们如果愿意为改善上海投资环境服务，我们非常欢迎、非常感谢。他们有困难，我们帮助。这是上海的窗口，乘客一下飞机不方便怎么行？老葛〔1〕，我开个口子，在很短时间里把它抢上去。

夏克强〔2〕同志，现在外国人在将我的军，说你别看朱镕基叫得那么凶，他连出租汽车问题都解决不了。这个要改善一下，我们抢上去行不行？我现在委托夏克强同志代表我抓出租汽车，叫作市整顿出租汽车管理领导小组，组长夏克强，代表朱镕基。

另外，我们是个国际城市，标牌不要搞汉语拼音。泽民同志跟我讲，不要在街上搞汉语拼音，英文不像英文，中文不像中文，谁搞得懂？我们是国际城市，车站、机场、港口和宾馆，一定要放英文的标牌。这是上海的门面。这个钱是非花不可的，他们要是硬不肯出，市里就出钱。门面不修好，人家怎么来啊？宾馆、饭店建这么多，没有人来，现在互相在家里压价，这么干法怎么行啊？上海要靠旅游业赚 10 亿、8 亿美元，不然这么多饭店怎么还钱呢？

“园林景点的英文介绍牌在年内完成”，这还要两个季度才能完成啊？市园林局局长吴振千同志来了没有？快一点好不好？园林景点里的厕所，这是谁出钱啊？有钱没有？自己挤吧，挤不出来找市财政

〔1〕 老葛，即葛步洲，当时任上海市政府交通办公室主任。

〔2〕 夏克强，当时任上海市政府副秘书长。

局，厕所都解决不了，怎么能行？

企业集团起什么作用？就是要协调、监督，把每一个饭店搞活，到外面去拉客人，跟各种国际旅游组织合作，组织一条龙服务。比如希尔顿饭店就没有客源问题，他有国际关系，他住得满满的。我看将来花园饭店一投产，锦江饭店就会没有生意，都给人家拉走了。我们自己要赶快“打出去”，不要自己跟自己斗，互相压价。要给饭店对外经营的权力，让他自己搞活，组织一条龙服务。你拉了客人来，接着组织他们旅游去，你给他们买飞机票、找导游，搞一条龙服务。另外，要改善服务态度，搞竞赛。

现在要研究一下是不是应该成立一个市旅游委员会，因为国务院成立了旅游事业委员会。成立市旅游委员会，但不增加编制，办公室设在市旅游局。比如，刘振元同志当主任，倪天增同志当副主任，有这个名义，开会、发号令比较方便一点。不单是搞旅游，这还是改善投资环境很重要的一个措施。

另外，要搞计算机管理。我参观了瑞士的一个旅店集团，他在苏黎世有六个大旅馆，在世界其他地方也有好多大旅馆。我看他的房间管理，是用计算机预订房间，这是一个好法子，全世界都可以联系。我们这里这么多人还稀里糊涂，气死人了！上海在这些方面总应该先进一些，国际城市，上海有传统。

北京有这么一条政策，哪个饭店不采用计算机管理，就罚他的款，我们也可以定这么一条。现在搞邪门歪道都会，搞点真正的现代化管理却没有使劲。

对浦东开发的几点具体意见*

（1988年7月23日）

我完全同意泽民同志的意见，就用这个思想来指导修改关于浦东开发问题向国务院的报告。我谈几点具体意见。

第一，开发浦东是建设“新上海”的希望，确实很重要，但是资金投入的需要量很大，建设需要的时间相当长，不可能一蹴而就，需要有个长远的考虑。

开发浦东，首先要抓大交通和基础设施建设。目前主要是搞好越江工程，延安东路越江隧道今年要尽快通车，明年上半年要全部建成；南码头黄浦江大桥〔1〕今年一定要动工，开工仪式要大张旗鼓；宁国路越江工程〔2〕明年也要动工；外高桥港口工程要提前建设，可以利用外资进行。这些工程搞上去了，浦东的土地使用权有偿出让

---

* 这是朱镕基同志在听取上海市副市长倪天增汇报江泽民同志关于浦东开发问题几点意见后讲话的主要部分。

〔1〕 南码头黄浦江大桥，即现在的南浦大桥，是上海市区第一座跨越黄浦江的大桥，总长8629米，主桥为高46米的双塔双索面叠合梁斜拉桥结构。工程总投资8.2亿元，1988年12月开工，1991年12月通车。

〔2〕 宁国路越江工程，即现在的杨浦大桥，与南浦大桥堪称“姐妹桥”，总长7658米，主桥为一跨过江的双塔双索面叠合梁斜拉桥结构，主孔跨径602米。工程总投资13.3亿元，1991年5月开工，1993年10月通车。

1991 年 10 月中旬，朱镕基就搞好国营大中型企业问题在上海进行考察期间，视察即将建成通车的南浦大桥。右二为中共上海市委副书记、市长黄菊，右六为副市长倪天增，左一为市政府秘书长、办公厅主任万学远，左二为市建设委员会主任吴祥明。

（新华社记者张刘仁摄）

（以前称“土地批租”）才会有吸引力。因此，这是当前抓好浦东开发的关键所在。当然，也要同时抓紧进行浦东开发的可行性研究和规划方案的编制。

第二，浦东地区是上海城市不可分割的一部分。要从整个上海的改造和发展来考虑浦东开发，要以综合开发的思想来进行浦东开发。这个“综合开发”不是把浦东同浦西对立起来自成体系，而是要把浦东建设成为上海最现代化的一个部分。通过浦东开发，使上海这个城市整体成为全国最大的经济、贸易、科技和金融、信息中心。

浦东地区的地理条件很好，有很长的海岸线，是建设大进大出工业基地的一个非常理想的地方。浦东要着重发展工业、港口和交通运输。浦东应主要发展现代化的，知识密集、技术密集、劳动生产率很高、原材料及能源消耗少、出口创汇能力强的工业。浦东发展工业要考虑到老市区工业的扩散。我很赞成泽民同志说的，要把老市区的工业分门别类，区别不同情况，有计划地把一些工厂迁到浦东，有些工厂则可以迁到其他卫星城镇和郊县，让老市区重新焕发青春。

当然，第三产业也需要发展，包括金融、贸易、信息等，但消费性的设施不要多搞了。重点是发展工业、港口、道路、市政设施，不发展这些，第三产业的发展也没有基础。可以考虑在陆家嘴地区发展金融、信息等产业，与老市区的外滩组成一个金融信息中心。外滩的银行大楼应该逐步让出来开设外资银行，这对于上海的发展也是十分有利的。

第三，开发浦东，主要靠利用外资。要利用外资来搞基础设施建设，吸引国外直接投资来办企业。要进一步大胆利用外资，上海还是有一定还款能力的。同时，要有计划地、积极地做好土地使用权有偿出让工作。当前首先要抓好试点。“浦东开发主要靠土地批租”，这个提法是不妥当的，是会把事情搞乱的。倒不如扎扎实实抓土地使用

1990 年 5 月 3 日，朱镕基出席上海市人民政府浦东开发办公室挂牌仪式。发言者为市政府副秘书长夏克强；前排左三为副市长倪天增，左五为市委副书记、副市长黄菊，左六为市科学技术委员会副主任沙麟。

权有偿出让的准备和国际招标的试点，从实践中总结经验。

进行土地开发的形式可以有几种，有条件的地方可以考虑使用权有偿出让，也可以与外商共同合作开发；有的土地开发可以跟外部的基础设施建设捆起来进行。可以先进行一些试点，但是所有房产、土地开发都要服从总体规划的要求，在统一规划的指导下进行。

第四，有关政策问题。凡是市里本身能够解决的由市里定，不必再报告国务院。有些已经有了，如保税仓库，可以不再提了。其他需要向中央争取的政策，例如减免关税、进出口权以及合资年限的审批权等等可以提出来，再去积极争取，希望能与广东一样。可以考虑向中央争取：在确保上海财政包干上缴基数的基础上，从与中央超收分成中扣除浦东地区的增长部分，留做浦东的开发基金。

第五，关于浦东开发的组织领导问题，赞成泽民同志意见，政企要分开。因此，要积极发挥三个区一个县〔1〕的作用，目前，不要成立单独的政权机构。成立一个行政区很不容易，分人、分地、分钱、分物要扯上一年，将来还要闹矛盾，影响现实工作。按照总体规划，让三区一县自己去开发，各显神通比着干，积极性就上来了，也不会敲市里的竹杠了。当然，要有一个统一的规划协调领导机构〔2〕，可以称作"浦东开发委员会"或者称"浦东开发领导小组"，归口市外资委领导，吴祥明〔3〕同志可以负责抓这件事。目前可以考虑成立一个筹备机构，专人专职来抓这项工作。

开发机构要政企分开，要采用经营的方式来开发，可以由市里，也可以由区县自己组织若干个开发公司或咨询公司，还可以采取中外合作的方式。

---

〔1〕 三个区一个县，指当时的上海市杨浦区、黄浦区、南市区和川沙县。

〔2〕 统一的规划协调领导机构，指1990年4月30日成立上海市浦东开发领导小组，下设上海市人民政府浦东开发办公室，作为领导小组的办事机构，负责浦东新区开发的统筹、规划和协调工作。

〔3〕 吴祥明，当时任上海市计划委员会副主任兼外国投资工作委员会副主任。

引入竞争，放开经营，搞活国营大中型企业 *

（1988 年 7 月 25 日）

今天开这个市长办公会，主要研究怎样贯彻全国国营企业承包经营责任制座谈会的精神，研究怎样使上海的承包经营责任制能够配套、完善、深化、发展，把上海的企业改革推向前进。

7 月 1 日，我在市纺织局的现场办公会上提出了这个问题，就是要在上海国营企业引入竞争机制。当时我没让发表这个讲话，因为觉得时机还没有到。现在要结合贯彻这次座谈会的精神开始这个工作了，这对上海是一个很大的考验。把今年的计划完成得更好，迎接明年的挑战，必须从深化企业改革着手，引入竞争机制。现在看起来，没有竞争，企业是搞不下去的。因为企业运行有两个环境：一个外部环境，一个内部环境，所以竞争机制包括两个方面。下面，我想就这两个方面讲一点意见。

第一，实行厂长招标，改革企业内部竞争机制。

年初搞承包，匆匆忙忙地把它包下去，这是完全正确的，不这么搞，也没有今天这样好的形势。但是，不是说这一包下去以后，签了合同，这五年厂长都不能动了，那怎么应对明年的挑战？因为前

* 这是朱镕基同志在上海市政府第十二次市长办公会议上讲话的一部分。

一个阶段的承包基本上是我们同企业一对一地谈话，企业在那里争来争去的主要是“进几号门”，你给我让多少承包基数？减税让利多少？都是在争这些东西。很多厂长并没有意识到搞承包是要把他们推向一条自负盈亏的道路，还没有意识到自己作为一个企业竞争机制人格化的代表，真正要经过一番拼搏使企业能够做到自负盈亏，他们没有“我想当厂长，我能够当厂长”这个意识。所以，工厂内部的机制不可能一签承包合同，就自然而然地改革了。还是要先搞企业厂长的招标，再搞内部车间、班组的招标，然后搞企业内部机制改革。必须做这一系列的工作，二三月份承包时就想到下一步要搞这个事情，原来就是这么设想的。这么一说，有些厂长就反感了，我已经签了合同，搞得不错，承包基数都能完成，怎么要换厂长？是不是我亏损了一点，完成得不太好，你惩罚我？有抵触情绪。这个问题，要把道理跟他们讲清楚。首先，厂长招标本来是《全民所有制工业企业法》的规定，厂长通过招标或者工人选举都可以，这是主要形式，符合企业法，也符合最近国务院关于劳动人事制度改革的原则。

当然，如果外部环境不放开经营，再好的厂长也很难有所作为，所以这一次不是单纯搞内部机制改革，外部环境改革也要同时进行。外部放开经营，就意味着企业享有更大的自主权，实行自负盈亏，这样厂长的责任就更大了，搞坏了没有人来救你了。在这种进一步的改革面前，厂长不经过选拔恐怕不行。所以，我们这一次厂长招标并不是对某些落后企业的惩罚，先进企业同样要走这条道路，上海 1700 多个国营大中型企业都得走这条道路。再说，招标并不是一定要换厂长，主要是要换掉厂长脑子里一套陈腐的观念、吃“大锅饭”的观念，增强使命感、责任感，建立风险意识、竞争意识，让你真正拿出本事来。

对不能当厂长的人，过去是让他们再回原来的单位，原来是干部还是当干部，原来是工人还当工人，我倒不主张这样。我主张对下来的干部进一步培训，给他们创造一些条件，让他们吸取教训，总结经验，以后奋发图强，加强学习，最后再去应标，东山再起嘛，不然就带有惩罚因素。他们工作没有做好，有客观的原因，不完全怪他们，当然与他们本人的素质也有一定关系。

不单是搞厂长招标，还可以搞兼并。我上次在市纺织局讲，我不赞成“兼并”这个词，兼并容易引起被兼并企业的反感。我说叫“优化组合”或者叫“紧密联合”，由这个企业去经营管理另一个企业，他派一个厂长去，是不是可以？厂长招标以后，接着要进行企业内部竞争机制的改革，层层都要搞竞争，使能人能够出来，打破原来那一套关系学，打破那张任人唯亲的关系网，然后在企业内部进行配套的改革，搞厂内待业、厂内银行、满负荷工作法、群体经营工作法、全员劳动人事制度改革等，把这些办法都拿出来。只有这样，才能够把职工的积极性调动起来，真正使企业自负盈亏，提高经济效益。

第二，放开经营，改革企业外部经营机制。

企业外部机制不改革，光招聘厂长也不起作用，或者说没有很大的作用。所以我们这一次搞，要把厂长招标和放开经营同时进行试点。当然，放开经营是逐步的，一下子也不能完全放开。比如，价格一下子放开不可能，但总是要放开一些，让厂长有更大活力，招标才能起作用。

做好这个工作，首先要转变各委办局等政府主管部门的观念。现在我们政府主管部门对企业管得很多，保得太牢，干什么事情都得我们插手，或者专门搞一个机构，这样就搞得机构重叠，层层把权截留，国营大中型企业怎么活得了？这里我特别提醒市纺织局，他的行政干预恐怕是最多的了。这也不是纺织系统本身的问题，因为纺织工业在中国历史最长，从解放以来纺织系统管理水平就高，规章制度比较完备，但还是计划经济的模式。过去差不多棉、麻、毛、丝都掌握在你手里，你可以分配，产品可以调拨，那时有一套严密的制度促进生产。今天情况变了，你分钱分物，手里没有东西；你抽肥补瘦、填平补齐，先进的企业抱怨你，落后的企业养成了依赖性；今天照顾这个，明天照顾那个，企业家锻炼不出来。我不是说让你马上放手不管，一方面要管，一方面赶快改革，观念上要放开，我们的思想要适应这个变化。企业放开经营就是要这样做。

对那些亏损企业就让他们招聘厂长以后放开经营，让他们自己解决问题，自己救自己，搞不好自己垮台。怎么样放开经营？请市体

1988 年 7 月 12 日，朱镕基在上海市虹口区考察东方箱包厂。左一为中共上海市虹口区委副书记张乃生，左二为东方箱包厂党总支书记余蝶敏，左四为东方箱包厂厂长叶惠强。

改办、经委、财政局、劳动局研究。当然，由于整个的体制改革还没有到这一步，现在放开经营是存在一定的困难。我们是在创造一种小气候，在每一个企业里试点，一个一个企业形成小气候，逐步影响大气候的形成。现在还不能完全放开经营，但起码主管机关要逐步放开，逐步少管，少加行政干预，逐步促进政府部门职能转变和工作方法的改变。

最后，我就抓紧准备工作、有步骤地进行深化改革讲几点意见：

一是要做好思想舆论的准备。就是造一点舆论，从积极方面讲这样做并不是对落后企业的惩罚。实行厂长招标，上台下台是很正常的事，下台以后可以继续培训，可以东山再起。原来的厂长也可以应标、中标，并不是一定都要换厂长，主要是换观念。

二是要做好组织准备。这项工作是一个比较长期的工作，在上海 1700 多个国营大中型企业都引入竞争机制，恐怕得搞一年到两年才能完成。是不是一年大部分完成，两年扫尾，行不行？研究一下。所以，搞个临时机构恐怕不行，要搞个正规机构来进行发包、评标等工作。

三是要赶快准备企业家的后备队伍。不养成一种招标的气氛，不准备企业家的队伍，是造不成声势，也搞不好招标的。所以从现在就要开始，由市经委、体改办来抓这件事情，会同教育部门，制订一个进行培训的计划。从各个企业选拔一批年富力强的、素质比较好的副厂长，现在就开始培养，下半年试点，明年上半年大规模推行。培训半年，明年就管用，就可以出来应标。这些人可以到国内学习两个月、国外学习两个月，再到哪里考察两个月，就这么搞。然后，下一批培训时间就搞长一点，搞一年，明年下半年就起作用。区分不同的培训层次，马上动手，搞一个计划，而且要搞成正规化的，培训结束后要给这些人一个资格证书。

四是要总结经验，做好规范化的准备。要让已经搞的几十个企业把经验总结一下，理出头绪，总结出一套如何投标、招标的办法。

我今天出一个“安民告示”，并且宣布，从现在起我们就要开始进行企业机制的改革、引入竞争机制的改革，通过厂长招标和企业放开经营来搞活企业。

必须解决上海的脏乱问题*

（1988年7月28日）

从改善投资环境来讲，现在上海必须解决两个问题，一是脏，二是乱。这两个问题不解决，外国人不会来，吸引不来100亿至200亿美元的外国投资，上海振兴就很困难，无法成为远东最大的经济贸易中心。

脏的问题要想办法治理，这对精神面貌非常重要。现在这么脏，士气是振不起来的。一看这脏的样子，就头痛，而且脏得越来越严重。市政府领导和部队同志都上街打扫卫生，但只是这么做还不够，解决不了问题。最近市政府下决心要改革环境卫生的管理体制，要包干，要实行责任制。今年下半年无论如何要想出一系列办法来解决这个问题。现在我对上海的环境卫生很不满意，来上海的外国人也都说上海脏死了。上海的环境卫生状况与北京、天津相比不可同日而语。脏的问题怎么解决不了呢？我看就是因为管理不得法，“铁路警察，各管一段”，多头管理，无人负责。明年是上海解放40周年大庆，今年年底153亿元财政收入超额完成后，明年我们要花笔钱把街头“梳妆打扮”一番。我想，这个建议会得到市人大和市政协的支持。我们

---

* 这是朱镕基同志在上海市公安局现场办公会议上讲话的一部分。

把城市街道搞得漂亮点，把环卫管理体制问题解决好，市民的精神可以大为一振。

治乱问题由市公安局负责。我们正在搞“一警多能”、联合治乱，要把联合执法搞好。现在殴打公安干警、联防队员、工商执法人员和教师、医生的事屡有发生，要严肃处理，不然不得了，败坏社会风气。搞好公安工作是一件十分重要的事。要想办法把上海的治安情况和交通秩序治理好，各方面都有法可依，而且执法要严。现在缓解交通矛盾是第一位的任务，市公安局要下很大力量来治理交通秩序。怎样管理好城市是一门宏大的科学，要很好地研究。希望到会的同志都来支持公安工作，使它在短期内能有很大的起色。

对领导批办事项要一抓到底*

（1988 年 7 月 31 日）

学远同志：

看来相当大一部分批办事项都长期拖着办不成。一是机关重叠，互相牵制，扯皮习以为常；一是主要负责同志不过问，听之任之。我对市府机构这种状况实在着急，有负于人民期望。

目前机构问题尚难解决，只有请办公厅重申：一、凡我亲批件必须由主要负责同志（一、二把手）亲自处理，不可批给别人了事，更不能容许批件到不了局长那里。久拖不办要追究一把手失职。我不是说，我批的事都是最重要的，但我已过问，请有关单位一把手过问，也不委屈吧。二、凡副市长、副秘书长开会协调，一定要拿出仲裁意见，没有把握的事可随时直接请示市长。不解决问题，不拿出意见，就不要开会。不一抓到底，什么事也办不成。

朱镕基

7.31

---

* 1988 年 4 月 25 日，朱镕基同志当选上海市市长后，对有关部门报告、人大议案、群众来信有大量批示，由于市政府办公厅没有建立起有效的领导批办事项督办制度，许多批办事项层层转批，往往杳无音信。这是朱镕基同志在了解有关情况后，写给市政府副秘书长、办公厅主任万学远的信。此后，市政府办公厅建立起了领导重要批办事项的督办制度。

学三同志：看来相当大一部分批办事项都长期拖着办不成。一是机关重叠，互相牵制，扯皮习以为常；一是主要负责同志不过问，听之任之。我对市府机构这种状况实在看不下去，有负于人民期望。

目前机构问题尚难解决，只有请办公厅重申：一、凡我亲批件必须由主要负责同志（一、二把手）亲自处理，不得批给别人了事，更不能容许批件到不了局长那里。久拖不办要追究一把手失职。我不是说，我批的事都是最重要的，但我已过问，请有关单位一把手过问，也不委屈吧。二、凡副市长、副秘书长召开会协调，一定要拿出仲裁意见，没有把握的事可随时直接请示市长。不解决问题，不拿出意见，就不要开会。不一抓到底，什么事也办不成。

朱镕基 7.31.

在三次市委常委民主生活会上的发言*

（1988年8月6日、1989年12月20日、1990年8月24日）

一

（1988年8月6日）

我到上海后，总觉得不大踏实，很多事情总是在脑子里迂回。我过去没有在地方工作的经验，上海工作的头绪纷纭，压力很大，但是自己的心情是愉快的。因为到上海以后，泽民同志和市委常委同志们对我的工作给予充分的信任，并给我充分的支持。老同志对我很爱护，这确实给了自己思想上的温暖。虽然工作很伤脑筋，有时甚至想实在是干不下去了，但是想到大家还是支持我的，对我的缺点还是能够谅解的，就感到有力量支撑。原来想上海这个摊子是很复杂的，搞得不好就会掉下去、垮下来，现在感到还是有一种信心去工作。至少到目前为止，觉得工作还是有可能做好的。我在半年工作中也暴露了很多缺点，虽然自己时常警惕，但感到改正得不够，自己的思想意识上还存在着缺点。

第一，依靠组织、依靠群众去解决问题做得不够，特别是尊重

---

* 这是朱镕基同志三次参加中共上海市委常委民主生活会时发言的主要部分。

市委的集体领导，多请示、多商量、多研究、多谈心等方面的工作做得不够。自己思想上还是注意了，市政府不单独做出重大的决定，一些重大的决策要经过市委常委共同研究、把关。对工资、物价的问题，一些大的项目等比较大的决策，我和黄菊同志注意提交市委常委会来讨论，市委确实也给我们很大的帮助，避免了犯更多的错误。但是有时候思想上也有点放松，有些问题因为紧急，觉得是不是可以就这么决定了。这方面确有做得不够的地方，所以最近我更加注意这一点了，以后要多依靠市委的集体领导，多商量、多通气。

第二，在市政府领导班子里，我觉得自己发扬民主不够，与副市长、秘书长、副秘书长多商量，多听取他们的意见，鼓励他们发表不同的意见不够。一方面，自己希望听不同意见，但是人家一发表不同意见又往往去驳人家，这就使人家以后不大敢发表不同意见了。也就是说，自己有点自以为是，这是要很好注意的，因为上海的工作这么复杂，靠自己的水平、精力和工作是远远不够的。所以下星期，我们市长、副市长要开个谈心会，互相提提意见，畅所欲言。

第三，对下级有点粗暴，总是不很耐烦。当然是从工作出发，心里着急，但实际上每个同志都是很着急的。应该讲，各委办局的同志大多数还是兢兢业业在工作，对市委、市政府的指示是很认真对待的，特别是知道我脾气不好，看见就有点害怕。人家正在加班加点地干，你还要去批评、挖苦人家，实在是不近情理。这一点我确实是要很好注意，这与自己思想意识上长期的毛病有关系。我感觉到，如果让我这个毛病发展下去，将来会脱离群众，很多事情会办不成、搞不下去，有这个危险，所以自己应该很好地注意。要真正和下面的同志同甘共苦，虚心地倾听别人的意见，下去多做一点像样子的调查研究。上海的事情，不脱层皮，是很难解决问题的。我越来越体会到，要解决上海的问题需要有百折不挠的精神，真正与群众建立血肉联系，不是那么容易的。所以，我应该正视自己的缺点，希望同志们帮助。

二

（1989 年 12 月 20 日）

我本人的工作作风、工作方式或者说思想意识方面的问题，主要的是两条：一是对干部要求过严，过分了，不利于调动干部的积极性。二是发扬民主、实行党的民主集中制、听取不同意见方面不够。

这两个问题是有联系的，对自己的思想意识、多年来的缺点，一直没有很好地克服。很多问题上自以为是，比较主观，看一些问题有时比较片面。一年多来，这些确实也引起了自己的注意。现在有些局长反映比较怕我，因为我没到上海工作时，上海就传得很厉害，说朱镕基厉害得不得了，见面就给你下不了台，所以一看到我就害怕。后来跟我接触，大概体会到我不会整人，讲完就完了，但是确实也感到难以相处。我觉得这个毛病在于自己对很多工作急于求成，往往不能设身处地体谅下级的困难，要求过高，所以一讲到什么问题就很急，好像非要人家很快解决这个问题不可，往往给人家下不了台。一个局长，人家也是个不小的官，几十岁了，你当面给人家下不了台，确实使人家以后不愿给你提不同意见了，这样就堵塞了言路，不利于党的工作。这个毛病恐怕不单是对下面，有时候对一些老同志也有不少冒犯之处，这应该引起自己很好的注意。

民主集中制问题，我觉得这个非常重要。泽民同志离开上海以后，我觉得自己的担子是很重的，作为一个主要领导，我缺乏这种能力和素质，也缺乏这种锻炼。自己兢兢业业，总是想发扬民主，综合

1989年4月18日，朱镕基在上海市政协与政协委员座谈并讲话。前排右二为市委常委、市委统战部部长、市政协副主席毛经权，右三为市政协副主席张瑞芳，右四为市政协副主席严东生，左一为市政协副主席陈铭珊。（郭天中摄）

集体的智慧，搞得稳一点，做决定的时候多听各方面的意见。自己想这样做，但还是有很多缺点，今后应该很好地注意，应该感到自己担子很重，稳定上海这个责任很大，在党性方面应该要求自己更严格一些。昨天国栋〔1〕、行志〔2〕同志讲得语重心长，我们能不能接好这个班，确实是应该谦虚谨慎。我在这里想，不光我一个人，我们整个市委常委班子大家都要谦虚谨慎，但我是主要领导，我不谦虚就更不得了。上海的很多工作还没有做好，上海的工作如果能做得更

〔1〕 国栋，即陈国栋，当时任中共上海市顾问委员会主任。

〔2〕 行志，即赵行志，当时任中共上海市顾问委员会副主任。

好，将对稳定大局、帮中央分忧起很大作用。我们实际上没做得那么好，我们应该更加谦虚谨慎地对待上海的工作。为了保证把工作做好，这次在北京和泽民同志来上海时，我都跟他说了，我还是应该把自己工作的重点放在市委，主要是多考虑党的建设方面的问题、党风的问题，多做一些干部的工作，多听取一些老同志的意见和各方面的意见，把党建设好，把党风整顿好。所以我请示了泽民同志，也和黄菊、邦国〔1〕同志商量了，今天和各位常委、老同志商量，我是想这样：政府工作主要由黄菊同志协助我抓起来，实际上主要由黄菊同志担负起来；市委工作，即使我把工作重点放到市委这边来，如果我完全陷到市委的所有工作里面去，也还是不可能考虑大一点的问题，而且这方面我也不如邦国同志熟悉，所以我希望市委工作由邦国同志协助我全面抓起来，我希望主要由邦国同志抓起来。这样我就能稍微超脱一点，多做一点调查研究。昨天行志同志也赞成，我明天就想到农村去，到一两个县里去调查，研究一下党的思想建设、领导班子建设和基层组织建设。宋平同志特别讲了这三个建设，我认为是非常重要的。现在农村问题很多是发生在党内的问题，也就是领导班子问题和基层党组织不起作用的问题。多做这方面的调查研究，在一些大的问题上能提出一些意见。

明年困难还是很大，要稳定上海也不是那么容易，我心里想一个很主要的问题，还是抓党风建设，我就是希望超脱一点，来抓这件事。党风建设的主要内容是廉政，廉政实际是党风好转的最低纲领、最低要求。现在上海廉政有一点基础，但真正搞好廉政建设，还是要抓好党风，还是要抓党的建设、抓领导班子的建设、抓思想建设。

---

〔1〕 邦国，即吴邦国，当时任中共上海市委副书记。

三

（1990年8月24日）

关于廉政问题，市纪委征求的意见中，对我提得还是比较少，不是说我没有多少问题，严格地讲，自己还做得很不够，今后还要注意。今天大家对我的思想作风、领导作风、民主集中制方面提出了意见，我先把市纪委的征求意见中对我的意见念一下："大家感到我们在参加的一些会议上，经常听到镕基同志十分严厉地批评某某同志，要撤某某同志的职，这样有副作用，好像他的权力大得无边。他们提出，批评要看对象，要有一定范围，现在市委、市政府好像只有朱市长的话才顶用，这样长久下去并不是一种好现象。许多同志见到朱市长不敢讲话，反正你说什么，就按你的办，干好干错都是你朱市长的。近期镕基同志要注意克服这个缺点。还有的同志提出，在抓廉政的同时，注意多关心机关干部的生活，多找委办主要领导谈心。"昨天我找出了上一次民主生活会的记录，当时大家都交了心，我看了当时我作的检查就是这两条。第一条是对干部批评过多，有时要求过严、过分，这不利于调动干部的积极性。现在看起来，我对自己的要求还不够严格，检查还不够深刻。同志们提出我有些批评不恰当、不符合实际，或者说不公正，这样干部很难接受，也挫伤了干部的积极性。去年我检查说，我在发扬民主、实行党的民主集中制、听取不同意见方面还做得不够。今天检查起来，恐怕我这个毛病自上次检查以来没有改好。国栋同志、行志同志多次语重心长地给我提出意见，我也感觉到对这个问题应该引起注意。我接到的人民来信，对我也有不少意见。一方面是今年以来工作中困难比较多，有时急于求成，有时觉得在困难面前办法不多，心情比较急躁，因此对干部的批评比较严厉。另一方面，也确实滋长了一些骄傲自满情绪，对很多问题自以为是，不够谦虚谨慎。有一个阶段，记者要求采访我、约我写稿的多得不得了。对此我一概拒绝，不搞专门采访，也不写文章，但是我们的报纸有时登我的消息比较多。过去比较注意，这一次上海谣传我跑到美国去不回来啦，所以我回来后，允许报纸这几天天天有我的消息。我注意到了，到此为止，以后不能再搞了。特别是“某个事朱市长一批示，问题才解决”这种报道千万不要搞，大家会说，如果他不批示呢，是不是上海什么事也不能办了？就是说，自己一是急躁，一是有点自满，因此批评下面的多，和市委常委、市委领导核心交换意见少。

总之，大家给我提的意见都是很好的。从去年到现在，我这个毛病改得不得力，我应该警惕。我的气量也太小，刚才力平〔1〕同志给我提了意见，我一下子把你打回去了，你来一条，我给你一条，这不好，在别的场合给你提不是更好嘛。刚才我给经权〔2〕同志提出他缺乏自我批评，实际上我也缺乏自我批评，这要引起我的警惕。

另外，国栋同志讲要我超脱一点，我确实做得不够。我抓经济工作、抓政府工作、抓具体工作比较多，也比较熟悉，因为我是搞经济工作出身，说老实话，我在这方面看问题比别人看得清楚一点，因此抓得多一点，但抓思想政治工作、抓市委的工作、抓政策研究方面的工作少一点。而政策和策略是党的生命，我在这方面抓得不够，今后要努力。我还是希望明确这一条：黄菊同志负责市政府的日常工作，邦国同志负责市委的日常工作。这不是我叫你们这样的，这件事是当面请示过泽民同志并经过市委常委会同意了的，所以你们有合法的权力来做这件事。现在就是你们管，这是委托你们了，但是我应该

〔1〕 力平，即王力平，当时任中共上海市委常委、市委秘书长。

〔2〕 经权，即毛经权，当时任中共上海市委常委、市委统战部部长、市政协副主席。

为你们创造条件，这也是对的。我有时为你们创造条件不够，以后还要多谈谈心，多商量。其他每个市委常委都要负责自己分管方面的工作。一方面，我责无旁贷，应该和大家多谈心，多交换意见；另一方面，请同志们大胆地、独立地负责，把工作抓起来，出了错，我负责，我绝对不会把责任推卸在你们身上。

今天就谈到这里。公琦〔1〕、文义〔2〕同志，我们以后再找机会交交心吧。

〔1〕 公琦，即叶公琦。

〔2〕 文义，即徐文义，当时任上海警备区司令员。

要大胆利用外资 *

（1988 年 8 月 10 日）

振兴上海只有进一步开放，执行沿海地区经济发展战略，大进大出，大量吸引外资，否则的话没有出路。我不排斥搞国内大循环，加强同兄弟省市的横向协作、联系，尽可能多地使用国内原材料，但从现在情况看，这方面的困难越来越大。上海这么一个“庞然大物”，不靠国际资本是“救”不了的。

上海城市建设欠账多，没有几百亿美元的资金投进去，很难改变面貌。办这件事，只有大量地利用外资。大量利用外资，要具有还款能力；而要具有还款能力，就要有东西出口创汇。这样就要大力改造现有企业，增强企业的出口创汇能力。有了产品，还要打通出口渠道。因此，我认为上海的企业只有与外国合资经营，把外国企业家吸引进来，使产品能够打入国际市场，上海才有出路。也只有在这个基础上，保证有东西出口创汇，我们才敢借世界银行和国际货币基金组织等的几百亿美元贷款来改造城市的基础设施。

利用外资加快城市建设的步伐，这方面潜力很大。我认为，现在上海利用外资还不够。最近我同泽民同志商量，我们都认为应该扩

---

* 这是朱镕基同志与新华社记者谈话的要点。

1989 年 2 月 28 日，朱镕基出席中国人民建设银行上海市分行 1.28 亿美元银团贷款协议签订庆贺酒会并讲话。

大利用外资，改造城市的基础设施。现在的问题不是该不该扩大、加快利用外资，而是我们的配套人民币和建筑施工力量能否跟得上。现在，我们利用外资的步子太慢。中央批准上海在“七五”期间可以利用外资 32 亿美元，其中 14 亿美元用于城市基础设施建设，而至今用了不到 1 亿美元。我同甘子玉同志谈过，他说，只要上海有本事利用外资，不限制在 32 亿美元，能用多少算多少。黄浦江上游引水工程，是解决市民饮水的大问题，非解决不可。去年搞了引水一期工程，第二期工程因缺少资金停了下来，我说二期工程完全可以利用外资来搞。

现在肯借钱给上海的外国人多得很，世界银行就已承诺每年借给上海2亿美元，其中软贷款5000万美元。到“七五”末还有两年半，我看计划用于城市基础设施建设的14亿美元根本用不完，按现在的进度只能用掉5至8个亿。为此我已出了题目，让市计委、建委等部门赶快做文章，要求外高桥港口、虹桥国际航空港、黄浦江大桥、地铁等工程赶紧开工。除了这些大型市政建设工程外，还可以安排一批基础设施项目。钱不够，就大胆利用外资。我不愁没有还款能力，因为计划利用的外资32亿美元中，除14亿美元用于城市基础设施建设外，还有13亿美元用于技术改造、5亿美元用于发展旅游等第三产业，经多方计算，32亿美元完全可以还。这些外资的贷款条件是很优惠的，要十年以后才还款，难道上海连这点本事也没有？所以，只有大胆利用外资，城市基础设施建设才能真正搞上去，上海才有希望成为一个国际城市。

上海的投资硬环境虽然有不少问题，但是经过三到五年的有计划改造，可以取得明显的改观。就现有的硬环境来说，无论交通运输、电信电话、旅游设施、饭店配套等，像上海这样的条件在全国也为数不多。但现在管理问题很多，因此，关键要抓软环境建设。近年来，上海的投资软环境有了一定的改善，但还很不够。“一个图章”机构目前只是解决项目审批问题。如果厂长的观念不转变，想与人家合作、合资经营，又只想“吃肉”，不肯“啃骨头”，尤其看到人家赚的钱多，总觉得自己吃了亏，使很多生意做不成，这样，软环境再改善也没有用，因为到不了项目审批这一关，就把外商都气走了。我一直说，人家赚得多，是人家有本事，等你有本事了，再去多赚点，现在把项目搞吹了，什么也赚不到。这里有一个观念转变的问题。现在上海正处于发展的转折点，厂长的观念不转变，不能适应这个历史的转折，外国人就不会来上海投资。请叶龙蜚同志细心收集一些在对外谈判过程中领导思想不解放、厂长观念不转变的例子，到处去做报告，促进上海企业家的观念转变。

吸引外国的直接投资，不要只想在一个项目里赚多少钱。多搞几个合资项目对我们有好处，能多少带一点产品出口，多少带一点技术进来。对每个项目来说，不要求赚得太多，起码税收增加了、影响扩大了。将来，上海的企业应同外国先进企业搞合资经营或者进行其他各种形式的合作，才能尽快改变自己的落后面貌。当然也不是什么项目都来，污染多的不行，占用太多劳动力，上海也搞不起。现在国内是卖方市场，生产出来的东西质量再不好也有销路，我们要能够把产品打到国际市场上去，这才是真本事。看来，没有同外国企业合资经营或其他合作形式的推动，企业整顿、技术改造也不容易搞好。

市外资委今年无论如何要多搞几个合资经营项目，搞几个大项目。只要我们扎扎实实地工作下去，过了今年，就有可能逐步形成外国企业家来上海投资的高潮。当前，要赶快改善软环境，促进这一高潮的到来。

促进科技和生产紧密结合*

（1988年8月12日）

科技是振兴上海的一个法宝，这个观念要深入人心，要把科技和生产结合这个课题做好。今天，我想和同志们谈谈来上海工作后了解的一些情况和看法，从宏观上探讨一些问题。

第一个问题，发挥上海的科技优势、促进科技与生产紧密结合，是振兴上海经济的根本措施。

（一）上海目前的困难。

上海目前经济发展遇到了许多困难，关键是原材料紧缺，而且价格上涨，造成经济效益不高，各方面的矛盾加剧。为此，市委、市政府多次研究，打算采取以下措施：第一，调整产业结构。上海不能只搞加工工业，也得赶快搞几个最紧缺的、经济效益最好的原材料项目。比如冷轧薄板一解决，洗衣机、电冰箱、食品包装等轻工产品都可以发展起来。又如塑料、化学纤维、石化原料等项目，资金投下去，一两年就可以发挥效益。这样，两年以后上海的日子就会好过一点了。第二，发展横向经济联合，搞国内大循环。要和兄弟省市签订长期的合同，或投资，或产品交换，或补偿贸易，使上海能够稳定地

* 这是朱镕基同志在上海市科技工作会议上讲话的主要部分。

得到一些原材料。

但是，搞原材料完全立足于国内是不行的，完全立足于上海更不行，还是要靠大进大出，原材料靠进口，产品要能出口。像上海现在这样的老产品是很难出口的。要出新产品、出紧俏商品，真正向高质量、高档次发展，这样的产品才有可能打进国际市场。即使再涨点价，提高一点利润率，人家还是会乐意买你的东西的。质量是产品的生命，是企业的生命，也是上海的生命，上海的厂长们一定要认识到这一点。只有增加品种、提高质量，产品才能实现优质优价，从而提高经济效益来对付原材料涨价的压力。这要靠生产和科技相结合，当然也要靠管理。科技与生产结合，再加上先进的、严格的管理，才能出新产品、出高质量产品，使同样数量的原材料和能源创造出更高的附加值。只有这样，上海的经济发展才有广阔的前景。

（二）科技与生产结合，要打开思路，从各方面来考虑。

第一，搞高科技的产品。当前要按照市“七五”计划的要求，努力发展微电子技术、光纤通信、程控电话、生物工程等。

第二，抓重点支柱产业和技术、知识比较密集的产品。当前要抓紧搞好市政府已确定的 14 个大项目。这些项目搞出来以后，能够把整个上海的产业效益促上去，使上海的工业技术水平上一个台阶，促使这些项目的产品打到国外去。

第三，把高技术与重点支柱产业结合起来。要设法在机电、轻纺行业采用电子技术或者其他技术，这样，产品的产值、价值就大大提高了，就是新产品了。美国通用汽车公司花了几十亿美元买了一个航天工业公司，其着眼点就是要把航天技术应用到汽车工业上去，他们的眼光是看得很远的。上海如何来抓好机电一体化这个大题目，很值得机电、仪表和纺织、轻工等行业的同志好好研究。只有把机电一体化的问题解决了，才能真正提高产品的价值。

第四，把高技术应用到各种消费品中去。这个市场最大。南朝鲜的电子工业力量不是很雄厚，但他们善于将电子技术广泛应用于各种消费品，现已在美国市场上占有很重要的地位。各种各样的消费品中，加进些电子技术或生物工程技术或其他什么技术，在市场上就备受青睐，特别畅销，很能赚钱，利润率也大大提高。上海这方面的能人很多，科技基础比较强，大家都在这方面动脑筋，千方百计地把产品改进一下，价值就大大提高了，这就是消化嘛！不能靠老面孔去涨价，要靠科技、质量、品种去提高产品的身价，这样才能对付原材料涨价的压力。遗憾的是，我们不少的企业、厂长们还没有认识到这一点，我非常着急。上海的产品眼下还好销，但应该看到，上海产品在全国的销售额比重、地位已在大幅度下降，广州等地的产品正在取而代之。例如武汉市场原来上海等地的产品最多，现在那里的广东产品已基本上代替了上海的产品。有消息说，现在广东的钟表行业正瞄准上海市场，广东与香港合作的华港公司要到上海来设厂、投资。人家有本事“打进来”，上海人为什么没有本事“打出去”呢？为什么有些本是上海的优势却反被别人占去了呢？形势岌岌可危啊，上海人应该奋发图强，不能再自满下去了！老大自居、故步自封已经不行了，大家应该拍案而起！上海哪一点不如人家？科技力量比人家强，为什么就搞不过别人？上海完全有能力保持全国第一的优势地位。

第二个问题，企业是科技和生产结合的主要战场，或者说是主要的基地。生产企业要防止短期行为，科研单位要面向生产企业，为企业服务。

这次会议上，同志们反映较强烈的问题有两个：一是科研经费要增加，二是科技人员的待遇要提高。解决这两个问题光靠政府的财力是有限的，我想还是要企业拿点钱，因为企业是第一线，是考验科研成果是否真有经济效益的一个试验所。科技究竟有没有成果，就是看

1988年8月12日，朱镕基在上海市科技工作会议上讲话。右二为市委副书记、副市长黄菊，右三为市人大常委会副主任李家镐，右四为副市长顾传训。

它能不能变成工业化批量的大规模生产，发挥经济效益，卖得起大价钱。我这里讲的主要是指应用科学，基础科学那当然是另外一回事，我们还是要花钱的。大家都要明确这样的观点：企业真正想摆脱困境，走上振兴之路，必须依靠科技的力量，不要搞短期行为。靠拼一点设备、搞一点小动作，一两年也许能把生产搞上去，发一大笔奖金，但这不是企业家的正路。真正的厂长是非常懂得科技的重要性的，会主动去向科研单位求教，并积极应用最新科技成果的。科研单位不能关起门来搞科研，要主动为企业服务，到企业里面去搞科研，这样搞出来的科研成果更适合企业发展的需要，容易马上见效。所以，我们必须把企业搞活，使企业有足够的资金来发展科学技术。现在市政府要求尽量减少对企业的摊派，减轻企业的负担，让企业的钱越来越多。比如现在对企业财政包干就一定五年不变，五年之内多赚多少钱都是企业的。企业搞活了，有了钱，不要老是发奖金、发实物，搞铺张浪费，要把这些钱用到技术改造、技术进步和产品开发等方面去，以提高企业的竞争能力。当然，现在企业还不够活，负担也比较重，资金很困难，那就通过贷款来解决。贷款也要企业来贷，这样才能鉴定科研成果有没有应用价值。我们想以此来促进科技与生产的结合。

科研和生产单位共同抓引进技术，尽快进行消化吸收，这是科技与生产结合的一个最重要的方面，要花主要的力量搞这件事情。现在世界已经进入了信息时代，各种技术都可以通过不同的渠道得到。我们要把得到的科研成果和技术尽快组织消化吸收，使之国产化，这样技术水平才能很快上去。但现在国产化的阻力非常大，首先，搞技

1988 年 8 月 12 日，朱镕基在上海市科技工作会议上向荣获国家级科技进步二等奖、上海市科技进步一等奖的代表授奖。左二为市委副书记曾庆红，左三为副市长刘振元。

（周先铎摄）

术引进时企业不想让科研单位插手，这个很不好。企业再怎么熟悉这个行业，也不一定完全了解国际上的发展方向和哪个技术最先进。搞消化吸收，由于企业往往只局限在工厂里，不愿找科研单位，市里主管部门要花很大力气来协调。希望科研单位要主动上门服务，企业不让你参加，你就来市里告状嘛。这次讨论中，中央在沪科研单位和院校反映他们有“报市”之心，却难觅“报市”之机。不管这个情况是不是完全属实，不让他们参加，那怎么行呢？如全市 14 项重点攻关项目，绝大部分中央在沪科研单位事前一点消息得不到，等知道之后，任务已经分得差不多了。这样的做法不好。今后搞科研项目要搞招标，择优选择，谁有本事谁来干嘛，一视同仁。大家都是中国人，大家都是上海人，怎么能让他们“报市”无门呢？这个工作要改进。“桑塔纳”轿车国产化项目，我一再讲不要搞“上海”牌，要搞“中华”牌，但现在连“上海”牌都没搞好，上海好多单位都参加不了。要做到真正的公平的竞争，去选择最好的合作伙伴，把上海建设为全国最大的轿车生产基地。希望全市的科研单位也不要做客人，你们也是主人，谁不让你们参加，你们一要争，二是“闹”，三就“告”。总之，大家都来积极参加科技与生产的结合，把上海的力量都充分发挥出来。

第三个问题，引进竞争机制，是促进科技和生产结合的重要动力。

引进竞争机制，是搞社会主义商品经济的一个非常重要的原则。上海实行了几十年的计划经济体制，养成了吃“皇粮”的依赖思想，缺乏竞争意识，现在要改变这个局面。根据全国国营企业承包经营责任制座谈会和中央领导同志讲话的精神，上海准备在企业里引入竞争机制。一要改革内部机制，改革人事制度、劳动制度、工资制度，优选经营者；二要使政府各委办局放权，让企业放开经营，增强国营大中型企业的活力，让厂长们到国内外市场上去显身手。不要再依赖市长了，自己到市场上去摔打滚爬吧！在商品经济的海洋里，一个厂长光懂技术不行，还得懂管理、懂经营等等。光懂技术是不能把厂办好的，厂长一定要刻苦地学管理知识。我们要有计划地培训厂长和企业家，使他们有独立见解和判断能力，有很强的组织领导能力，懂技术，会管理，善经营，又富于开拓精神。这样工厂就有生机了。我在闵行开座谈会时对四个大厂〔1〕的厂长说，你们一直讲“体脑倒挂”，为什么不能在你们厂里改变一下“体脑倒挂”的状况呢？企业是主战场，从这里做起嘛！先在工厂里试点，把技术人员和工人的工资档次稍微拉开一点不行吗？这还是要厂长敢管，有一套本事。在工人中推行效益工资，在科技人员中间搞奖励，提高他们的待遇，把人留住。这得有魄力，有魄力才能改革，把企业内部搞好，不要老是希望上面有什么政策，你们自己可以干嘛！所以，企业要引进竞争机制，把钱往科技方面投，科研单位任务就有了，钱也有了，待遇也能改善了。科研人员生活改善一点，待遇提高一点，我想工人也会理解的，因为他知道没有科技、没有这些得力的科技人员，效益提不高，奖金也发不了。乡镇企业不惜重金聘请科技人员，国营企业为什么不可以？当然，改善科技人员待遇也不能搞平均主义，否则工人也不服气。不搞平均主义就要不怕得罪人。怕得罪人，厂长也当不好。另外，科研单位也要搞竞争机制，搞投标、招标。搞14个重点工业攻关项目花一点钱，也不能搞平均主义、撒胡椒面，还是要搞竞争，把有本事的人放在重要的岗位上，才能把科技和生产结合的事业推向前进。

第四个问题，全社会都要尊重人才，科技人员也要立志献身事业。

大家都反映，现在尊重人才是个很大的问题，尊重知识、尊重人才现在还很不够，所以上海的人才留不住。上海要是留不住人才，

---

〔1〕四个大厂，指位于上海市闵行区的上海电机厂、上海汽轮机厂、上海重型机器厂、上海锅炉厂四个特大型企业。

振兴就无望了。日本驻沪总领事馆门口要出国自费留学的排那么长队，去“洋插队”。这些同志要出国还是可以的，上海人多，走一点问题不大。我不主张收钱卡住他们，他们为了去“洋插队”、赚点钱，要出多少钱，他们都愿意投下去，何必伤那个感情呢？我是主张做思想政治工作，把人才留住。如果是真正的人才，我们又离不开他，要做思想政治工作不让他走。华东医院领导采取个别谈心的办法，从各方面去做思想政治工作，颇有成效。我想，每一个企业都要这样做工作，和知识分子谈心，说清楚目前是苦一点，但我们会逐步采取各种政策解决这个问题。上海的前途是很光明的，上海的客观条件是很好的，大家一起艰苦奋斗、团结一致，几年就能初步改变面貌，十几年以后就会有相当大的改变。那时候，我们会为做一个上海人感到光荣。我们希望用这样深入细致的思想政治工作把人才留住，我们的人还是有事业心的，特别是共产党员，有理想，还得做出一点奉献。我们要通过艰苦奋斗，才能获得更好的物质生活。我想只要从这方面去做工作，是能够把上海的人才留住的。尊重知识、尊重人才、留住人才，我相信，经过大家努力，这个问题还是可以解决的。

奖金要起到奖勤罚懒的作用*

（1988年8月13日）

厂长只是依靠发奖金来调动工人的积极性不是办法。现在上海的奖金发得不少。恐怕除个别地方外，上海的奖金水平在全国是属于第一流的。有人说，上海对国家的贡献很大，奖金水平就应该高。对这个问题要有正确的认识，上海的劳动生产率比较高，是历史形成的，不完全是靠上海自己的本事。客观上讲，一是靠吃外地的廉价原材料；二是中央对上海的支持和返还的税利也很多；三是原来相当多的工业设备集中在上海，底子比较好。因此，讲"上海劳动生产率高，奖金水平就要高"的理由是不能成立的，也是得不到全国人民的同情的。

今年上半年，上海工资、奖金增长21.6%，其中奖金增长30%以上。不仅今年水平高，而且这几年增长都是20%多。今年上半年的物价上涨指数是18%，扣除这个因素，工资、奖金还是增长了3.6%，而劳动生产率下降了百分之一点几，这是违反经济规律的。再这样搞下去，劳动生产率下降，生产停滞，财政滑坡，奖金还发那么多，上海是支持不下去的。

---

* 这是朱镕基同志在约见企业界部分上海市人大代表和市政协委员时谈话的一部分。

为什么现在大家还感到奖金发得少，收入赶不上物价上涨的水平？我看有这么几个因素：一是涨价心理。只看到物价上涨的一面，看不到工资、奖金也在提高的一面，更不相信工资、奖金的增长幅度已超过了物价上涨幅度。现在必须抑制这种涨价心理，稳定人心。不然大家都感到恐慌，都到银行去提存款，出现抢购风，就不得了了。我们一定要采取对策，靠多发票子是不行的。奖金发多了，没有东西，这奖金是不起作用的。二是确实有一部分职工的实际生活水平是下降了。由于种种原因，一部分人的工资、奖金增长低于物价上升，但毕竟是少数人。三是攀比心理。宾馆、合资企业的职工收入过高，影响国营企业职工队伍的稳定。最近，我们下决心要把锦江集团和其他宾馆、饭店的奖金水平控制住，逐步缩小他们与其他行业的收入差距。合资企业发高工资，不是外国人搞出来的，而是中方人员自己想多拿钱搞出来的。将来上海很多企业都会以各种形式与外国人合作，合资企业工资太高了，外国人就不愿来投资，结果是自己害自己。我已经请市外资委研究一个大政策，无论如何要把合资企业的工资水平控制住。与此同时，现在发奖金搞平均主义，多劳不多得，少劳也没少得，亏损企业也照样发奖金，没有起到奖勤罚懒的作用。我在闵行区了解了四个大厂〔1〕的情况，他们发奖金都要互相通气，大家水平差不多，不敢得罪工人。这样下去，“体脑倒挂”没改善，干好干坏一个样，奖金没少发，生产积极性却难以调动起来。解决这个问题，关键在于改变企业的内部机制，就是引入竞争机制，靠真本领把效益搞上去，然后根据效益发奖金。当前的问题不是工资、奖金的涨幅赶不上物价增长，关键是要打破平均主义，拉开收入档次，在企业内部引入鼓励先进、鞭策落后的竞争机制。

---

〔1〕 见本书第 174 页注〔1〕。

法制工作要讲求实效*

（1988年8月15日）

我们现在是一个法制很不完备而且缺乏法制传统的国家，一下子要制定很多法律、法规有相当大的困难。你把一些做法变成法律，总得考虑它们要有长期性、稳定性、严肃性，不能老是改。今天刚发布，明天就改，就没有严肃性了。

同时，法律、法规要有权威性，公布以后必须执行，如果老是做不到，立法就没有多大意思。所以我想，在当前情况下，还是要实事求是，一时还不成熟，不能列为法律、法规的，还是多搞些政策性的规定、条例为好，要讲求实效嘛。对某个问题做几条规定，顺应潮流作为政府的政策去办，经过几年实践证明这个问题可以立法了，再去立法。

立法要讲求质量，不要追求数量，任何一项法规绝对不是人大通过后自然而然就有权威了。我们各个委办局还是要把重点放在调查研究、制定政府的政策上，使政策适合于现实情况，不断地修改完善，同时加强宏观管理、政策管理，然后挑选其中为当前所必需、有

---

* 这是朱镕基同志在上海市政府第十五次市长办公会议上关于市政府法制工作的讲话。

紧迫性的，而且比较成熟的，把它上升为法规，使大家能够更严肃地执行，不成熟的不一定强制性地这样做。1986 年国务院通过的《工业产品质量责任条例》，就是国务院委托我主持起草的，我是一条一条抠的。我在起草时深刻感到，要真正加强质量管理，每一条规定都要有处罚条款，没有处罚条款，就会成为空话。比如拿工业酒精配酒毒死人等，凡是由于食品假造假冒害人致死的，要依法追究刑事责任，我就把这些写上去。有人说这不行，太具体了。我说，不具体都是等于零的。所以，我还是坚持认为处罚条款要比较具体一点。各委办局的领导同志、市政府的领导同志本身要重视法规，重视宏观管理，不要今天形成法规，明天依旧想怎么做就怎么做。

要牢记我们是人民公仆 *

（1988 年 8 月 16 日）

鲍友德同志：

此事终于办了，这是好的。但本是一件好事，却拖了一年多，都在上海，又不去弄清楚，弄得投诉无门，老百姓只有“寄希望于市长”，税务局并无半点自我批评。我希望你抽半个小时听听俞春山校长的意见，可能会有启发。财税部门权力很大，要牢记我们是人民公仆。

朱镕基

8.16

---

* 1988 年 5 月 23 日，上海市工艺美术学校校长俞春山给朱镕基同志写信，反映该校将一位老画家于 1987 年 4 月捐赠的 40 幅作品变卖后建立奖学金，申请免税，但有关部门拖延一年多不予答复。6 月 9 日，朱镕基同志批示上海市财政局局长鲍友德会同相关部门处理，并要求报告结果。8 月，上海市税务局做出妥善处理。这是朱镕基同志就此事写给鲍友德的一段批语。

鲍友德同志：此事终于办了，这是好的。但本是一件好事，却拖了一年多，都在上面，又不去弄清楚，弄得投诉无门，老百姓只有“寄希望于市长”，我看可开展自我批评。我希望你抽半个小时听听俞青山校长的意见，可能会有启发。财经部门权力很大，要牢记我们是人民公仆。

宋镕荃

8.16、

信访工作是联系人民群众的重要方式*

（1988年8月17日）

我对信访工作是重视的，因为我总觉得这不只是简单的处理来信和接待来访，实际上是我们党和政府联系人民群众的一个很重要的形式。联系人民群众可以有很多形式，如直接的访问、调查研究、深入基层、开座谈会、对话等等。现在有很多同志要见我，不是我架子大，实在是没有时间。所以，只能通过信件这个方式听取群众的意见。我深深感到，我们离开人民群众就一事无成。通过信访工作，不但能跟人民群众建立一种信息的联系，而且可以促进我们同人民群众建立起血肉关系。群众来信并不完全是涉及他们的个人利益，有好多是对我们整个政府工作提意见。他们很热心，如果我们置之不理，那人民群众怎么能有积极性呢？相反的，我们对来自人民群众的呼声、来信来访件件有着落，他们感到投诉有门，提出的意见受重视、有着落，他们的积极性就能调动起来，一传十、十传百，就会造成很好的影响。所以，我觉得应该把信访工作看作是我们党和政府取信于民的一个非常重要的工作。

今年5月份，我收到人民来信3696封，6月份2453封，7月份

* 这是朱镕基同志在上海市信访工作会议上讲话的主要部分。

1988 年 8 月 17 日，朱镕基在上海市信访工作会议上讲话。右一为副市长倪鸿福，右三为市委常委、市委秘书长王力平。

2710 封，加起来 8859 封。这些信我当然不可能全看，现在市委、市政府信访办有好几个同志帮我做这件事情，他们能够办的就请有关部门去办，重要的信给我看，办不动的要我看，每个月还有总结。市信访办的同志是非常辛苦的，他们很负责任。从来信中看，要求解决个人问题的约占一半，有 4486 封，如归还私房没有落实，或者“文化大革命”期间抄了他的家，抄走的东西没有退还等；有 40%，3000 多封信是对市政府提出的建议。所以我感到，上海人民还是非常关心全局、关心大事的。从这些来信，我觉得至少可以得到三个好处：

第一，使我们能够更好地正确认识形势，了解群众的脉搏、人民的情绪、大众的要求。从这些来信里面能够看到上海的老百姓在想什么、要求什么，能够使我们更加全面、更加正确地估计当前的形势。这里面不少来信是发牢骚的，但是有好多来信是表示对市委、市政府有信心，而且表示要尽自己的力量来参加振兴上海的事业，这些信件使我很感动。有个作者去了信访办，把人民来信中一些很感动人的内容摘录出来，登在上个月的《上海滩》杂志上，摘得非常好。这些信对我们也是一种鼓舞，使我们感到，只要我们稍微做点努力，老百姓还是看得见的。其实，本届市政府成立也就三个月，我们没做多少事情，但人民就支持，感到有希望和信心，这对我们是个鼓励。当然里面也有很多人表示要拭目以待，有的写得不那么客气，但都是老实话。这使我们要警惕，工作还是要扎扎实实，多做少说。

第二，使我们能够正确地估计政府工作的成绩和政府工作人员的素质。对政府的工作究竟评价如何，市民自有公论。有些事情做了没多少实效，就会有人民群众来信提醒我们。譬如前一阶段市委宣传部举办干部学习班，每次 1000 人参加，有近 1000 辆小汽车。就有群众来信说，你们几乎一人一辆小汽车，不仅阻塞交通，而且浪费也很大。我们一看到这封信，感到这么搞脱离群众，所以赶快通知各单位。后来我们开会的时候，就有相当多的同志是骑自行车来的，还有相当多的同志是几个人合坐一辆小面包车。我想，这就是人民群众对我们提出意见，我们马上接受，改进我们的工作作风，把不好的印象变成好的印象。另外，对政府部门工作人员的行为，也要实施群众监督。俗话说，上梁不正下梁歪。因此，要先从局长抓起，我要求市监察局盯住 506 名局级干部，他们的作风好，不大吃大喝、不受礼，其他人就好办。事实证明，这条措施是非常好的。现在谁大吃大喝、谁受礼，去了几个局长，拿的礼品值多少钱，群众来信写得非常具体，清清楚楚。人民群众的监督是非常重要的。所以，我们抓住领导干部是很重要的，上梁正，下梁才能不歪。我们对这个问题是抓两头，对上是抓局级干部，对下是抓“七所八所”，就是基层政权跟人民群众联系最密切的派出所、粮管所、工商所、税务所等等。这些单位有些人，我不是说全部，“一朝权在手，便把令来行”，有的确实相当厉害，比如不送“外烟”就办不了事，人民群众是深恶痛绝的。怎么办呢？就是要公开他们的办事制度，接受群众的监督。现在全国要在上海、天津、北京三个城市试点，然后在全国推广。上海先在松江县、黄浦区试点，明年再在全市推广。把办事制度公布在那儿，大家都依法办事，那就不要送“外烟”、搞什么关系了。大家都这么做，你不必送我，我也不必送你。但是，要保证这件事情的实行，也是要靠人民群众监督。发现问题，一定要严肃处理，使大家都不敢以身试法。所以说，人民来信对政府工作人员是个非常好的监督，使我们能够正确估计政府工作作风改进到什么程度。

第三，人民来信确实对我有很大的启发和教育，我从中学习到很多东西，学习到如何当市长。我收到的人民来信中，有几封是直截了当告诉我如何当市长的。有的说，你要当好市长，我就教你这八条。我把这些信印发给我们的副市长们学习，学习怎么样当市长。来信都很热情，讲得也有道理。

群众来信也不完全是批评信，有不少群众来信是表扬政府工作人员廉洁、高效的。如有的来信表扬徐汇区人民政府信访办、建管科、规划科同志对群众反映的问题，不分上下班时间及时做工作，公正地制止了违章搭建，避免了邻里矛盾的激化。来信说，如果各级政府工作人员都像他们那样公正廉洁、忠于职责，那么振兴上海的宏伟蓝图一定会加快实现。

还有一些来信对我们的工作提出了很好的意见，对我也有很大的启发。比如英文指示牌问题。上海是一个相当大的国际城市，现在一下飞机，指示牌上都是中文或汉语拼音，外国人不知道朝哪儿走，厕所也不标明男女。所以我告诉市交通办，一个月内，所有公共交通场所都要装上英文指示牌。现在不管是中央企业、地方企业，不到一个月统统装起来了，这才像个国际城市嘛！我列举上述例子，主要是说明不少问题是从人民来信里面受到启发的。

最后，讲讲工作方法。要做好信访工作，还要讲究工作方法。

第一条，领导要重视。从上到下各级领导都要重视信访工作。信访工作要不是大家都重视的话，那什么事情也办不成，信访工作也就毫无意义了。我认为，对群众来信要做到件件要落实、件件有答复。你办得成也好，办不成也好，都要有答复，但光答复还不行，不能什么都答复“解决不了”，那太简单了。所以要下一番功夫，扎扎实实地做工作，最后得出一个结论，能办还是不能办。要做到这样是很不容易的。当然，也不能有求必应。向我要房子，我市长都能给房子吗？那是不可能的。但是要研究是不是能够解决、是不是应该解决，不能简单地答复“解决不了”。要达到这样一个目标，领导不重视是绝对办不成的，尤其是一把手要重视。以后就规定一条：凡是我批的，区长、局长都要亲自处理。大家都对人民负责嘛！

第二条，处理要认真。人民来信告那个部门，你还叫那个部门去处理，结果往往是护短。我只说往往，没有说一律。你转给他去办，他一下子就退回来，认为过去的处理是正确的，并说人家是诬告。所以，搞信访工作的同志一定要仔细看有关单位送来的报结材料。

第三条，方法要得当。我刚才讲了，把来信批给谁办是很重要的，这里面有很大的艺术。我在这点上总结了很多经验，批给这个人就办了，批给另一个人就老是办不了。不光是批给一把手的问题，批给谁的一把手、批给哪个机关是个很重要的问题。你要考虑，处理这件事，哪个机关最有权威，能够指挥得动，便于协调。否则，批给一个不搭界的部门，那就办不了。转来转去，拖很长的时间，最后转回来还说是办不了。市信访办很照顾我的身体健康，现在送给我的信还不是很多，我建议你们多送一点给我看，我批的可能要比你们批的对头，可能效率要高一点，因为我知道这个问题该由谁解决。批错了人，半年不能解决，解决不了再到我这里来，那就耽误了时间。以后要定个制度，一个月如果办不了，就赶快送到我这里来，我看为什么一个月办不了，要是办得了不办，那就要追究责任。我们应该对人民负责任嘛！咱们都是做官的，一天到晚总得要想着老百姓的事情。我看上海现在应该提倡多抓一点实事，办事扎扎实实，说办一件就办一件。没有这个作风，老百姓是不会对你信任的，老百姓看的就是小事，就是实事。你办了，他就有信心，就跟着你一起前进；你不办，他就不和你合作，给你拆烂污[1]。我看还是要从小事、实事抓起。大事抓不了，小事又不抓，那怎么能行？有一封信，给我提的建议都很好，但有一条我接受不了，他说一个人管理的幅度就是管五六个人，你当市长的本事再大，最多也就抓五六个副市长，其他你就不要管了。这一条要是能做到，我倒是蛮轻松的，没有菜吃就找倪鸿福[2]同志，公共交通搞不好就找倪天增同志，但是我看这行不通。我不是不相信他们，要越俎代庖。我觉得在上海当前的情况下，如果是一级批给一级，我批给副市长，副市长批给委办主任，委办主任批给局长，局长批给处长，一年以后也不会有个回音的。我也不是所有的事都要抓，但有些事情还是要具体地抓，这也是做个榜样，希望我们的副市长、各委办主任和局长也像我这样抓，一直抓到底。我提倡一竿子到底的作风，我也希望副市长不要怕各委办局说你管细了，这件事该怎么办，就一直批到基层这么办。如果我不对，做错了，你可以提出不同的意见，批评我，只要你有道理，我马上就改。现在上海就需要决断，需要时间，需要效率，不能这么来回地拖，来回地批，来回

〔1〕 拆烂污，上海方言，指做事马虎，不负责任。

〔2〕 倪鸿福，当时任上海市副市长。

地扯皮。我是不是说得对，同志们可以评论。

总之，希望同志们认真地把信访工作抓好，通过认真、扎实地抓信访工作，促进政府机关树立一个廉洁、高效的作风，在社会上创造一个好的风气，使上海人民对我们政府寄予信任。这样，我们的信访工作就达到了目的，我愿与同志们共勉之。

下定决心把出租车整顿好 *

（1988年8月19日）

我谈谈对出租汽车整顿的看法。有人说，出租汽车整顿是刮风，我看就是要刮这阵风。现在，出租汽车的经营作风已经到了不能容忍的地步，已经成为影响上海投资环境改善的一个重大问题了。境外的报纸特别是香港的报纸，把上海出租汽车说得一塌糊涂，确实也有这种情况。我说过外国人对上海有信心，其实信心还不是那么足。你连出租汽车都管不好，投资环境怎么能搞好？最近报上报道的有些情况简直令人发指。前天《新民晚报》报道，有一辆出租汽车的司机敲一位解放军同志竹杠，人家说了两句话，就动手打人，打人后就开车跑了。太不像话！整顿出租汽车，是改善上海形象的一个重大问题。出租汽车要整顿好，公共汽车也要整顿好，我们下定决心抓好这件事情。市建委、公用事业管理局的同志很努力，经过两个月左右的紧张工作，已初步提出了一个整顿方案。我想，要办好这件事，必须注意

---

* 这是朱镕基同志在上海市改善市内交通、整顿出租汽车管理、加强交通安全工作会议上讲话的一部分。为整顿和规范上海出租汽车市场、改善投资环境，上海市于1988年12月组建大众出租汽车公司，公司贷款6350万元购买了500辆红色“桑塔纳”，同时推出“扬手即停，上客问路；电话订车，约时不误；电脑计费，公道合理；车辆整洁，礼貌待客”的服务举措。

抓好三个方面的工作。

一、整顿劳动纪律。

整顿劳动纪律，这是关键。光靠高压手段不行，要做思想政治工作，而且要做得很细致、很深入。我希望出租汽车司机同志能从振兴上海的大局出发来认识这个问题。振兴上海得利用外资，因此必须改善投资环境，吸引外国人到上海来投资，让大量旅游者来观光旅游。现在旅游业一年创汇相当于10亿元人民币，这不够，要更多些。上海这么多高级饭店，要有人住才能赚钱。如果人家肯到上海来了，而出租汽车作风恶劣，把他们气得要死，人家怎么肯再来呢？所以，希望出租车行业全体同志从大局出发，拥护政府的决定，遵纪守法，为振兴上海做出贡献。我相信绝大多数出租汽车司机素质是好的，道理讲清楚以后，他们是会协助政府把工作做好的。

二、实行科学管理。

首先，要加强行业管理，统一调度，集中指挥。出租汽车有的属国营企业，有的属合资企业，又有宾馆的、个体的，一定要实行行业管理。规章制度、奖惩办法、收费标准，这些都必须统一。行业管理由市公用局的公共客运管理处负责。不管你是哪里的汽车，都要服从市公用局公共客运管理处的管理，以后还要设置调度电话，加强指挥联系。现在叫不到出租汽车，不知车到哪儿去了。

其次，严格计价器的管理。所有的出租汽车必须装有计价器。要保证计价器质量可靠。出租汽车一定要有“TAXI”这个标志，现在有些机关的汽车也搞出租，但必须装上“TAXI”标志和计价器，收费办法、司机照片和车号要很明显。若有违法行为，乘客马上就可以检举。还要设立举报电话，便于用户监督。

第三，限制包车。现在全市有1万辆出租汽车，其中小汽车7000辆，实际上每天在跑的是6000辆。这些小汽车中有很大一部分被机关、企业包租了，这不行。今后要限制长期包车，提高包车的收费。出租汽车情况逐步好转以后，他们感到包车不如临时叫车，就不会再包车了。

第四，合理调整收费。我们不允许敲竹杠，但从目前实际情况看，出租车的收费标准还可以调高一点，准备9月1日出台。收费要分长途和短途，有一个合理的起点。

三、严格奖惩制度。

要严惩害群之马，以儆效尤，当然更要表扬守法的职工，以扶持正气，这两方面都要有。对乘客的检举揭发，一定要在调查清楚后严格依法处理。中国科技大学的一位教授一下飞机就被敲了竹杠，他气愤不过，给我写了一封信。他说，只要市政府下决心吊销200个驾驶员执照，上海的出租汽车就能整顿好。我看，只要是犯了法，就得惩罚。现在听到一些个体出租车司机的反映，有的说"现在是一阵风，把这一阵风顶过去了，一切照旧"；还有的说"你客运管理处不要逼得我们太紧了，否则大家来个'兜底翻'"。我在这儿宣布：这股风是不会完的，你不守法，这股风就冲你来。至于"兜底翻"，我听不懂是什么意思。我想可能客运管理处有什么小辫子抓在人家手里吧，怕人家揭老底。我看这也不要怕，不管你过去有些什么毛病，现在我宣布既往不咎。但今后如果你再搞不正之风，那就老账新账一起算。管别人，首先自己要正，己不正焉能正人？另外，我们的公安、司法部门都要保护管理人员，保护厂长，保护经理，保护汽车队长。要把有关规定汇集起来，制定一个条例。要向市人大提出来，加以立法。现在哈尔滨就这样做了，厂长（经理）和公安局、派出所建立联系，发生意外只要用电话联系，警察马上就到，在国外都是这样。你到我家纠缠，使我几天几夜没法工作、吃饭，这是侵犯人身自由，是犯法，警察就可以把你带走。最近振华、友谊汽车服务公司都在加强管理，

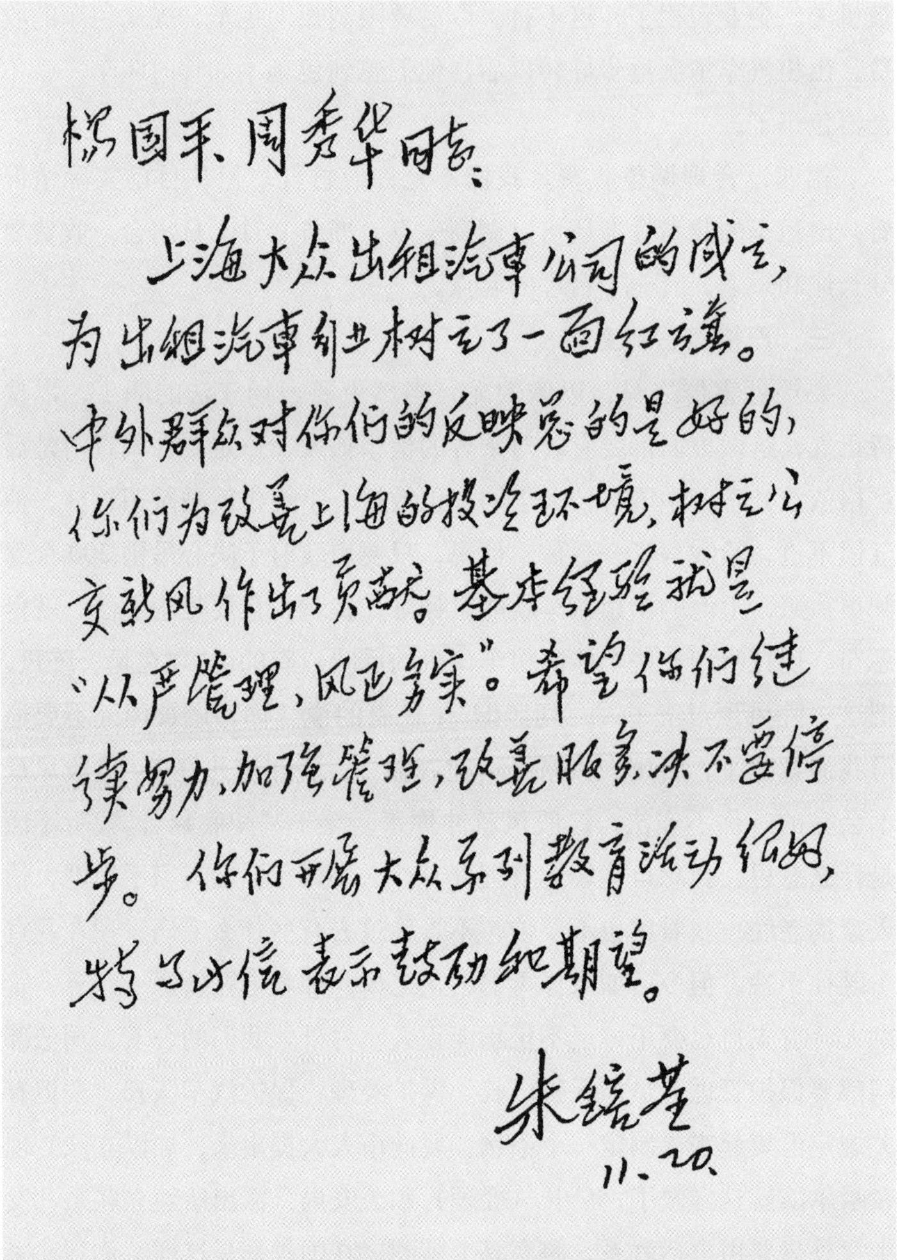

杨国平、周秀华同志：

上海大众出租汽車公司的成立，为出租汽車行业树立了一面红旗。中外群众对你们的反映总的是好的，你们为改善上海的投资环境、树立公交新风作出了贡献。基本经验就是"从严管理，风正务实"。希望你们继续努力，加强管理，改善服务，决不要停步。你们开展大众系列教育活动很好，特写此信表示鼓励和期望。

朱镕基

11.20.

图为1989年11月20日，朱镕基写给上海大众出租汽车公司总经理杨国平、党委副书记周秀华的信。

有 16 个人被“炒鱿鱼”了。这很好，要表扬。当然，也要体谅个体出租司机的处境，帮助他们解决一些具体问题，使人家心服。个体司机也不容易，在目前这种情况下，要到处“烧香拜佛”，汽车零配件贵得要死，不送礼还买不到。要纠正这些不正之风，也要帮他们解决资金短缺、购买汽车零配件难、维修难等实际困难，扶持他们，这样他们才会服你管。管理部门一定要下功夫，把这件事情做好。通过整顿，我们要使出租汽车做到“招手即停、热情服务、照章收费、方便安全”。如果我们的出租汽车都能达到这个要求，那对树立上海的形象、对振兴上海会起很好的作用。这是一个光荣的任务，只要我们共同努力，这个工作一定能做好。上海自己生产小汽车，发展出租汽车服务事业，上海有很好的物质条件。今年上海大众汽车有限公司生产 1.5 万辆小汽车，打算再增产 1000 辆用作出租汽车。明年生产 2 万辆，准备再拿出 2000 辆来支持出租汽车事业。因此，上海出租汽车发展的前景是很好的。上海振兴对大家都有益。希望我们大家共同努力，把上海的市内交通、出租汽车整顿好。

会见香港仲量行董事梁振英时的谈话*

（1988年8月31日）

朱镕基：上海进行了土地使用权有偿出让的试点或者说土地批租试点，梁先生对上海这方面的试点工作印象如何？外界对此又有何评论？

梁振英：土地使用制度改革的重要意义不仅在于增加财政收益，更重要的是在于体现了改革和开放的程度。许多海外人士注意到上海这次批租的虹桥那块地，这是国内第一块由外国投资者通过市场方式得到使用权的地。许多人评论说，上海在土地批租问题上率先走出一步，反映了上海改革开放的决心和投资环境的改善。上海与内地城市相比，在重视土地开发、搞有形建设、搞地块的"七通一平"〔1〕等方面做得都差不多，但是上海在无形建设，即软件建设方面，包括政策、法规、招标文件、市场宣传和投标组织等方面比其他城市搞得周到，进展也快，这反映了上海人才济济，搞起来就比较像样。国外很

---

* 二十世纪八十年代中后期，为适应改革开放的需要，我国内地借鉴香港等地土地批租制度的经验，开始探索试行国有土地使用权有偿出让的制度。梁振英当时受聘担任上海市土地使用制度改革领导小组顾问。

〔1〕"七通一平"，当时指通供水、供电、供煤气、通信、雨水排放、污水排放和道路，以及场地平整。

看重这些软件建设。我相信如果以后的工作组织得好，上海的地价还会上升。这是我们搞房地产专业人士的估计。

我们香港仲量行在世界40多个地区有分支机构，这次美国、欧洲、澳洲的分部都来询问上海土地批租的情况，海外银行界、法律界、地产界对上海非常关注。你们第一块地招标有6份标书，不算少。我们今年在香港招标40多次，平均每次只有3至4份标书。地价总的来看也算合理，但比一般人预料的高。特别是许多人觉得上海已经掌握了一定的土地转让技术，认为你们的标书、文件写得比较严密、明了。这说明上海的土地批租试点已经有了一个好的起步，它的意义已经超出了试点的本身。

朱镕基：香港的胡法光〔1〕先生见到我时问："虹桥批租出去的那块地是不是真有2800万美元的地价？是不是你们同买主串通了？"我告诉他，这个价是投标竞争出来的。

梁振英：香港的报上对此也有各种评论。没有中标的或者以后想投标的人都希望压低一些现在的地价。我想只要继续用公开的市场方式出让土地，那么经过一段时间以后，市场价格水平就会形成，市场信誉也会更好。

朱镕基：我们要加快土地使用制度的改革。梁先生对上海这方面的工作有什么建议和想法？

梁振英：土地有偿使用是大趋势。现在内地房地产开支不打入企业生产成本，这没有反映出土地资源的价值，造成了不平等竞争，也造成土地浪费。如果对外不搞批租，只搞短期合资、合作，不但会促使外国投资者的短期经营倾向，而且也不便于外商按市场规律去经营管理。房地产本身是一种长线投资、高额投资，应该尽可能向国际通

〔1〕 胡法光，当时任香港立法局议员、香港菱电集团董事长。

用方式靠近。我看上海的土地使用权有偿转让办法基本上与香港以及世界上大部分地区房地产市场的做法差不多，这条路很有发展前途。

但是要扩大和加快土地批租试点，我认为首先要抓好软件建设。虽然上海在这方面已经比内地其他城市做得好，但从海外来看，还要注意三个问题。

一是法规的配套问题。现在中国许多城市开始搞土地批租，但是法规不尽一致，我认为重大的原则应该一致。如土地业权的关系，从中央到地方再到企业在土地问题上的关系要用法律的形式——经济合同、契约文件等固定下来。市政府和区政府谁代表国家土地所有者也要明确。国外一些大城市的土地行政管理权都相当集中。即使在香港，也只允许港督指定的房屋地政署有权批租，地区土地分署只管监督管理。另外，上海在批租方面还可以搞许多配套法规，例如登记、出售、转让、回收、大业主和二业主的关系、房东和租户的关系、税收规定等等。法规越明确，投资者感到越有保障，就越敢来投资。

与法规有关的还有一个土地使用制度的模式问题。现在内地在用地方面只有批租的轨道上有明确的规定，其他用地方式上仍有些混乱，如合资、合作方式可以得到土地使用权，也可以搞房地产，相比之下，由批租得到土地使用权所花的代价就大了。这种不平等的情况不能长久存在。我建议可以先在三五年内定两三种模式，通过较长一段时间再过渡到完全有偿使用土地。香港现在除了非经营性的社会福利、公共事业和政府公共房屋采取拨地以外，其余的项目用地都要批租。

朱镕基：我们正在研究这方面的几个原则问题。外商在上海的非工业性项目投资，如旅馆、办公楼、公寓、综合楼、在境外销售和供国外人士使用的住宅等，其用地都应该纳入批租的轨道。上海市的有关规定已经明确：土地批租由市土地局代表市政府进行，各区参加土地管理。同时，也要调动各区一起参加土地的前期开发和基地准备的积极性，可以根据批租总额确定比例分成。其他经营性的用地，以后也要逐步纳入有偿使用的轨道。

梁振英：二是需要搞好市场调查。这次虹桥招标时，曾经有家公司到我们那里，想索取上海土地市场的分析资料，他情愿出50多万港币做这个调查。如果我们有这方面的详细资料，投资者决策就会大胆得多，银行也乐于放款做抵押，买家的兴趣也会提高，地价就会比较高。世界各大城市都有物业报告，把在建的各类用途建筑物的面积、施工进度，现有楼房的租金、售价、出租率等都列出来，每三到六个月调整公布一次。这样，房地产市场就比较稳定，政府在这方面的管理、调节也不会盲目进行。而台湾、菲律宾、印度尼西亚、泰国由于当初没有做这个工作，现在市场已经很大了，再做就十分困难。上海完全有条件把市场统计信息工作做好。我们公司可以和上海一起做这个调查，并且利用海外渠道做宣传。这对树立上海对外开放的形象也是很好的宣传。

三是人才培训问题。房地产业涉及的面很广，我们香港测量师就分为产业测量师、工料测量师、估价师、拍卖师等，律师是房地产买卖中必不可少的，还有大量的中间经纪人组织。上海应该有一批按各个专业组合的，又为房地产市场体系所必需的人才和机构。当然，首先是政府中要有一批精通这类问题，并去制定政策和参与管理的人，因为房地产市场开放后，将马上面对一批世界房地产老手，没有这一系列的准备是要吃亏的。深圳已派出一些人到香港去学习、培训。上海虽有一定的基础，但也要有充分准备。

朱镕基：法规、市场信息和人才都是很重要的软件，应当放到很重要的位置来考虑，做好安排。市场调查可以马上搞。

请梁先生物色一些香港和其他世界各地的专家，来为我们做指导。土地部门要赶紧从各个方面抽人，进行法规、政策研究和市场调查；要尽快组织培训，包括到香港去培训、实习。同时，也要注意搞好试点，总结经验，在实践中不断提高。

香港制定地价时考虑一些什么因素？

梁振英：香港现在一般地区的土地价格要比上海虹桥开发区高三倍。但地价不是事先决定的，而是在市场交易中形成的，同一时期、同一类型的建筑按不同地段会自然形成不同的价格水平，以后大家就可以类比了。

国际上很少用单位地块面积的价格来衡量地价，而一般都采用该地块上单位楼面积的地价来衡量。因为市场交易出售的是房屋单位，所以不同容积率的地块，价格也不同。

在香港，地价比较高的是商业、酒店以及高级住宅、办公楼、银行等用地，而地价低的是工业用地。世界上大部分工业开发区都不能直接用地价来回收土地开发成本，只能通过今后的税收来补偿。小别墅用地也如此，因为楼面地价不能太高，而地区开发成本高，很可能划不来。

朱镕基：梁先生认为上海下一步土地批租从哪里着手为好？

梁振英：这几天我跟市批租办的几位领导讨论过，上海现在要注意按需求来批地。因为同一时期市场容量是一个定值，地批得多了，楼价就下来，地价也跟着下降，因此市场调查还是前提。有人建议提高虹桥开发区的容积率，这实际上只是提高了这块地的经济效益，并没有增加市场容量。虹桥开发区已经初步形成气候，在那里接着搞批租，工作可能好开展些。

下一步的地价趋势可能有两种情况：一种可能是第二块比第一块卖得低，如果这样，买第一块的人会后悔，已经做了抵押的银行看到地价下跌也会采取紧缩措施，后面来的人就会犹豫；另一种可能是第二块比第一块卖的价好，或者略有上升，稳定发展，那么买第一块的人很高兴，后来的人就会产生一种先买得益的心理，银行也会安心放款。因此，应当争取第二种情况。要使地价不下跌，除了搞好经济核算外，土地供求一定要协调，市政府对外资房地产市场的政策也一定要统一把关，使人有安定感。

朱镕基：上海利用外资的房地产项目立项都由市外资委和市外经贸委把关，我们已经初步研究了管理的原则。我们将在保证土地价格基本稳定的前提下，继续抓紧进行土地批租试点，一方面扩大对外影响，另一方面也为经济建设和城市改造积累必要的资金。

梁振英：我认为，既要满足市场需求，又要增加财政收入，对现有的合资、合作项目“补地价”是一个可以考虑的办法。

现有的中外合资、合作项目大部分合同的合作期限只有15到20年，合作期满，房屋都归中方，土地也收回。但是，这类建筑的寿命大大高于这些年限。如果允许外商可以继续经营30到40年，并且要他现在就把地价、房屋价值补足，这样做，既不会影响现在的市场需求，也不会增加市政府基础设施建设投资，可以马上得到一笔财政收入，并且有利于投资者好好地保养和使用现有的建筑。因此，“补地价”应该是可行的。

夏克强：这个问题的关键是合资企业中的中方企业认为合同到期后房产、土地是他们的，所以阻力主要在中方。

朱镕基：这个问题，我看要解决。中方企业是以土地使用权入股的，而他的土地使用权并不是有偿获得的，所以合同到期以后，土地使用权及相关的房产应该归政府所有，而不是归企业、单位所有。当然，我们可以交给中方单位有偿使用或者由他们再用经济办法获得土地使用权及其房产。现在先明确土地所有权，再提出一个“补地价”的方案来。这个问题，请市土地局、批租办以及市外资委一起拟几条规定，由市政府批准发布，同时报市人大备案；在这个基础上经过试点，对规定做进一步修改、完善后，再提交市人大立法。

梁振英：我到上海来了几次，但对总的地区情况还不太熟悉。通过第一块土地批租试点，外面对虹桥开发区还是有信心的。虹桥如果抓紧建设的话，会成为一个很有吸引力的地区。

我在台北看到一个国际贸易展览中心，有八层楼高，楼内设许多展台，摆一些出口样品，包括轻工产品、日用品、国画、土产等。我看虹桥地区也可以建这样的商展楼。

朱镕基：我前几天在虹桥开发区已经讲了这个问题。我在美国也看到过类似这样的国际贸易中心，大楼盖得十分漂亮。虹桥地区可以搞一个国际贸易中心。市建委要调整一下投资计划，先集中把这几个开发区搞好。基础设施赶快配套。虹桥开发区内的磁带厂要抓紧搬迁。虹桥区内的外国领馆用地要适当调整，可以搞一些外商经营进口百货的商场。

我看总的战略上要分两步走：第一步，把已经花了钱的开发区尽快完善，搞土地批租，积累经验，形成市场；第二步，把成功的经验在浦东开发中推广应用。我们要纠正一种观点，认为什么用地都可以批租。其实不是所有的地都能卖高价的，如工业用地还会赔。而一个地区不能都搞高地价项目，总要有一个用地规划和搭配。因此，浦东开发主要靠土地批租的提法，是不正确的。当前先要利用世界银行、国际货币基金组织和外国政府的贷款搞基础设施建设，为建设“新上海”创造有利条件。

梁振英：我非常赞成市长的意见。前期条件成熟以后，同样的地可以卖出很好的价格。一个区域中如果没有各种用地的规划搭配，区域不会成熟。香港许多新区在开发时就把就业、人口、商业、社会福利等都考虑到了。有足够的人口密度，才能推动区域经济的发展。

朱镕基：我看下一步上海要先抓紧软件建设，同时在注意需求平衡、保持地价的基础上抓紧土地批租试点。这方面该做的事要快做，该用的钱还要用。要落实一笔钱专门搞软件，包括宣传、广告、咨询等工作的开支。批租收益中应该提取一定的比例来保证这些工作。市批租办要提出工作计划，然后按计划抓紧下半年和明年的批租工作。

梁振英：下一步工作方式上，我建议不要关门议标。公布了土地资料以后有人来议标，可以给他定一个价，这个价待双方认可后，再到市场去拍卖。如果他的价最高，就给他，否则就公开竞争。香港政府用过这个办法，比较公平。

另一方面，要注意内地市场的开发。房地产市场的消费者应该大部分是本地企业、本地人，否则市场不会大。内地还要注意内、外资市场的隔离，防止由于实行了不同的政策而带来市场混乱。

朱镕基：土地使用制度的改革作为一个方向已经很明确，国务院即将公布原则通过了的有关条例。上海虽然有了一个试点，但还有很多问题有待研究、完善，同时时间上又不能等，要抓紧扩大试点。梁先生可能还有许多其他的意见和建议，可以提出一个计划或设想给我们做参考。

接受日本驻沪记者联合采访时的谈话

（1988 年 10 月 21 日）

朱镕基：我对上海当前经济形势的估计是乐观的。今年 1 至 9 月，工业生产总值比去年同期增长 8.3%，高于近几年发展的速度。上海是一个加工工业城市，由于原材料价格上涨，造成生产成本提高，所以地方财政收入有所下降，但今年仍可以保证完成上缴中央 105 亿元的财政包干任务。1 至 9 月出口创汇比去年同期增长 13.1%，预计可以超额完成全年 43 亿美元的出口计划。物价指数 1 至 9 月达到 19%，是近几年最高的。但职工工资、奖金 1 至 9 月比去年同期增长 23%，超过了物价指数的增长率。当然，工资增长是不均衡的，也确有一小部分人实际收入有所减少。

今年上海的副食品生产和供应情况比较好，蔬菜均衡上市做到了淡季不淡，蔬菜价格虽有上涨，但比国内许多大中城市还是便宜。上海工业消费品生产和供应能力很强，所以在 8 月下旬上海与别的城市一样也出现抢购现象时，我们把大批物资拿出来供应，市场很快就平稳了。当前，物价上涨幅度过大仍然是市民抱怨的最大问题，但我们对控制物价和保障供应是有信心的。

共同通讯社记者冢越敏彦：全国经济紧缩对上海经济发展是否有影响？

朱镕基：我认为，从总的来说，全国抑制经济过热，对上海是非常有利的，因为上海经济发展的根本困难就在于能源和原材料紧张。现在原材料供应越来越困难，而且价格越来越高。有些产棉地区让自己的小棉纺厂吃得饱饱的，他们的产品质次价高。而上海有三分之一的国营棉纺厂由于没有棉花，不得不停产。这对国家不利，因为上海国营棉纺厂创造的利润80%是上缴国家的，而乡镇企业和一些小厂的利润很少交给国家。现在中央提出抑制经济过热，各地的发展速度会放慢一些，因此上海原材料供应紧张的状况也会有所缓和。上海就有可能经过这次调整以后，缩小与各省市经济发展速度的差距。目前，上海经济发展速度是全国倒数第一，而经济效益仍然居全国第一位。我认为通过这次治理整顿，上海很有可能从此走出困难的低谷，把经济搞上去。同时，我们也不低估眼前的困难，要看到形势还相当严峻，甚至可能出现挫折，但我们有足够的物质准备和思想准备来迎接挑战，有信心渡过难关，把上海经济搞上去。

今年1至9月，上海吸收外国直接投资2.58亿美元，比去年同期增长58%，已经超过去年全年2.4亿美元的总额，预期今年全年可以达到3.2亿美元。不仅投资总额增长很快，投资结构也有显著变化，去年60%以上的外商投资是搞旅游、饭店，而今年60%以上是工业项目。

《中日新闻》记者迫田胜敏：上海到本世纪末要吸收一两百亿美元的外资，现在对这个情况如何估计？

朱镕基：上海要吸收一两百亿美元的直接投资，是中央领导同志对上海提出的目标。要达到这个目标，任务很艰巨，但我们有信心去完成。现在上海对外开放的势头很好，境外对上海投资环境的评价正在逐步转好，上半年香港报纸骂上海的话不少，现在说我们好话的也有了。我认为上海的投资环境在中国还是比较好的，至少有三个特点：一是上海是中国最大的工业中心，除采矿业以外，其他工业门类齐全，而且配套协作能力很强；二是上海有相当的科技和教育优势，全市有51所高等院校、116所中等专业学校、上千所中学和职业学校，科技人员和工人的素质都比较好；三是上海过去是远东最大的金融中心，现在正在逐步恢复它金融中心的地位。外国银行，包括日本金融界对上海的兴趣很大。今年以来，起码已有五家日本大银行的董事长或行长来上海与我谈，要求在上海开设分行。现在国务院已经基本同意在上海建立几家外资银行，包括日本的银行，我们正在积极筹办这件事。以上这三个特点为外国企业家来上海投资创造了良好条件，在中国其他地方就没有这么好的条件。当然我们还有很多缺点，正在设法积极改进。前不久成立的上海市外国投资工作委员会，就是一个对外服务的窗口。我们正在竭尽全力改善投资环境，保证外国企业家在上海按国际惯例进行投资。上海的投资环境只要还有一点不如别的地区或不符合国际惯例的地方，你们都可以向我提出来。我兼任市外资委主任，有责任受理外商投资企业的投诉，解决对外开放工作中存在的问题。我对改善上海的投资环境是有信心的。不少外国朋友对上海的信心和投资兴趣也逐步增强。

听说日本方面有人抱怨，上海不重视与日本的合作，对日本冷落了。我认为提出这个问题不是没有原因的，但是据我所知，我的前任汪道涵、江泽民市长都是十分重视与日本合作的。我现在想通过你们向日本朋友转达，我本人也是非常重视与日本在经济、技术、贸易等各方面合作的。日本有很多我的老朋友，我正邀请他们到上海来，以促进日本与上海的进一步合作。国庆节前，我请黄菊副市长到日本去，沟通与日本的关系。但应当指出，现在上海与日本的合作状况同日本的经济地位并不相称，至目前为止，日本在上海的直接投资额和对上海的贸易额都落在美国、香港地区之后，排在第三位。这种状况，要双方共同努力来加以改善。

还有人说，上海是“欧美圈”，日本人进不来。在这里我宣布，上海没有什么“欧美圈”，我们非常重视发展与日本的经济合作关系。同时也希望日本朋友不要只看到“渤海圈”。你们到上海来投资肯定会得到好处，这是有保证的。我对日本新闻界的朋友寄予很大希望，请你们把这些信息转达给日本朋友。最近，日本兴业银行会长池浦喜三郎率领的日本投资环境考察团将来上海，我已准备会见他们。我还邀请了宫崎勇、下河边淳等一些日本著名经济学者来上海，以沟通上海与日本的经济合作关系。

上海的市政设施现状，可以用一句话来概括：老设备、超负荷。现在的城市基础设施不能适应1200多万人口的需要，加上每天还有200多万各地来上海的流动人口，因此城市非常拥挤。当前我感到最头痛的问题就是交通，我们正在采取“标本兼治、远近结合”的办法来综合治理。大约需要五年以上的时间，才能取得比较明显的改善。

从治本来讲，要把上海老市区的一部分人口和工厂疏散到郊区和浦东去，在浦东建设一个“新上海”。我们在虹桥、闵行、吴泾、漕河泾、嘉定等地区，都已投入相当的资金进行开发，但建设还不配套，现在要抓紧这些地区的配套设施建设，使市区的居民愿意搬到那里去住。同时，我们正在进行第二条越江隧道和黄浦江大桥的建设，南码头黄浦江大桥〔1〕今年要开工，宁国路越江工程〔2〕明年也要开工。

近期内缓解市内交通紧张状况主要靠两条：一是小改小建，如拓宽马路、修建高架道路等；二是加强管理。关于拓宽马路等问题已有一个五年规划，正在抓紧实施。《朝日新闻》驻上海记者伴野朗先生

〔1〕 见本书第141页注〔1〕。

〔2〕 见本书第141页注〔2〕。

曾提出人车分流的建议，很好。我们已计划开辟自行车专用道，把自行车与机动车分开，对红绿灯也要有严格管理。还有一些服务行业、个体商贩侵占马路太多，应该让出来。要办成这些事情很不容易，一要靠市民的支持，二要靠领导的决心。现在上海需要解决的问题很多。市内交通方面，今年我的精力主要放在整顿出租汽车服务，大概要到明年再重点抓一下公共交通。加强交通管理，严格交通法规，要先进行广泛宣传，等经过一段时间条件成熟了，就采取强有力的措施，严格实施交通法规。在这方面我对日本印象很好，你们的交通秩序管理得好，市民讲礼貌，互相谦让，值得我们学习。

浦东是上海的一块宝地，开发浦东是振兴上海的一个希望，首先要解决交通问题。目前正在大力修建隧道，还要造大桥，方便黄浦江两岸来往。我们还要在吴淞口的浦东外高桥建一个深水港，发展对外海运不能只靠现有黄浦江的内港。新港争取尽快开工，我们希望与日本合作，现在已邀请日本大阪港湾局局长当我们的顾问。上海只有把浦东交通搞好，把基础设施建设搞好，才有可能吸引外国企业家来大规模投资。

有些人主张，开发浦东要靠采取批租土地的办法。但我认为这只是一种方式，而且不是主要方式，因为批租的土地，只有搞楼堂馆所才能较快收回成本。现在上海的宾馆已经太多了，到1990年年底，高级宾馆的房间将达到两万间（套），所以在浦东不能再多搞宾馆了。开发浦东主要搞工业项目，一定要把世界上比较先进的工业项目和技术吸引到浦东来。我们特别欢迎外国企业家到浦东办独资企业。市政府主要利用地方的资金和世界银行、国际货币基金组织以及外国政府的优惠贷款把基础设施搞起来，然后用比较便宜的价格把土地租给外国人办独资企业，当然也可以与现有企业合资经营，把新厂盖到浦东去或在浦东办分厂。在我的脑海中，上海发展的蓝图是非常美丽的。将来老市区的一部分人口和工厂迁到浦东去，外滩恢复“银行街”，市中心恢复花园洋房，到那时，上海一定是一个非常美丽的城市。

《朝日新闻》记者伴野朗：市长是否同意上海最大的旅游资源是“怀旧”？

朱镕基：我非常赞赏这个看法。我们很关心豫园的建设，因为豫园可以吸引更多的旅游者来上海怀旧，同时也展望未来。现在上海的旅馆够用，但机场设施跟不上需要，9月份来了10万名国际旅游者就送不出去了。我们正在和荷兰政府合作扩建候机楼。同时，上海地方航空公司将租赁三架波音757型飞机投入营运，租赁的飞机明年开始交货，到时，空运情况可能会改善一些。

上海的城市建设欠账太多，没有几百亿元资金投进去是很难改变面貌的。靠上海自己不可能有这么多资金，所以需要利用世界银行、亚洲开发银行和外国政府的优惠贷款。今年开工的五个大工程：地下铁道、黄浦江大桥、合流污水治理工程、机场扩建、程控电话，都利用了国外的优惠贷款。世界银行答应每年给上海2亿美元贷款，其中5000万美元是软贷款。我很希望日本也能提供这样的优惠贷款。竹下登首相访问中国途经上海时，黄菊副市长与首相谈到日本向中国赠送环保中心项目的事，我们希望环保中心本部设在上海。我还当面向李鹏总理提出了这个要求。上海与大阪在环保方面已有很长时间的合作，并取得了成果。这件事请各位记者先生也帮助上海做点工作。

《中日新闻》记者迫田胜敏：市长的白发是否增多了？

朱镕基：我感到头发是白了一点，掉的更多。原因倒不是工作劳累，我在北京工作也很劳累，但在北京主要是个执行者，只劳累不紧张。到了上海，不仅是执行者，不少问题要我决策，这就感到紧张，所以掉了很多头发，但我从来是乐观的。虽然工作很紧张，但我很乐观。

《中日新闻》记者迫田胜敏：市长感到最苦恼的是什么？

朱镕基：我感到最苦恼的是上海不是粮、棉、煤产地，原材料都得靠外地，现在计划没保证，市场没形成，一些工厂由于缺少能源、原材料而经常停产。因此，我们要大力深化企业改革，优选经营者，让企业放开经营。过去国营企业的原材料80%至90%靠计划调拨，现在要搞活企业，把大中型企业的能量释放出来，要求厂长振奋起精神，到国际和国内市场上去找原材料，不要没有原材料就找市长，而是去找市场。我相信上海的厂长是很能干的，一定能把企业经营得很好。

《中日新闻》记者迫田胜敏：市长感到最遗憾的是什么？

朱镕基：市民经常给我来信，反映他们住房困难、上下班等车要花两三个小时。由于城市基础设施建设没搞好，社会服务也没搞好，给市民生活带来诸多不便，但我又无力马上解决这些问题，这是我感到最遗憾的。昨天我到两个储蓄所去看望职工，对参加座谈的同志说，你们每个人每天都在为人民服务，同时也接受别人的服务。如果你们在自己的岗位上给人气受，也难免受别人的气。所以只有大家都心平气和，互相体谅，讲究文明礼貌，才能形成和谐谦让的社会风气。在这方面，日本市民要比上海市民做得好，应当向他们学习。

《中日新闻》记者迫田胜敏：市长感到最生气的是什么？

朱镕基：我对有的政府干部吃吃喝喝，对人民疾苦漠不关心，工作不热心，办事效率低，感到最生气，有时还要发脾气。

日本广播协会记者石川猛：市长是怎样处理市民来信的？

朱镕基：10月17日《解放日报》已专题报道了这方面的工作情况。我5月份上任以来，总共收到市民来信1.6万封。这么多信，我不可能都看，也看不完，否则光看信就要累死了。现在专门有一批干部在帮助我看信并进行处理。其中48%的信件是反映个人问题的，就转有关部门办理，办不成的再由我来批，凡经我批的没有不办的，当然不可能有求必应，如住房困难就很难解决；有34%的信件是对市政府工作提建议，这方面重要的信件都送我看；还有18%的信件是检举政府工作人员违纪，我们都进行认真查处。我对市信访办的工作人员多次强调，要求他们对市民来信要做到件件有着落。

总之，欢迎各位记者先生来上海，希望你们多介绍、多报道上海。相信在沟通日本与上海联系方面，你们的工作能起很大的作用。上海的投资环境正在逐步改善，欢迎外国企业家到上海来投资。李鹏总理已宣布，中国这次提出治理经济环境、整顿经济秩序、全面深化改革，不会改变对外开放的政策，不会改变利用外资的决策，不会改变与外商签订的合同。上海还要大规模地吸收直接投资和外国各种优惠贷款。我们改善上海投资环境的工作只会加强，不会放松。

会见世界银行中国局局长伯基等人时的谈话*

（1988年10月21日）

朱镕基：欢迎世界银行的朋友来上海，感谢你们对上海建设所做出的帮助。世界银行是支持上海建设的最大国际金融组织。

伯基：去年9月随敝行副行长同来中国，达成了一项长期贷款协议，即世界银行承诺给上海和江苏各6亿美元贷款，每年2亿，分3年给，援助市政交通设施建设和工业改造，并商定由你们的中央银行转贷，贷款比例为75%硬贷款、25%软贷款。这次来上海，就是想听听市长的意见，1989年度和1990年度的4亿美元贷款安排哪些项目最合适；同时，谈一点我们考察上海后的意见。

朱镕基：现在看起来，外国人对上海投资的兴趣越来越浓。最近我们在虹桥开发区批租了一块土地，很成功，1.29公顷卖了2800万美元，在美国引起很多房地产商的关注。今年，上海利用外资加快城市基础设施建设，搞了5个大项目，其中合流污水治理工程是利用世界银行贷款建设的一个项目。上海由于欠账太多，只有大规模利用国外的优惠贷款，城市建设的步伐才能加快。

---

* 1988年10月21日，朱镕基同志会见世界银行中国局局长沙希德·贾维德·伯基、世界银行驻中国代表处首席代表林重庚和世界银行中国局人口、资源、城市建设处处长埃塞维特等人。

1991年2月7日，朱镕基与来沪出席上海经济发展国际研讨会的世界银行中国局局长沙希德·贾维德·伯基合影。

大量利用外资，首先碰到的是还款能力问题。林重庚先生提出过，偿债率应控制在15%至20%。最近我看到一份材料，日本人认为可控制在25%以内。而上海目前偿债率只为8%，可以说，上海对外债的偿债率是全国最低的，离国际公认的警戒线还远得很。

预计今年上海外贸出口总值可达到46亿美元，除了上缴中央15亿美元和进口一部分原材料、元器件用于生产外，其余都是建设上海的外汇资金。因此，上海有足够的还款能力。过去上海外债借得很少，现在借的还款期很长，而且在以后一段时间里，上海的出口商品生产将有一个较快的发展，举借外债还本付息看来不成问题。

现在我们担心的不是还不起贷款，而是担心利用外资项目的可行性研究及前期工作跟不上，使得一些条件很优惠的外资贷款，如世界银行承诺的每年2亿美元用不上。国务院批准上海在1990年年底之前利用外资规模可达32亿美元，但至今只用了几亿美元。

其次，还有一个配套能力问题。利用外资需要相应的人民币配套。上海今年实行财政包干后，只要上缴中央105亿元，一定五年不变，超过105亿元的都是上海地方的钱。今年扣除原材料涨价和其他补贴因素，保住地方机动财力14亿元没问题。今后每年如能保住14亿元以上，经过五年就可能达到70亿至80亿元。这还不包括承包后各个企业增加的财力。因此，上海利用几十亿美元外资的配套能力也是不成问题的。

再次是外资贷款的使用和管理问题。按贷款用途可以分为两部分：一部分是用于城市基础设施建设的贷款，由市政府担保，统借统还，由市财政局统一管理这部分贷款；另一部分是用于工业改造的贷款，由于项目本身可以出口创汇，借贷的企业也就有能力还款。听说你们建议通过中介金融机构来转贷工业贷款，以便把使用和偿还贷款的工作组织得更好。我们赞成这个建议，考虑可以选择上海投资信托公司作为这样的中介金融机构。上投公司是市政府直属的金融机构，经国务院批准拥有对外借款的权利，信誉也很好，在日本和英国都发行了债券。上投公司董事长是上海市原副市长李肇基先生。工业项目贷款由上投公司把资金转贷给企业，由他同企业签订合同，承担一定责任。向世界银行还款由上投公司统一负责。这是初步设想，提出来与你们探讨，不作为定论。

还有一个问题是，我觉得世界银行用款的手续太烦琐了。上海的合流污水治理工程和机床行业改造项目，与世界银行谈了四年，上海换了三任市长、三任财政局局长才谈成。我担心照这样搞下去，振兴上海的时间都耽误了。当然，工作进展慢，不全是世界银行的责任，有双方的原因，希望我们都改进工作，你朝前走一步，我也朝前走一步。这里特别需要指出的是，上海干部的素质比较好，这是提高办事效率的基础。我有一个希望，就是在我当市长的五年任期内，把世界银行承诺的6亿美元优惠贷款全部用掉，让我们共同做出努力。

伯基：世界银行贷款的程序确实比较复杂，我们现在开办省市级贷款就是为了简化手续。具体来说，只要省市做出一个行业性的发展战略规划，经世界银行确认后，就由你们国内的中介金融机构来转贷贷款。世界银行不再管具体项目的评估，而由中介金融机构负责评估。

我在离开华盛顿时，遇见刚回到美国的世界银行工业代表团。他们认为在上海的访问和讨论是很成功的，11月份还要来上海。他们让我转达四点意见：

第一，上海机电局、仪表局都在委托国外大的咨询公司帮助制定发展规划，咨询公司得到了你们很好的配合。希望这方面工作加紧进行，尽快做出报告，以便世界银行可着手工作。

第二，为了简化程序，世界银行与你们只讨论行业发展规划，不再对企业逐个评估，评估工作由中介金融机构负责。但你们也不要等所有的项目做完可行性研究才贷款，不然同样会拖延很多时间。

第三，开发软件（包括技术培训、质量控制、产品测试等的软件）对今后发展是很有帮助的。据了解，你们不大愿意安排软件贷款，因为投资开发软件不能直接还款。我们希望在每年1.5亿美元工业性项目投资中，有1500万至2000万美元用于软件开发和技术援助。

第四，据初步了解，上海第二批工业项目共有7个，我们对其中4个项目感兴趣，即制冷、医药、化学试剂、自动化仪表。这些项目的发展战略规划请抓紧提出。

朱镕基：我本人非常重视软件开发，很愿意在这方面与世界银行发展合作关系。我相信，这种合作将促进我们加快利用世界银行的贷款，产生的效益也是长远的。上海有条件做好开发软件工作，但由于我们的财力还不足，因此要十分注意节约外汇，在软件开发方面想多争取国外赠款。这次地铁一号线工程，联邦德国不仅提供了优惠的政府贷款，而且向我们转让技术，把车辆建造安排在上海，还提供了2000万美元的赠款用于培训管理人员。

林重庆：我想谈两个问题。一是工业项目的外汇还款问题。工业项目中有许多项目是利润高、可以创汇的，但也有一部分项目虽很重要，利润却不高。我认为这两类项目都要上，由市里平衡外汇。对软件开发，世界银行不提供赠款，但可以列为贷款的正式项目。

二是中介金融机构问题。我们考虑的中介金融机构不只是一家银行，而想用多家银行以开展有益的竞争。上投公司是隶属于市政府的，是否让投资银行、建设银行、交通银行、工商银行等都有机会参加进来？当然也不排除上投公司。

朱镕基：总之，在明后两年里，上海要用好世界银行提供的4亿美元贷款，即3亿美元硬贷款和1亿美元软贷款。这4亿美元的外汇平衡和还款工作由地方政府来做。其中的基础设施项目贷款，由市财政局作为一个窗口，统一管理；工业项目贷款，通过中介金融机构来转贷。中介金融机构是一家银行还是多家银行，可以再商量。但不管是几家银行，都得服从一个目标，就是把3亿美元工业项目贷款用出去。

我认为如果中介银行太多，可能会耽误用款的时间，而且多家银行互相竞争，容易把事情搞乱，这也是中国不同于外国的地方。我们考虑指定上投公司负责转贷3亿美元工业项目贷款，实际上是由市政府来做担保，说明我们下定决心，在两年之内要把包括基础设施项目的4亿美元贷款用好。上投公司的资本是市政府给他的，但他的经营活动是完全独立的。当然，最后选定的中介金融机构不一定就是上投公司，也不一定是一家银行，我们不排除吸收其他银行来参加。这些问题还可以再讨论。

基础设施大项目的可行性研究时间可以长一点，但小项目的可行性研究时间是否能够缩短？南码头黄浦江大桥〔1〕工程本来和日本合作，后来谈判中断，一度找不到贷款对象。今年4月才找到亚洲开发银行，现在他们同意大桥今年先开工，贷款手续慢慢再办，这种做法绝无仅有，对上海是很大的支持。

原来世界银行主张在宁国路建越江工程，现在听说你们认为不需要再建了。上海急需开发浦东，首先要解决交通问题。明年我们打算在靠近吴淞口的浦东外高桥与日本合作，建一个新的深水港口。通过港口、大桥、隧道把浦东和老市区的交通连起来，形成一个环线，逐步把老市区的一部分人口和工厂迁到浦东去，否则老市区太拥挤了，没法改造。我希望世界银行继续按原来的主张，帮助我们把宁国路越江工程〔2〕建起来。

伯基：世界银行对基础设施项目的评估是很仔细的，包括对工程设计也要达到满意。我们的专家认为，宁国路交通流量比南码头流量多得多，因此主张宁国路越江工程先开工；而且从经济效益和工程技术两方面来考虑，主张搞隧道，不赞成架桥，因为桥要架得很高，引桥只能旋转上去，而中国卡车的马力和刹车都不符合这个要求。

朱镕基：宁国路越江工程是修桥还是修隧道，至今没有决定，大部分人主张修隧道，少部分人主张修桥。从上海发展战略的眼光来看，尽管修桥多花一点钱，但我还是主张修桥，而且技术上的问题也是可以解决的。当然，这个问题还有时间继续论证，我们要经过充分比较后再做出决定，也希望世界银行的专家提供帮助。

---

〔1〕 见本书第141页注〔1〕。

〔2〕 见本书第141页注〔2〕。

1988年5月29日，朱镕基考察上海市延安东路隧道施工现场。左一为市建设委员会主任李春涛，左三为市隧道工程公司经理钱达仁。

埃塞维特：上海所有的过江设施，我都去看了，还查阅了你们的交通信息资料。我们认为，按现有的交通流量来看，南码头大桥造好后，宁国路越江工程就不那么迫切需要了，可以放到九十年代中期再去考虑。除非宁国路两边的土地很快开发起来，才有这个需要。基础设施项目也要考虑收回成本，包括土地开发都要达到一定的经济效益。

伯基：关于基础设施项目贷款，与你们的副市长商量过。有一部分基础设施如市内交通，可以比照工业项目来办。你们提出一个发展规划，世界银行同意后就不参与具体项目评估了。

朱镕基：这是我的建议，把许多小项目变成一个大项目来谈。

伯基：我们目前正在考虑的上海基础设施建设，主要有五项内容：宁国路越江工程（隧道或大桥）；越江工程造好后，浦东、浦西土地的开发；市区修一条北南交通干道；中山北路高架路；市中心疏解交通紧张状况。对这五个项目的具体设想，可以详细写信给你们。

朱镕基：很赞成这五个项目。过去我们的一个教训，就是对某些重大决策讨论来讨论去，把时间耽误了。我希望能改变这种状况，把这几个项目尽快定下来。

会见联邦德国专家格里希时的谈话*

（1988 年 11 月 29 日）

朱镕基：欢迎你来上海。今天想听听你在上海的观感，你想说什么就说什么。

格里希：我 10 月 28 日到上海以后，只去游览过一次黄浦江，其他时间包括星期六、星期天都在工作，因此，对你们的城市了解得很少，谈不出多少观感，但可以更多地讲讲对上海工厂的看法。我看了 17 个不同的企业，有的还不止去过一次。

总的说，上海市“桑塔纳”轿车国产化协调办公室和市汽车拖拉机工业联营公司的工作是很努力的，我并不想否认他们在国产化工作方面所取得的成绩，但是应该看到有许多地方还需要改进。很多企业应该改进他们的生产质量，这种改进并不要很多投资。我认为生产企业不应有出口标准和国内标准两种质量标准，如果好的出口，坏的

---

* 威尔纳·格里希，联邦德国发动机制造和铁芯技术专家，1984 年至 1986 年，被武汉市政府聘任为武汉柴油机厂厂长。其间，他致力于提高产品质量和改善企业内部的经营管理机制，受到国务院领导同志和国家经济委员会的称赞，并被媒体称为“洋厂长”。格里希卸任回国后，仍十分关心中国的发展，多次来华。他这次来上海，先后考察了 17 个企业。朱镕基同志专门约见格里希，听取他的意见。

卖给国内，产品就会失去信誉，这样的工厂在德国要破产的。生产企业只能有一种质量标准，并且要把质量水平逐步地加以提高。

我在上海看到的大部分工厂，工作环境都很脏。如果生产时环境干净一点，产品质量可以大大提高。这是你们很多工厂的一个薄弱环节，把工作环境搞得干净一点，这并不要很大的投资。

我到玻璃工厂〔1〕去，看到窗子的玻璃是破的，感到很痛心。我看到的很多工厂都是车间的门开着，玻璃窗破了，灰尘大量进来，这对机器设备是极大的损害。我看这样的工厂总有一天会难以为继。从玻璃厂外观来看，厂房是新的，但进到里面一看，机器设备像是已经使用了五年甚至更长时间的。德国的厂房内墙壁完全刷白，容器多半是不锈钢制的。我们不仅关窗、关门，而且容器的盖也是关的。而你们这里门窗大开，地上很脏，有那么多灰尘，等于在马路上生产一样。要知道，灰尘对机械产品来说简直是毒药。我到轮胎厂，看到橡胶原料上都是灰尘，用这样的原料去加工生产必定影响产品质量。上海乳胶厂生产的乳胶手套废品率达到8%至10%。应该想一想为什么会这样，要想办法改变这种状况。

上海活塞厂在青浦有个分厂，那里有宽敞的场地，但没有充分利用，铸造车间的窗玻璃全碎了，就像1945年德国战后5分钟的样子，看了使我很痛心。如果让我在这个厂里工作半年，一定叫它变得认不出现在的模样来。那里的材料仓库积了很厚的一层灰，铲车在一旁修理，机油都淌到了铝锭上。这样的环境、这样的材料，怎么能保证生产质量？这个厂与德国已经签订了引进合同，从现在起就要改进管理工作。

朱镕基：我看这样的厂长可以更换。

---

〔1〕 玻璃工厂，指上海耀华皮尔金顿玻璃有限公司。

格里希：我原则上反对老是更换厂长，因为新的厂长还要重新学起。但对厂长应当施加压力，经常不断地施加压力。

现在你们的工厂在生产过程中间对产品没有一系列严格的抽查环节，等到最终检验时才发现是废品。因此，许多厂不仅质量水平很低，而且检验工作的水平也很低，包括质量检验人员的素质和部分检验科科长的水平都很低。我建议，应该每周花两三次下班后的时间对有关人员进行培训，教会他们如何使用量具、如何检验质量。对操作机器的工人也要培养他们的质量意识。我看到一个女工把零件扔来扔去，问她结婚没结婚，有没有孩子。她回答已经结婚有孩子了。我便说，你们对待这些零件和机器要像对待自己的孩子一样，不能乱扔，要给它们穿好的衣服，打扮得很漂亮。工人应该改变观念，为自己的产品感到自豪。要把废品率降下来，减少补充加工（返工），获得更多的利润。

我在上海活塞厂，看到为摩托车配套的活塞留着的毛刺简直可以用来刮脸。我了解到工艺上有表面打光这一道工序，但操作工人没有按规定去做，检验人员也好像睡着了。如果我是摩托车厂，就只肯出一半的价钱买这样的货。这种不合格的产品在德国是要退货的，在中国也许不可能退，因为你们的市场没有竞争，但总有一天会出现竞争的。你们的彩电、冰箱、洗衣机、自行车、手表都已出现市场竞争，而且这种竞争会越来越多，到时候只有质量好的产品才能卖出去。我相信，中国再过五年至十年会出现这种状况。你们的模具制造和机修水平也很低，有许多地方可以改进。我在上海汽车电机二厂看到机修车间很脏，就提高嗓门严厉地责备了他们。隔了四天之后，我又去看，这个机修车间变得如此干净，简直认不出来了。事实说明，这个厂能做到，中国其他工厂也能做得到。

我还到汽车制动器厂去，他们在装配"上海"牌轿车的刹车装置。车间很脏，到处是铁屑。我建议他们把整个车间都检查一遍。我问这批产品提供上海轿车厂多少，他们回答：100个。我说，这100个都要重新检验过，他们做了。后来，我又去，问他们库存的刹车装置检验过没有，他们回答：没有。我说，也要重新检验。对这一点，我确实很生气。如果我遇到“上海”牌轿车，老远就要躲开了，因为刹车是性命攸关的部件，一旦有铁屑进到制动总泵里，刹车就会不灵了。我在上海的这些观感足够写上一本书。

朱镕基：希望你写这本书。我受胡启立同志的委托，出过一本《格里希在武柴》〔1〕，现在我要再给你出一本《格里希在上海》。

格里希：谢谢。再谈点我的观感。我所到的企业都有计量室，而且布置得很好，但就是没有人在工作，像教堂一样的宁静。计量室的设备，有的用布套着，有的用玻璃罩着，陈列在那里像开展览会。这些设备相对来说都是比较好的，要花几十万元至上百万元才能买来，但没有一台计量设备在工作，太可惜了。在德国，计量室的工作是很繁忙的。工厂进了这么多这么好的设备，就要充分利用起来，让设备也赚钱。

我还建议工厂里的质量检验人员要有明显的标志，如穿上统一的黄色制服或红色制服。这样，质量检验人员在不在工作岗位上就能一目了然，因为厂长不一定认识每一个工人。我问谁是检验员，还要到处找，如穿上黄制服就很清楚，这一个是或那一个是。德国工厂就有这样的标志，质量检验人员马上可以被认出来。

我在上海汽车电机二厂还参观了生产二极管的车间，厂长让我穿上白褂子、戴上白帽子。上楼梯时，我却看到地很脏，墙上还掉下来很多灰。中国妇女有一头秀发，操作女工虽然也戴着白帽子，但头

---

〔1〕《格里希在武柴》，由武汉市经济委员会和武汉市外事办公室编，企业管理出版社于1987年出版。当时任国家经济委员会副主任的朱镕基同志为该书作序。

发露在外头，既然戴工作帽，就应该把头发都放在帽子里。还有净化车间是安装有空调的，但窗都开着，不知为什么。空调机安装也不合格，旁边可以伸出一只手到窗外，这样，室内的空气是不可能净化的。我当场指出，这些问题应该改进，也能够改进，并告诉他们具体如何改。第二次我到厂里去，看到的情况好了一点，但离真正的好还差远了。明天，我还准备第三次去这个厂看看，特别是做二极管的工人是否把橡胶手套戴上了。这个厂的废品率达到8%至10%，这样的厂长在德国会受到很大的攻击。下次我来上海，还要去这个工厂看看改得怎么样了，要不断地给厂长施加压力，督促他改进。我看到零件箱里的零件像山一样堆着，所有工厂对零件的这种马虎做法都要改变。这个厂生产的二极管还要用手扶拖拉机运到20公里以外的地方去检验，检验完了再运回来装配，来回路上肯定进了不少灰。德国的工厂不会这样做，都是在哪里生产就在哪里就地检验。不然的话，要多大的运输量。

我还看到发电机定子上的漆包线损伤了，厂长说这是协作厂造成的。我就到在青浦的协作厂去看，那是一个乡镇企业。女工们干活很勤快，但操作上有错误，如不应该用金属刀把漆包线放到定子上去。我提出意见后，她们改了，而且把车间灯光的条件也大大改善了一下，我感到满意。这些女工都是从农村来的，工作勤奋，经过指点，她们学会了怎样正确地操作。问题是漆包线还是在汽车电机二厂损坏的，是定子加工时把漆擦去了。我建议厂长在加工时，定子下面放一块塑料垫子，办法很简单，但质量会得到改进。原来他们放零件的盒子都是用金属做的，为什么就不用木头或塑料做盒子呢？很多工厂都存在类似的问题，而对这些问题，人们可以用很简单的办法来加以改进。我认为很多工厂应该现在就马上努力改进，提高质量，不要等投资，而且投资下去也不是马上能见效的。

我与孟德尔舍尔德[1]先生已经开始考察上海“桑塔纳”轿车国产化工作并提出一些建议。我们都是一些技术上有经验的人，要继续做这方面的工作。我们在检查中绝不收受贿赂，也不会为一顿好的中饭或几条好烟而把眼睛闭上的。市长对“桑塔纳”轿车国产化很重视，并已经做出了很大的努力，但是等到投资效果出来还要走很长的一段路。我认为，现在可以先提高生产的数量和整个工业水平，包括“桑塔纳”轿车的生产要达到一定数量，不然并不合算。花了这么大的投资，不光是上海投资，其他省市也有投资，每天只生产40辆车是不合算的。我认为，所有的工厂都应该毫无例外地从现在起就改进工作，这并不用花很多钱，就可以把生产提高一步。

我在武汉柴油机厂就是没花多大投资来改进工作的。我刚到武汉时，柴油机厂铸造车间只有1937年的生产水平，机器设备都是六十年代之前的产品；工作人员的素质也比较差，尽是人家工厂不要的老弱劳力。当时年产柴油机1.83万台，45%的铸件是废品，2.5升发动机机油里有5000至6000毫克的脏东西，柴油机寿命是1000至1500小时，工厂一年亏损500万元。现在年产量已达到6万台，其中出口6000至8000台，铸件废品率降到15%，2.5升发动机机油里面的脏东西只有100毫克，柴油机寿命达到1万小时，今年可以盈利600万元。现在的武汉柴油机厂不是我在领导，是你们中国人自己在领导。这就证明，老厂、老设备经过努力也能使各方面工作得到改进，并获得更多的利润。

我相信通过教育能够提高人们的质量意识。这四年里，我连续到中国来，因为我相信中国是能够改变现状的。大家可以想一想，四

---

〔1〕 孟德尔舍尔德，即彼得·孟德尔舍尔德，1985年10月至1988年10月任上海大众汽车有限公司质量保证部外方一级经理。

年前你们的生活水平怎么样？今天又怎么样？我认为是没法比的。如果不相信中国会继续前进，我就不会来了。我年纪大了，这辈子很快将过去，但我相信眼前的很多事物会发生变化。正是这些变化和进步，激励我一再地到中国来。

我在来上海之前去过内蒙古的呼和浩特市，听他们介绍说包头要建一个“奔驰”重型汽车厂。

朱镕基：我不赞成中国的汽车工业分散发展。

格里希：内蒙古建重型汽车厂的工作进展得并不顺利。我去看了那个厂，对他们说，你们搞国产化会碰到很大的困难。我认为，中国与“奔驰”签约之前应当再很好考虑一下。现在上海有“桑塔纳”，长春有“奥迪”，武汉有“雪铁龙”，北京有“通用”，每个省市都想自己搞一个汽车厂。为什么要那么多的型号呢？如果共同搞一个生产体系，使用同一种发动机，装配成不同车身的车，不是更经济吗？现在许多厂与外商签订合同，想各自生产发动机、后桥、齿轮等。

朱镕基：上海也有人雄心勃勃想再搞一个轿车厂，他们主张搞两个生产体系。

格里希：这是不对的，也不合算。

朱镕基：我不同意搞两个轿车生产体系，上海只能搞一个轿车零部件国产化体系。

格里希：为实现“桑塔纳”国产化，市政府做了很多工作。现在“桑塔纳”国产化共同体的工厂做得也很好。“桑塔纳”的质量取决于配套厂的生产质量，轿车最终的质量与配套件的质量是一致的。德国也是这样，本厂只做有限的零配件，而大部分零配件是从外头采购来的，这样，整体的效益就要靠配套厂的质量来保证。另外，欧洲的中等企业比中国同类企业的素质要好得多。这些中等企业的质量与产品的最终质量是一样的。

朱镕基：你讲得非常好。我希望你经常来上海。你对“桑塔纳”国产化配套工作提出的每一点合理的意见，我们都要不折不扣、一条条地加以改进和落实。今天格里希先生与我谈话的记录，经过整理后将印发各有关部门和工厂。你对于质量问题的意见，不仅对机械行业有益，而且对其他行业也是有益的。你回国后，我去过武汉柴油机厂。虽然你走了，你当初指定的代理厂长也走了，但现任的厂长坚持你建立的一套制度，做得很好。我还想提出一个建议，请你把在上海看到的问题和意见在更大范围内对上海的厂长讲一讲。由我主持一个报告会，请你做报告，帮助我们的厂长提高质量意识。上海有一万个厂长，这次我找一千个厂长来听你的报告。上海是中国最大的工业城市，工业总产值占全国的十分之一。上海工厂需要的原材料，光靠国内资源，是提供不了这么多的，因此上海的企业必须发展出口，从外国进口原材料，搞大进大出，否则上海企业不能生存。从这个意义上说，质量是上海企业的生命，我们对生产质量要提出严格的要求。这也是请你做报告的目的。

格里希：厂长们都对我说，他们从市里得到了很大的投资，用于技术改造。而引进设备更需要有高级的保养。现在有一部分原材料是靠进口的，这就意味着生产出每一个废品都是在浪费外汇。要使厂长都知道这一点。

朱镕基：可惜很多厂长并没有认识到这一点。现在中国是卖方市场，上海产品的质量在国内相对而言好一点，国内有市场，不怕产品卖不掉。但是他们就没有看到，上海产品不打到国际市场去，上海的工业是没有出路的。

格里希：我百分之百同意你的这种观点。要依靠高质量赚取更多的外汇。

朱镕基：因此，我请你在会上大声疾呼，对我们的厂长施加一些压力，要求他们严格地加强管理，从点点滴滴、小地方开始重视质量、提高质量。今天你对我讲的这些具体例子都可以讲，因为这些意见是有实际经验的专家的意见，是内行的意见，相信厂长们会接受的。

格里希：我愿为你而做这个报告。

朱镕基：不要当成做报告，就像与我谈话一样。我陪你坐在主席台上谈话。

格里希：讲到不愉快的事，我的声音会很响。

朱镕基：希望你多讲不愉快的事，边谈边敲桌子也无妨。

格里希：我努力这样去做。

质量是上海的生命*

（1988 年 12 月 1 日）

刚才，联邦德国专家格里希先生对上海工厂的质量管理工作提出了很好的意见。他 70 多岁了，在工厂搞了几十年，很有经验，他的意见很值得我们重视。他对上海工厂的印象是“脏”。有的工厂把车间窗户开着，玻璃也不擦，全是灰尘，这么脏的环境怎么能生产出好的产品？连设备也都糟蹋了。我们在企业管理上很多方面的要求都不严格。我想，对于格里希先生提出的意见，必须一条一条地认真研究，并采取有力措施改进我们的工作。我们要从细微处见精神，一丝不苟，把产品质量搞好，质量是上海的生命。

由于原材料供应不足，上海工业要继续发展受到很大的威胁，如果不能渡过这个难关，就会萎缩，甚至不能生存。怎么办？我们一方面还是希望继续得到中央和各地区的支持；另一方面，必须搞大进大出。如果不搞大进大出，没有任何人能够救上海。今年上海原材料这么困难，为什么工业生产任务完成得比预料的要好，全年增长速度可以达到 8%，就是因为在一定程度上搞了大进大出，及时进口了原

---

* 1988 年 12 月 1 日，应朱镕基同志邀请，联邦德国专家威尔纳·格里希在上海全市厂长大会上为上海企业界 1200 多名大中型企业的厂长、经理做了关于加强企业管理、提高产品质量的报告。这是朱镕基同志在听取格里希报告后讲话的一部分。

材料。但是，进口要花外汇，就得要出口创汇，借债不还是不行的。所以，上海不大力搞好出口，就难以生存。要出口创汇，产品就得有好的质量。

现在原材料产品价格不断上涨，而加工产品价格却不能涨。质量不提高，产品老面孔，怎么涨价？原材料涨多少，你老面孔产品也涨多少，这条路是走不通的。你必须优质优价，搞新产品、新品种。今年，市政府下决心搞了科技与生产结合的 14 项重点工业攻关项目，就是要带动千家万户把科技与生产结合起来，开发新产品。新产品实行优质优价，利润比老产品高，赚的钱就可以弥补老产品的亏损。经过一段时间，老产品淘汰了，完全生产高档的新产品，企业的经营状况就好了。到那个时候再推出更新的产品，不断地升级换代。我们应该采取这样的经营战略。

我讲的质量，包括产品的性能和技术水平，不是“瓜菜代”的质量。上海的产品一定要按国际标准生产。采用落后的标准，即使质量管理搞得很好，产品还是卖不掉。我们必须按照国际标准生产，为了出口而生产，根据用户需要生产。国家标准中如果有不利于出口的，要经过一定程序进行修改，以适应出口的需要。我们不应该采用两种标准，因为搞两种标准，对工人很难严格要求。我们的目标是要大进大出，首先要能出口。厂长一定要有质量意识。看不到质量是上海的生命、没有这种高度质量意识的人不能当厂长。另外，厂里要建立严格的产品质量检验和监督制度，有一个六亲不认的检验科长。在当前情况下，没有六亲不认、铁面无私的人把关，质量保证不了。加强检验与实行全过程的质量管理是一致的。还要有一个坚定而又耐心的党委书记，书记要坚定地维护厂长的威信，在质量问题上不能让步。工会和团组织也不能在质量问题上姑息、让步。

现在，上海技术水平在国内的领先地位正面临严峻的挑战。我们要大声疾呼，恢复和保持上海工业的领先地位，要有争全国第一位的志气。我和黄菊同志到过上海手表厂。我说，上海手表再不及早调整产品结构，就没有前途了，要赶快上石英电子手表，零部件要国产化。现在这家厂发展石英电子手表，搞得很快，一下子搞到 100 万只，但返修率达到 6%，据说还是全国“先进”水平。我认为不能满足于这样的“先进”水平，要知道，你的返修率即使是 1%，对用户来说也是 100%的不合格。我给手表厂提个建议：凡是不合格的手表，卖出去停摆了，要全部调换。一个工厂最重要的是信誉。应该按国际标准组织生产，降低了质量，数量再多也没有用。质量是生命，质量是效益，如果不能保证质量，任何高指标都应该予以拒绝。

当然，有些同志会讲，提高质量光抓一个行业不行，原材料和

1988 年 6 月 16 日，朱镕基考察上海手表厂。右二为上海手表厂厂长戚德林。

协作零部件质量不合格怎么办？这的确是个难题。我想，我们应该这样看问题，上海工业的配套能力是相当强的，只要我们所有厂长加强质量意识，就能解决这些问题。我对“桑塔纳”轿车的国产化工作，要求完全按照联邦德国标准来生产。现在证明“桑塔纳”轿车的国产化是不折不扣的，是没有降低标准的国产化。今年国产化率达到25%，明年达到50%，后年就基本实现国产化了。现在中国存在不讲质量、马马虎虎的现象只是暂时的，我们的民族有精益求精、一丝不苟的好传统。从五十年代到“文化大革命”前，我们的工厂管理是很有成绩的。1964年工业学大庆，对工厂要求非常严格，那时候工厂搞技术比赛，设备擦得发亮。我们不是做不到，而是现在没有严格管理。只要我们坚持扎扎实实、一丝不苟、精益求精的精神，上海是大有希望的。

对几个经济热点问题的说明*

（1988 年 12 月 30 日）

我想对同志们关心的三个问题做一点说明。

第一个问题，明年上海的市场能否稳得住？大家普遍担心明年的物价，今年上海物价指数是 21%，明年物价如果再涨 16%，上海能否受得了？我的看法，上涨幅度是高了一点，但也不是那么可怕，因为 16%里面有 8%到 9%是今年“翘尾巴”的因素。也就是说，有些东西今年已经涨了，或者是 3 月份涨的，或者是下半年涨的，在今年计算物价指数时我们只算了三个季度或半年，明年要算全年。老百姓对它的感受同新涨价的感受完全不一样。新涨价的，明年中央出台的涨价措施要影响上海上涨 2%至 3%，我们考虑恐怕打不住，也就是明年涨价的措施还会出来一点，完全不出来不行。原材料涨价了，产成品价格一点不动，企业负担不了，生产要萎缩，所以我们估计又要涨 3%至 4%，这样总共 16%。我认为实际感受不会像想象的又增加 16%那么明显，而且物价指数的计算方法虽然比较科学，但计算结果与每个人的感受不一样。我觉得，稳定市场的关键是把人民生活必需品价格死死管住，总的物价不要管死，管死以后上海要吃亏。吃什么亏呢？

---

* 这是朱镕基同志在上海市党员负责干部大会上讲话的一部分。

生产停滞、萎缩，连小商品也没有了。原材料涨价，你不让企业随行就市，他无法生产，最后是造成上海财政收入下降，地方财政也没有能力再来补贴那些必需品了。这是恶性循环。所以，我们主张还是把基本消费品价格稳住，绝对不能随意涨。发生亏损，市政府增加补贴就是了。至于其他产品，特别是小商品，尽管我们要严格控制，不能随便乱涨价，但还是要让它们搞活一点，这对上海整个生产发展有利。所以，明年物价指数听起来是16%，但如果把占市民总开支70%以上的生活必需品管住了，大家对这16%也就不会感到难以承受了。

关于生活必需品。哪些算必需品？

一是粮、油、副食品。我想，把这些稳住了，上海至少稳住了一半。从粮、肉、糖、盐来看，这些人民生活必需品的库存是充足的，价格也不会涨，所以对此不要恐慌。至于副食品，尽管最近气候是百年未遇的干旱，但因为我们做了准备，采取了补救措施，蔬菜供应还是充分的。今年家禽销量也增加很多。最近饲料有些困难，只有两个月库存，但市财贸、粮食部门和市交通办、海运局已组织从吉林抢运玉米。明年的禽、蛋供应和生产都做了安排。

二是工业消费必需品。工业消费必需品原来确定21种监控产品，现在我们增加到26种，由市经委成立一个办公室专门管理。对这26种工业消费必需品从生产、供应一直到销售都进行监控，价格不涨，如果因原材料涨价而发生亏损，市政府就拿钱补贴。现在市场基本上还是能够保证供应的，只是有些商品不是想买就能买到，所以供应办法还要研究改进。

为保证人民生活必需品的供应，市政府要承担相当大的财政补贴任务，这是个沉重的负担。特别是粮食收购价越来越高，市民买一斤粮食是1角8分，去年市政府要补贴1角9分，今年上半年就补贴3角1分，从现在起要补贴6角钱。今年的粮、油、菜补贴比去年增加 9 亿元，所以市财政变成了“吃饭财政”，把今年好不容易增加的经济效益给吃掉了。明年还得增加 9 个亿的粮、油补贴，我们都打在预算里了。因此，还是要把价格稍微搞活一点，靠企业提高效益，使政府财政多收一点。不然的话，我们想补贴也补不起。

另外，要考虑一个问题，就是现在存在收入不平衡、分配不公平的问题。今年物价上涨 21%，工资、奖金的支出比去年增加 30%，实际上把涨价的因素都补上了，还超过了，而劳动生产率基本上没有怎么增长。发了这么多工资、奖金，但不均衡。企业的工资、奖金跟效益挂钩，情况就好一些，而比较清苦的还是机关干部、教师，特别是离退休干部。这确实是个问题，我们还得想点办法，对确有困难的一部分同志考虑采取一点补偿措施。要这么做也很难，一个要看财政能不能承受，一个还怕引起新的矛盾。机关干部或教师的收入稍微提高一点，企业就要攀比，他的奖金就发得更厉害，所以企业领导要注意控制消费基金的增长。

第二个问题，明年生产、出口能不能搞上去？我的看法，根据现在的安排，明年的生产还是可以搞上去的，效益可以比今年好一点。

首先是农业，这个已经做了安排，最近还要召开农村工作会议。从各方面条件看，明年的农业生产可以稳定，并有所增长，特别是副食品。我们还准备动员郊区多种粳米，今年郊区比去年多交售 5000 万斤大米，解决了我们很大困难。

工业生产，我们提出明年增长速度为 5%，也有同志说是不是高了？我们认为低了也麻烦，首先财政收入上不去，上缴利润保不住，14 亿元地方机动财力就要落空，城市基础设施建设就搞不下去。所以 5%还是必要的。今年整个工业大约增长 10%，明年降至 5%。扣除村办工业，今年是增长 8%，明年是 4%，速度降低一半，这就不是过热了。这个速度必须保证，如果 5%搞不上去，明年的全盘计划都会打乱。但这个5%的内容与今年不一样，明年地方国营企业要增长2%，今年只增加了1%多一点。明年地方国营企业搞上去了，利税就可以增加。

出口创汇今年是创了历史纪录，可以完成46亿美元，但外汇还是不平衡，因为进口原材料大大增加。今年一定程度上实现了大进大出，不然今年生产搞不上去。外汇平衡非常紧张，明年一定要想办法把创汇搞上去，措施是"双线承包"〔1〕，全面推行外贸出口代理制。今天上午开了个会，基本上把"双线承包"定下来了，就是把出口创汇任务包到生产企业，然后委托外贸企业代理，把生产企业推向国际市场，推向外贸出口第一线。另外，把外贸包到生产企业，你得把国家补贴的外贸亏损也分给他，把国家退税也分给他，流动资金给他解决，出口商标让他使用。凡此种种，问题细得很，尽管这个方案酝酿了三个半月，还在继续深化。我希望新闻界的同志在报上多多宣传工贸结合、"双线承包"，因为明年深化改革主要就是配套、完善、深化、发展企业承包经营责任制，上海最重要的措施就是"双线承包"、全面代理，这在全国是第一家，要多宣传。现在报纸上天天都在谈股份制。股份制很重要，泽民同志亲自在做调查研究，开了多次讨论会，也在积极试点、加快试点、扩大试点，但总还是试点。这里有很多问题，搞得不好，把股息抬得那么高，劳动生产率没上去，效益没提高，那国家财政就会越挖越空，所以有很多问题要研究。我觉得重点应该是宣传深化承包经营责任制，多写写这方面的文章。上海明年就靠这个法宝了，不然这么大的困难，怎么搞得下去？最近联邦德国专家格里希到上海来做了一个报告，有一部录像。我也向上海企业的厂长、经理提了三点要求：第一，质量是上海的生命，上海的产品没有

〔1〕 见本书第65页注〔1〕。

高的质量，达不到国际水平，就搞不了大进大出，上海就难以生存；第二，从严治厂，向管理要效益；第三，加快企业的内部改革，引进竞争机制。我希望各个企业的同志根据这个精神，明年在企业管理方面下大功夫，提高效益，把质量搞上去，把效益搞上去，把出口创汇搞上去，那么，明年上海就能渡过难关。

第三个问题，城市建设、基础设施建设还能不能搞得下去？明年要压缩固定资产投资规模，我们必须有保有舍。如果我们还想要黄浦江大桥，还想要地铁，还想要合流污水治理工程，就得砍楼堂馆所，特别是砍宾馆项目，否则搞不下去。像现在摊子铺得那么开，无论资金、材料、施工力量都不行。所以，我们下决心清理项目，现在已经成立了16个砍宾馆项目的专题领导小组。这方面，市人大、政协的领导同志和老同志非常支持，我在此表示感谢。一个宾馆就设一个专题领导小组，一个宾馆就是上亿元投资，我们一个一个地审查，研究能不能砍掉、推迟、降低标准、压缩规模，把资金引导到搞工业项目上去。现在这项工作开展得很好，成绩很大，我给大家报个喜。在18个宾馆项目里面有两个项目可以砍，所以只成立了16个专题领导小组。这16个项目大部分签了合同，经过半月时间的清理，初步意见是，可以停建3个，缓建7个，降低标准3个，继续建设3个。

另外，还要压缩一般建设项目。少盖点房子，多搞些配套基础设施建设，住宅不配套，住进去也不方便。明年一般建设投资要比今年压一半，用压下来的资金保重点建设，保黄浦江大桥、地铁、合流污水治理工程。这几个重大工程的建设进度也要稍微推迟一点，实际上我们做准备工作也需要一段时间，但是，总能搞下去的，还要争取在将来能比较快地把它们建成。我们已专门抽调一批得力的干部，成立了一个市重大工程建设办公室，集中力量抓一批必保的项目，包括彩色显像管、冷轧薄板、30万吨乙烯等调整产业结构的重大项目，

1988 年 12 月 15 日，朱镕基到上海永新彩色显像管厂工地现场办公。右一为市委副书记、副市长黄菊，右二为上海市仪表电讯工业局副局长秦福祥，右三为副市长顾传训。

把全市的资金、财力、物力和施工力量首先集中在这些项目上。彩管工程我们比北京大大落后，所以我们去开了现场会，成立了工程指挥部，几天之内施工队伍就上去了，要保明年彩管工程投产。还有 30 万吨乙烯、冷轧薄板，都要这样打歼灭战，保证今后每年都有一些效益较好的重点工程项目能够投产。这项工作，市政府已做了安排，大家要服从大局、有保有舍，这样搞下去才大有希望。

最后，我还要强调一下，市政府明年将继续抓廉洁、高效。今年这方面工作做出了一定的成绩，但是还远远不能适应人民群众的要求。在廉洁方面，我看还要扩大到企业里去，因为过去讲“四菜一汤”都是限于机关干部，但现在企业有些活动搞得太铺张。我想，企业有两条要做到：第一，企业搞活动也要尽可能节约，别那么浪费，非搞不行的搞一点，厂庆宴请、送礼，建议取消；第二，企业的应酬、请客活动，本市机关领导干部不许参加。企业活动也要有所控制，不然群众对我们意见很大。至于贪污受贿，那处理起来绝不手软。如果发现哪个机关、哪个区县、哪个委办局的领导干部，贪污受贿，搞不正之风，不管级别多高都要严肃处理，不然就不能把党风端正过来。

今年在实行廉洁、高效工作中，大部分或者说绝大部分委办局、区县领导干部是认真的，这些领导同志都是在兢兢业业地工作，有些同志星期天也不休息。最近抢运煤炭、抢运粮食，市交通办、经委、财贸办等部门和市海运局、港务局都全力以赴。大多数干部没有辜负全市人民对他们的信任，但工作还做得不够，明年要进一步改进。

此外，明年还要继续下放权力。今年市政府的权力下放至区县，很有效。据我了解，每个区、每个县，一般都比财政包干指标多收了两三千万元。区县管的事多了，办的事多了，财力也增加了。希望区县同志们不要把增收的钱随意花掉。我建议：第一，拿这个钱办教育，请区县政府多支持教育和科技。第二，搞好菜场，稳定“菜篮子”。不要搞那么多咖啡馆，还是要搞一点大饼、油条、馄饨等大众化食品，为大多数市民服务。第三，修桥铺路，搞基础设施建设。总之，要把人民生活搞好。

让我们共同努力，在新的一年里去夺取新的胜利。

一九八九年要重点研究和抓好的工作*

（1989年1月4日）

我希望市政府研究室多反映人民群众的意见、要求和疾苦。我们要密切注视群众的情绪、群众的脉搏，随时准备应对各种情况。

今年工作的方针、政策、原则都定了，现在需要考虑的是究竟怎么抓。不仅要考虑今年的安排，而且对市政府五年任期也要有安排。我考虑自己今年是不是可以超脱一点，如果还像去年那样，好多事由我一竿子抓到底，可能会把一些大事耽误了。因此，市政府的常务工作由黄菊同志主持，我尽量帮助他处理些问题。下面报给市政府的报告，都请黄菊同志处理，办公厅给我也同时送一份。黄菊同志处理后我再看一下。其实不必把给市政府的报告都送到我这里。现在每天送我看的文件太多了，有些事只要让我知道一下就可以了，有些事并不要我来处理，但都等着我发话，反而会把事情耽误了。以后报给市政府的报告，就由黄菊同志和其他副市长处理，处理的结果报我了解一下。办公厅的《市政府领导批示汇编》已经在这方面起了很好的作用，我再督促检查一下。有些问题我可以事先发出警告，像轴承行业全行业合营这件事下面酝酿了一段时间后报给市政府，但对有些关

* 这是朱镕基同志在参加上海市政府研究室党支部组织生活会时发言的要点。

键问题，如资产评估、产品销售权、材料供应权等没有注意到，我就把有关委办主任找来开个小会，提醒他们。

办公厅的办文工作需要改进一下。现在有些报给市政府的文件要一两个月后给人家答复。由于有些事需要下面先协调，报告到副市长手里已经很晚了。我想办公厅对办文工作要提出几条改进的意见，规定今后向市政府写报告，主管部门要自己先协调，并把各有关部门同意什么，不同意什么，有哪些问题还没有解决，不同意的理由又是什么，都要写在报告上。这样可以克服下面的依赖心理，不要自己没协调，就往市政府一推。今后报告来了，请主管副市长先发表原则性意见，然后由副秘书长协调，最后报常务副市长批一下。副市长都不要一个人决定一件事，因为需要市政府协调解决的问题往往牵涉几个方面，如果主管某一方面工作的副市长单独决定了，可能会与另一方面的工作脱节，造成一些后遗症。

迎来送往的事还是要做，中央各部委和各省市的领导同志来上海，我还是要见一见。但宴请活动要尽量减少，请办公厅定个制度，提出点办法来。为了吸引更多外资，接见外宾我可以多做点。我腾出时间后，抓些什么事，请同志们研究一下，排个工作进度表出来，逐月做什么。我想突出几个重点问题，多搞点调查研究，多开些专题会，多下基层。

我考虑今年需要重点研究和抓好的工作，按次序来讲有这么一些：

第一，稳定市场。现在看来，上海比较稳定，主要是市场比较稳。继续保持市场稳定，有几件事要做：一是围绕 26 种人民生活必需品的生产和价格监控，要开专门会议研究落实，一抓到底，包括财政暗补和发放工业券等问题都要研究。这件事 1 月份就要抓起来，把市场真正稳定住。二是要抓菜场的管理和服务，我一直在探讨这个问题，要研究出有效的办法来。不然财政补贴了，市民却不能真正得到实惠。给一斤肉票，就要让群众保质保量买到一斤肉，而且不要排很长的队。我想这是能够做到的，要使副食品尤其是猪肉规格化，批量生产，防止有人从中做手脚，坑害消费者。

第二，调整产业结构。要专门开几天会，把调整产业结构作为一件大事来抓，而且要抓得很实、很具体。先要求各部门自己来研究、排队，列出单子来，哪些产品该发展、哪些产品要淘汰、哪些企业要关停并转。然后听三天汇报，把该上、该下的产品和要关停并转的企业定下来。上海不经过这么一番痛苦的调整，是不能把产业结构调整好的。调整产业结构的目标是，速度不要很高，今年保持增长5%就可以了，但效益要比去年好，原材料、能源消耗要比去年低。

第三，把城市建设规划和建设队伍好好整顿一下。要研究城市建设究竟怎么搞，今年必保的建设项目有哪些，必须砍掉的项目有哪些。城市建设要继续下放权力，把环卫和城建配套项目的权、责、利下放到区县去。规划部门要到区县去，帮助搞好规划，明确城乡建设该搞什么、不该搞什么。

第四，抓好重点项目建设。市重大工程建设办公室要集中力量抓这件事，把重点项目排个次序，今年做什么、明年做什么。今年一定要把近期能见效益的项目搞上去。如果把彩色显像管、冷轧薄板、30万吨乙烯这几个项目抓实了、见效了，上海的效益就上去了。

第五，“双线承包”〔1〕，工贸结合。这件事在次序上可以朝前排一点，要赶快落实。上海的外汇缺口是个大问题。要通过深化外贸体制改革，把出口创汇搞上去，上海才有出路。现在工贸结合的方案出来了，“双线承包”的基本办法也有了，要进一步做调查研究。

---

〔1〕 见本书第65页注〔1〕。

第六，办几件实事，扎扎实实地解决人民群众最迫切需要解决的一些问题。要在泽民同志抓实事的基础上，“萧规曹随”，继续把为市民办实事的工作做好。但也要有所发展，如重点工程项目已纳入计划必保了，就不必列入办实事范围。当年完不成的项目也不必列进去。凡是列入办实事范围的，必须是需要各级领导扎扎实实去抓、收效较快、人民群众迫切需要解决的事。我看主要是在改进管理、挖掘潜力、转变作风、改善服务态度等方面多下功夫。请侯旅适[1]同志

1989 年 2 月 6 日，朱镕基到 57 路公共汽车终点站看望并慰问春节期间坚持加班的公交职工。正面左一为上海市公交总公司党委书记王恩振，左二为副市长顾传训。

〔1〕 侯旅适，当时任上海市政府副秘书长兼研究室主任。

把今年要办的实事再重新排一下。当前最重要的是公共交通。缓解交通紧张状况，在加强管理、整顿秩序方面，目前不需要花很多钱，但做好了，确实能解决一些问题。关键是领导要到现场去研究解决问题，把车辆调度和车站秩序整顿抓起来。办这件事也可以确定一些考核指标，如提出把职工上下班乘车时间从一个半小时缩短到一个小时就是一项指标。可以抓几条交通最繁忙的干线进行检查，在群众中搞几次民意测验，看看公共交通服务质量是否有提高，交通紧张状况是否有缓和。今年缓解交通紧张状况的最大措施，是在机动车与自行车分流上跨出比较大的步子，这样机动车车速就可以加快，交通阻塞就有可能减少。还有占用的马路要让出来，使道路通畅。我要与市公交总公司的同志一起下去做点调查研究，包括到公交线路去实地查看。搞好公共交通确实要花很大的力量，看看安排在什么时候去搞这项调查研究为好。另外，重点建设项目也要经常去看看，彩管工地我过一段时间还要去，督促检查，促进工程的建设进度。还有一件事就是要把所有高层大楼的电梯、门窗修理问题解决好。房管所要负起责任，把这项工作做好。前天我到南汇县去，看到农村乱占耕地的情况很严重，到处大兴土木乱盖房，怎么得了！农村控制乱占耕地，这也是件实事。要发动规划部门下农村去，帮助做规划，建设新农村。这件事不是一年能办成的，是否列入办实事范围可以研究。总之，我们要办的实事必须是关系到人民群众的切身利益，而且是一年内能办得到的实事，包括与人民生活有密切关系的工程项目也可列入办实事范围，重点放在各级领导要真正为人民服务上。

第七，政治体制改革。1 月 3 日，市政治体制改革领导小组开了个会。我的看法，这件事今年不能着急。经过三个月的反复研究和论证，有些提法，如撤委建局、撤局建委、大委小局、小委大局等，现在都一律取消，不讲了。因为无论哪一种提法，都不能搞一刀切，而且容易引起干部思想的不稳定。因此，我们这一阶段政府机构改革的目标，还是转变职能，理顺关系，下放权力，提高效率，强化综合部门的作用。转变职能，如工业局要把经营管理权力逐步下放给企业，自身向行业协会过渡，今后主要搞厂长招标、企业家培训和政策调研。理顺关系，主要把目前委办局之间互相重叠、交叉的关系理顺。下放权力，除了把生产经营管理权下放到企业去之外，还要进一步把城市建设和管理权下放到区里，把农村建设和管理权下放给各县。今年机关人员编制绝对不能增加，要下道死命令控制住编制，内部可以自己调整，在这基础上再搞工资包干。

上面讲的这几个问题，请同志们把他们再排一排，确定一下每月抓些什么，有的不止是抓一次。也不止是这七个问题，可以排他八个或十个。工作方法上，也请同志们出点主意。我总的意图是想在今年抓一些大事，而且抓得深一点。

取消“小金库”*

（1989年1月21日）

“小金库”危害非常大，我去年到上海工作以后才知道。原来我对上海的乡镇企业认识非常肤浅，后来经过接触以后知道，上海的乡镇企业与国营企业有千丝万缕的关系。我原来一直搞不懂，为什么上海的地方国营企业去年5月份以前都是负增长，去年全年平均增长1.2%，而乡镇企业的速度是百分之三十几。怎么也搞不清楚，乡镇企业的优越性有那么大啊？后来我发现了一条，我们的地方国营企业很多不生产，都把原材料给郊区甚至外地的乡镇企业去生产，生产以后把他们的留利返回，返回以后就不入账，变成自己的“小金库”，从这里面支付吃喝开支、发奖金。谁也不知道他们花多少钱，谁也不知道他们发多少奖金，这个危害实在太大，所以国营企业老上不去。现在这个“小金库”究竟有多少钱？说不清。根据现在已经查出来的情况做一个估计，可能不会少于3亿元。这3亿元都是现金，分散到各个企业里面。有一个厂子，几十万元现金放在保险柜里，给人家偷走了，我们才知道这个厂子有一个“小金库”。

我跟鲍友德同志商量了，今天想宣布一个政策，来解决一下这

* 这是朱镕基同志在上海市党政负责干部会议上讲话的一部分。

个问题。这对改善我们的企业管理、整顿我们的厂风、整顿我们的社会风气都有很大好处。什么政策呢？就是“小金库”要取消，要严格执行国务院关于现金管理的决定，企业的钱都要存在银行里，不存是非法的。但是，我们想，为了有效地贯彻这个决定，恐怕要搞一点“过去从宽，以后从严”，不然这个问题还是解决不了。所以我现在宣布：你们各个工业部门也好，其他部门也好，你们的“小金库”从现在开始马上存入银行。除了你们应该缴的税以外，剩下的钱还是你们的，作为你们的留利，你们爱怎么用就怎么用，我不干涉，你们这个钱以前是怎么赚的我也不查，你们赶快存到银行里去。这叫“过去从宽”了吧？“以后从严”，从现在开始，你们还搞“小金库”，搞账外账，一旦发现，就全部没收，厂长撤职。

我想，如果厂长要真正想把企业搞好，就应该在内部机制、企业管理、从严治厂上面去下功夫，做好思想政治工作，把职工的积极性调动起来，不要搞这些歪门邪道。

给上海教育工会的信

（1989年1月31日）

上海教育工会，并转全体与会同志：

工会来信敬悉，你们新春聚会，我因事不能与会，和大家一起欢庆新春，深表歉意。特奉书致意，向大家拜年，对于在过去一年里付出辛勤劳动，作出很大贡献的大、中、小学教师和幼儿教师，以及教育工会的同志们致以诚挚的慰问和衷心的感谢。你们的任务是神圣的，但工作是辛苦的，待遇是微薄的，然而你们的功绩会永远铭记在人民的心中。

上海市委、市府将在新的一年里对教育工作采取若干重要措施，以振兴上海的教育。让我们共同努力，务期成效。

敬礼

朱镕基

1.31

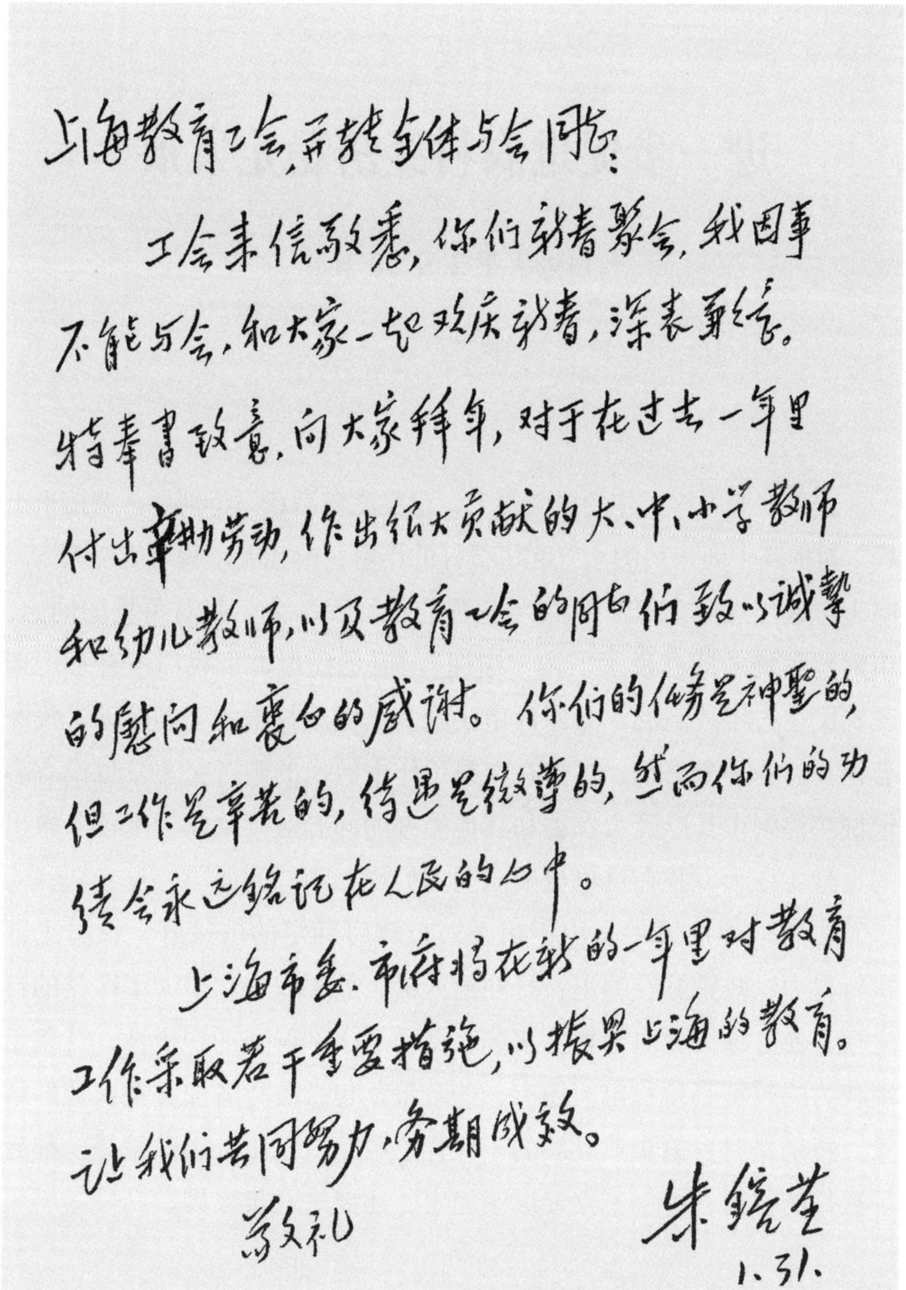

上海教育工会，并转全体与会同志：

工会来信敬悉，你们新春聚会，我因事不能与会，和大家一起欢庆新春，深表歉意。特奉书致意，向大家拜年，对于在过去一年里付出辛勤劳动，作出很大贡献的大、中、小学教师和幼儿教师，以及教育工会的同志们致以诚挚的慰问和衷心的感谢。你们的任务是神圣的，但工作是辛苦的，待遇是微薄的，然而你们的功绩会永远铭记在人民的心中。

上海市委、市府将在新的一年里对教育工作采取若干重要措施，以振兴上海的教育。让我们共同努力，务期成效。

敬礼

朱镕基

1.31.

进一步促进农村经济稳定发展*

（1989年2月18日）

去年上海农村工作的成绩很大，市民比较满意，特别是“菜篮子工程”对提高上海市民的士气起了很好的作用。前几天，我与庄晓天〔1〕同志一起出席“信誉杯”菜场竞赛的总结表彰会，我对菜场的同志、市财贸系统的同志说了三声“谢谢”，但是我也讲了我们没有忘记郊区农民在去年战高温、为保证市民副食品供应付出的辛勤劳动，没有忘记我们的县委书记、县长在农村工作中做出的艰苦努力，也没有忘记倪鸿福副市长以及市农委和其他委办的同志对“菜篮子工程”做出的贡献。今天，我在这里也要向同志们说三声“谢谢”。

去年取得成绩也是由于市委、市政府确定的政策好，农村干部执行得力。政策好在哪里？好在给区县下放了权力，扩大了区县的自主权，使各项措施更加切合实际，调动了干部群众的积极性。这条下放权力的政策必须稳定。还有一些政策，包括各行各业支援农业的政策，特别是对乡镇企业发展的一些优惠政策、以工补农政策等，都起了很好的作用，今年不仅要继续稳定，还要进一步发展。

---

* 这是朱镕基同志在上海市农村工作会议闭幕会上讲话的主要部分。

〔1〕庄晓天，当时任上海市副市长。

开会以前，我听到郊区的同志反映，说中央又要向上海收钱了，因此，市里也要向各县收钱、收权，他们担心财政包干政策要变。对此，我今天再次重申：市委、市政府确定的农村政策没有变，要继续稳定，继续执行。现在农村要稳定，上海要稳定。对这一点，我与泽民同志交换过意见，他非常赞成要稳定农村的政策。当然，稳定也不是说一点变化也没有，看来今年在政策上会有那么一点点变化。主要是中央为了治理经济环境、整顿经济秩序，最近确定了一系列紧缩财政的政策，其中有些政策要影响到农村。如对乡镇企业预算外资金要多征收10%的能源交通基金，过去征收7%，现在要再加收10%；并规定这10%的钱，一半上缴中央，一半留给地方。上缴中央的2000多万元恐怕减免不了，但留给地方的那一块，也是2000多万元，市里不要，全部留给县里。去年财政包干的政策，除了这一条以外，其他都没有变。财政包干说是三年不变，实际上，我看五年也不会变，超基数的钱还是归各县。出口也要包干，看你们谁的本事大，有本事多出口、多创汇，超包干基数的外汇就留给县里，可以用来进口饲料。

另外，国务院最近决定，要把减免税的口子收紧一点。去年市里定了一条税收优惠政策，对新办乡镇企业分别不同地区，减免所得税一、二、三年；新办城乡联营企业分别不同地区，减免所得税二、三、四年。现在根据国务院有关清理整顿和严格控制减免税的精神，市财政局已发了一个文件，要从今年起恢复征税。我们考虑，这个文件还是要执行，因为这是贯彻中央的精神，但在具体贯彻时一定要结合当地的实际。该减免的税收，2万元以下的由各县自己批，2万元以上的报到市里由市财政局来批。原则上今年从宽，我们先稳定一年，明年日子好过了，上海比较稳定了，再从严执行。因此，总的看来今年的政策没有怎么变，请同志们放心。但是，我们也要看到，从严治税是有好处的，应该把财政税收建立在规范化、制度化的基础上，不要搞随意性。

保持现行政策稳定，目的是为了稳定农村、发展农业。但我觉得，要郊县真正做到“以农为本”，首先要研究如何来提高农民种粮、种菜、养猪的积极性。我提一点意见，请同志们讨论。现在农民不愿意种粮食，说是粮价太低。其实，党的十一届三中全会以前，粮食收购价比现在低得多，但农民照样种田。为什么农民现在不愿意种田呢？主要是因为乡镇企业发展了，相对说农业的比较效益太低；乡镇企业变成“摇钱树”，农业变成了“大包袱”。因此要提高农民种粮、种菜、养猪的积极性，一方面要提高农副产品的收购价格，另一方面还得调节乡镇企业的收益。提高收购价格的钱从哪里来？市财政很紧，不可能再增加补贴，还得靠大家以工补农、以工补副。虽然现在已经是这么做了，农民也得到了一些补助，但是这种补贴形式使农民感觉不明显，觉得还是种田不合算。我们能不能考虑把乡镇企业以工补农、补副的钱，用一种税收形式集中起来，建立一笔价格基金或支农基金，然后用这笔基金去提高农副产品的收购价格。随着乡镇企业的发展，以工补农的能力逐年增强，农副产品的收购价格也逐步提高，这样农民才会感到种田还是合算的。同时，还可以通过税收政策调节乡镇企业和农副业生产的比较利益。我看建立农副产品价格补贴基金的办法，比现在的补贴方式可能更好。现在往往是从乡镇企业拿来补农补副的钱，并不一定完全用在补农补副上面，也可能浪费了。提出这个问题请同志们研究，并不是说一定要增加乡镇企业的负担，因为乡镇企业实际上已经在补农补副了，现在就是要设法使这部分钱的使用做到规范化、制度化。这项措施不能仓促推出，要慎重从事，因为现在农村需要稳定。我们主张第一步是搞调查研究，请各县的县委书记、县长和县委、县政府的领导干部都来研究一下这个问题，怎

1990 年 3 月 3 日，朱镕基考察上海市嘉定县农副产品交易中心。右四为中共上海市嘉定县委书记孟建柱。

么进一步完善以工补农的制度。第二步在各县调查研究的基础上，市政府的有关单位再来共同研究，制定方案。搞了方案以后，第三步在若干县或乡进行试点取得成功，认为确实能够调动农民种粮、种菜、养猪的积极性，我们再全面推广。对这个问题，市财政局也有个初步意见，他们建议各县能不能先把今年从乡镇企业预算外资金多征收的税金的一半集中到县里，作为农副产品价格补贴基金；或者把原来税前列支的以工补农资金拿出三分之一，完全用于提高农副产品的收购价格。这些意见可以供同志们参考。

各行各业都要为支援农业开绿灯。上海的农业在国民经济中所占的比重不大，给郊县吃一点偏饭，对全市影响也不会太大。只要各行各业都以开绿灯的精神来为农村工作服务，今年上海的农业就可以有更好的发展。目前农村面临的困难很多，需要解决的问题也很多。

煤、电问题。崇明县一天需要1700吨煤发电，现在一天只给他1000吨。因为崇明县的电是自己发的，请市经委、电力局考虑能不能多给崇明一点煤？看来很困难，但市经委领导已经答应，请崇明县直接派人去市经委商量。

资金问题。农业银行实行多存多贷，关键在于多存，多存就要大力组织储蓄。市里紧俏商品如彩电，能不能多拨给农业银行一点，让他们千方百计组织有奖储蓄，吸引农民存款。另外，对郊区的一些大项目、经济效益好的工业项目急需的资金，请市资金协调小组和各个银行给予一点支持，完全靠农业银行解决不了。

运输问题。一是由各县自己组织到的饲料、煤炭，如果运输有困难，可以找市交通办帮助解决。需要船运的，只要东西到了港口，就派船帮助运。二是农村提出要一些汽车。市计委领导说，去年就给了郊区350辆汽车。今年你们还要，还可以去找市计委，只要你们有钱，“三菱”、大卡都还有点货。三是市区通行证问题已与市公安局讲好，对农民运鲜菜进城应该优先照顾。除了运蔬菜，运其他副食品进城，也可以考虑发点通行证。办证手续是先到县里的交通队申请一下，然后由市公安局审核发给通行证。

农业机械化问题。对这个问题，大家提了不少意见。我跟市农机局局长讲，现在你的任务很重，全郊区的乡镇企业都得管，但你管不了，也很难管好。你要钱没钱，要物没物，困难多得很。但是发展农业机械化，市农机局责无旁贷，得把它管好。我就把这个任务交给市农机局，请他们研究出一个发展郊区农业机械化的方案，我和鸿福〔1〕同志一起听取汇报，共同讨论。农业机械化，实际

〔1〕 鸿福，即倪鸿福，当时兼任上海市农机化领导小组组长。

上是农业现代化。上海的农业必须现代化，因此要抓紧农业机械化的工作。

农资专营问题。我听到反映，奉贤县的一个磷肥厂，现在都涨库了，市农资公司还不让他自找门路把化肥销出去，结果工厂只好停产。请市农资公司的领导下去看一看，究竟存在什么问题。农业生产资料专营是个大问题，搞得好，能保证今年农业的发展；搞得不好，专营变成垄断，反而没什么好处。这件事情，请市农资公司务必把它搞好。对农资专营问题，市计委、财贸办也要好好研究一下，怎么使农民真正得到实惠，而且把农资分配同交售农副产品挂起钩来。这是一项很细致的工作。现在专营的办法有了，但执行结果怎样要及时检查，发现问题及时研究。我和晓天、鸿福同志要听取专题汇报。

规划问题。我现在感到可怕，就是农村不少地方盖房了盖得乱七八糟，没有统一规划，占用了不少耕地。据说，最近十年上海已经净减了40万亩耕地，再这么搞下去不得了，我们都要没饭吃了。我希望规划部门、土地管理部门，县长、乡长，把土地管起来，严格控制占用耕地，留一点地给子孙后代，留一点地给我们吃饭。大家都应该树立这种思想。菜地尤其是寸金宝地，无论如何不能随便占；必须占的，你得出3倍、5倍乃至10倍的价钱买这块地，然后拿这个钱到远郊去开发新菜地。没有这个保证，我们的“菜篮子工程”要遭受威胁。总之，请同志们控制住农民盖房占地，盖得规范化一点、集中一点。至于开发浦东，首先要把规划做好，其次把过江交通问题解决好，没有几条隧道，没有几座大桥，浦东怎么开发？市规划局要把开发浦东的规划告诉各位县长，请他们自己去控制，现在盖房子，要考虑到将来的发展，不要乱盖。这件事请市规划局再研究一下，提出几条意见来。

各行各业要为支农开绿灯，首先要了解农村的需要。我希望各个委办局领导干部定一个制度，定期一个月、半个月或一周下一次农村。我到上海来工作以后，10 个县都去过，今后还要继续下农村。同时，希望各个委办局领导也这么做，下去了解农村的需要，然后决定你这个部门如何为支农开绿灯。我也希望市农科院的同志多下农村，跟我们的县长、乡长多结合，搞好科技兴农，拿出更多的农业科研成果来。

怎样稳定市场*

（1989年2月20日）

我觉得要稳定市场，最重要的就是两方面：

第一，要组织货源。这点要特别强调。否则，你光是稳定物价，物价也稳定不住。现在的钞票，全国1月份发了300多亿元，净投放223亿元，历年从来没有一个月发过这么多票子，相当于全年计划的40%。上海今年1月份净投放9.2亿元，也是历史上没有的，所以今年物价、市场的形势非常严峻。去年8月份我们把市场稳住了，就是因为手里有东西，要是手里没有东西，市场就不能稳住，所以还是要组织货源，还是要搞活，还是要吸引全国各地的商品到上海来，包括副食品。我们不能对农业掉以轻心，今年春节市场丰富并不是单靠上海的“菜园子”，也包括财贸系统到全国各地组织货源，所以这个工作要加强。这是农业方面。

工业，主要是解决和财贸结合的问题。现在看起来，工业品只要求把19种必需品价格稳定住，其他产品不能管死，还是要涨点价，否则上海企业活不下去。但要把涨价对老百姓的影响减小到最低限度，实际上这是可以做到的，为什么？现在上海是物价低谷，上海人

* 这是朱镕基同志在上海市政府第三次常务会议上讲话的一部分。

买不到上海货，市场上充斥着外地来的质次价高的商品。如果我们把价格提上来，使上海的产品在上海销售，质量比现在的好，老百姓就不会骂娘。比如毛线，外地的40多元一斤，上海货虽然只卖29元，但没有货，所以现在也提到40多元一斤，老百姓没有意见。把工商衔接搞好的话，老百姓是不会有意见的。

第二，改进服务态度。服务也是值钱的，你涨价，但你服务态度改善了，老百姓的气会小一点。我看今年最最重要的是要使商业的风气有一个显著改变，这次市商业工作会议上无论如何要强调这一点。“不让顾客吃亏，不让顾客受气”，看起来要求低，做起来很不容易，这两条做到了，上海就不错了。我看一方面市财贸办要认真抓服务态度，另一方面要实行责任制。抓服务态度改善，首先要选派得力干部，把第一百货商店、华联商厦等几个直属你们的单位管好。我现在对第一百货商店的工作不太欣赏，告状的人很多。告诉他们的领导干部，要振作一点，要很好地为人民服务。我今天看《解放日报》，华联商厦驱除伪劣商品，停止从市内外200多家生产厂进货，有点像整顿的意思。不要搞关系、拿回扣，什么乱七八糟的东西都进南京路，不能这样搞下去。这五条街〔1〕包给区里面，区长要下决心把这些商店的服务态度整顿好，这对稳定上海的市场、改变上海的形象有很大的好处。别的事情做不到，这个事情我们一天到晚盯着它还做不到啊？事情就怕认真。

今天我看《每日动态》，浦东大道挖开的马路老是修不好，所以耀华玻璃厂厂长来信了，说他厂里职工现在候车时间延长到88分钟，损失了好大的经济效益。天增、春涛〔2〕同志都批示了，我今天看了

---

〔1〕 五条街，指当时上海的“四街一城”商业中心，即南京路、淮海路、西藏路、四川路和豫园商城。

〔2〕 春涛，即李春涛，当时任上海市建设委员会主任。

一下，怎么办呢？局长上去！市政局的副局长周学正同志，来了吗？请你到现场去，集中力量打歼灭战，马上把它弄好。各级领导要下现场。我们现在光号召没有人响应，只有你自己去，下面的同志没办法不跟着你去，搞一条算一条。这样，这个风气就能带起来，千万别小看这个做法。

我看，今年对改善服务态度也要采取这个办法，希望市财贸办各个局领导干部亲自下现场去，把风气改变过来。

在上海市监察工作会议上的讲话

（1989年2月20日）

一、市政府要继续抓政府机关的廉洁、高效，这是关系到全局的一件大事。

政府廉洁、高效是人民群众非常关心的事情。上海工作能否做好，就看我们干部是否得力；而干部是否得力，老百姓就看你是否廉洁、高效。

对上海党政机关干部队伍的廉洁状况要有一个正确估计。我觉得上海绝大多数干部是廉洁奉公、遵纪守法、兢兢业业、扎扎实实工作的，这是主流。特别是去年市政府改善政风八项规定〔1〕公布后，以市政府506个局级以上干部为重点，狠抓了政府机关干部的廉洁，情况更有好转，这是好的方面。但是，也必须看到，我们的干部队伍中也确有一些人不太廉洁，工作不负责任，只是做官，不为老百姓办事，对这种情况不可忽视。贪污受贿的现象也涉及一些处级干部、局级干部，几千元几万元的受贿情况也不是绝无仅有。我特别要讲一下农村干部的情况。现在，乡镇企业发展很快，由于搞外向型经济，与境外的联系开始多起来，如果我们一些干部经不起考验，就很容易被

〔1〕 见本书第72页注〔1〕。

腐蚀。在农村，侵犯群众利益的事比较多，带有一定的倾向性。我收到告乡干部的信相当多，反映一些干部用老百姓的劳动力，拿国家的材料给自己盖房子；买东西不付钱，把乡镇企业当成自己的“小金库”。这些现象相当普遍。有些干部觉得无所谓，可以随便向群众伸手，向乡镇企业伸手，拿港澳商人的钱，为自己造房子，供自己享受。为什么农村乱盖房子、吃喝、赌博这么严重？我们有些县乡干部带头搞，起了很坏的作用。所以，不处理几个干部，刹一刹这股风，把是非观念明确一下，是不行的。共产党员、领导干部不能干这种事情。我们是人民公仆，公私要分明，要一尘不染、两袖清风啊！把公家东西攫为己有，这样干下去，老百姓能拥护你吗？你的号召能有人听吗？所以，对局级干部，对区县乡的干部，必须从严要求。要坚持原则，不能动摇。

我们要严肃处理这类事情，过分一点也不要怕。这并不是说处理干部可以过分，而是因为现在是姑息成风，严不起来。以罚代法的情况比较普遍，干了违法乱纪的事，只是罚两个钱，代替了法律处分，代替了党纪国法的处分。这样搞下去不行。要把问题性质搞清楚，你以权谋私，搞贪污受贿，就必须由党纪国法来处理。现在说要从严，过分一点也不要怕，是针对违法乱纪行为老是得到原谅而言的。不是常有这样的议论吗？“法不责众”，“你处理一个，得罪一大片”等等。在这种情况下，对事情的处理就是要强调“过分一点也不要怕”。当然，我们在对人的处分上还是要恰当，不能过分。

去年一年，我们遇到了各种困难，而局面始终稳定。一个很重要的原因，就是上海市民对市委、市政府还有点信心。尽管我们工作做得不那么好，但我们始终讲廉洁、讲为人民服务，大家都在埋头苦干。我们市委、市政府领导班子的作风是正派的，不搞吃喝风，更没有贪污受贿。我们只有高举起廉洁、高效的旗帜，才能得到群众的拥护，市委、市政府才有威信，才能带领上海市民前进。

监察工作是为维护政府的廉洁服务的，市监察局担负着非常光荣的任务。我经常把举报的信和案件批给你们，你们人少，工作任务又很重，很忙、很累、很辛苦。而且，你们的工作还往往不容易得到被查处部门、单位或个人的理解，常常对你们有意见、有看法，你们要得罪很多人。现在敢得罪人是很不容易的。你们在去年一年里，讲原则，不怕得罪人，不搞关系学，这种精神是值得表扬的，希望你们继续发扬这种精神。市委、市政府是支持你们的。你们是清水衙门，没什么油水，但你们还是兢兢业业地工作。你们的困难，我们尽量帮助你们解决；有人对你们不理解，我们来做解释。你们坚持原则，满腔热情，但由于经验不够，造成一些工作上的缺点，不要紧，责任由我来承担，因为我是主管监察工作的。当然，你们要总结经验，改进工作，要按照党的教导和监察工作的原则，继续放手、大胆地把这项工作做好。

二、今年上海监察工作主要抓三个方面。

第一，继续抓好政府机关局级以上领导干部的廉洁、高效。尽管这方面举报越来越少，领导干部的自觉性越来越高，但是，不廉洁的现象仍有发生，总有个别不自觉的人。因此，这项工作不要放松，要继续抓。振兴上海的关键在干部，特别是局级以上的领导干部。

第二，继续抓好“七所八所”公开办事制度、廉洁为民的工作。在这次全国监察工作会议上，黄浦区介绍了经验，中央肯定了我们的成绩。去年，黄浦区、松江县先行一步，在一部分单位进行试点，今年可以考虑在更大范围推广，并进一步把配套措施搞好，建立科学的考核制度、奖惩制度，为实行公务员制度做准备。还要搞一点自费工资改革。黄浦区反映，搞公开办事制度把一些大的“外快”切断了。

这是件大好事，我们绝不能搞这种败坏社会风气的“补偿”。但是要能持久，就要考虑逐步改善他们的工资待遇。不说“高薪养廉”，高薪我们也做不到，但总要使干部待遇有所改善，使公开办事制度、廉洁为民教育活动能够持久。其他各个区县能否像黄浦区、松江县去年那样先在一个街道、一个乡试点，具体如何搞，还要研究。这件事由区长、县长亲自抓。总之，要把公开办事制度、廉洁为民教育活动进一步开展起来。

第三，对企业事业单位的负责干部包括厂长、经理，要加强监督、管理和教育。首先，他们自己应该有所约束。同时，我们也要做点规定。去年我们规定“四菜一汤”、“一菜一汤”，只限于局级干部，没有扩大到企业去，怕把企业的经营搞死。原以为领导干部带头，企业多少要好一点，现在看来，企业里的吃喝风、受礼风也很严重。有的企业举行一次厂庆活动就花几十万元。有的厂长、经理挥金如土，酒席一请就是几十桌。有的单位招待上级派来检查、评比的人，一袋礼品就值 100 元。从群众的揭发信看，老百姓对此是深恶痛绝的，他们认为我们没有制止住吃喝风。最近，我请市经委、监察局起草一个文件，把刹吃喝风、搞廉政建设延伸到企业。延伸一下，并不是要把他们管死了。管死了，“四菜一汤，生意跑光”，那也不好。但是，起码有两条是可以做到的：第一，企业搞应酬活动，尽可能节约一点，别那么浪费，必须搞的搞一点。我们不一定非靠这个东西，我就不相信一点别的办法也没有。我提醒企业领导干部，下面干部群众都眼睁睁地盯着你们。你们几个厂长在一起吃喝一顿，原材料就来了？生意就来了？不是那么一回事。企业把产品质量提高一点，品种多开发一点，拿出的产品都是过硬的，就能打开市场。难道非要送礼、非要行贿、非要给回扣才能把产品推销出去吗？第二，企业的应酬活动，本市机关干部特别是领导干部不要参加。你有本事就帮着搞原材料，难道还非吃那一顿吗？机关干部带头不去吃，企业的吃喝就会好一些。你们一起参加进去，那他们就毫无顾忌了。这件事，怎么掌握好分寸，值得研究，是个政策性问题。但我们总不该脱离群众，群众就在你身边，每个厂的职工就是你身边的群众，他们的眼睛都在瞧着你。上海要培养真正的企业家，形成一支宏大的队伍，确实需要对他们进行帮助，加强对他们的管理、教育和监督。市经委和市监察局联合起草的这个文件一定要制定好，对各方面情况都要考虑到，才能起好的作用，有利于企业家的健康成长。现在有许多好的企业家、厂长，我希望新闻界要多报道他们。他们不是靠行贿、拉关系，而是靠自己的本事来带领职工群众锐意进取；他们勇于开拓，抓技术进步，善于研究市场发展战略，搞新产品，占领市场，打到国外去；他们艰苦朴素，以身作则，与职工群众打成一片，逐步把企业里的不正之风扭转过来。

三、各级领导要高度重视干部的廉政建设，切实加强对监察工作的领导。

第一，各区县委办局的主要领导要亲自抓监察工作，抓廉政建设，始终抓住“廉洁、高效”，把队伍带起来。从市里讲，监察工作由我和黄菊同志主管，倪鸿福同志协助。三个市长管监察工作，是够重视的，我们是你们监察干部的后盾。当然，我们有市委领导的支持，泽民同志很重视，还有杨堤〔1〕同志亲自抓这件事。相信只要我们主要领导抓监察工作，廉政建设是能够搞好的。

第二，各级领导要从我做起，严于律已，为人表率。古人说：“吏不畏吾严，而畏吾廉；民不服吾能，而服吾公。公生明，廉生

〔1〕 杨堤，当时任中共上海市委副书记。

威。”〔1〕就是说，只要你是廉洁的，人家就没说的，否则，吃了人家的嘴软，拿了人家的手短。你不吃不拿，就可以严格要求下面的干部。所以，首先要自己行得正、坐得稳，你才有威信。即使你有多大本事，老百姓也不一定服你。一个人的能力总是有限的，但是，你公正、铁面无私，老百姓就服了。领导干部的能力有大小、水平有高低，但一定要公正廉明、铁面无私。你公正，看问题就不会带偏见，问题就看得清楚；你廉洁，就有威信。这些话讲得非常好，说来说去，领导干部要严于律己，从我做起。

第三，要加强对监察机关的具体领导。我们大家都要从政治上支持他们，从物质上关心他们，把监察机关建设好。要让监察机关负责人参加政府的常务会议，以及有关部门召开的重要会议。我们市长办公会议都请市监察局参加，不论什么议题，都请他们来听一听，让他们知道市政府在做些什么事情，以便他们围绕中心任务开展廉政监督工作。要经常听取监察机关的工作汇报，交任务，提要求。经常听汇报，我做得不够，但交任务、写批示，我做了不少。要切实帮助监察机关解决一些实际困难，以增强监察队伍的凝聚力和战斗力。监察机关也应加强自身队伍建设。监察机关责任重大、任务艰巨，干这工作吃力不讨好，是得罪人、挨人骂的工作。现在，绝大多数机关干部都比较清苦，生活待遇比较低，跟你们监察系统差不多，与企业比起来要差得多。但我们广大干部是有觉悟的，干工作还是要靠觉悟，靠我们对党的事业心，总要有这样一点精神。

上海的监察干部队伍，是在严格慎重挑选基础上组建的，是一支优秀的力量、一支素质比较好的干部队伍。市委、市政府对你们寄

〔1〕语出自明代郭允礼《官箴》，原文是：“吏不畏吾严，而畏吾廉；民不服吾能，而服吾公。廉则吏不敢慢，公则民不敢欺。公生明，廉生威。”

予厚望，相信你们一定会以出色的工作、清廉公正的形象，树立起社会正气的权威。市民会从你们的工作中看到希望，坚定对党和政府的信心。当然，你们也要进一步提高自己的思想、政策水平。要加强学习，善于处理各类事情，掌握分寸，使监察工作产生积极的效果。监察工作不是简单地处分一个人，我们的目的是教育干部，调动大家的积极性，把干部队伍建设好。因此，如何处理好与各方面的关系，是很重要的。在工作中既要坚持原则，也要审时度势；处理具体问题，既要铁面无私，也要恰如其分。现在，有计划商品经济的模式并没有最后形成，很多政策规定得还不够明确。所以在判定事情性质时，要十分慎重。关键要看钱是否入了个人腰包，完全入了自己腰包，那是以权谋私、贪污受贿，必须从严处理。如果违反了政策规定，钱最后归集体的，那在处理上就要有区别。总之，大家处理这些事情时要做具体分析：当时是什么形势，现在有什么影响；如何处理才能既严明政纪，又教育本人，做到合情合理。做到这样是很不容易的，同志们可以在工作中逐步积累这方面的经验。

对有些问题的调查，可以面对面，避免把问题复杂化。我们查的重点对象是领导干部，他们受过党的多年教育，觉悟都比较高，犯了错误，只要把事实搞清楚，他们是能够认识的。有些群众的检举并不一定都对事情了解得那么清楚，因而直接见面，有助于把问题搞清楚。此后，你再进行若干调查，旁证一下。我就采取这个办法。去年，凡群众给我写信检举揭发的一些高级干部，特别是不属于上海市管的干部，我在批给我们监察机关的同时，都直接同本人谈一谈。许多事情，他一讲就清楚了，本人也感到了组织对他的信任，今后会更加严格要求自己。你背着他搞，有这个事实，他没有话说，但是，如果没那个事情，他就会有反感。因此，能讲清楚的事，最好当面讲清。这是我的一点体会，供同志们参考。另外，要保护检举揭发人。

领导批的信是不应转到被揭发人那儿去的。最近，有一封群众揭发信，我没看过，是市信访办直接转到主管机关请他们处理后再报告我，结果信转到被揭发人手里，他就去整检举人。这就很不好。这和我刚才讲的“面对面”是两码事。有关工作方法的问题，同志们还可以研究。我希望今年的监察工作在保证和监督政府廉洁、高效中做出更大成绩。

上海产业结构调整要冲出新路 *

（1989 年 3 月 14 日）

这次调整产业结构会议，是第一阶段的会议，开了一天半，很多同志还没有发言，第二阶段再讲。今天因为时间关系，我就把这个阶段小结一下，讲几点意见。

第一，产业结构调整的迫切性。我们这几十年的产业结构没能有计划、按比例地发展，速度看起来很高，但产业结构不合理，效益发挥不出来，这是造成当前困难的根本原因。从上海来讲，过去的经济模式主要靠计划经济、国家调拨，今天的情况不同了，谁都是自己发展自己，原来的发展基础大大动摇了。上海如果再不根据现在大气候加速调整产业结构的话，局势已经不是“相当严峻”了，道涵同志讲是“相当紧张”，我要再说得厉害一点，就是“相当严重”了。

这一次搞产业结构调整，市政府研究室走访了市人大、政协的很多老同志，包括市政府市政工作咨询小组〔1〕的同志，整理的材料

---

* 这是朱镕基同志在上海市政府第三十二次市长办公会议研究工业产业结构调整问题时讲话的主要部分。

〔1〕 1988 年 8 月至 1992 年 2 月，上海市政府聘请汪道涵、李储文、裴先白等近 20 位老同志组成市政府市政工作咨询小组。咨询小组围绕上海市政府重点工作以及上海经济社会发展中的一些重大问题，为市政府提供决策咨询意见。

我觉得很好。市人大、政协的同志一致认为，市委、市政府做出调整产业结构的决策非常及时、非常必要。现在原材料如此紧张，不调整没有出路，这是逼上梁山。早调整早主动，晚调整就被动，不调整没有活路。我总结出他们两句话："逼上梁山"，"冲出新路"。不冲出新路，就没有活路。当然，调整产业结构有长远结合的问题。昨天泽民同志跟我讲，要求我也要把长远的调整产业结构抓起来，这个意见非常正确。我们目前还只顾得上今明两年，主要是解决今年的困难，但牵涉到真正地改变上海的产业结构，比如说发展原材料工业，不是一年两年，必须有三年五年甚至更长的过程，这件事情要继续研究。我们现在"救火"较多，考虑长远较少。近期主要是今年的目标要具体，措施要可行。上项目就要见效，不然日子也过不下去，所以近期目标应该是把节约能源和原材料作为突破口。现在能源和原材料关过不去，不节约不行；不关停并转，大家都这么耗着也不行，所以必须突出重点，特别是节约能源。因为我知道，原材料要节约，困难也是很多的，但我想口号还是要提，目标还是要提，节约能源要和节约原材料一起提。

目标具体，措施可行，马上见效，这是近期工作。请同志们要把迫切性传达到每个工业局、总公司和各委办系统全体干部中去，把这个事情当一个紧急任务去做。

第二，这次市计委牵头的三个小组经过几个月的工作，拿出了产业结构调整初步方案，成绩很大。你们各个工业局就按你们现在制定的方案去执行，赶快调整，不要再等了，这是大家的一致意见。但是这个初步方案还不深不细，也没达到我们原来提出的要求，就是今年要节约能源、原材料 8%，要用 11 个月的能源和原材料生产出 12 个月的效益。这不是命令，不是指标，而是奋斗目标。你们每个局都要照这个目标奋斗，采取一切方法去达到，否则你们的日子不好过。

希望你们根据这个会上提出的意见修改你们的方案，同时进一步调查研究，准备编制第二步方案。我感到你们现在的方案有些是很好的，但总的重点不够突出，因为作为一个局或总公司究竟今年要抓什么产品、什么项目，有什么过得硬的措施，准备达到什么目标，必须明确才好抓。我希望你们的方案能够重点突出，并且真正努力去抓出效果，达到能源和原材料节约8%。

第三，关于产业结构调整的政策问题，我们还没做决定。这是一个非常重要的问题，因为我们要实现这个目标，在目前经济条件下靠行政命令是不可能的，或者说不能完全达到目标，主要是靠经济办法，靠政策。

现在要把政策汇总起来，一条一条要非常具体的，不要原则性的、没法执行的。有关部门都得参加，特别是财政、银行，不请他们参加，你这个政策就没用。要把你们原来定的政策以及这一次各工业局提出的政策，做一个综合的研究，拿出方案来。

第四，按照产业结构调整的顺序来保证供电，大力调整负荷率。调整电力的负荷，不要一般性地提“开五停二”、“开四停三”，而是按产业结构顺序去排。每个局就这么多电，要保哪个、减哪个，你自己规定。有了这个顺序，市电力局就保证这么多。另外要减少计划外拉电，关键要调整负荷率，如果都超计划用电，他就乱拉嘛。当然华东电网也有问题，但我们自己要调整用电结构。各个局是否趁这个机会，把上下班次调整一下，缓解公共交通的紧张状况，请市建委也参加；财贸系统是否可以把商店营业时间调整一下，大家要一起来克服困难。大家想办法采取一点有效措施方便市民。

第五，做好关停并转的善后工作。我们这一次关停并转，事实上是一个小小的动作，只关停并转82个企业，而上海至少有1700个大中型企业。82个企业里面，“关二停二”，其他是并转，符合少关停、多并转的意见。影响3.3万人，这个消化并不很难，但也不可掉以轻心，还得做好善后工作，把消极因素变为积极因素。从优化组合、优化产业结构、优化企业结构、优化技术结构、提高经济效益等方面，把道理跟职工讲清楚，产品质次价高，再生产下去，上海搞不好。

第六，审批要严格把关。调整产业结构，就是要有上有下，综合平衡。这次市人大、政协的同志都提了这个意见，下是强迫的，上要慎重，所以审批要严格把关。现在新上的项目是否就一定要经过审批，这次政策措施是否规定一下。过去下放的权，特别是搞外向型、利用外资的，还要继续执行。不然投资环境刚改善一点，就又设重重关卡管起来。现在人家都说辽东半岛、山东半岛投资环境最好；而上海，领导干部说得很好，下面不怎么样。所以我们不要中断，叶龙蜚〔1〕同志还要继续把这件事抓下去，这权不要上收，但加强监督一点都不能放松。“三来一补”〔2〕特别不要限制，让他赶快搞活，把乡镇企业搞起来。除这以外，其他新上项目要把审批权上收一点，你们在制定政策时要研究一下，我看抠紧一点，不要再批新开工项目了。

第七，强调调整，但不要忽视管理。现在效益低，不单纯是产业结构不合理的问题。调整产业结构，不能解决所有问题，更重要的还是管理问题。不能因为把调整产业结构放在主要的位置，就把管理放掉了，还是要对企业从严管理，从严治厂，这个问题不是调整产业结构能解决的。根据市人大、政协同志下去的调查，许多人都在车间里打扑克、搓麻将，松松垮垮，无人管理。吴淞化工厂生产电石，过去一小时出一炉，现在两小时出一炉；过去耗电3000度，现在耗电上升到3400度。有些厂长长期在外面跑横向协作，党委、工会也不

---

〔1〕 叶龙蜚，当时任上海市政府副秘书长兼外国投资工作委员会副主任。

〔2〕 见本书第18页注〔1〕。

发挥保证、监督作用，这样下去，调整产业结构也搞不好，所以管理问题还是要强调。今年“双增双节”[1]运动包括两条，一是调整，一是管理。在管理方面要着重抓思想政治工作，这就需要党政工团大家拧成一股绳来把这件事做好。

市政府市政工作咨询小组成立以来，对市委、市政府工作有很大帮助，这种帮助有两方面。一方面就是这些老同志都是“老马识途”，往往一句话、一个条子、一封信，对我都有很大启发。因为我不大了解上海的历史情况，提醒我们市长、副市长很有好处。另一方面，有些老同志我们实际上把他们当在职干部用，他们帮我们抓了很多具体工作，帮我们出主意、想办法，给我们很大帮助，这样老中青结合起来更加符合上海实际。

---

〔1〕 见本书第30页注〔1〕。

下决心整治市内道路交通*

（1989 年 4 月 14 日）

今天我想讲几个问题。

一、上海的市内道路交通已经到了非整治不可的时候了。

上海人均占有的马路面积不到 2 平方米，如把 209 万流动人口也算进去，人均连 1.5 平方米都不到。在这样的条件下，就是下决心搞，也绝不是一两年就能解决问题的，所以我们希望市民对此期望值不要过高。但是我们总想达到一个目标，交通显著改善不敢提，很大地改善也不敢提，总得要使市民感到确实是改善了。我看这个目标经过努力还应该是做得到的。

二、整治市内道路交通要远近结合。

最近，我在北京开完会后，去北京、天津考察了一下他们城市的道路和交通管理。看来，搞城市建设一定要远近结合，办当前的事要为长远打好基础，办长远的事也一定要同当前的急需结合起来。我们在北京、天津找一些专家请教，学习了他们的经验，有三条经验我们完全可以借鉴。

第一条，首先抓好城市建设的规划，特别是交通规划。城市规

* 这是朱镕基同志在上海市整治市内道路交通动员大会上讲话的主要部分。

划要以交通为主，像天津那样，他们现在已经为今后几十年天津城市的发展奠定了基础。按照这个规划将来逐步填空子，交通方便，住房也好解决。上海人现在宁要市中心一张床，也不要浦东一套房，就是因为交通不方便，所以交通规划不抓好是不行的。我们上海已经制定了规划，城建部门、规划部门也做了大量的工作，但现在看起来这个规划还需要根据新的情况加以补充、修改。另外，没有道路交通综合规划，“头痛医头，脚痛医脚”，道路交通问题解决不了。规划要以交通为主导，这个思想要更好地体现在规划里面。

上海的交通要真正缓解，必须把人口与工业从浦西疏散到浦东。现在市区最高人口密度达到每平方公里 6 万人，往哪儿疏散呢？有些同志提出，到金山去建个“大上海”、“新上海”。这个设想不是没道理，但是终究比较远，交通难以解决，要把市中心这套网点、设施搬去是不行的。一个上海，搞了几十年，你想另搞一个上海代替它，不可能。我始终认为，将来上海市的中心还应该是在现在的市区，只要把人口疏散一些，把工厂搬走一些，把花园洋房恢复起来，拆掉一些破破烂烂的房子，恢复道路和绿化面积，上海将成为一个非常美丽的城市。

第二条，集中优势兵力打歼灭战。天津为什么能搞得这么快？他们是集中力量，一级抓一级。一说拆，就全部上去拆，一说建，就搞一条算一条，所以搞得这么快。我们上海把市内的马路挖开了，“开工有日，完工无期”。我昨天到浦东南路去开现场会，浦东南路搞了一年多，连自来水管、煤气管也经常给你挖断，大量人民来信埋怨，再不能这样搞下去了。当然，市政工程局也有困难，有体制上的困难，其他方面的困难也很多，道路开挖不是他一家能管的。今年据说要开挖淮海路造地铁车站，我说今年无论如何都不许挖了，明年挖的时候得告诉我究竟什么时候把它修起来，不告诉我什么时间修好就不要挖。

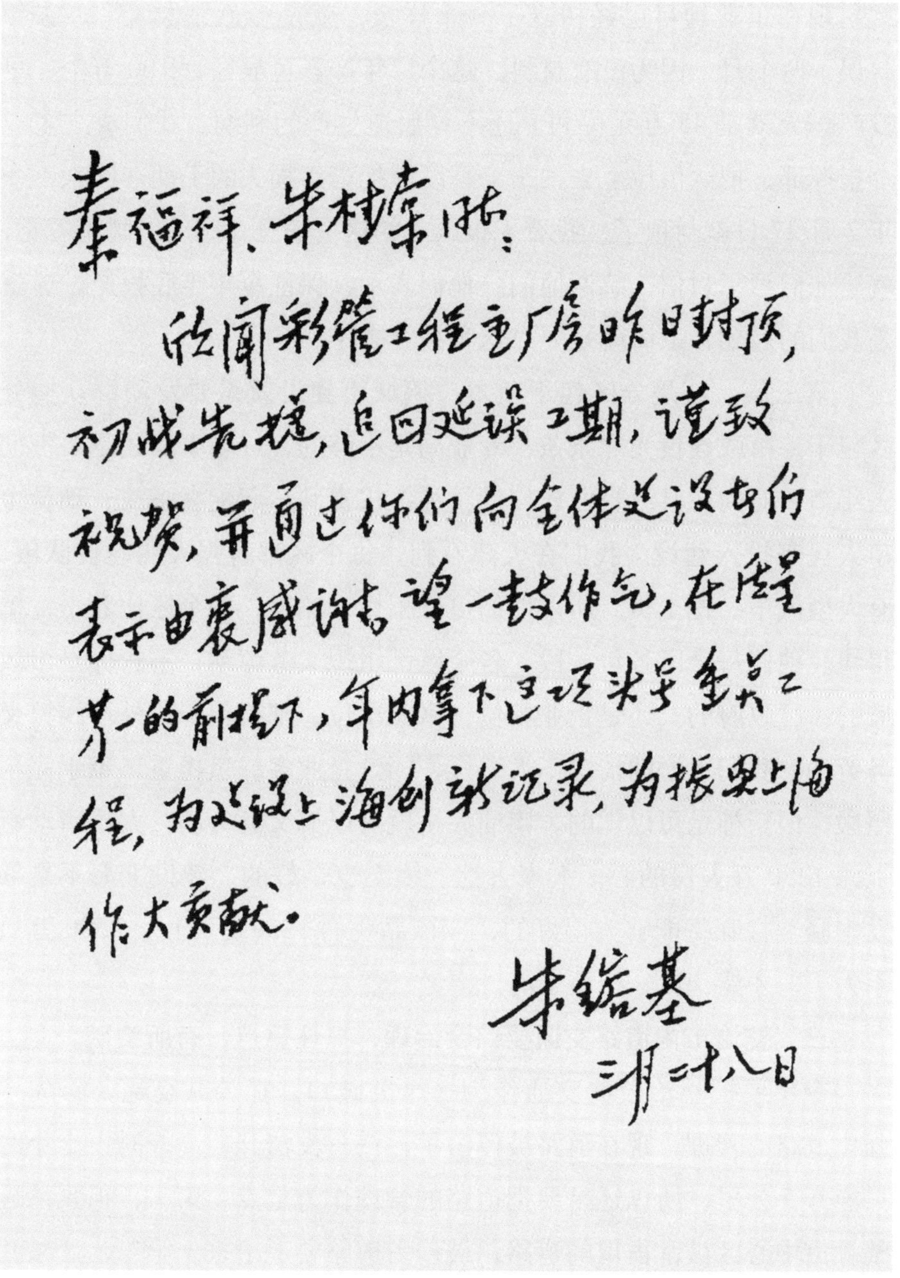
秦福祥、朱桂棠同志：

欣闻彩管工程主厂房昨日封顶，初战告捷，追回延误工期，谨致祝贺，并通过你们向全体建设者们表示由衷感谢。望一鼓作气，在质量第一的前提下，年内拿下这项头号重点工程，为建设上海创新记录，为振兴上海作大贡献。

朱镕基

三月二十八日

1989 年 3 月 27 日，上海永新彩色显像管厂主厂房封顶。图为朱镕基于 3 月 28 日写给上海市仪表电讯工业局副局长秦福祥、上海市建筑工程管理局副局长朱桂棠的贺信。

现在工业项目已经树立了一个样板，就是彩色显像管厂，去年耽误了两个月，因为没有材料。这个厂年产彩色显像管100万个，早投产一天就是45万元税利，还不算后道生产的利润。我们成立了一个指挥部，把队伍拉上去，一个季度就把去年损失的工期夺回来，今年3月27日就封顶了。我看了报纸上的这个消息，感动得睡不着觉，就给他们写了封信，感谢他们。他们表示，保证今年年底投产。这就是我们的后劲，上海就是要靠这种精神去干。

第三条，就是分区包干负责。搞城市建设就是要发动群众搞分区包干。市政建设光靠条条、专业局是不够的，好多事情还是要贯彻去年市政府向区县、企业放权的精神，权责利一起配套下放，动员全市人民来投入建设。我们在天津看到，每个区都有强大的建设队伍，有大型汽车、挖土机。所以他们可以招标、竞赛，各个区比着干，搞得快。他们每个区各包一段，各个区都组织义务劳动，不管你是市政府的、区政府的，还是企业单位、事业单位，都得包一段外环线搞义务劳动。我们上海的情况不大一样，国营企业多，负担重，难于完全照搬，但精神是可以学的。南浦大桥就可以搞义务劳动，大桥牵动着上海1250万人民的心，大家去挖一锹土也是好的。建设上海不是靠发牢骚、打麻将能够搞得好的，应该靠我们1250万人民、2500万只手去干，才能建成一个新上海。

三、整治市内道路交通要综合治理，抓住重点，有所突破。

今年要把整治公共交通作为一个突破口。抓公共交通，首先要强化道路的管理，现在道路被侵占了，汽车没法开，高峰时一个小时只能开5公里，所以还是要把道路的管理作为重点。第一，抓紧清理整顿市中心区被乱占用的道路，被侵占道路要退出来。第二，严禁乱挖和违章占用道路，要限期完成道路的修建。今年已经制定了一个法规，不允许乱挖马路，严格审批权限、完工期限，开挖以前必须明确修复的期限。第三，加强交通秩序的管理，完善主要道路的交通标志、标线的建设，整顿交通秩序。现在有很多人献计献策，里面有一条可以考虑一下，大家提出能不能对一些主要路线的红绿灯加上一点人工管理。现在这套软件，不大适合我国的情况。第四，实行机动车与非机动车分流，确保公交车辆优先通行。今年准备完成四条机动车专用道、五条非机动车专用道的建设改造，让机动车、非机动车各行其道，这是一个非常重要的措施。这样能提高车速，强化交通管理。

市公交总公司最近工作很努力，你们的新班子是有一股奋发图强精神的，这很好。今年内部整顿就要靠你们来突破了，就是要提高服务质量。第一，整顿劳动纪律，提高公交职工的服务意识。这是非常重要的。你们车子慢，等车时间长，群众还可以忍受，但售票员、司机骂人、打人那可不得了，是火上加油。你们服务态度好，人家还能消消气。我讲过，现在就是要看你们这个班子是“铁班子”还是“豆腐班子”。你们不要怕，全市人民在支持你们，该批评的要批评，该罚的要罚，该辞退的要辞退。你们开始不严，以后就严不起来了。新官上任三把火，没有三把火，你们能把公共交通这个队伍整好吗？第二，搞好内部管理，精简机构，科室人员到第一线去。五十年代时，干部都是亲临现场，到第一线去及时解决问题。当然，我并不是叫你们所有的人都到第一线去，也不需要，但这个精神是要的，大家都到现场去解决问题，干部身先士卒，不要把矛盾下放。领导班子带头，整顿是可以见效的。第三，优化线路的布局，加强调度管理，要整顿行车秩序和站点秩序，提高车辆的周转速度，缩短乘客的候车时间。要很好地研究科学管理，目的是要把人拉走，多拉人。对现在的考核指标要研究，要考核综合指标。当然，公交本身也有很多难处，不能老是批评，现在行车人员连上厕所也没有地方。要解决这么多问题，我们经过计算，去年给公交补贴 1.5 亿元，今年需要补贴 2.5 亿元，不增加这1亿元，很多问题难以解决，但要市政府再增加公交的补贴确实拿不出来了。最近一些老同志很体谅，提出月票提价。月票提价会增加企业的负担，但目前企业比去年要好一点，搞活了一些，还是有能力负担这部分月票的提价的。至于票价起点提到1角，估计群众也会谅解的。这件事要十分慎重，关系到人民切身利益，我们准备放到这次市人大、政协会上讨论。现在先做酝酿工作，希望这件事做得稳当一些，不至于引起人心的波动。

四、整治市内道路交通要处理好交通与流通、城市建设与财政收入的关系。

这话是对区长、县长讲的。目前被占的165万平方米道路中，有四分之一是用于搞商业，搭临时建筑、摆摊子，相当一部分道路是被无证个体户占的。现在无证摊贩也总结出了“经验”，虬江路取缔，就跑到闸北区去，跟我们“打游击”。各个区政府都应动员起来，不许非法摆摊。我赞成要有堵有疏，一方面要取缔，一方面要疏导。但疏导不能是从这里疏到那里，要想点别的办法，使无证的变成有证的，有证的进到房子里，但现在看来取缔还是主要的。

各区县抓财政是对的，但要看你是怎么抓，你不要到处去搞酒吧间、摆摊子、搞集市、搞夜市，搞得群众怨声载道，既影响交通，又噪声污染，弄得马路很脏。这样搞，得不偿失。我说，没有交通，何来流通？你交通搞不好，商业也是搞不好的。不要用那些原始的、落后的办法去繁荣市场。上海是个国际城市，要拿出一个国际城市的样子。希望各有关部门要支持区县政府去抓，希望各个区长、县长同志们不要再让占马路，往街道上摆摊了，不要再搞这一套了，要把精力放到依法向个体户征税上去。

区县政府有了钱，第一要花在教育上；第二是支持办好菜场，要多去发展大饼、油条、馄饨、阳春面，为人民服务；第三是搞基础设施建设、环境卫生，不要再乱盖房子了。

五、整治市内道路交通要提高市民的守法意识，让全体市民都来遵纪守法，共同努力。

交通安全关系到人民的生命安全和身体健康，市民自己应遵纪守法。对那些害群之马，大家都应该来制止，要讲文明，不要发脾气，不许侮辱殴打司机、售票员。反过来，司机、售票员殴打乘客的，也要严肃处理，这是害群之马，要除名。我们要严格要求我们的公交队伍，全体市民也要形成文明礼貌、互相谦让的风气。

搞好城市的交通整治，很重要的是要让路。市里建立了一个清理道路协调小组，我请市建委主任李春涛同志代表我担任组长，市公安局局长助理周赤同志当副组长，一文一武就能把这件事办好。清理道路，不动点真格的，路是让不出来的。希望各区的一把手也出来抓好这项工作。只有把道路、机动车、非机动车的秩序整顿好，交通的改善才有希望。

今天参加会议的不但有我们上海的，还有兄弟省市的驻沪办事处和兄弟省市的建设队伍。我希望驻沪的一些施工单位支持上海的建设，特别是在乱挖马路方面，要加强纪律约束。

最后，让我们共同努力，树立“我为人人，人人为我，从我做起”的精神，使今年上海的交通有一个看得见的改善。

开展“双增双节”，稳定上海经济*

（1989年5月19日）

为什么在这个时候召开“双增双节”〔1〕动员大会？有的同志说，现在学生在游行、静坐、绝食，我们哪有心思在这里开会。市委和市政府坚持要在这个时候召开“双增双节”动员大会，是因为目前上海的经济生活、社会生活都面临着严峻形势，遇到了很大困难。我们一定要向全市的职工和市民讲清楚，要求大家坚守生产岗位、建设岗位、工作岗位，流大汗、出大力，开展“双增双节”运动，稳定上海的经济，稳定上海的形势。

当前，经济工作中突出的问题主要表现在以下几个方面：

第一，国营企业的生产很不理想。1至4月，上海整个工业生产增长10%。但是我们的主力军——地方国营企业仅增长了0.6%，其中地方预算内国营企业还下降了0.4%，而计划要求地方国营企业今年增长2%，5个月快要过去了，却呈下降的趋势。全市生产速度虽然总的看来不错，但效益很不理想。尽管区县的财政收入有增长，但市的财政收入在下降。

---

* 这是朱镕基同志在中共上海市委、市政府召开的“双增双节”动员大会上的讲话。

〔1〕见本书第30页注〔1〕。

第二，外贸出口滑坡。1至4月，上海口岸出口创汇比去年同期下降9.5%，特别是纺织品出口下降24.5%，情况很严重。由于国内的原材料分配严重不足，价格高还拿不到手，因此只能够多进口些原材料。现在的情况是，进口敞开口子，多花了外汇，出口创汇在大幅度滑坡，怎么得了！

第三，农业生产受到气候的影响。今年气候的特点是多雨，需要警惕。4月28日的一场暴雨是115年来同期未曾有过的，已严重影响了夏收。尽管郊县的领导干部和农民采取了多种补救措施，结果仍难以预料。我已在市防汛防台动员大会上强调指出，今年要有“抗大灾、防大汛”的准备。

第四，职工出勤率不高。这段时间由于公共交通阻塞严重，影响了职工上下班，加上士气不振，相当多行业的出勤率与去年甲肝流行的时候差不多，甚至比那个时候还差。

第五，物价方面又有很多谣传。有人说“粮食要涨价了，其他的产品也跟着要涨”。这个动向是非常危险的。我在这里郑重声明：粮食不涨价，向市人大常委会报告过的19种产品不涨价，企业的亏损由地方财政补贴。所以，要做好干部群众的思想政治工作，不要去听信谣传。如果听信谣传去抢购，引起市场混乱、储蓄下降，生产就将无法进行。

今年国家抽紧银根，流动资金短缺。外贸部门拖欠生产企业，生产企业之间又互相拖欠，以致许多企业的生产难以为继。靠什么办法来解决呢？就要靠全体市民的“爱国储蓄”。把钱存在银行里，就是支持上海的经济发展。现在上海的储蓄存款在上升，我在此要向全体市民表示感谢！要是没有储蓄的增加，银行贷不出款，很多企业就要停产。如果再听信涨价的谣传，都去提款抢购，那后果就会不堪设想。现在市里对物价控制是很严的，区县也要加强管理，严格控制物价。我们完全知道，由于原材料的涨价、各种费用的上升，有些企业、服务行业确实难以维持。我们体谅到这种困难，但是也要求同志们在这个时候尽量克服困难，千万不能随意涨价。我知道现在许多小商品生产已经难以维持，但无论如何要顾全大局，以稳定为重。

在当前这样的形势下，如果我们不采取坚决的措施扭转局面，上海的经济就稳定不了。所以，一定要认清当前的严峻形势。在前天的市防汛防台动员大会上，我已向各区县、各委办局的同志们讲了，工人、农民、干部在任何情况下，都要坚守生产和工作岗位。我讲一句朴素的话，就是打死我也要坚守在生产和工作岗位上。现在是生产的黄金季节，如果拖下去不努力干，丧失了时机，是无法补回来的。生产搞乱了，每一个市民都要承受意想不到的损失，这是关系到每个市民切身利益的事。因此，我再次强调生产不能停，工人、农民、干部不能参加游行，中小学生不能参加游行。

对全市如何深入开展“双增双节”运动，我提三点要求：

一是要千方百计把出口创汇搞上去。把出口创汇搞上去，是克服当前严重困难的首要措施。全市各委办局、生产企业、外贸公司，都要明确这一点。抓住了这个关键，把出口搞上去，上海经济就搞活了。去年出口 45 亿美元，今年的目标是 50 亿美元，我们要是能把 50 亿美元拿到手，全盘就都活了。最关键的是纺织工业，纺织品出口占全市出口的 40%，现在主要滑坡是在纺织品出口。纺织工业已丧失了一点时间，想补上去难度很大，所以各行各业都要协助、帮助纺织工业把生产和出口搞上去。为此，市政府和纺织系统的 105 位厂长已经座谈了两天，昨天市纺织局又根据市长办公会研究确定的政策，制定了九条措施，现在必须赶快抓紧落实。上海纺织工人这支队伍是能够打硬仗的，纺织企业的管理历来就比较好，希望这支队伍要继续打硬仗。他们下决心保证完成全市出口创汇目标中纺织工业承担的任务，这个精神很好。纺织工业现在很困难，前段时间没有原料，现在原料有了，但棉花等级的合格率只有百分之几，工人干活非常困难。我希望工人同志们一定要克服当前的困难，尽管会累一点，但是不生产、不干活，就更困难了。

市政府多次研究了如何把纺织工业的生产、出口搞上去，如何搞好“双线承包”〔1〕，在最近几天就要下达一个规定，明确若干政策措施、奖惩办法和责任制。既有对各级领导干部规定责任制、奖惩的措施，也有把生产、出口与工人收益挂起钩来的措施。

二是把“双增双节”运动的重点放在节约上。要增产、增收，重点是要从节约里面去求增产，从节约里面去求效益，因为现在能源、原材料的困难是非常大的。这几天，煤炭库存下降得非常厉害。我们要用 11 个月的原材料和能源去取得 12 个月的效益，才能够渡过今年的难关。所以，我希望全体职工和市民，厉行节约，共度时艰。要关停并转一些企业，那些原材料、能源消耗特别高的企业要停产。这在调整工业产品结构的方案里已有了。这样做，虽然工人会受到一些损失，但希望你们体谅当前的困难，大家共同妥善地来处理关停并转以后的一些问题。

各级领导干部、企业的负责干部，在这种时候一定要以身作则，为人表率，从我做起，廉洁为民。尽管去年刹了一下铺张浪费，但情况仍然很严重。去年一个郊县的 100 多个乡镇企业，光请客应酬就花掉了 200 多万元经理、厂长基金。不单是请协作单位来吃喝，自己的亲朋好友、子女也都去吃喝，都在企业开支中报销。有的厂搞厂庆，一搞就花掉几十万元，每人发 100 多元的礼品，真是挥金如土啊！这样下去，我们的干部必然脱离群众，职工的积极性是调动不起来的。

---

〔1〕 见本书第 65 页注〔1〕。

所以，我希望全体企业干部职工，抓住节约这个中心环节，把整个“双增双节”运动带动起来。

三是振奋精神，苦干实干，到生产第一线去干。很多问题，特别是扯皮的问题、互相脱节的问题，并不都是由于能源、原材料、资金困难造成的，而是由于我们的某些干部不负责任、不去协调、不下去解决问题造成的。有的领导干部不亲自动手，一问三不知，耽误了很多事情。我要求市政府的各级领导干部和企业的领导，特别是厂长，要到第一线去跟群众一起摸爬滚打。说空话没有用，发牢骚更没有用，现在就是要干，要实干苦干。前天，我在市防汛防台动员大会上讲，现在还有部分单位对该疏浚的河道不疏不挖。我提出要限期完成，再不完成，要给处分。如果有困难，可以发动群众义务劳动，不然大潮汛一来，会造成人民生命财产很大的损失。

我们的厂长要坚定不移地贯彻《全民所有制工业企业法》。根据这个法的规定，加强企业的民主管理，依靠职工的积极性和主动精神来管好企业、办好企业，重大的问题要通过职代会讨论，要尊重职工代表的意见，充分发挥工会等群众组织的作用，发扬工人的主人翁精神，使搞好“双增双节”、发展生产、扩大出口成为干部职工的共同行动。同时，要关心职工疾苦，切实帮助职工解决实际困难，保障职工群众的合法权益。

农业方面，“菜篮子工程”无论如何不能放松。虽然前一阵下暴雨造成损失，但由于郊县干部群众的努力，蔬菜供应仍保持了稳定。我再一次向郊县的领导同志和农民表示感谢。倪鸿福副市长、市农委系统的各级领导干部，经常到县里去，跟大家一起想办法克服了很多困难。今年气候不好，万万不可大意，要及早做好防灾防虫的准备，把各方面问题考虑得周密一点。我们有信心，使今年的“菜篮子”绝对不比去年差，也不允许比去年差，要力争比去年好。请各部门同志对农业要开绿灯，帮助郊县的同志把“菜篮子工程”和今年的农业生产搞好。

我们对今年“双增双节”运动寄予很大的希望。只有把“双增双节”运动搞上去了，今年上海的生产、出口和财政收入的任务才能完成，上海的经济和局势才能稳定。因此，我们要振奋精神，同心协力，脚踏实地去苦干。只要我们认真贯彻执行党中央、国务院制定的各项方针政策，把各方面的积极性调动起来，就一定能够达到“双增双节”的预定目标，完成今年的各项任务。

稳定上海，稳定大局*

（1989年5月22日）

全体上海市民们：

我作为上海市市长，现在向你们直接讲话。我衷心希望得到你们的全力支持。

当前，上海的社会生活、经济生活已经陷入相当困难的境地。如果任其发展下去，我们将面临十分严重的后果。广大同学希望促进民主、整治腐败，这同党和政府要努力实现的目标是一致的。但是，最近一段时期的游行、示威、静坐，使许多线路的公共交通陷于停顿，生产、生活、工作都受到了很大的影响。目前，一些动向非常令人焦虑：第一，一些学生到工厂、商店串联、演讲，要工人罢工、店员罢市；第二，社会上谣言四起，大字报、小字报泛滥街头，社会上的混乱现象不断发展。这些现象使我非常焦虑不安。

上海市人民政府是全市人民的政府，我们要对上海市全体人民的生命财产安全和社会治安负责。昨天晚上，流传了一个谣言，说人民解放军要开进上海，实行军管。一些不明真相的同学赶到苏州河沿岸，堵住了沿岸的桥梁。我们对此做了辟谣，后来同学们也知道自己

* 这是朱镕基同志向上海市民发表的电视讲话。

上了当，今晨6时许才返回学校。这样那样的谣言，弄得社会上人心惶惶，值得我们高度警惕。

在前一段时期，我们各行各业的工人、农民、干部、公安干警和武警战士，为了维护社会的秩序，夜以继日地坚持在工作岗位上，表现出爱国主义的精神和主人翁的精神。在这里，我向你们表示衷心的感谢！但是，面对现在这种严重的局面，我不能不向全市人民发出呼吁：

第一，要求全体职工坚守岗位，坚持生产、建设工作。工厂是生产重地，外人不得擅自进去。要劝说同学不要到工厂去串联。我们上海的工人阶级有光荣的传统，在解放上海的日子里，甚至在“文化大革命”最混乱的时期，工厂也没有停止生产，煤、水、电、气照样供应。我们一定要坚守岗位，认真地把“双增双节”〔1〕运动开展下去。

第二，要坚决维护公共交通秩序。现在，我们上海市准备了足够的物资，供应是不会发生问题的。但是，如果交通堵塞，无法运输，那就会引起社会生活的混乱。煤饼运不到零售店去，商品、副食品运不到商店、菜场里去，这样就会引起生活上极大的困难。所以，我们要求市民不要拦车，不要扒车，不要影响交通秩序。在同学游行的时候，我们要从爱护同学出发，劝说他们回校学习。我也希望市民们不要围观。现在，有些妇女同志抱着孩子在围观，这是非常危险的，万一发生什么事故，就会出现意想不到的后果。

第三，要保护关系人民生活的要害单位，例如煤、电、水、煤气等单位的安全；要保护国家要害部门，例如机关、银行、仓库和新闻广播电视等部门的安全，不允许冲击。

第四，要维护市容环境卫生。各区县政府和街道办事处，要组

〔1〕 见本书第30页注〔1〕。

织环卫工人清除各种影响市容的大字报、小字报，堵塞传播谣言的渠道。

第五，广大公安干警和武警战士要坚决地维护社会治安和秩序。我们也希望广大市民坚决地支持他们的工作。如果没有他们辛苦的工作，我们上海的秩序就会恶化，坏人可能乘机危害人民生命和财产的安全。

市民们，我们党和政府的工作存在着很多缺点，你们不满意，我们也不满意。我们一定要在民主和法制的轨道上来解决这些问题。我们有决心也有信心解决这些问题。我们现在需要的是稳定和秩序，需要的是我们上海全体市民最大限度的团结，而不要社会的混乱、生产的下降和由此造成人民生活的困难。因此上海不能搞乱，否则造成的后果很可能今后若干年还弥补不上，而这些苦果最终还会落在我们上海每一个市民包括同学们的头上。在这种关键时刻，我们一定要坚决按照党中央、国务院提出的各项要求去做，和党中央保持政治上的一致。我们一定要立场坚定，态度鲜明，稳定上海，稳定大局，共同担负起历史的责任。

谢谢大家！

组织起来，维护上海稳定*

（1989年6月5日、6日、7日）

一

（1989年6月5日）

首先通报一下情况，今天的情况跟昨天预计的差不多，大约7000人堵住了120多处交通要道，300多辆公交车的轮胎被放气或刺破，早上开出的400多辆公交车被堵，有些人冲击公交车场。工人不能上班，纺织、机电系统统计，今天上班的人只有50%至60%，上钢三厂、一厂到中午有三分之一工人到厂，电力负荷还好，但其中有些机器开了无人工作，生产受到很大影响。市内交通全面瘫痪，邮政车和机要交通车受阻。铁路被堵，到哈尔滨的列车没法开出。现在不是军管是“学管”，其中许多人也不是学生。市委党校一辆小汽车被掀翻，武警的3辆摩托车被掀翻，不少交通岗亭上装了高音喇叭，广播“美国之音”。外国驻沪总领事馆纷纷来问能否保证

---

* 1989年6月4日以后，上海全市交通受阻，工人不能上班，生产下降，市民生活发生困难。针对这种严峻局面，中共上海市委从6月5日起连续三晚召开全市党员负责干部会议，研究布置稳定上海、稳定大局、坚持生产、保障生活方面的工作。这是朱镕基同志在三次会上讲话的主要部分。

安全。有一对住在华亭宾馆的美国夫妇，因父亲患心脏病急于回国，但到机场的路不通，跪下苦苦哀求。我们已责成振元同志负责安排外国人的出入。

今天上午，我们几个书记做了分工，主要是组织起来维护上海的稳定。黄菊、传训[1]同志抓工交、财贸系统，抽调一部分工人支援区里整顿交通。邦国同志负责组织保护机关，上午开了各系统的会，首先是保卫机关，第二是报名支援区里维护交通。庆红[2]同志为主抓舆论宣传工作，召开各区宣传部长会议。晓天[3]、鸿福同志负责农副业生产和农副食品供应。杨堤同志负责整个治安行动的指挥。

现在已开始抢购大米、榨菜、油、盐，煤饼都抢购，浦东到浦西的隧道也被堵了。看起来交通是很大问题，当前要采取的行动主要是疏通交通道口。

现在提出一个方案，采取一个疏堵行动。徐汇区提出一个报告，他们 40 多个路口交通被堵，打算以工人纠察队为主，组织疏解交通，疏解后留在原地维持秩序。我们讨论后同意徐汇区的意见。各区要行动起来，发动群众、严密组织、统一指挥、协调配合。准备 7 日上午统一行动[4]，时间保密。警察不要动用警棍。

我们也不提更多口号。第一，反对堵塞交通，我们要正常生活，要吃饭；第二，反对搞乱上海，我们要稳定上海；第三，反对暴乱，我们要法制、安全。

---

〔1〕 传训，即顾传训。

〔2〕 庆红，即曾庆红，当时任中共上海市委副书记。

〔3〕 晓天，即庄晓天。

〔4〕 因准备工作的关系，上海全市动用工人纠察队清除路障的统一行动的实际时间是 1989 年 6 月 8 日晚。

没有两倍到三倍的人数，恐怕撤除不了路障。混战一场就会造成流血。清除路障行动，最好是凌晨去。防暴警察、巡警大队要出动，对扎轮胎、砸岗亭的要抓。要有威慑力量。

共产党员要组织起来，进一步维护上海稳定。

以上情况报告了泽民同志，他同意。

二

（1989 年 6 月 6 日）

昨天我们开会以后，各大口、各区的工作比较扎实，行动迅速。总的估计，今天的形势比昨天好一点，但是也有新的动向。我通报三点情况：

第一，昨天晚上清理路障是一次很好的试验性行动，是成功的。从昨天晚上到今天凌晨 4 点，共出动 6500 多人，清除路障 120 多处，还剩下 30 多处。在这段时间里，我们组织抢运了粮食、副食品。今天晚上，市财贸办主任张俊杰同志在电视台发表了讲话，讲得很好。实践证明，只要我们组织起来，是可以稳定局势的。当然，我们也估计到，因为我们组织力量不足，还不能保持运输线畅通。在极少数人的策动下，今天早晨又新设了许多路障，连同昨天留下的共有 145 处。下午各区又主动积极清理，到下午 6 点，还剩下 93 处。今天出来的学生人数比昨天减少，只有 9 所高校的 500 多人。新设路障主要是闲杂人员、社会渣滓干的，这是非常重要的一个特点。公交职工还是很努力的，出勤率达到 80%，多数人是骑自行车或步行上班的。早晨有 55 条线路放出车辆，由于设立新的路障，全线通行的只有 3 条；下午经过清障，又有 3 条线路部分开通。目前，全市 130 条公交线路有 75 条还是无法通行。堵在路上的公交车还有 413

辆，其中有308辆被放了气。现在一个动向是学生和闲杂人员堵塞公交车场，用人堵，用社会车辆堵，有6个公交车场被堵。他们还专门破坏机修车。一个车场只有一辆机修车，用于打气、补胎。公交公司要采取措施，各区也要保护，机修车被破坏了，我们就不好修车了。铁路运输还是有几个路口经常受阻。在郊区和市区交界的地方，社会闲杂人员、社会渣滓更多。现在是沉渣泛起，他们以为要变天了，以为他们的时候到了。下午1点时，光新路口围聚了2000多人；两点以后，我们把它疏通了。现在是车站、机场也都组织起来了。今天有1000多人从虹桥路涌向机场。机场做了准备，组织起来拦截，领导站在第一排，学生知道这个消息后就回去了。

工业生产总的情况与昨天差不多。绝大多数工厂开工生产，只有少数工厂受交通影响，原料进不来，产品出不去，停工或半停工。有的地段，工人上班更困难了，昨天还可以骑自行车，今天自行车也不让过，他们就是不许你上班，工厂平均出勤率约60%。在这种交通严重瘫痪的情况下，有60%的出勤率就不错了。商店基本还开门营业，只有个别商店因人手少或受冲击，没有开门。

第二，我们的宣传工作、争取民心的工作，取得了很大成绩。今天，我们广播、电视的内容效果很好，《解放日报》、《文汇报》的版面编排也很好，我们的基本群众为我们的宣传舆论叫好。所以，我们市委几个书记研究后，认为应该表扬市委宣传部、表扬“三报两台”〔1〕。这是一场争取群众、争取民心的战斗，正是我们宣传战线的同志为上海人民立功的时候，也是为全国人民立功的时候。上海

〔1〕“三报两台”，指《解放日报》、《文汇报》、《新民晚报》，上海人民广播电台和上海电视台。

稳定就是对北京、对中央的支援。所以，今天我们提出以“三报两台”的名义发表《上海不能乱，我们怎么办?》的公开信，发动全市人民开展大讨论。我们还把公开信大量印发到每个工厂、街道，要求每个工厂一直到班组，大家都来学习讨论。我们要把真相告诉群众。现在谣言四起，一些别有用心的人采用各种方式向我们进攻。在上海的一些外资公司、合资公司从外面把谣言传过来，煽动性极强。还有一些大宾馆放录像，他不放暴徒打解放军，只放解放军还手的情况，还组织人去看。这件事请刘振元同志马上采取措施。如果属于我们中方宾馆，问他还有党员没有？放这个干什么？如果是合资经营的宾馆，要告诉他，你这样做，如果上海乱了，我们没法保证你的安全。我们接到上海交通大学报告，说有人到美国总领事馆看录像。我们问美国总领事馆，他们说没这个事。如果你邀请学生去看录像，我不能保证你的安全。我觉得我们对待谣言的态度，一个是要想办法切断谣言来源，一个是告诉人们不要听信谣言。他们在搞攻心战，我们要搞反攻心战。我们宣传战线的同志现在是到把工作做活、争取民心的时候了。要正面地宣传报道，不要听信谣言。什么军队内讧、什么军队对峙，完全是造谣。现在谣言多得不得了，我们统统不要去听，也不要问有没有这回事。另外，以“上海社科院宣”署名的传单，称有位经济学家发表意见，认为中国经济正处于严重危机之中，现在急需全面冻结存款，全面冻结外汇，大幅度提高物价。记者可以去采访他，看这样做合不合经济学原理?！他们就是要制造恐慌，鼓动大家都去提款。上海已经出现这种现象了，提款很厉害，12 个储蓄所已拿不出钱来了，开不出工资。有的外商也在凑热闹，给他们旅行支票不要，非要提现款、提美元。所以要辟谣。

第三，组织起来的工作取得进展。昨晚的试验性行动组织了

6500多人。今天的行动现已组织4万人，不包括公安干警，其中虹口区8000人，工作做得比较扎实。

但是，今天也有许多事情令人忧虑，就是我们还没有争取到最大多数的民心。昨天拆除路障时，不少围观群众采取不友好态度。另外，社会渣滓猖狂，昨天益民食品厂一车面包被抢，今天静安区一辆运钞票的汽车被放了气，我们派去了民警保护。有些人抢占岗亭，殴打民警，人们在路上走没有安全感。今天早上，市政府门口围了一伙人骂政府，有个人说了一句“未必这样”的公道话，被打得够呛，牙齿也被打掉了。如果我们再不组织起来，采取措施，群众就不敢出来讲话了，有些群众就会说现在是“白色恐怖”了。这个情况需要我们密切关注。

下一步，最重要的工作是组织起来，发动群众。从昨天到今天有很大进展。据了解，现在区的人力单薄，区机关没有多少人，市委、市政府去了一些人，人也不是很多。关键是发动群众、发动工人，首先是工业系统的工人。前一阶段，工业系统各级领导干部对这项工作是重视的，不然怎么一下子能组织这么多人呢？但是有些厂长还没有认识到当前问题的严重性，用各种方式推托说没有人。如果我们不能把群众组织起来，形成力量，把最大多数群众团结在我们周围，我们的厂长、党委书记的日子也好过不了。现在有60%的人上班，如果动员10%的人出来维持交通，交通畅通了，马上可以增加20%到30%的出勤率。怎么可以说没有人上班，影响生产呢？当前最重要的是疏通交通。这样，老百姓对市委、市政府就有信心，就敢说话。会后，要召集各局、局级公司、中央企业和大厂领导开会，请邦国、传训同志去动员。学习国家机关的办法，一要组织基干民兵保卫工厂，“养兵千日，用在一时”；二要组织宣传队维护交通。现在有一帮人在冲击焦化厂、煤气厂、发电厂、油库，要置上海人民于死地。我们一定要把真相告诉上海人民。党委书记、厂长要有危机感、紧迫感，要进一步采取果断措施，迅速行动起来。上海工人有 508 万，其中产业工人 230 万，10%就是 23 万。我上次说了，如果工厂乱了，唯厂长、党委书记是问。我也知道有些同志反映公安干警太软，有点意见，对这一点我要说明。因为现在社会上一些别有用心的人唯恐天下不乱，就是要制造事端，扩大事态，闹得天下大乱，所以市委同意公安干警要尽量避免正面冲突，要发动群众、组织起来。上海工人这么多，我们依靠工人的力量完全可以解决问题。当然不是说公安干警没有责任，没有他们不行。现在是考验公安干警的时候，每一个公安战士都要意识到，我们是人民的战士，要保护人民。我们各条战线的同志要支持公安干警工作，不要指责他们，该他们出面时他们会出面，我们要求职工协助公安干警取证、照相、扭送坏人。公交职工很辛苦，报纸要大力表扬公交职工。如果他们情绪低落，困难就会更大。现在老百姓最怕动用部队，敌人就专造这个谣，一会儿说坦克进了城，一会儿说军队已到了莘庄，制造“军管”的恐慌。我们一定要辟谣。上海乱的程度与北京不同，我们从未想过要动用军队。上海有 508 万工人，还要军管干什么？我把希望寄托在发动群众、组织起来上。我相信上海99.9%的人是希望上海稳定的，是站在我们这一边的，这就看我们的工作做得怎么样了。当然，军队是我们最重要的威慑力量，是我们政权的基础。我的意思是不要引起群众恐慌。所以，我对宣传战线的同志是寄予厚望的。我们用人民的力量来维护好上海的治安，是没问题的。还要考虑到，北京的问题不解决，上海平静不了，要有足够的思想准备。

当前的任务是反堵塞，疏导交通。各区做了很大努力，我们支持各区的行动。今天准备出动 4 万人，还不够，要准备他们明天再堵。要组织起 20 万人，才能保证全线畅通。现在 4 万人不能保持畅通，但能达到一个有限目的，能把给养都运上去。各工业局已统筹200辆车运原材料，一清除路障，车子马上出来抢运。财贸系统今天也开了会，都要在疏解交通的几个小时内把副食品、粮食全部运到零售点。加油站的问题最大，公交分公司的油只够用半天的了，今晚要出动25辆油罐车，把油统统运到加油站，用消防车保驾，预防有坏人炸车。现在我们还没有组织起足够的力量，只要我们的力量占压倒优势，就可以遏制他们、威慑他们。有些工业局的力量较强，如建工局、市政局，可以考虑条块结合，集中使用，分地段包干。如把隧道包给市政局，江南造船厂等大厂可以包路口。过去分区不大清楚的路口，现在由公安局把它们明确起来。我们要组织联防，互相支援。今天的行动方案大体是这样。

请大家注意，我们得到情报，有人准备了硫酸，未知确否，还有的拿了汽油。这个情况，希望大家要有所戒备，当然不要恐慌。有的同志提出希望高校配合，我们今天晚上就准备召开教卫工作委员会会议，明天下午找高校党委同志来商量。另外，上海学生的家长要把学生叫回去。宣传工作要配合，对这次行动，电视、广播、报纸要报道，表彰这种行动，树立正气，上海人民自己起来维护交通，保障生活。要表扬坚持上班的职工和公安干警，要大力揭露社会渣滓的破坏活动。水、电、煤气等要害部门要严格管好，凡冲进要害部门的，就把他们围起来。

三

（1989年6月7日）

今天开会的人多一点，各局局长、各大厂厂长也一起来了。

昨天疏通交通取得了很大成功，报名4万人，实到3.6万人。早上 7 点以前，59 条公交线路已全线通车，情况大有好转。利用这段时间，我们组织了抢运。

昨天发生了一起严重骚乱，一些人在光新路铁道口烧火车，把消防车调去了，使运送汽油工作受到影响。

光新路铁道口的意外事故轧死 6 人，伤 6 人，没有学生。事故发生后，一下子涌去 3 万多人，大多是闲杂人员、流氓，把火车乘客赶跑，把车窗玻璃全部砸破，先烧邮政车厢，如果火车头烧起来，很可能影响附近的油脂厂。根据公安指挥现场观察，风向还不至于影响到油脂厂。公安干警经过努力，用消防车把火扑灭了。昨天，警察在现场被揍，曾考虑动用防暴警察，但有人会找借口，他们已经在造谣了。在清理过程中，一共抓了 74 人，他们都是社会渣滓，烧了公交车，推翻了五六辆。我们避免了一场惨祸，但确实发生了一场严重骚乱，是坏事也是好事，它教育了人民，如果不制止坏人破坏，我们就不能正常生活。所以上午召开了公检法会议，确定对证据确凿、危害很大的破坏分子要进行公审，不严惩不足以平民愤。

下一步怎么行动？我们几个书记研究了一下，觉得必须采取较大规模的行动。经过三天舆论准备，市民也给我打电话，问政府怎么还不采取措施。这几天如果不打通道路，上海就会停电断粮，我们就不能保证市民的正常生活。现在只要一个学生往那里一站，闲杂人员一哄而上，就可以拦车子把轮胎放气。现在没有多少学生，能出来闹的也就四五百人，真正在闹的是社会闲杂人员。为什么不采取行动呢？问题就在于，我们还没有完全争取到民心，特别是三天以前，一些老教授情绪激动。所以，第一步是争取民心。这三天市委宣传部、“三报两台”做了很多工作。现在不要听谣言，我就问，上海是要大乱还是要稳定？有人就想把上海搞乱，向北京施加压力。这三天的舆论准备不错。上海主要依靠工人阶级。昨天上街的有 7000 多人，我们3.6万，他们人少。闲杂人员虽多，但没有组织。我们要发动群众，组织群众。国栋同志说把工人组织起来没有三天时间不行，现在已经三天了。工人会说，我们是工人，可以保卫工厂，但为什么要叫我们出去维持交通？要讲清不能用警察去对付，特别是在群众还不理解的情况下。动武完全有力量，但避免激化矛盾。实际上拿出10%的工人维持交通，就可增加20%至30%的出勤率，现在工厂没有原材料，交通又不畅，怎么生产啊？当前首要任务是稳定。

还可能有人会说，为什么不早依靠我们工人？过去靠知识分子。不能这么说，革命没有知识分子不行，但工人阶级是主人翁，不依靠工人不行。明天组织20多万人，就能保证交通畅通了。今天上海交大的校长、书记带队清路障，报纸表扬了，我也表扬了，但学生围攻，校长被逼得要辞职。有几个学校要求军管，这不行！必须考虑群众能否接受。要用群众运动对付他，用正气压住邪气。学生现在已经不是很大问题，人不多，坚持闹事的“铁杆”更少，报上点了“高自联”〔1〕的名，他们开始发生分化。“高自联”头头有的买了车票回家了。有的要求见我，说如果满足两个条件，可以号令各路清除路障。一是不要军管，二是不要秋后算账。我和杨堤同志商量，马上就答复他了，我们没有准备军管。关于第二个条件，我们对他说，只要悬崖勒马，可以既往不咎。对昨天的光新路铁道口骚乱，学生也怕，说不是他们干的。

他们是“麻雀战”，我们用运动战对付，组织机动力量，他们在哪个地方闹，我们就用五倍的力量去对付。我们有干部带头劝阻，让学生走开，他们一动手，公安干警就上去抓。除区里外，市里也有机动力量，武警待命。我们不能再等了，昨天有的工人挨了揍，情绪低

〔1〕“高自联”，是当时非法组织“上海市高校学生自治联合会”的简称。

落，路又没打通。明天中午，我发表一个电视讲话，现在我们活不下去了，非要疏通交通不可。下午就行动，坚持一两天后，问题就解决了。今天要宣布昨天是骚乱事件，这对社会渣滓是震慑。

这两天的行动要统一指挥、条块结合。

今晚的行动还是两万五千人，明天交通全部畅通。

明天行动的口号：稳定上海、稳定大局、坚持生产、保障生活。为此，反对堵塞交通，打击破坏交通的分子。让学生走开，尽量不要伤学生。

叶青〔1〕同志给我打电话说，姚依林同志听说上海发动工人维护交通，说这是好经验。他要我总结这个经验。

〔1〕 叶青，当时任国家计划委员会副主任。

上海不能乱 *

（1989 年 6 月 8 日）

全体市民们，同志们：

我向你们问好！

最近几天，我们大家都亲身体会到，上海已经到了危急的关头。

6 月 4 日以来，上海全市交通受阻，工人不能上班，生产下降；物资虽然很充分，但是运不到零售点，市民生活发生困难；路上行人没有安全感，几个学生把车一拦，刺破轮胎，如要加以制止，一群闲杂人员便上来围攻起哄。因为交通阻塞，有些医院抢救危重病人没有血浆、没有氧气；有些地区，人去世后尸体发臭了还运不出去，垃圾、粪便也运不出去。甚至发展到推翻和焚烧公共汽车、警车、摩托车，殴打值勤民警的地步。我作为市长，对于这几天来暂时未能坚决执法，保护市民的正常生活，深感不安和内疚。很多同志写信、打电话问我："市政府到哪里去了？"我很理解他们的心情，我在这里向大家检讨。

前天晚上到昨天凌晨，在光新路铁道口发生了一场上海多少年来没有过的严重骚乱。上万人围住了火车，有人放火烧着了邮政车

---

* 这是朱镕基同志向上海市民发表的电视讲话。

厢，旁边火车头里装着3000公升柴油，如果引起爆炸，再殃及附近的硫酸厂和化工厂，后果不堪设想，不知要死多少人。当时，我们派出的各级负责干部、公安局的副局长、500多个武警、80多个铁路警察、9辆消防车，都无法靠近。许多警察遭到殴打，消防车的水龙头被拔掉。我当时十分焦急，一旦爆炸，死伤惨重，可能引起上海大乱。面对这几天事态的发展，我忧心如焚，寝食不安。

从6月4日到今天，是考验我们上海人民的五天。我在这里首先要感谢广大的上海市人民，特别是上海的工人。你们在这么复杂、困难的条件下，仍然坚守岗位，坚持生产。你们为了上班，在公共汽车不能通行时，把脚、腿都走肿了。在这种情况下，全市还保持了60%至70%的出勤率，使上海工厂基本上没有出现停工，财贸系统职工、粮店和菜场的同志千方百计保证了市场供应。我们上海的工人阶级是伟大的！

我还要感谢公安干警和武装警察。你们这几天坚守岗位，尽管挨打挨骂，还是十分克制，尽力维护治安秩序。为了顾全大局，我们要你们暂时忍让，你们受了很多委屈，挨了坏人的打，心里很窝囊，我向你们表示慰问！

我也要感谢学校的领导、党组织和广大的教师。你们在十分艰难的处境下，顾全大局，对学生做了大量说服工作，甚至帮助清理路障，你们不愧为人师表。有一个大学，少数学生抢占广播站，要播放国外的谣言，带头的是两个研究生。我们的老教授、他们的导师挺身而出，晓以大义，说服了这两个研究生，最后把广播站交回了学校。我认为，这体现了我们中华民族的教师精神！

同志们，对于这种严重的局势，政府为什么没有采取强硬的法制措施呢？我们手中不是没有力量。因为现在的特点是部分学生的感情很冲动，有的学生在谣言的煽动下已经相当程度地失去理智，而社会上又沉渣泛起，混在一起，良莠难分。在这种时候，如果我们采取强硬措施，很可能误伤好人，而群众一时还不能理解。所以，我们必须发动群众，组织起来，做到思想统一，认识一致，全体市民万众一心，我们的公安干警、武装警察才能够有效地执行他们的任务。

很多同志要求我们动用武装警察，甚至动用军队。我作为市长，在此郑重声明：第一，市委、市政府从来没有考虑过要使用军队，从来没有打算实行军管或戒严。第二，因为我们相信 99.9% 的上海市民是能够在“稳定上海、稳定大局、坚持生产、保障生活”的口号下团结起来，站在党和政府的一边的。第三，上海是中国工业最集中的城市，我们有着最强大的工人阶级队伍，有 508 万职工，其中 230 万是产业工人。只要他们组织起来，支持我们、帮助我们，我们的公安干警和武装警察就完全有力量来维护上海的法制和治安。

最近三天的事实已经充分证明了这一点。过去三天，各区组织工人、干部协助市政府在晚上清理路障，第一天出动了 6500 多人，第二天 3.6 万人，昨天 2 万多人。只用一两个小时，全部路障几乎都清除了。这样就保证了生活必需品和工业原材料的运输。同志们，如果没有这三天的夜间抢运，我们早已断粮了，蔬菜也不会那么丰富啊！感谢工人同志、公交职工和农民兄弟，你们为保障上海人民的生活做出了贡献！

同志们要问，路障清除后，他们又给堵上，白天还是走不通，为什么不能做到保持交通的畅通？因为前三天我们的力量组织得不够，还需要时间来发动群众，组织起来。上海总工会组织的工人纠察队过去在保卫工厂、维护治安方面做出过很大贡献，现在，他们行动起来了。经过三天准备，每个区都组织起了一两万人的队伍。全

1989 年 6 月 9 日晚，朱镕基在市委副书记吴邦国，市委常委、上海警备区政委杨志泛，市委常委、市委组织部部长赵启正等陪同下看望工人纠察队。

市有 32 个骨干企业，还组织了一支几万人的机动力量，对此，我认为不需要保密。因为，工人纠察队是合法的组织，他们的行动是市政府支持的，他们维护交通的活动是正义的。从我今天讲话以后，他们就要行动起来，清除路障，维持全市道路的畅通。我希望全体市民支持他们的工作，帮助他们的工作，而不要妨碍他们的工作。如果有人阻碍他们的工作，就要进行劝阻。如果不法分子采取越轨行动，我们的公安干警，包括武装警察，就要采取法律措施。我希望全体市民理解这个行动，支持这个行动。我们的商店要进行联防，街道里弄也要加强治安保卫工作。工厂的工人在坚持生产的同时，还要坚决保卫工厂防止冲击，还要抽出人力来维护交通。上海有230万产业工人，抽10%就是23万人。现在的出勤率只有60%到70%，抽10%的人出来维护交通，就会有90%以上的人正常上班，就能更好地支持生产。

在这里，我要对那些社会渣滓、不法分子发出警告。你们不要把形势看错了，不要以为要变天了。1260万上海市民，再也不能容忍你们这样的无法无天了。对于光新路铁道口纵火焚烧列车、殴打公安干警、制造严重骚乱的不法分子，其中不少是没有改造好的刑满释放分子，我们已经掌握了确凿的证据，将他们逮捕归案，准备进行公审，根据法律程序，依法从重、从严、从快予以惩处。

我也要对一些同学再一次提出坦诚的忠告。你们的行动正在走向你们愿望的反面，你们现在已经走到一个边缘，你们要警惕是否和一些社会渣滓站在一起了。你们现在的情绪很激动，我无法跟你们讨论问题，我将来再跟你们对话。你们太听信谣言了，现在从境外传来的谣言铺天盖地，满街都是。这是一种攻心战，是要把人们的思想搞乱。最近在北京发生的事情是历史事实，历史事实是没有任何人能够隐瞒的，事实真相终将大白，你们为什么现在就要去听信那些谣言呢？

我们现在需要的是冷静下来，讨论一下是不是应该稳定上海，是不是应该稳定大局，是不是应该保障生活。一句话，上海如果大乱怎么得了！我们首先应该在这个问题上统一起来。你们应该看到，极少数人策划的破坏活动，是要置上海人民于死地，叫我们不能生产、不能生活下去。他们是要搞乱上海，是要毁掉上海，是要毁掉我们的人民共和国，制造一场浩劫、一场灾难，把上海人民的命运当作他们的政治赌注。如果你们继续这样下去，可能出现你们自己也控制不了的严重后果，这也是你们自己所不愿意看到的。

当然，最近几天，我也看到了一些好的迹象。由于真相逐渐清楚，很多事情已被证实都是谣言。不少同学开始醒悟，不再参加那些设置路障、危害治安的活动，也不大相信那些所谓“智囊人物”的主意了。我觉得这很好。同时，有些学生头头也有节制的表现，我表示欢迎。

同学们，我希望你们接受我送给你们的这副对联，上联是“稳定上海，稳定大局”，下联是“坚持生产，保障生活”，横批是“上海不能乱”。我们要恢复法制，你们不是讲要法制吗？没有法制，何来民主，又哪里有个人的自由呢？希望同学们听一听我的肺腑之言。

市民们，我非常赞成“三报两台”〔1〕提出开展“上海不能乱，我们怎么办?”讨论的倡议，衷心希望每个市民认真思考这个问题，并做出自己的回答。国家兴亡，匹夫有责；稳定上海，命运所系；维护法制，从我做起。

市民们，我是你们合法选举出来的市长，是经过党中央、国务院批准的。一年多来，我感谢你们信任我、支持我。我一定尽我所能，按照绝大多数市民的意愿来进行工作。虽然我的工作还没有做好，但我确实是决心把自己奉献给振兴上海、振兴中华的伟大事业。在这个危难的时刻，为了稳定上海、稳定大局、维护法制、保护人民，我不惜以自己的生命来保证这个目标的实现。在这个关键的时刻，我希望市民们支持我们，信任我们，相信我们的党、我们的政府。

谢谢大家！

---

〔1〕 见本书第290页注〔1〕。

进一步巩固上海的稳定*

（1989年6月13日）

一、前一段上海的形势。

第一，从6月9日开始，上海的形势迅速好转，发生了很大的变化。这首先表现在随着北京的形势逐步稳定，我们上海绝大多数市民在“稳定上海、稳定大局、坚持生产、保障生活”这样一个口号下团结起来了，行动起来了。可以说，得到了90%以上市民的支持。特别是我们的工人阶级，已经组织起来了，而且情绪空前高涨。这几天很多人民群众来信，有的是全家，有的是一个车间、一家商店、一所研究院，还有的署名“白发苍苍的老战士”。好多同志都说是流着眼泪写的信，我看着信也流了泪。由于群众组织起来了，万众一心，所以能够及时出动10万工人纠察队员走上街头，清除路障，交通一下子就恢复了。昨天，1000辆被损坏的公交车辆全部修复了。

这一次上海在发生严重骚乱的情况下，能够争取到这样一个结果，首要一条是由于党中央、国务院对上海的明确指示、正确决策。泽民同志每天都跟我通电话，及时传达中央领导同志的指示，所以我们大方向是很明确的。在最危急的时候，我跟泽民同志通电话，他

---

* 这是朱镕基同志在上海市党政负责干部会议上讲话的主要部分。

说，你不要寄希望于动用军队，要发动群众。所以我在电视讲话中把不动用军队的话说得很明白了，当时如果不是那么说，我们就不会这么快把工人发动起来。因为大家可以这样认为，要动用部队还要我们工人纠察队出来干什么。如果动用军队，再发动工人出来，恐怕工人就不出来了。当时有几个高校领导，感到工作很困难，要求市委实行军管。如果不明确表示不动用军队的决心，恐怕是很难发动群众的。所以我们明确宣布不军管，现在证明这一条非常得人心。好多人民群众来信说，不动用军队，依靠工人阶级，非常正确。大家安心，都踊跃地站出来，前面是工人纠察队，公安干警、武装警察做后盾，这就解决问题了。另一方面，北京的大气候在那两天有了明显的转变。许多人的思想转过来了，大家的认识在那两天有了飞跃性的提高。

第二，在整个事件处理过程中，我们每个决策都是经过集体讨论的。市委常委，市人大常委会主任叶公琦同志，市政府的各位副市长和许多老同志，大家一起慎重地研究，反复地讨论，敞开思想，提出不同意见。在这个时候，市委常委每个同志，没有一个顾虑自己发表的意见是“左”了还是右了，是激进了还是保守了，大家都是以对党、对人民、对上海的稳定负责，对历史负责的精神，提出各种不同的意见，最后进行民主决策。我们在民主决策以后，大家分头抓落实，各人负责一方面的工作，具体地去组织落实，一竿子到底。组织工人纠察队是很不容易的，进行思想发动的那三天，天天晚上开会，每天散会后，黄菊、邦国、传训同志再去开有关委、办、区、局负责人和工厂厂长会议，一个一个地去落实，我们就是这样把群众发动起来的。国栋等老同志、市顾委的同志跟我们风雨同舟，出谋献策。关键时候，我们把握不住的时候，总是把他们请出来，一起商量和把关。现在回过头来看，我们在这一次稳定上海的斗争中，全部决策没有出现什么大的失误。

第三，在稳定上海、稳定大局的过程中，我们调动了各个方面、各条战线、各个阶层、各界人士的积极性，特别是依靠了工人阶级，形成了万众一心的政治局面。市总工会在这次组织工人纠察队工作中起了很好的作用。共青团、妇联也都做了很多工作。我们的机关干部表现是好的，也做出了他们的贡献。市委、市政府机关的干部，在最困难的时候，出勤率还达到99%。我们的工人、干部在交通断绝的那三天，都是步行或骑自行车上班。许多同志说，哪怕我走三四个小时，也要坚持上班，表示我没有临阵脱逃。参加头三天维护交通秩序的，首先是机关干部报名。区级机关、市级机关广大干部表现是很好的，市委、市政府机关90%以上的人都报了名，很多机关是100%的人报名。我们的公安干警、武警官兵，在整个过程中，起了很大的作用。前一个阶段，他们是挨打受骂，心里非常窝囊。是市委要他们不要正面冲突，宁可自己受一点委屈，因为当时时机未到，怕误伤群众，引起更大的冲突。最后，工人纠察队出来了，他们的工作做得很漂亮，公安干警、武警起了很大作用，安全部门也做了大量的工作，我们向他们表示慰问。解放军是我们的坚强后盾、我们政权的基础、我们的钢铁长城、我们的柱石，他们也为稳定上海做出了贡献。

我还要代表市委、市政府向各个区委、区政府表示感谢。这次我们提出的“分区包干、统一指挥、协同作战”的方针是非常正确的。我一直主张要放权给区县，社会治安尤其要依靠他们。对那些不法分子、残渣余孽，街道里弄最了解，不依靠他们，怎么搞得清楚？就是要条块结合、以块为主。在我发表电视讲话以前，实际上，区委、区政府的负责同志已经连续几天组织队伍，拆除路障，他们几天几夜没有睡好觉了。6月8号晚上，杨浦区委书记顾灯同志的母亲心脏病发作逝世，但他坚守岗位。在今天会上，我向顾灯同志表示慰问，你公而忘私，没能见上母亲的最后一面，我很抱歉。我要表扬区委、区政府的同志们，临危不乱，坚持斗争。

我们今天还要向郊县的县委书记、县长表示感谢，尽管你们没有处在第一线，但是，你们稳定了农村，就是对市区最大的支援。各个县夜间抢运蔬菜，源源不断地支援市区。我昨天看中央电视台报道，有的城市发生了抢购，但上海没有发生抢购，这反映人民群众对政府有信心。我们财贸系统职工的表现也是好样的，利用夜间清除路障的那一段时间，组织抢运，把市场安排得很好。我听一些里弄的老太太跟我讲，说头两天有些恐慌，个体户的菜价猛涨，就买了一大批高价菜，结果国营菜场供给很丰富，多买的菜都烂了，只好倒掉，后来就骂个体户发国难财。从这些可以看出，我们的党，我们的党员、干部，我们的工人阶级，在关键时刻是经得住考验的。整个过程中，宣传部门也做了大量的工作，庆红、至立〔1〕同志和“三报两台”〔2〕的老总，龚心瀚〔3〕、龚学平〔4〕、市委宣传部的同志，每天晚上都要精心安排第二天的版面、广播。对这一段的宣传工作，市委、市政府表示满意，你们对争取人心起了很好的作用。当然，这主要是靠党中央的正确决策，但我们上海的安排也比较好。

二、下一步的主要任务。

首先是认真学习小平同志的讲话〔5〕，统一思想，进一步巩固上海形势的稳定。刚才我讲了，我们不要把成绩说得太满，不要把形势的好转估计得过高，要看到形势还很严峻。我 6 月 8 日发表电视讲话以

---

〔1〕 至立，即陈至立，当时任中共上海市委常委、市委宣传部部长。

〔2〕 见本书第 290 页注〔1〕。

〔3〕 龚心瀚，当时任中共上海市委宣传部副部长。

〔4〕 龚学平，当时任上海市广播电视局局长兼上海电视台台长。

〔5〕 小平同志的讲话，指 1989 年 6 月 9 日邓小平同志在接见首都戒严部队军以上干部时的讲话。

后，没有想到群众反应这么强烈，我非常感动。特别是6月9日上午，一下子就把交通问题解决了，正气上升，市民拍手称快。

我觉得，邓小平同志的讲话是一次历史性的讲话，是我们今后一个时期工作的纲领。所以市委决定，第一步先开一个市委全体委员的学习会。先党内后党外，先统一党内负责干部的思想、党员的思想，再来统一群众的思想。群众中有一些思想认识问题，我们要按泽民同志讲的，因势利导做好思想工作。事实真相已经大白，各种有利形势会促使他们的思想转变，这个过程不要太着急，要用小平同志的重要讲话去统一大家的认识，工作要抓紧，不必急于要人家表态。现在还是要稳定，要团结，要安定，不要搞得人心惶惶，否则稳定的局面就难以维持。我相信，绝大部分群众，特别是我们的基本群众的思想是比较好统一的。

第二个任务是进一步依靠群众，组织队伍，巩固上海的稳定局面，把交通、治安维护好。先要把工人纠察队巩固好，对此有三点要求：一是要有必胜的信心，二是要有严密的组织，三是要有严明的纪律。现在也发现一些情况，尽管工纠队是由厂党委书记、厂长带队，这保证了队伍纪律的严明，但也发现个别工纠队员在执行任务时比较松懈，这对工纠队的形象很不利。还是要向解放军学习，牢记“三大纪律八项注意”，把工纠队巩固好，不能松懈，不能麻痹，不能形势一好转就把队伍散了，这不行！有同志提出，能不能把工纠队的任务扩大一点，扫扫“黄”，打击一下黑市。我们认为，现在不宜这样做。解决这些问题不能毕其功于一役，这是对外开放以后带来的新问题，有其社会根源，现在专职执法队伍都解决不了，叫工纠队来解决，是不现实的。工纠队在紧急时刻出动，恢复全市交通，士气高涨，现在要他们去干别的事，恐怕也难动员，所以在我们还没有取得统一认识以前不动。工纠队现在主要是维护交通秩序，保护交通畅通，协助公安干警做一些治安工作。

同时，要发挥街道、里弄的作用，人人擦亮眼睛，把坏人举报出来。现在里弄的老太太都发动起来了，作用是很大的。

第三个任务是进一步开展“双增双节”〔1〕运动，把损失的时间夺回来。目标还是原来定的，现在特别要强调思想政治工作，各级机关、企业要抓好学习小平同志的讲话。我们相信工人群众有这个积极性，会把生产搞上去。对“三资”企业要做工作，要表扬好的。这几天我接到好多来信，如上海大众汽车有限公司技术执行经理保尔的来信写得很感人。总部要他回去，他听了我的电视讲话后表示不回去了，坚持骑自行车上班，所以明天我就要去上海大众看看。英国48家集团〔2〕给我发了一个电报，说我们过去是你们的朋友，现在还是你们的朋友，我们还是要继续动员英国商人与你们做生意。这很好嘛。日本丸红商社的社长讲，他深为感动的是中方的工作人员每一个人都坚持上班。他表示不走了，还要动员其他已走的人尽快赶回来。香港一位唐经理给我来信说，他真不明白，邓小平先生领导改革十年，做了这么多工作，共产党取得了这么大的成绩，为什么还有人要骂他、打倒他呢？他认为这是我们的思想宣传工作没有做好。他在帮我们总结经验了。他说，他看到上海的形势很好，决定在沪的投资不变。昨天中央电视台报道了一系列稳定外资工作的新闻，我们这方面做得不够，我们要多做工作，让离开的外商尽早回来。前段时间把力量都放在组织工纠队上了，现在要赶快把生产抓起来。

---

〔1〕 见本书第30页注〔1〕。

〔2〕 英国48家集团，即成立于1954年的英中贸易48家集团，1991年更名为英国48家集团俱乐部，并与英中贸易委员会合并，形成英中贸易集团。1998年，英中贸易集团更名为英中贸易协会。

社会主义企业家必备的基本素质*

（1989 年 7 月 5 日）

什么是社会主义企业家？对这个问题，有各种不同的说法。去年，我对市政府干部提出了三点要求〔1〕，今天我也对厂长、企业家提出三条要求，这三条是社会主义企业家必备的基本素质。

第一，要坚持四项基本原则，发扬艰苦奋斗的作风，善于做思想政治工作，能够与职工同甘共苦、摸爬滚打。首先得满足这个条件。资本主义管理都讲一套人际关系，使用各种手段、办法来笼络人心。而我们的厂长、经理代表工人阶级的根本利益，更应该和工人融合在一起。在工作中，思想工作要领先。政治工作是经济工作的生命线，这句话，我们这几年讲得太少了。我觉得只要做到这一点，很多困难是可以克服的。现在根本的问题是脱离群众，职工群众很多本来可以解决的问题也不好好去解决。不能把人心凝聚起来，怎么可能齐心协力去克服困难呢？这几年，我们的企业家很讲究派头，西装革履，成天跑国外、跑“横向”，当然这也是工作的需要，但是主要的精力总应该放在厂内管理上，主要的时间总应该穿上工装，沾点

* 这是朱镕基同志在上海市企业管理协会和企业家协会年会上讲话的一部分。

〔1〕 三点要求，见《对全市局级以上干部的三点要求》（本书第 115 页）。

油渍，与工人打成一片。把困难向大家讲清楚，取得群众的理解和谅解，工人是会与我们齐心协力、团结一致去真干、实干的。你自己不发扬艰苦奋斗的作风，又在搞特殊化，成天考虑装修自己的公寓、更新自己的汽车，就根本谈不上与他们打成一片，又怎么能向他们请教，从而找到解决问题的办法呢?

第二，要熟悉科学的管理方法，善于挖掘企业的内部潜力，用最少的物化劳动和活劳动求得最大限度的效益。这就是说，向管理要效益。要懂得世界管理科学的发生和发展，包括了解我国古代的管理方法，如孙子兵法。当然，我们主要是要掌握现代管理的方法，从泰勒〔1〕的科学管理一直到行为科学。我们应当熟悉各种各样管理的方法，结合实际，形成自己的具有中国特点的社会主义科学管理方法，去管好企业，把内部的各种积极因素调动起来，这样才能以最小的投入取得最大的产出。可惜，我们的厂长平时时间少，学习很不够，很多东西不懂，有的连管理科学的 ABC 也不懂，这样下去是不行的。厂长、经理要成为社会主义企业家，就要努力学习管理知识，加强企业管理，特别是质量管理。现在，上海产品的质量不稳定，今天好一点，明天又下来了，没有稳定的质量就不可能打入国际市场。要讲信誉，要讲质量稳定。我们现在不仅缺乏一套科学的方法，而且治厂不严。这与第一个问题是相联系的。只有自己行得正，坐得稳，又不搞特殊化，与群众打成一片，才敢于从严治厂，铁面无私，才能够把厂里的各项管理制度坚持下去。不然，都等于零。

第三，要了解国内外经济、科技发展和市场变化的动态，善于适应环境，做出切合实际的经营决策。上海要发展外向型经济，没有

---

〔1〕 泰勒，即弗里德里克·温斯洛·泰勒，美国管理学家。

这一条不行。厂长、经理需要及时知道我们的产品跟人家的产品有什么差距、世界上的名牌产品是哪几家、有什么先进技术，还要掌握国际市场变化的动态，今年什么好销，明年什么好销，对企业还款能力、贷款来源、工人素质等各方面也都要熟悉，才能正确进行决策。经营决策非常重要，有时甚至比内部管理还重要，经营决策老是失误，企业非垮不可。

我希望，大家来探讨一下怎么把我们的企业管好。我们的企业管理协会、企业家协会在这方面要多开展一些讨论，多写一些文章，还要研究怎么搞活国营大中型企业。我认为，有一条很重要，就是各企业要加强自我积累，增强技术开发、技术改造的能力。资金来源当然主要还得靠银行贷款，没有哪一个国家的企业是能够完全靠自有资金把企业改造好的，也没有哪个资本家是完全靠自己的资金发展起来的。现代企业都是靠自己的信誉、产品的声誉、经营管理的能力，取得银行的信任，靠银行的贷款发展起来的。但是，企业也得有经济实力，有偿还能力，还不出钱的企业是要关门的。做到这一点，也要靠企业自己。现在我们的国营企业搞了很多联营企业，把自己的原材料、资金、技术都给了他们，自己的企业停滞不前，几十年一贯制，老机器、老设备、老产品、老面孔，这么搞，对企业发展有什么好处呢?“好处”是企业可以从那里返利进“小金库”，然后发奖金，厂长到那里去吃吃喝喝，一概不算钱，这种情况相当普遍。我也知道厂长们的苦衷，上海的国营企业承担了上缴中央财政很重的任务，所以你们要利用这个政策使自己能宽松一点。但大家要顾全大局，这样做的结果只能是把上海的企业搞垮了。我不是说不要搞联营，只是你们联营返回来的利润大部分要用于自己的技术改造，把国营企业搞上去。现在多发奖金，扩大了消费基金，这是用吃老本的办法在搞，不是企业家的长期行为。我们的厂长、经理应先把自己的企业搞上去，然后再去联营，有多大本事就去联营多少，自己都搞不上去，还去联营什么呢？我相信，只要大家上下努力，一定能把国营大中型企业搞活。只要我们的厂长、经理按照对社会主义企业家这三条要求认真去做，全心全意地依靠工人阶级，共同奋斗，今年上海的困难一定能够克服，上海的振兴是完全有希望的。

稳住经济，很重要的是稳住物价*

（1989年7月10日）

要把今年下半年经济稳住，一个很重要的任务就是要把物价稳住，不能再涨。要争取人心，最重要的是惩治贪污腐败。但是，经济不稳定，物价上涨或者再发生一次抢购，我们的工作就很难做下去，那将四面楚歌，非常危险。我觉得市政府应该稳定下半年的物价，我不敢说冻结物价，冻结也不行，但至少要稳住，不能搞成一个全面攀比的涨价风、抢购风，那就不得了。所以，市物价局的思想认识、政策水平要提高一点，要看到这个形势，无论如何要稳住物价。半年以后，生产、出口搞上去了，形势可以转变。在目前形势下，如果马上来一个物价的波动，那是受不了的。因此，今年下半年，市物价局对物价每个月甚至每旬都要跟踪、监测，不能放松。

说起上半年，我已经把市总工会整理的放开商品价格执行情况印发给大家。上半年放开的小商品涨价很多，原来酱油一斤两毛多，现在五毛多，这个怎么得了！这也是失人心的一件事情，而且这里面好多东西并不是必须涨价，就是我们监督、管理不够。市总工会的这个材料讲的放开商品，占我们吃、穿、用的60%到70%，但市物价局没

---

* 这是朱镕基同志在上海市政府第四十一次市长办公会议上讲话的一部分。

有管，这不行！还是要监督，要管理，查出来乱涨价的要处理。

怎么办？我同意市物价局提的这几条：

第一条是党中央、国务院的精神，坚决地稳住物价，不要有任何动摇，不要怕企业活不下去，明年再说。这是第一条，政策、思想一定要非常明确。

第二条，要千方百计稳住“菜篮子”价格。别的好办，衣服三年才坏，“菜篮子”价格天天要碰到，这个不稳定不得了。人家说我们得人心，就是抓了“菜篮子”；要是不得人心，就是“菜篮子”涨价，所以一定要稳住“菜篮子”价格。还有，要保护农民的生产积极性，农副产品的收购价格不适当提高，“菜篮子”也稳不住。那怎么办呢？这里讲了一句：“要求财政部门安排好稳定副食品价格必不可少的补贴，否则主要副食品价格稳不住”，我看目前也只能这样做。要补贴，至少这半年要稳过去，如果三季度以后形势看好，四季度我们再研究政策。这个补贴是“三级补贴”，只是市政府补贴，受不了。

什么叫“三级补贴”？首先，县里要建立价格调节基金，就是对乡镇企业要用税收调节。要把这部分钱法律化、制度化地收上来，去提高农副产品的收购价格。现在漏洞非常多，乡镇企业赚的钱并不是很好地去支农支副，这方面工作要加强。今年区县财政收入的增长幅度相当大，而市财政收入在下降，要把补贴增加都压在市财政是不行的。所以，首先县里要补贴，提高农副产品收购价。

其次是区，要明确菜场价格的稳定唯区长是问。现在很多财政收入放到区里去了，实际上也增加了钱，我不是看他眼红，问题是你增加的钱干什么。我讲首先办教育，其次保证副食品价格稳定。现在菜场的亏损不应该由提高零售价来解决，应该由区里给一定补贴或优惠政策。市里面的补贴也要增加一点，但不能比原来预算增加太多，已经没钱了。

对这个问题要进一步研究，还要具体化，而且要把它当作一个非常严峻的政治任务来研究。三级负担，而且各级内部都要加强管理，各级负责。

大家看同意不同意？区县会有意见，但没有办法，现在要共度时艰。每个区长都要下很大力量整顿“黑、白、绿”(煤饼店、粮店、菜场)，都得下去帮助他们加强管理，克服困难，不准短斤少两、坑骗群众。我们再不为人民服务，就要垮台了。现在要求正区长自己带头到菜场去，我们市长也要去菜场、副食品店，都要下去蹲点，加强经营管理。这个环节的跑冒滴漏多得不得了。无论如何要把价格稳住。

第三条，“尽量稳住工业品的价格”，我建议后面再加一句“特别是要稳住原材料产品的价格”。我们在埋怨别人给我们的原材料涨价时，我们自己的拼命涨价，这怎么行呢？有困难，但不能乱涨价，要把它稳住。有一些市管的产品如牙膏、啤酒、灯泡等等是不是要涨价，市物价委员会要慎重研究，能稳就稳。物价不要随便涨，如果要涨，要公开化一点，要向市人大报告，有的要跟人民群众讲清楚，不要造成人民群众的恐慌心理，造成攀比涨价。

第四条，加强对放开商品的引导和管理，这个就是我刚才讲的意思，在市总工会的文件上，我也批了，他的意见非常好。请市物价局牵头做出严格规定，发动群众监督，他们最怕群众监督。我觉得这里面也要采取一点办法，比方说，他们为什么要涨价？当然这里面好多不该涨价，但也有原因，主要是原材料涨价。所以，我们要尽量控制原材料价格，冻结也不行。对这些涨价的东西，我们市政府是应该加强一点宏观管理，要有一点办法。有一件事情，现在市场上的头发夹子没有了。这个能用多少钢材？市物资局要研究一下怎么给他们吃一点小灶，拿一点平价原材料来供应小商品的生产。人民日常生活的重要商品，要从各种原材料或其他条件方面给他们一点优惠，给他们一点保证。

第五条，搞个文件，把这几条具体化，要有硬一点的措施。对几种公共产品的提价，我考虑了好久，这个涨价很可能引起全面的涨价，掀起一股涨价风，所以我觉得要非常慎重。另外，对某些行业做一些区别对待，也有利于调整产业结构，有利于节约用电。我们在年初讲过，要用 11 个月的原材料生产出 12 个月的效益，其实就等于强迫你调整，要你节约一点。

我建议，这个方案经过最后修订以后，能不能找一批企业、找几个局，分别不同情况进行一下测算，从 1989 年 1 月 1 日开始加上去，看活得了活不了。这个工作不能光由市物价局做，要由市经委配合做，这也是市经委了解企业盈亏情况的很好机会。找几个局、找几个厂，下去一个一个地了解情况，慎重一点，准备工作做充分一点，这个事情由市物价局和市经委牵头，不必着急，稍微稳一段时间再宣布。

清理公司是惩治腐败的重要措施*

（1989年7月13日）

有同志反映，上海惩治腐败、清理公司这项工作是否走得太快了，一刀切是否切得太早了，管得是否太严了？还有的同志说，这件事应该中央先动手，有个政策给我们，免得将来被动。也有的同志担心如果左邻右舍都不动，我们管得那么紧，怎么管得好？市委常委经过讨论，认为不能这样看问题。我们还是要按中央既定的方针、政策，坚决搞下去，不能再等了。泽民同志给我打电话，叫我们不要等中央，看准了可以赶快搞。大家知道，在惩治腐败这个问题上要中央马上搞出一个全国性的政策界限不容易，还是要各省区市先搞起来，这也是相互促进的。据我所知，左邻右舍并不比上海慢，江西的廉政建设、山东的惩治腐败都搞得很好。再说上海的地位重要，管得严一点也是完全应该的。

惩治腐败、清理公司在具体操作时头绪比较多，不能全面出击。为了集中优势兵力，为了最大限度地调动一切积极因素，这项工作的重点要突出，政策要明确，步子要稳妥。今年下半年首先抓惩治贪污受贿，几个大案争取都在8月份提起公诉，形成声势，同时宣布政策，

---

* 这是朱镕基同志在中共上海市第五届委员会第八次全体会议闭幕会上讲话的一部分。

号召坦白交代，争取从宽处理。其次是清理公司，清理公司也要分层次，一步一步来。这次会上，大家都赞成对在公司（企业）兼职的党政机关干部一刀切，赞成不搞特批，不留“尾巴”。但是从具体步骤来说，一刀切恐怕还只能是一刀一刀地切。三季度先解决部委办局级以上干部的兼职问题；处级以下的放到四季度再做部署；县以下暂时不搞，等调查研究以后再说。干部兼职，要害是兼薪，凡是兼了薪的，油水一般都很大，由此带来社会分配不公和腐败现象。对这个一定要一刀切。但是，也有一些干部是兼职不兼薪的，对这类情况可以采取变通的办法来处理，即参照市政府市政工作咨询小组成员的办法，委派一些兼职不兼薪的党政机关干部，包括年龄已经到线和过线的，作为市政府或委办的咨询小组成员，代表市政府或委办到公司里去帮助工作。在讨论中，大家也赞成这种个别情况变通处理的办法，老同志也支持这样做。

要加强法制建设。要宣传政法、监察、纪检干部依法办事、廉洁奉公和铁面无私、六亲不认的形象。现在最头痛的是，有许多人民来信批了以后几个月都没有回音，“泥牛入海无消息”。今年 7 月份，市信访办向我反映有不少案子几个月都没有处理完，我批了四个字“触目惊心”。对违纪违法案件必须坚决按党纪、政纪和法律办事，对说情、包庇的要坚决揭露，对打击报复的要罪加一等，不然，惩治腐败、清理公司这件事就干不下去。

另外，对行业不正之风要认真刹住。现在敲竹杠成风，装煤气、电话、自来水有的要给“好处”，不然就怠慢你，连医院都要看“议价病”。为这种事给我写信的太多了，这种事最容易伤群众的感情，如果每个行业都这样，发展下去危害国家、危害党，也腐蚀了我们自己。郁品方[1]同志告诉我，一个工厂门前有一堆垃圾，几个月没人

〔1〕 郁品方，当时任上海市经济委员会主任。

去清理，叫厂长组织工人去清理，厂长说不行，要清理，先得把钱交给环卫部门，交了钱才准你自己去清理。最可怕的是机关工作人员办事也要钱，这是机关搞“创收”的恶果。

对以权谋私、弄权渎职的人要严肃处理。以权谋私，利用自己的职权，在房子、待遇等方面，得到非分的好处，对这种人必须给以处分，构成贪污受贿的，必须以贪污受贿罪论处。同时，对弄权渎职问题也要引起严重注意。有些厂长不把心思放在工作上，造成极大的失误，几百万元、几千万元的财产付之东流。对这些问题必须严肃处理，不是批评批评、罚几个钱就能解决的，一定要撤职查办。要把那些坚持四项基本原则、全心全意为人民服务、艰苦奋斗的同志选拔到领导岗位上去，当然也要求他懂管理，学会正确的经营决策。

关于引进外资的几个问题 *

（1989年7月15日）

我提出几个问题，与同志们商量。

一、外资投向问题。

邓小平同志说，借点外债用于加强基础工业，也是改革开放。现在的问题是如何搞，开哪方面，关哪方面。我来上海工作之后，下放了审批外资项目的权力，简化手续，成立了“一个图章”机构——市外资委，调动了外国人来上海投资的积极性。这方面工作有成绩，但也有缺点。特别是对区县下放审批权之后，有些外资项目在审批过程中，绕过了主管部门，出现了项目重复引进、扩大污染、挤占原有市场、与国营企业争原材料和能源等消极现象。对这个问题要很好地总结经验教训。去年下放权力时，我就担心500万美元以下的项目审批工作会失控，因此一再呼吁有关部门要加强监督，发现项目重复引进、扩大污染的可予以否定，但没有监督好。请叶龙蜚同志牵头总结一下“一个图章”机构成立后是好处多还是坏处多。我看恐怕是好处多，对坏处则要建立一套监督机制来把关。但政策要稳定，不要收回

---

* 这是朱镕基同志在听取上海市闵行经济技术开发区负责同志工作汇报时讲话的要点。

已经下放的审批权。

今后，中外合资项目不要盲目发展。审批合资项目起码要符合两个条件：一是能够引进先进技术，二是产品能够出口。这两条不能放松。合资企业的外方一般并不带来多少资金，如果搞合资后，把原来的客户和承包基数都“合”掉了，出口又要占我们原来的配额，这有什么好处？这个问题请沈被章同志牵头，由市外经贸委赶快研究出几条原则来，按照产业政策，明确规定哪些项目可以搞、哪些不可以搞。规定搞出来后，就组织培训班，层层培训干部，让区县的干部掌握开放政策，提高他们的素质，使他们能正确控制外资的投向。

前几年上海宾馆盖得太多，缺少宏观控制，有历史的原因。不少合资经营的宾馆，实际上建设资金还是由中国银行及中资金融机构来担保。如果当时把这些投资多用一点搞基础工业，今天上海的工业生产就不至于这么困难。由此想到，不要盲目发展合资企业，把原有的市场挤掉了，污染反而增加。因此，对属于技术改造的“久事项目”〔1〕要重新评估。有些高亏产品，如普通轮胎，原材料要靠大量进口，产品却出口不了，再去搞合资扩大生产就划不来。纺织行业也有类似问题，有的可以只买国外的专利或关键性设备，引进技术，消化吸收。1983到1985年这几年，上海每年花几亿元投资进行技术改造，对保持工业发展后劲起了不小作用。

对兴办外商独资企业，也要做政策研究，看怎样发展有利，切忌一拥而上。

二、合资企业中方管理人员的工资问题。

现在为什么有这么多人想搞合资企业，甚至全行业的合资经

---

〔1〕 参见本书第75页注〔1〕。

营？我看一个重要原因是一旦合资经营后，中方管理人员的工资可以增长3倍、5倍甚至10倍，外国人发的“红包”还不计在内，这怎么得了？我收到许多人民来信，强烈要求政府管一管这种严重的分配不公状况。我们有责任去解决这个问题。请鲁又鸣[1]同志抱着对党负责的态度，调查一下合资企业的中方人员工资收入情况，并研究一个政策，对过去拿了高收入的怎么办，以后又怎么办。据反映，上海华亭集团公司是一个国营企业，委托外方进行管理，成立了一个董事会，一当上中方董事长，每月工资就加到500元，这么容易拿钱，把地方财政收入都挖掉了。如果任其发展下去，干部队伍要受腐蚀，国营企业要垮台，因为国营企业无论如何没有这个本事发那么多的工资、奖金。最近市体改办搞的材料《本市收入畸高的十种人》非常好，内容很生动，十种人之一就有合资企业的中方负责人。过去我们曾提倡在现有企业搞合资经营，现在看来有些问题需要深入研究。

对收入分配不公的问题，今年来不及解决。当前首先要解决贪污受贿、以权谋私等不正之风。解决分配不公的问题要缓一步，但对这个问题可以组织力量先研究起来。对合资企业中方管理人员高收入的调查，不能大张旗鼓地进行，也不要去逐个调查个人收入的情况，而是从研究整个合资企业的工资制度入手，利用合法的、公开的途径，去核对财务、税收账目，透过账面上公开的数字，加一点修正系数，从中得到一些比较符合实际的情况。在这个基础上，再提出一点意见，看看怎么解决合资企业和国营企业的分配不公问题，至少做到两者职工收入的差距不太悬殊。

---

〔1〕 鲁又鸣，当时任上海闵行联合发展有限公司董事长兼总经理。

关于质量管理问题的批语 *

（1989 年 7 月 16 日）

请陆吉安〔1〕同志严处，此风决不可长。如属实，要“杀”一儆百，不惜“牺牲”。(“杀”是严厉的行政处分，直至免职；“牺牲”是推倒重来。)

朱镕基

7.16

＊ 1989 年 7 月 13 日，中共上海市委、市政府信访办公室《来信摘报》报送了上海汽车拖拉机工业联营公司部分职工写给朱镕基同志的信。来信反映在“桑塔纳”轿车零部件国产化工作中，某些领导片面追求指标、弄虚作假的问题。这是朱镕基同志在该摘报上的批语。

〔1〕 陆吉安，当时任上海汽车拖拉机工业联营公司副董事长兼总经理。

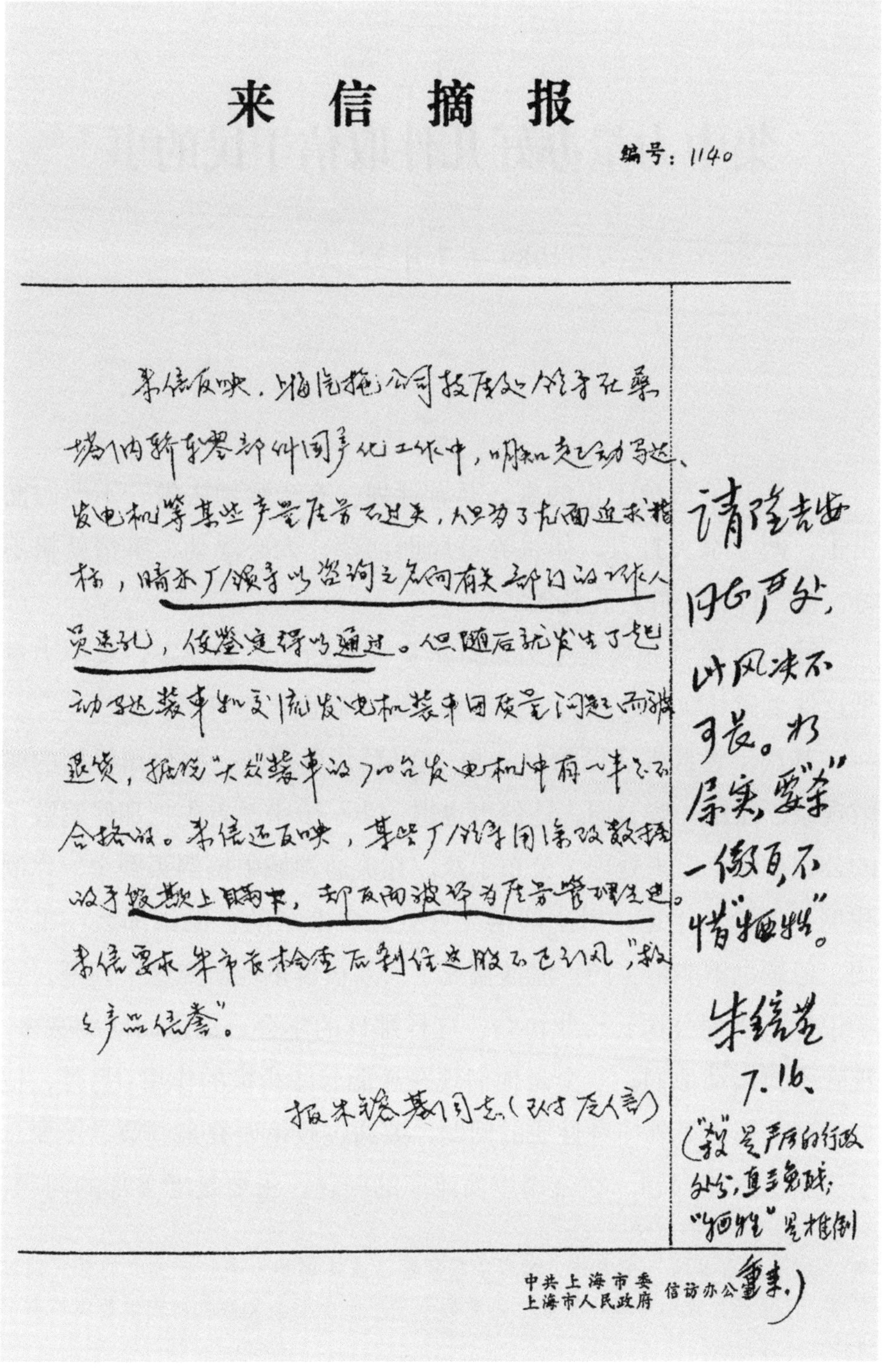

来信摘报

编号：1140

来信反映，上海汽拖公司技术处处长徐子红在桑塔纳轿车零部件国产化工作中，明知起动马达、发电机等某些产品质量不过关，但为了片面追求指标，暗示厂领导以咨询之名向有关部门的工作人员送礼，使鉴定得以通过。但随后就发生了起动马达装车和交流发电机装车因质量问题而被退货，据说"大众"装车的700台发电机中有一半不合格的。来信还反映，某些厂领导用修改数据的手段欺上瞒下，却反而被评为质量管理先进。来信要求朱市长检查后刹住这股不正之风，"救救产品信誉"。

报朱镕基同志（附原信）

请陆吉安同志阅处，此风决不可长。如属实，要"杀"一儆百，不惜"牺牲"。

朱镕基
7.16

（"杀"是严厉的行政处分，直至免职；"牺牲"是推倒重来。）

中共上海市委
上海市人民政府 信访办公室

集中力量办好几件取信于民的事 *

（1989 年 7 月 22 日）

办好几件取信于民的事，要有计划、有步骤地去做，不要四面出击，两个拳头打人。如果弄得局面动荡，人心浮动，事情就搞不好。做一件算一件，扎扎实实。

我们目前首先要集中力量打击贪污受贿的大案要案，集中力量把这件事做扎实，效果一定会很好，做完后也无懈可击。

其次，老百姓痛恨的是一些"官倒"，要查处一些公司里面的腐败现象，撤销一些公司。这件事也得一步一步来，首先把那些腐败了的公司拿几个出来处理，公布于众。在流通领域中搞倒买倒卖，你倒我倒，加价几十道，对生产毫无好处，看准了的，撤销那么一批公司，但是也不能把生产、流通搞死了。要很慎重地研究这个问题，至于说什么咨询公司、行业协会、这样那样的学会，这里面问题甚多，现在不要去动他们。一个是他们现在还能起些积极的作用；另外，他们的问题属于另外一种性质的问题，要通过政策研究来调节，不要急于去解决这些问题。在公司里面兼职的问题，主要是老干部的问题，

---

* 这是朱镕基同志在中共上海市委组织部、宣传部和市委党校主办的第一期部委办、区县局党政主要领导干部学习党的十三届四中全会文件轮训班学员座谈会上讲话的一部分。

也要慎重，既要一刀切，也要一刀一刀地切，看清了，一步一步做。

至于说党内的不正之风、以权谋私等等问题，包括行业不正之风，我们放后一些来解决。有些问题需要整个社会大气候改变以后，

1989 年 7 月 22 日，朱镕基在中共上海市委党校与干部轮训班学员座谈。前排右一为市委常委、市委组织部部长赵启正，左一为市委党校副校长严家栋。（郭天中摄）

再去解决比较容易，现在解决比较难。我们不要企图一个晚上把所有的不合理现象扫除尽，要一步一步来。如扫黄色书刊，出动那么多人，扫掉以后 48 小时，依然如旧。这种事一方面要经常扫，另一方面要看到不是一下子扫得绝的，要等到社会大气候好转了，才可能扫绝。《解放日报》今天登一条消息，本市公安、工商等部门千余人上街，取缔无照经营，打击非法交易；但下面又登一条：外滩又被无证摊贩占领。我说对这件事不能小看，要扎扎实实地搞，做到制度化。同时也得估计到艰巨性，一步一步来，太着急了也不行。但是，信心

还要有，上海的社会风气一定会好转。有的同志说，大气候这个样，你上海这样搞也白搭。不吃白不吃，不拿白不拿，请客送礼照旧。这个不对。大气候是小气候形成的，大家都来创造小气候，大气候就能形成。不管别人怎么样，我们自己要做好。最重要的是领导干部要带头。我过去讲506个局级干部是政府系统的，加上市委系统的，还有其他的局级干部，共2000多人。这2000多人是上海真正的精英、上海的“脊梁骨”，他们要都行得正、坐得稳，屁股上没有屎，不请客，不送礼，不吃请，不拿公款挥霍浪费、给自己修房子。不干这些事，上海的廉洁风气就一定能够形成。上海处级干部有两万人，2000多局级干部站住了，那两万人也就能站住了。去年一年来，你不能不承认上海的风气有所好转。当然不能估计过高，说有所好转还是可以的。过去一年，我们的局级干部基本上是站稳了，虽然还是有违规的，也通报了不少，但基本上站稳了。再来一年，两万人可以站稳，这就好办了。我相信搞个三年五年，上海的风气是可以转变的，就是我们不能放松。我也知道这很难，我现在也没有做得百分之一百的好，很难。但是只要我们大家有决心来抵制不正之风，上海的风气就可以好转，大家应当有这个信心。我愿意与同志们共勉，把这个风气带出来，带出1200多万人一个好的作风。到那时，赌博啊、黄色书刊啊，就比较容易解决一些。现在还是要坚持不懈地查禁，但一下子要扫干净不是那么容易。

我还想讲讲干部的作风问题。我衷心希望各级干部在作风上能够更扎实一些，多办几件与人民群众利益密切相关的实事。我曾提出过对干部的三点要求〔1〕。我再次强调我们委办局的干部做事情更加扎实一点，能够贯彻市委、市政府的意图，扎扎实实地为基层办一些实

〔1〕 三点要求，见《对全市局级以上干部的三点要求》（本书第115页）。

事，解决他们的一点困难，调动他们的积极性，把全市的工作做好。现在蔬菜又碰上困难了，上市量比去年同期减少百分之三十几，数量还不成问题，主要是品种。市农委的同志要加以重视。我很担心，在上海取得民心主要靠“菜篮子”，你把“菜篮子”丢了，我们就垮台了。要抓紧，注意这个苗头，把问题解决在萌芽状态。对区县来说，我还是那个思想，要把上海的事情办好，还是要划分权责利，分级负责。市和区县两级管理上海，一定要明确，一点不动摇，有什么毛病就改什么毛病，原则不动摇，就这个办法。什么事都靠我一个人是抓不好的。希望 12 个区委书记、12 个区长、9 个县委书记、9 个县长比我还积极，你们比我年纪轻一点嘛，要多到基层、多到老百姓那里去，关心他们的疾苦，解决他们的问题，希望你们成为受到他们爱戴的区委书记、县委书记、区长、县长。管理上海，要法制加铁腕。没有这个精神，不要想治理上海。当然，总的还是希望各级领导干部能够下去同人民在一起，同甘共苦，动之以情，晓之以理，对你那个铁腕，他也会谅解一些。但如果你自己高高在上，吃喝收礼，替自己修房子不掏钱，尽搞裙带关系，不以身作则，你那个铁腕还“铁”得起来吗？

下决心整治黄浦江上游水源污染*

（1989年7月26日）

这次会议，不仅是保护黄浦江上游水源的会议，而且是保护上海生态环境的会议。黄浦江是上海的母亲河，没有黄浦江，就没有上海。我们对黄浦江应该怀有对母亲一样的深厚感情。我希望上海的作家、音乐家，能够创作出一首《我的家在黄浦江上》的歌曲，激励上海人民爱中华、爱上海，鼓舞起振兴中华、振兴上海的斗志，这也是一种爱国主义的教育。

黄浦江给上海带来了多大的好处啊！“城以港兴”，没有港口，就没有城市；没有黄浦江，就没有上海港，也就没有上海的繁荣。上海没有矿产资源，黄浦江是上海最宝贵的资源。我们每天要从黄浦江中提取1000万吨生产和生活用水，没有黄浦江，上海就不能生存和发展。可是，现在黄浦江的水质污染却日益严重。我收到很多人民来信，都非常关心黄浦江上游水源受污染的问题。

现在黄浦江水体黑臭状况逐年严重，1988年黑臭天数为229天，比1963年延长近10倍。我们不能够再这样糟蹋黄浦江了，不能用这样的态度对待我们的母亲河了！保护好黄浦江水源，保护好上海生态

---

* 这是朱镕基同志在上海市黄浦江上游水源保护现场会上的讲话。

1989 年 7 月 26 日，朱镕基在上海吴泾化工厂召开黄浦江上游水源保护现场会。左一为吴泾化工厂总工程师蔡娅娜，左二为副市长倪天增。

环境，这是一件关系上海 1200 多万市民健康和子孙后代的大事。

1985 年以来，市政府为保护水源、改善水质，采取了一系列措施。如起草并提请市人大审议通过了《上海市黄浦江上游水源保护条例》；确定了 162 项水源污染治理项目，现已完成 60 项，把黄浦江水源的污染量削减了 30%；新建了上游引水一期工程，建成临江取水口，使大部分市民的饮用水水质有了改善。

但是，由于黄浦江上游工厂的污染排放没有得到有效控制和治理，致使水质还在不断恶化。很多人民群众，包括市人大代表，纷纷要求马上建设黄浦江上游引水二期工程，就是说，要把取水口从现在的临江再上移到松浦大桥附近。这个愿望和意见是好的，二期工程迟早也是要上的，但是目前确有困难。一是没有资金，这项工程过去预算需要八九亿元，现在看来至少要10亿元以上，上海目前拿不出这笔钱来；二是上这么大的项目即使有了钱，还需要经过国家计委批准，在严峻的经济形势下，既没钱，国家也不会批；三是即使建成了这个工程，不治理污染，松浦大桥附近的水质也会下降。现在看起来，最根本的措施还是要治理污染，这比把取水口往上游挪迫切得多，有效得多，花钱也少得多。扬汤止沸，不如釜底抽薪，下最大的决心来治理污染，这是当务之急。

当然，治理污染的工作是个硬骨头，否则怎么会拖这么长时间呢？刚才讲了，1985年以来为保护水源，各方面做了大量工作，要肯定这个成绩。但是，治理污染工作不做好，就会前功尽弃。现在突出的矛盾是，要有污染工厂生产的产品还是要保护环境？能够两全当然是好的，但难以做到，问题是总得牺牲一点，只能力求把生产的损失减到最低限度。

根据这个原则，我们今天开会的目的，就是要下决心整治上游水源的污染。现在上游的12个工厂，排放污水所造成的污染占上游水源污染总量的85%。如果我们把这12个工厂的污染整治好了，就可以使污染总量在目前已经削减30%的基础上，再削减30%，到1990年年底前实现上游地区削减污染总量60%的目标。这样，临江取水口附近的水质就可以维持在三级水的水平，恢复临江取水口投产时的原水质量。当然，潮汐期可能有几天水质会不好，但总的水质是稳定的。所以，我们就要重点抓住这12个污染大户，一个厂一个厂地确定治污目标。我们今天是面对面拍板，“三堂会审”，请靳怀刚〔1〕、吴若岩〔2〕两位老同志做公证人，当场定下来的事，会后

〔1〕 靳怀刚，曾任上海市隧道工程局局长、市环境保护局局长等职，当时为市政府市政工作咨询小组成员。

〔2〕 吴若岩，曾任上海市政府副秘书长等职，当时为市政府市政工作咨询小组成员。

马上落实去干。对此，我提六点要求：

第一，上游地区各工业企业治理污染的目标，必须在1990年年底前按期完成，力争提前。刚才，已把每个治理污染项目的进度要求具体到哪月哪日完成，都记录在案，明年我要按时来检查。今天会议上定的治理污染工程的要求和进度，应该作为考核厂长实绩的主要指标。所谓主要指标，也就是说，如果这个指标没完成，其他指标都完成了，也不是个好厂长，因为你没有贯彻市委、市政府的意图。我们是在公有制的基础上建设社会主义的，不能把唯利是图、见利忘义作为行动准则。每个企业首先要服从大局，以人民的利益为重。党和政府提出的要求，共产党员就要以党性去保证完成任务。厂长要充分发挥主观能动性，不能强调客观。如果不是由于不可克服的客观困难，而是由于主观没尽力、工作没抓紧完不成任务的厂长，要给予处分。

从今天会议以后，所有的工业企业都应该把完成环境保护的指标，作为考核厂长实绩的一个主要指标。不抓这个指标，一边生产、出效益，一边制造污染，结果把效益抵消了，这样生产下去又有什么好处呢？当然，有很多客观原因，许多问题是几十年积欠下来的，我们不可能一下子把污染治理好，但一定要努力治理，逐步改善，不能使环境继续恶化。这个工作要抓得很紧很紧，污染物排放指标一定要控制住。市环保局要负起责任，严格考核，铁面无私，依法办事，这样上海的水源污染治理才有成功的希望。

第二，停止审批对上游水源产生污染的一切项目。在水源保护区和准水源保护区里面，不准再搞任何有污染的项目。凡是增加污染排放总量的项目，都不能在水源保护区和准水源保护区里面建设。谁审批，谁负责。7月26日以后，再新批有污染的项目，一经发现，立即停止建设，所造成的损失及赔偿，都由审批人负责。上游水源所涉及的区县政府必须严格执行，负责地把好这个关。划入保护区内的区县，主要是闵行、徐汇、南市、松江、青浦、川沙、上海、奉贤、金山，要特别注意乡镇企业，还有合资企业、联营企业，防止再搞有污染的项目。市环保局对此要严格监督检查。

第三，已经审批的有污染的项目基本停建。我建议，对于已经批准但没有开工的有污染的项目，原则上应该停建，或者说基本停建。个别已经跟外国人签了合同、涉及国际信誉的项目，也可以先跟外国人商量，就说市政府做了规定，在黄浦江上游地区搞建设，所有项目的污染都要治理好，这就要增加一大笔投资，没有多少效益了，是不是可以换个没有污染的项目进行合作？如果实在没有办法，那也要督促外商采取切实措施，保证排放的污染物达到规定的指标。如果是国内的项目，停下来以后也不会造成很大的损失，要下决心停建。

12 个大户排放的污染物占总量的 85%，还有 15%主要是乡镇企业的排污，因此乡镇企业也得治理污染，把这 15%的污染量逐步控制住。乡镇企业不能把挣来的钱都花掉，要多积累一点，积极把污染治理好。

第四，所有企业都要重视做好治理污染、保护环境的工作。要对全体职工进行治理污染、保护水源的教育，增强职工的环境保护意识。加强管理，发动群众出主意，想办法，提合理化建议，群策群力，把污染降到最低限度。同时，对现有的环保设施要加强维护和保养，充分发挥其作用。有些工厂有环保治理设备，但不好好维护，有时甚至不用这些设备，偷偷地排放未经处理的污水。这种做法非常恶劣，弄虚作假，要加以处罚，抓住几个典型事例在报上公开批评。新闻导向要督促企业进步，督促社会风气好转，在这方面舆论监督可以发挥很大的作用。如果发现继续排放未经处理的污染物，工厂要停产。不能治污设备停着，而有污染的生产却照常进行；不修好治污设备，有污染的生产就要停止进行。市环保局对此要做出一些硬性的规定。

第五，依靠科学技术治理污染，把科研工作与环境保护紧密结合起来。把污染治理好，把环境保护好，同样要依靠科技攻关。我借此机会，向上海的科技界呼吁：科技工作者要到企业去，找课题，接任务，帮助攻关，解决难题，发挥上海的科技优势，保护好上海的水源和生态环境。科技攻关的问题不解决，光下行政命令也治理不了污染，这方面要制定并采取一些切实有效的措施。

第六，各级领导和各主管部门都要认真帮助企业解决困难，完成治理污染的任务。这项工作不单是市环保局有责任，市计委、建委、科委等委办，以及各个工业局，都要认真帮助企业解决困难，使企业能按计划提前完成治理污染任务。治理污染的资金，主要靠企业自筹。污染严重的企业，也要把一部分生产资金用在治理污染上。应该告诉全体职工，如果治理污染的指标达不到，工厂就要停产，奖金要扣发，工资也可能减发。绝对不能允许治污指标完不成，生产照常进行，工资、奖金照发。这方面还要制定一些措施。总之，治理污染主要靠企业，但各级主管部门也要帮助他们想办法，互相配合好。

我就讲这几条。如果大家没有不同的意见，就请天增同志到市人大去汇报。建议市人大讨论后，通过一个相应的决议，制定一个法规。我希望市人大在我的头上加一个“金箍”，我也给诸位戴上一个“金箍”。大家严格执行法规，不要讲关系学，要撕破脸皮，六亲不认，坚决依法办事。

领导干部不能脱离群众*

（1989年8月7日）

今年下半年经济工作的难度还是很大，但我深刻地感到，市委、市政府确定的方针，是足以解决当前经济工作中的问题的。现在的问题，就在于如何争取民心，使广大的工人、农民跟我们一条心，来把工作做好。解决这个问题比经济工作本身难得多，因为我们有些干部和党员在相当程度上脱离了群众，不能和群众同甘共苦，而是浮在表面，坐在办公室里不下去，以致很多事情贯彻不了，扯皮扯很长的时间。

昨天《新民晚报》有一条消息，说今年街道上没有洒过水。为什么？就是扯皮。市环卫局把洒水车下放到各个区了，但原来开车的司机各个区不要，就这么扯皮，扯了半年多，车子开不出来。老百姓提意见说：你们扯皮还没有扯够，怎么能洒水啊？这样的事情说明，我们市政府机关有官僚主义，脱离群众，不关心人民的疾苦。我一再讲，你权力下放也好，体制有些改革也好，都不能影响原来的工作。所以我昨天跟天增同志讲了，告诉施振国〔1〕同志，不要再扯皮了，

---

* 这是朱镕基同志在上海市政府第四十四次市长办公会议上讲话的一部分。

〔1〕 施振国，当时任上海市环境卫生管理局局长。

1989 年 8 月 3 日，朱镕基陪同中共中央总书记江泽民在上海市上海县塘湾乡吴泾村考察。右三为副市长倪鸿福，左三为市农业委员会主任张燕，左四为市委副书记、副市长黄菊。

我不管你怎么弄，反正三天以内你把洒水车开出来，开不出来，你这个局长不要当了。施振国同志本身是勤勤恳恳工作的，也不要为这件事情批评他，但这事本身反映了我们市政府机关工作作风的问题，应该通报一下，我们以后不能再干这种事情了。现在什么事情都扯皮扯得一塌糊涂，不办事，把人民的利益摆在一边。包括我们的重大工程，我那天看重大工程简报反映，市化工局的重点技术改造工作，工人一天只干三个小时活，三个小时也不是好好地干，设备、材料乱堆，这还叫重点工程？市政府的重点工程还是这样子，说明我们的干部根本不下去。我觉得，市委、市政府再不转变作风，你有再好的方针、政策、措施，下半年经济工作还是搞不好的。

最近，我们市委、市政府响应中央的号召，中央要办七件事〔1〕，我们也要办七件事〔2〕，已经在报上公布了。我希望我们市委常委和副市长带头，要以身作则，说到做到。我也希望市纪委、监察局监督我们。吴德让〔3〕同志，你上次不是告诉过我吗？副市长以上的你都不敢监督，是不是这样？（吴德让：副市长以上是中央管的。）你监督，为什么不能监督？我们一样也是在你的监督范围之内的。

另外，我希望我们市委常委、副市长能做到的，各委办局的负责同志也要根据自己的情况去做，我们不要求你们跟我们一样，但你们自己也得有一些约束自己的规定，把这个作风层层地往下传。政府系统有600名局级以上干部，加上市委系统的，还有其他的局级干部，共2000多人，只要我们这2000多人真正地以身作则，那么上海的作风就可以转变，社会风气也可以转变。2000多人带两万处级干

---

〔1〕 中央要办七件事，指1989年7月28日《中共中央、国务院关于近期做几件群众关心的事的决定》指出，近期在惩治腐败和带头廉洁奉公、艰苦奋斗方面先做七件事：（一）进一步清理整顿公司；（二）坚决制止高干子女经商；（三）取消对领导同志少量食品的“特供”；（四）严格按规定配车，禁止进口小轿车（除执行政府间已签订的长期贸易协定和国家批准的技术贸易合同外）；（五）严格禁止请客送礼；（六）严格控制领导干部出国；（七）严肃认真地查处贪污、受贿、投机倒把等犯罪案件，特别要抓紧查处大案要案。

〔2〕 我们也要办七件事，指为贯彻落实《中共中央、国务院关于近期做几件群众关心的事的决定》，中共上海市委、市政府决定办好的七件事：（一）进一步清理整顿公司，查处单位投机倒把案；（二）重申市委常委、副市长不搞“特供”；（三）严格按有关规定配车，不再进口小轿车；（四）严格禁止请客送礼；（五）严格控制领导干部出国，严禁公款旅游；（六）坚决查处贪污受贿案件；（七）严肃查处严重以权谋私案件。

〔3〕 吴德让，当时任上海市监察局局长。

部嘛。处级干部的问题也多得不得了，最近市审计局有个材料，看了也是触目惊心啊，处长下去作威作福，要吃这个，要吃那个，怎么得了?!

今天的《解放日报》有一个消息，在普陀区一个外贸楼，一个一个的火腿罐头都扔在垃圾堆里。因为送的东西仓库里堆不下了，吃不了了，都坏了，就扔到垃圾堆里去了。这是一种亡国的现象，怎么得了?！所以，我们这2000多局级干部，主要是我们，如果整天脑子里只想着自己的房子、自己的汽车、自己要出国，不想工作，那上海就没有希望了。

我们在下半年要把整顿党风、加强廉政建设作为头等的大事。泽民同志要求下半年好好抓抓大中型企业搞活，我们要把这个作为重点。但我首先要抓厂长的作风，特别是那些大厂的厂长。有些厂长，不能够跟工人同甘共苦，怎么能够把企业办好啊？再给他优惠条件也不行。就这七件事，《文汇报》发了社论，《解放日报》没有发社论，《新民晚报》发了一个评论，还没有引起足够的重视。我希望我们的市委、市政府干部要足够地重视。你们监督我们，我们也监督你们。我们能够做到的，希望你们不久也能够做到。我们做不到的，你们提出意见，举报我们嘛，这样上海才有希望。

企业技术改造要走新路 *

（1989 年 8 月 11 日）

我国对现有企业大规模进行技术改造，是从党的十一届三中全会以后开始的。当时，邓小平同志指出，利用外资，引进技术，改造中小企业，要成千上万地搞起来。在这以前，国家经委也抓技术改造，主要是“挖（潜）、革（新）、改（造）”，但规模不大。学习小平同志的指示后，我们对现有企业技术改造的认识提高到了一个新的水平。1982 年 1 月，国务院颁发了《关于对现有企业有重点、有步骤地进行技术改造的决定》，采取一系列实际措施，大力加强技术改造。1983 年后，每年由国家经委与中国人民银行等有关部委联合召开一次全国企业技术进步工作会议，落实技改项目与资金，技术改造工作在那几年有了点起色。当时，还采取了一条很重要的措施，就是抓了引进技术的扩权试点，主要是在天津、上海。连续三年，每年给上海 3 亿美元引进技术。现在看来，起了很大作用，上海工业现在的一点后劲，主要是靠这三年花了 10 亿美元用于引进技术改造现有企业。这笔钱是用在刀刃上了，对促进技术进步和国民经济发展起了很大作用。现在，新增产值的 60%以上是靠技术改造得来的，这个成绩应

* 这是朱镕基同志在上海市技术改造十年总结研讨会上的讲话。

该充分肯定。上海这样一个老工业城市，今后必须继续把现有企业的技术改造摆在十分重要的地位。

总结十年技改经验教训，也要看到当前技术改造面临着新的情况，现在的困难比过去大得多。一是能源和原材料越来越紧张，国家分配的比重逐年下降，利润减少，用于技术改造的资金十分困难；二是在当前治理整顿的条件下，基建盘子紧缩，技术改造规模也要压缩；三是外汇特别困难，搞引进技术，不可能再拿到平价外汇和配套的人民币低息贷款。

面对这些困难怎么办？要挖掘自己的潜力。首先对技术改造的认识要进一步提高。现在企业不是一点钱没有，要克服困难，挤出钱来，用在生产和技术改造上。工业系统拿出点钱盖公房，改善职工生活条件，我是赞成的。但听说今年达到22亿元，看来是多了些，办好事也要量力而行。再就是企业奖金发得太多了，现在不管生产经营好坏，工资照发，奖金照拿，而且每年以20%至30%的速度在增长，这样下去是要坐吃山空的。今后，在物价稳定的情况下，工资、奖金总的水平应是基本稳定或略有增长。发奖金要起到奖勤罚懒作用，盈利企业可以多发一点，亏损企业则要扣发工资，停发奖金。在这方面，厂长要有战略眼光，把奖金控制在适当水平上。同时，厂长要以身作则，不要热衷于装修自己的房子、更新车子、跑出国、跑“横向”。只有自己行得正，坐得稳，保持艰苦奋斗的作风，同工人一起摸爬滚打，才能把技术改造搞好，把企业效益抓上去。各局和企业的领导，都要有卧薪尝胆的精神，从各方面节约挖潜，把技术改造搞上去，保持发展的后劲。

有关技术改造方向性的问题，市经委副主任蒋以任同志已讲了，我同意。从宏观方面讲，在新的形势下，上海的技术改造要走新路，要走出口型、集约型、集团型和知识型的发展道路。具体来说：

第一，技术改造要突出为扩大出口创汇服务这个重点。上海的企业能不能生存，就看能不能增加出口能力，面向国际市场。上海纺织行业所需的棉花，去年计划内给了三分之二，今年只给了二分之一，明年看来更少了。纺织产品再不转向出口，把出口创汇搞上去，就无法进口棉花。没有棉花，只好停产。其他行业也是如此。上海牙膏厂过去盈利很多，现在情况变了，原材料价格涨了好多倍，成本提高三分之一，工厂由盈转亏，生产无法维持。我同牙膏厂的同志研究，根本出路是产品更新换代，向高档化发展，扩大出口，提高卖价。而且上海牙膏增加出口，是完全有潜力的。现在我们出口一支牙膏的卖价只有 20 美分，而在美国，买一支牙膏起码要 1 美元以上。主要原因是我们生产的牙膏不适合国际市场需要，一是纸盒子的开口太松，牙膏容易滑出来；二是国外不喜欢用铝皮做牙膏壳子，因为挤牙膏的口容易发黑，担心会致癌，所以一般用夹铝箔的双层复合塑料做牙膏壳子。只要这些方面改进了，牙膏卖价就可以成倍提高。因此，上海企业的出路只能在于提高质量，扩大出口。我曾说过“质量是上海的生命”，我们要瞄准国际市场，通过技术改造把出口产品的质量搞上去，把产品的牌子“打出去”。市经委一定要同市技术监督局密切配合，抓好上海产品的质量。

第二，要通过技术改造加快上海工业向集约化发展。上海没有原材料，再搞高投入、低产出，走粗放型发展道路是没有前途的。受劳动力资源的限制，搞劳动密集型生产，也没有太大的余地。因此只能在现有的能源和原材料水平上，通过加强管理，技术进步，提高产品的附加价值，走技术密集、知识密集的集约发展道路。要通过技术进步来提高经济效益，不能再片面追求扩大产量和生产规模，这是每个企业在技术改造方面都要考虑的问题。

第三，技术改造要注意充分发挥上海的行业优势。1986 年上海撤销行政性公司是正确的。行政性公司阻碍了企业自主权的扩大，不适应有计划商品经济的要求。五六十年代时，上海的行政性公司发挥了很大作用，组织管理水平是全国第一流的。现在情况变了，计划分配的原材料拿不到一半，局、公司不能再把企业管得死死的。现在的问题是行政性公司撤销以后，相应的措施未跟上。行政性公司的行业协调功能，要有相应的机构来取代。否则，上海有 1700 多家大中型企业，包括小型企业有上万家，宏观上无法管理。上海的经济优势就在行业优势，技术改造一定要与发挥上海的行业优势紧密结合起来，不能搞得太分散了。最近，市委、市政府反复研究这个问题，决定要把企业组织结构调整作为深化改革的一项重要任务。上海的企业要向集团化方向发展，组成经济实体型的集团。组建企业集团的主要原则是：有利于组织专业化协作，扩大规模经营，发挥行业优势；有利于调整产品结构，开发新产品，促进技术进步；有利于开拓国际市场，扩大出口创汇，发展外向型经济；有利于发挥计划与市场相结合的作用，保证指令性计划完成；有利于加强党的领导和思想政治工作。今年下半年要抓紧研究组建企业集团的方案，在纺织行业先搞出试点方案，按发展外向型经济和国际市场的要求，根据企业的内在联系和特点，逐步建立起一批面向国际市场的企业集团。组建集团能不能搞好，关键在于总经理，目前还缺少这样的人才，要加紧培养、选拔。组建集团这步走好，将更有利于各行业技术改造的规划、协调，提高技改投资的效益。

第四，在技术改造中特别要重视提高劳动者的素质。企业的生命力在于工人和技术人员的素质。上海技术改造不仅要着眼于设备更新，更要考虑工人和技术人员素质的提高，这是最根本的。企业一定要把职业培训制度建立起来，包括厂长的培训，要学习上海大众汽车有限公司的那一套先进做法。联邦德国有健全的工厂培训制度，每个

1989 年 8 月 26 日，朱镕基在《新民晚报》报社大楼工地观看五级粉刷工、建筑木工技能操作表演。

工厂都有职业培训学校，并且把最好的设备放在培训学校；培训的工人、技术人员并不是只为本厂服务，而是实现社会化，形成了一种制度。上海不形成这种职业培训系统，工人的素质上不去，产品质量就提不高。人的素质提高了，就可以大力开展技术革新和合理化建议运动，普遍推广小改小革，促进产品质量提高和更新换代。往往一个好主意，就可以节省许多能源、原材料和资金。上海还要推广微机应用，这对提高工人素质有很大作用。

我们在肯定过去技术改造工作成绩的基础上，还要注意纠正不足的方面，如一搞技术改造就引进整条生产线或买成套设备，这样花的钱多，效益却不一定好。特别是原材料价格一涨，生产成本上升，利润减少，有的引进项目连还款能力都成问题。这方面我们吃过很多亏，搞了一些重复引进或效益不好的项目。今后技术改造要走新路，改变过去主要引进成套设备的做法，主要引进一些软件，最多进口一点关键设备，把重点放在提高技术改造的投资效益上，进一步增强上海工业发展的后劲。

纪检干部要敢于碰硬*

（1989年8月17日）

今天来看看大家。对市委的领导工作，我还是个新兵〔1〕，来听听大家的意见。我长期从事经济工作，工作上不一定能照顾到那么全面。

对党风问题，我在来上海工作之前，体会不太深。中央机关干部，素质相对好些，直接接触钱物少些，最多是到地方出差，人家请请客，很大的贪污受贿也不大会发生。到地方后，接触大量群众来信和一些实际问题，确实感到党风问题的严重性，越来越感到执政党的党风是关系到生死存亡的大问题，这是一点也不能含糊的。

我6月8日的电视讲话〔2〕，之所以能起到一些作用，是由于一年多来坚持讲廉政。不然的话，群众对你没有信心，在关键时候讲话没人听。我深刻感到，振兴上海，把上海的工作做得更好，还是要抓廉政、抓党风，要把它当作生命线来抓。

当然，这方面的阻力相当大。有时我感到很难抓，很痛苦。看

---

* 这是朱镕基同志到中共上海市纪律检查委员会听取工作汇报后讲话的主要部分。

〔1〕 1989年8月1日，中共中央决定，朱镕基任上海市委书记。

〔2〕 6月8日的电视讲话，见本书第298页。

到有些领导干部的一些问题，我就感到很痛苦。有的同志本身问题可能并不是很严重，但他不能严格要求自己。如对有的领导同志原来印象也是不错的，现在为了自己的住房问题，竟讲了那样的话，我为之担忧。不抓廉政，党风怎么能搞好？如果大家都为自己捞好处，党的建设、国家建设怎么能搞得好？

这几年来党风方面出现的问题，是改革开放中碰到的新问题，没有经验，思想准备不足，对一些是非问题、罪与非罪问题划不清界限，对分配不公造成的后果和危害体会不深。但是，有的问题也不完全是改革开放以来才有的，在这之前，党在进城后，党内的特殊化问题始终没有解决好。有的人严重脱离群众，有的人封建意识、享受意识很重，党的优良传统和作风没有很好坚持下来。

当前，廉政建设难办的是政企不分，很多贪污腐化从这里出来。政府机关掌握很大权力，可以掌握企业的命运，利用职权，卡一下企业，企业就要给你送东西。而我们的企业又是国家的，吃光花尽无人管。资本主义也有行贿，但不像我们这样，企业破产也无所谓。

机关创收，我认为是完全错的。我刚到上海工作时，不同意搞创收，后来同意了。现在看来，流弊大得不得了。政府机关的工作人员一定要刚正不阿，收受企业的钱物，就按贪污受贿论处。封建社会用酷刑治贪污，我们用严刑总可以吧。武则天时代可以用钱买官，但是官吏贪污受贿，就要杀头。

不搞创收，又不提高工资，总要让人生活过得去。我看是三条：一是提高机关干部素质，严格防止机关膨胀。对市政府机关，我把得很严。市政府的有些权力可以下放给区，这样市里机构就可以精简些。二是提高机关干部地位。三是在住房方面照顾一点。将来要逐步提高干部包括中小学教师、知识分子和警察的工资待遇。

党风建设，很重要的是靠加强纪律检查工作。党风上的有些问题，是历史原因造成的，要长期努力，不可能一个晚上就把党风搞好。首先要把市委、市政府的党风、政风搞好，带动整个社会风气的好转。我一再讲要从严，对同志们提出很高要求。纪检、监察工作很难做，一定程度上比我们的工作还难做，直接得罪人，又没有什么油水。应该给纪检干部送一副对联："一身正气，两袖清风"，横批是"刚正不阿"。

上海的纪检干部队伍，素质是好的，表现也是好的。纪检干部本身贪污枉法的还没有看到，很不错，应该鼓励和肯定。这是我们上海振兴的希望。否则，"洪洞县里无好人"〔1〕怎么办？纪检干部敢于碰硬，坚持原则，有非常坚强的党性，这就是光荣。我们有这个光荣，为党争光，活着才有意义。今后要发扬这样的传统。我们市委在原则问题上绝不会让步，宁可不做官，也不会拿原则做交易，绝对不会。请同志们相信，我们会支持你们的，相信我们会共同把上海党风治好。

坚持原则，这是不能动摇的，但在坚持原则的同时，要讲点灵活性。问题的形成，不是一朝一夕的，上海的问题有些也不能完全由哪个人负责。如果太着急，打击面太宽，欲速则不达，还会失掉一部分人对我们的支持。我们做一件事情，要使很多人拥护。做一件事如果不具备条件，不是瓜熟蒂落，而是孤军深入，就收不到预期的效果。这不是原则上的妥协，而是讲究策略，有计划、有步骤、有先有后。这一点要注意。

---

〔1〕 源于京剧《苏三起解》唱词。

农村干部廉政建设的五件实事*

（1989年9月5日）

上海郊区现在有25万党员，上万个党支部。我认为我们这支队伍是过得硬的，是好的，是能够打仗的，这一点必须首先明确。但是也要看到，我们这支队伍也确实存在着很多的问题，需要整顿。存在的问题有两个方面。一个是贪污受贿，触犯刑律，这样的问题在干部队伍里还是少数，但也是越来越严重。现在看来大量的问题还是不正之风，以权谋私，特殊化，脱离群众。这个问题就是要用廉政建设的办法来解决。如果不抓好，我们就会越来越脱离群众，农村的工作也搞不好。

怎么抓呢？我想还是要这么几条：

第一条，从领导开始，先抓领导。去年我对市监察局说，你们的眼光要盯住506个局长，把他们的吃喝风、受礼风刹住。现在，这个看起来还是有一定的效果。局长约束自己要好一些。后来包括市委、市政府局级干部一共有2000人。现在我们的规定延伸到2000个局级干部，还在进一步延伸到两万个处长。我想只要这2000个局长、两万个处长都能够以身作则，这个廉政的风气是能够建立起来的。还要逐

* 这是朱镕基同志在上海市农村干部会议上讲话的一部分。

步地延伸，最近我们还在制定关于企业干部应该遵守的原则和规定，已讨论多遍，最后这一遍发到几百个企业的厂长，看你能不能做到。

第二条，扎扎实实地做几件抓廉政的事情。第一件事情是盖房子或者装修房子不给钱或者少给钱，这是群众指着鼻子骂的最突出的一个问题，一定要刹住。那以前搞过的怎么处理？市农委可以搞一个妥善的办法，以后绝对不要再这样搞了。这一点要好好抓一下，总结一点经验。

第三条，刹住送礼受礼和吃喝风。开服装店、开家具店的乡镇企业简直受不了，谁都去拿呀。这方面要刹住，特别是我们的负责干部一定要带头，绝对不能去拿。再就是到乡镇企业去吃喝，带着老婆孩子去吃。去年吃掉一个亿，这当中有我们城里人去吃，你们自己吃的也不少。现在市政府有约束了，有了廉政的规定，不要去吃了，自己在家里吃算了。我非常注意这个事情，任何人给我送东西，我一概不收。否则的话，领导干部是不能带领群众前进的。要十分注意这个事。

第四条，不许让自己的子女、亲属到处去搞关系。这也是以权谋私，对群众的影响是很坏的。

第五条，我希望同志们带头刹一刹打麻将、赌博、迷信这个风气。我现在非常担忧，这个打麻将要“统治”上海了。这个事情很危险。晚上净打麻将了，特别是农村，听说是很厉害的。我不是说在座诸公也打麻将。打麻将不赌博无可非议，但是影响不好。这个麻将和赌博是很难区别的，搞不好“小来来”就成“大来”了。要刹住农村这股不好的风气，最好不要去打麻将，有的人是通宵地打，第二天还能上班吗？

总之，抓住一些实事，实施廉政要规定几条，对以前的处理要宽一点，以后要严一点，无论如何要把这几件实事做好。

把困难讲清楚，把劲鼓起来 *

（1989 年 9 月 18 日）

当前经济形势是比较严峻的。8 月份，全国的工业生产速度已经降下来了，1 至 8 月是 10%，8 月份只有 6.1%，有些省的乡镇企业降得很厉害。上海 1 至 8 月是 7.2%，8 月份是 3.2%，这是靠中央企业，他的速度高，乡镇企业也还有点速度，而地方国营企业已经是负增长了。9 月份，包括乡镇企业在内的整个工业可能是负增长，财政、税收都得下降，而且我没有看到头，是不是到 9 月份就降到底了？不一定。所以，这是个非常严重的问题。

今年农业的情况也不大好，天气尽捣乱，台风正面袭击没来上海，但龙卷风到了上海。受天气的影响，菜价很贵。昨天我们开会，要迅速扭转市场上蔬菜涨价的局面，对农贸市场也要管，也要有最高限价，不能让他趁机涨价。既然主渠道没有东西，就要从外地调进来一点菜，同时本市的蔬菜要赶快上市。

所以，对整个经济形势要看得严重一点，特别是乡镇企业，现在已经有一批停产了；国营企业的情况，“桑塔纳”已经停产 10 天，现在又积压 2000 多辆，也生产不下去了；“上海”牌轿车更没人买了，

---

* 这是朱镕基同志在上海市政府第四十九次市长办公会议上讲话的主要部分。

已经积压了1000多辆；冰箱全国都是积压，彩电积压达到12万台，家电产品、耐用消费品普遍没人买。针对这样一种情况，我们确实要想一点办法。

当前的一个问题是，东西卖不出去，买原材料、能源要付钱，卖出去的加工产品，人家欠你钱，资金非常紧张，周转不开。昨天我们市委、市政府领导碰头，请顾传训同志对这件事情认真地做出部署，想些办法。

第一，要赶快出去推销。最近我到内蒙古、山西看了一些情况，他们的日子比较好过。现在看起来，卖能源的省区日子都比较好过，辽宁等没有能源的省区的困难跟我们差不多。广东、福建财政、外汇留得多，周转得开。内地的省，陕西、山西的日子也都比

1989年9月12日，朱镕基在内蒙古自治区呼和浩特市考察并给呼和浩特铁路局赠送锦旗，感谢对上海的支持。

较好过，他们有能源，我们要把产品销到他们那里去。上海的产品还是有信誉的，我们的工业自销和财贸系统，千万不能还是“大上海，朝南坐”，这不行，必须出去。我跟张广生〔1〕同志讲，你组织市商业一局、大公司，赶快到山西、内蒙古推销嘛，他们还是要上海产品的。

裴静之〔2〕同志，我看到你写的一篇文章，你的观点我觉得还是不错的，提出了一些措施。我看你赶快把这篇文章发表一下，你提出八条措施，是走正道。搞大倾销、大拍卖、“大出血”，那些东西到最后都不行。赶快推销，搞票据结算，利用时间差等等，把三角债解套，采取各种措施，压缩库存，加速资金周转。现在全市要把注意力集中在搞活资金，打开目前的困难局面，“东方不亮西方亮”嘛。

第二，要大量出口。现在工业滑坡，农业也滑坡，唯一就是出口还没有滑坡。但要完成全年创汇 50 亿美元，比去年增加 10%，任务很艰巨。8 月份出口 4.33 亿美元，如果要达到 50 亿美元，今后四个月平均每个月要出口 4.77 亿美元，这就要抓紧。但我相信，沈被章同志那里还是能完成的，就是要给他钱，另外要有货源。既然国内销不掉，出口现在还有市场，就集中力量搞出口。这一点无论如何要明确，就是要靠出口，货源都集中在把出口搞上去。

我昨天跟陆吉安同志讲，你到上海轿车厂去，把“上海”牌轿车的生产停下来。如果再生产几千辆，放半年就没用了，“桑塔纳”都没人买了。现在拖拉机好销，就做拖拉机部件，找米下锅，搞有人要的东西。

第三，要调整产业结构和产品结构。现在不是调整结构的大好

---

〔1〕 张广生，当时任上海市政府财政贸易办公室副主任。

〔2〕 裴静之，当时任上海市计划委员会副主任兼物价局局长。

时期吗？特别是对乡镇企业速度降下来不要那么惊慌失措，那些东西质次价高，消耗大量原材料，本来就该停产了。比如上海的饮料，90%不合格。现在食品卫生是个很大的问题，对不具备生产食品卫生条件的，坚决叫他停产，光罚款没有用。趁这个机会要调整产业结构和产品结构。当然这里有个工人失业或收入减少的问题，对这个要做充分准备，市经委、劳动局、农机局，还有市农委，你们都得研究这个问题。

上海产品必须向高档次发展，消耗能源、消耗原材料较多的产品要更新换代，要逼他们向技术更新发展。暂时的痛苦要忍受，我们再采取一些妥善的办法来安排。

另外就是压缩固定资产投资。现在叶青同志来了，国家计委决定给我们增加10亿元的规模。上海今年上半年的基本建设不但没有压缩，而且增长了。国务院对我们意见很大，就是对我的意见很大啰，好像朱镕基为了要市民说他好，所以搞得太急了，搞得太多了。但实际上是过去的"久事项目"〔1〕还没有搞，整个钱还是落实"久事项目"的过程，去年刚刚落实，所以今年开工了，它原来这一块不纳入计划，现在突然一下纳入计划"笼子"，哪能不增长呢？现在依林同志体谅我们的困难，给我们加了10亿元的规模，虽然跟我们的实际需要差得很远，但没有办法，再不能突破了，再突破我也受不了了，会说我无组织无纪律了。所以，无论如何就控制在102.8亿元，这方面要开会动员一下。

但是有几样东西，我们各级领导从市长到各个局长，无论如何要抓紧。一个是彩色显像管无论如何让它投产，一个是30万吨乙烯工程无论如何让它投产，一个是冷轧薄板无论如何今年把土建完成，还有其他

〔1〕 参见本书第75页注〔1〕。

1990 年 3 月 7 日，朱镕基考察上海氯碱总厂 30 万吨乙烯工程氯乙烯厂。左一为市委副书记、副市长黄菊，左二为市人大常委会原主任胡立教。

一些重点项目。再一个是黄浦江大桥，怎么也不要推迟，宁可砍地下铁道，也不要砍黄浦江大桥，赶快见效，这个计划不变，争取1991年上半年合龙，下半年建成。无论如何集中一切力量抓紧搞重点工程，其他除了已经签了合同，如不上就违反合同的以外，都停了。

最后，为了稳定企业的思想情绪，振奋精神，要召开一次全市工业企业的思想政治工作会议。市农村干部会议是赶在我出差以前就把它开了，提出两条：一要稳定，二要鼓劲。现在对企业讲起来也是这个问题。鉴于生产不断下降，而且下降得很快，呈现非常危险的滑坡趋势，一定要把厂长和厂党委书记的精神振奋起来，把职工的精神振奋起来，把困难讲清楚，把劲鼓起来，大家一起干，不然情绪一落千丈就不好办了，劲可鼓不可泄。总而言之，不要搞得厂长泄气、书记到不了位，那就麻烦了。要发挥两个积极性，大家同舟共济，把目前困难渡过去。

关于上海工业三年调整和长远发展的一些意见*

（1989 年 9 月 27 日）

工业计划是长期计划里面一个很重要的组成部分。如果不把工业生产和效益以及保证生产发展的重点项目搞上去，上海的发展是不可能的。市经委这次和各个工业局一起，花了很大力量，在很短的时间搞出一个轮廓，很不容易，当然，还要继续进一步深化。下面我讲点意见。

一、调整产品结构和产业结构。

这个问题应该在这个计划里有比较突出的体现，现在重点不是那么很明显，抓得不是那么紧。至少现在以下几个项目应该是没错的。

第一个，彩管。我们把它当作最大的工程，尽管现在彩电积压，但我们认为抓彩管项目始终是正确的，中国不会连这 100 万个彩管都不要，不可能的，将来 100 万个彩管出来是俏货。所以在这个问题上千万不要动摇，不要放松，一定要在今年投产。还有 12 个配套项目，也一定要抓上去。我刚才得到消息，据说国家计委也关心我们的玻壳了，希望我们这个玻壳搞上去，赶快抓紧把 12 个配套项目搞上

---

* 这是朱镕基同志在听取上海市经济委员会关于编制《上海工业三年调整计划和“八五”发展设想纲要》汇报时讲话的一部分。

去。进口彩管现在每只九十几美元，上海的彩管出来后，即使没有配套，也省了四五十美元，一年就省两三千万美元。配套以后，省得更多，效益就出来了。抓了这个，彩电工业才能挽救过来。明年无论多困难，总可以生产 50 万个彩管吧，那样明年就救命了，效益就好多了，就不怕降价了。

第二个，冷轧薄板还是努力搞下去。这个不会错的，不管经济怎么滞胀，我看冷轧薄板总会有销路，围绕冷轧，热轧什么的都要跟着上去，就是要死死地抓住这个重点。我同意大同〔1〕同志讲的，一个优质，一个合金。上海不要生产普通钢材了，当然，我们自己需要的还可以生产一点，主要搞“优、精、尖”、“板、管、带”，然后出口，来解决生存问题，靠国内很难生存。（陈大同：已经出口 8 万吨钢材了，进口 15 万吨生铁还是划得来的。）市冶金工业局吃“品种、质量饭”，说得绝对一点，就是要吃“品种饭”。鲁冠球〔2〕名声那么大，无非是把上钢五厂的钢，加工一下就出口了。所以，上海就得靠这个东西。我们上海现在老是“朝南坐”，不是去关心顾客的要求。我这次到内蒙古看乳品厂，市化工机械厂生产的设备太不像话了，那个声音大得不得了，人根本没法进去的。我一看就对他们讲，上海生产这样的设备是我们的耻辱。厂里最近写了个检查报告，还是没有举一反三，只讲客观原因，上海这么搞没有希望。前面一两台好一点，后面马马虎虎，乱七八糟就出去了，不重视质量，这么搞下去，上海怎么活下去啊？宓麒廷〔3〕同志，你的发电设备可是要把质量抓紧，别栽在质量上。

---

〔1〕 大同，即陈大同，曾任上海市经济委员会副主任等职，当时为上海市政府市政工作咨询小组成员。

〔2〕 鲁冠球，民营企业家，当时任杭州万向节总厂厂长。

〔3〕 宓麒廷，当时任上海电气联合公司总经理。

所以，我希望能把调整上海产业结构的重点更加突出一点，当然，具体工作是要做到每个企业。各个工业局的局长，你们得要求每个企业，不管厂长还能当几年，都应该发动全厂工人、技术人员研究怎么调整本厂的产品结构、开拓市场，要看到五年、十年以后。在这个稿子里，要把这个重点更加突出一点。

二、发展外向型经济。

离开了外向型，上海实在是没有什么出路，即使国家加强指令性计划也保不了上海，一定要向外“打出去”。因此要制定一系列鼓励出口的长远政策，这里也提到了，但很多问题没有具体化。这件事情，我建议还是由市经委、经贸委、体改办，加上我们两位副秘书长，结合长远计划的编制，赶快研究，特别是现在已经快到年底了，明年再采取什么大的措施，现在及早研究，鼓励出口。

今年搞了一个出口代理制，纺织系统首先试点，看来很多问题没有解决。这是一个过渡，还谈不上真正的代理制，但明年代理制的色彩应该浓一点了吧，应该有个什么政策？我觉得，第一，要首先解决流动资金问题。在实行代理制的情况下，流动资金怎么解决？今年采取办法，把钱往外贸公司一塞，看他自己是不是能把工业企业救活。究竟他把多少给上海、多少给外地，多少合理流动、多少压在那里、多少在外地收不回来，这里没有说清楚。所以明年外贸流动资金怎么解决，要赶快研究办法，我们不要把前一阶段的研究工作停顿了。

第二，留成外汇的分成问题。我一直讲，上半年分成外汇放下去了，第三季度按季分，第四季度按月分，这个工作究竟进行得怎么样了？因为分成外汇对企业非常重要。要有超计划分成，超计划分成都给企业，可以拿到外汇调剂市场，一块钱至少卖六块钱，这对补亏有很大的好处。所以，要及时把外汇分到企业手里，这个办法要赶快制定。

1991 年 3 月 4 日，朱镕基和中国工业经济协会会长吕东（前排左二）、对外经济贸易部部长李岚清（左一）等参观在上海举行的 ’91 中国华东出口商品交易会。

（新华社记者柳中央摄）

另外，对“两公开，四联合”〔1〕要制定一些规定。国外是用汇率调整来刺激出口，我们采取调剂外汇市场，实际上也起了这个作用，看看还有什么办法可以鼓励企业出口，使他感到出口比内销有利。明年无论如何要做到这一点，这样出口就上去了。怎么建成外向型经济，需要一套配套的政策，这要作为一个大题目来研究。

三、组织企业集团问题。

这个工作也不是明年一年能够完成的，也要几年。纺织工业，为什么过去能够创造那么高的劳动生产率？在改革开放以前，上海的

〔1〕“两公开，四联合”，指工业向外贸公开出口产品成本、外贸向工业公开出口产品换汇成本，工贸联合出国考察、联合对外洽谈、联合对外签约、联合安排生产。

纺织工业在全国是最好的，上海的纺织工业又是上海工业中管理得最好的，这里面有个很大的原因，那时上海是计划经济的典型。棉花的分配、上道工序、下道工序，完全在市纺织局的掌握之中，谁敢违抗你的计划？另外棉花很便宜，是廉价原材料的价值转移。现在这些条件已经都没有了，你已经不能再用计划的办法来控制各个工厂了，已经不可能享受廉价的原材料了，所以节节败退，不断地滑坡。再加上把行政性公司一取消，企业各自为政，各奔生路，约 500 个纺织企业上道不管下道，下道不管上道。所以，现在还想用五十年代的一套思路来解决纺织工业的问题，是不切实际的。我觉得当务之急是要赶快研究，把 500 多个纺织企业按照外向型经济要求组织成企业集团，上道工序、下道工序连起来，不一定搞得很死，不一定都要紧密型的，但不能搞行政性的公司，特别是不能让那些原来搞行政性公司的人“复辟”。他们的思想问题没有解决，不能恢复行政性公司，而是组织企业集团。丁力〔1〕同志，你回去抓紧研究，这 500 多个纺织企业也不要一口吃掉，先搞两个、三个不行啊？你如果再不想办法组织企业集团，开发新技术，你这个市纺织局局长当不成的。没有棉花，你当什么纺织局局长？你要想个办法开发新技术，前后工序要连起来，组织体系，开展售后服务，组织对国外市场的调查研究，得培养人才。对这些事情，市纺织局、经委、体改办共同来研究一下，从市纺织局开始，研究怎么组织企业集团。别的比如家电产品能不能联合，慢慢来，不要着急，方向总是这样的。电冰箱有三四个厂生产，批量都那么一点点，没法开发新品种，质量是半死不活的，一看就知道不够国际水平。如果不把技术力量集中起来，售后服务、销售网络不搞起来，你就不用想打入国际市场。你看“万宝”就搞起来了，他跟科研

〔1〕 丁力，当时任上海市纺织工业局副局长。

结合得很好，“万宝”冰箱最近通过了优验的论证。广州有个家电研究所，我去参观过几次，很好的，他跟优验结合，没有这个不能出口。人家比我们先走了一步，上海老是落后，你们局长着急一点好不好？

四、搞活大中型企业问题。

这个文件里提了一些观点，都讲得不错。最近大家都拿出一定的力量，研究开好全市工业企业思想政治工作会议。这个会议也是研究怎么搞活大中型企业的问题。大家都到厂里去，我也想在10月上中旬别的事情不干，就到厂里去，两个研究室〔1〕也跟着我一起去做调查研究，这个行动本身可以鼓励厂长、书记把企业带出困境。开好这个会，主要解决两个问题。一个是稳定企业的思想。政策稳定，厂长、书记稳定，同加强思想政治工作不矛盾，不要“两心不定”。根据中央的提法，厂长和党委书记两个积极性都要调动，这一点要很明确地告诉大家，着重的是大中型企业。我们下去调查，把大中型企业的劲鼓起来。另一点是要解决我们厂级干部的作风问题。我越来越感到，如果我们厂级干部的作风不改变，无论如何搞不好大中型企业。现在因为国家把钱收得太多了，企业负担太重了，你再给他议价原材料，他吃不起啊！如果你给他生产任务，给他平价原材料，就要他交这么多，他就活了。但现在这样做并不是很现实，关键还是要靠内部因素，特别是要靠厂级干部的积极性。

另外，还有反映干部到联营厂去吃喝，这种现象是普遍的。我接到的这种信实在太多了，又吃又拿，这样搞下去会严重地脱离群众。我是同意给厂长高一点的待遇，收入差距稍微拉开一点，正常地给，不要搞这种歪门邪道。这种情况，很多是大气候造成的，过去

---

〔1〕 两个研究室，指中共上海市委研究室和上海市政府研究室。

的我们不要过于追究，今后就不能再这样搞下去了。通过这个会，搞个制度。希望我们的厂长都能够以身作则、奋发图强，跟工人同甘共苦，把企业办好，开发几个新产品，把管理狠狠地加强一下，使上海产品的质量真正进入世界先进水平。我看还是以表扬为主，激发大家的精神，过去的事情不要太追究。上海的希望就是这1700多个企业的厂长都振奋起来，和工人同甘共苦。

此外，在长远计划里要对搬迁有一个具体的考虑。如果那个企业是危房，在那个地区扰民又污染环境，就不要维修危房了，要下决心搬到浦东去。搬的时候不要原封不动地搬，要换一个新技术、新产品、新工艺。污染环境的工厂搬出去，不污染环境的工厂也要疏散，不要在市区搞得那么密集，能搬的尽量搬，跟规划结合。这方面要下点决心，至少长远计划我们要有这个设想。现在开发浦东可以加快了，因为交通部主要领导同志来了，我们已经说服他们了，首先搞外高桥港口，外高桥的港口一开发，加上黄浦江大桥一通车，浦东就可以开发了。

最后，我希望你们要把这些事情落实到项目和资金上面去，这样大盘子才好定。比如，你们要计算一下，达到这些目标，要企业自己积累的资金是多少？市计委能够拿出多少？把产业结构调整一下，能够搞活多少？有大的轮廓，把线条搞清楚一点。当然，这里面很重要的是地方国营企业，把地方国营企业搞活，就靠外向型经济，靠开发浦东，靠调整。

借鉴外国经验，加速发展外向型经济 *

（1989 年 10 月 9 日）

过去的十年，是中国对外开放和实行改革的十年，也是上海逐步走向世界的十年。我们都在认真思考：怎样才能进一步发挥上海的优势、潜力和活力，使上海成为太平洋西岸的经济、贸易、科技、金融、信息中心和国际大城市。我们的建设事业主要依靠自己的力量，同时也需要朋友们的帮助。特别是在科学技术迅速发展的今天，更需要不断吸收外国先进的科学技术和管理经验，上海才能对中国的发展发挥更大的作用。

为此，我们在两年前就开始构想成立一个为上海开放提出决策

---

* 这是朱镕基同志在上海市市长国际企业家咨询会议预备会议（后改称第一次会议）上讲话的要点。为深入贯彻执行改革开放的方针，吸收外国有益经验，加快上海外向型经济发展，朱镕基同志接受了时任中国国际信托投资公司执行董事、中国国际经济咨询公司董事长经叔平的建议，邀请一批国际著名企业家担任市长咨询顾问。经上海市外国投资工作委员会与美国安达信公司亚太地区主管合伙人的共同筹备，上海市市长国际企业家咨询会议于 1989 年 10 月 9 日在上海西郊宾馆举行预备会议。本次会议讨论通过了咨询会议章程，推选美国国际集团董事长兼首席执行官莫里斯·格林伯格为第一届咨询会议主席，并商定每年召开一次市长咨询会议。咨询会议成立之初有 7 个国家的 12 名成员，2012 年第 23 次咨询会议有 16 个国家的 50 名成员。

1990年3月16日，朱镕基出席上海市市长国际企业家咨询会议第二次会议。前排右一为市委副书记、副市长黄菊，右二为会议主席、美国国际集团董事长兼首席执行官莫里斯·格林伯格，左一为市政府顾问汪道涵。

建议的国际性咨询组织的方案，这个方案得到了国务院的支持。经过一年多的筹备，终于召开了上海市市长国际企业家咨询会议的预备会议。作为上海市市长国际企业家咨询会议的成员，你们的行动不仅反映了你们对中国人民和上海人民的友谊，也显示了你们的远见卓识。你们预见到上海的开放和发展对未来亚太地区以及世界经济前途的影响。

当前我们面临的一个重要课题，就是今年8月江泽民同志来上海时向我们交代的一项任务：上海要进一步开放。并且他认为，上海具备进一步开放的条件。上海怎样进一步开放？我考虑从两个方面去进行努力。

第一，认真办好现有的外资企业。上海的投资环境现在有了一定的改善，但仍然不够完善，外国企业家还有不少抱怨，这方面我们还有很多工作需要做。我们愿意听取你们的任何意见，不断改进我们的工作。

第二，要加快开发浦东。上海进一步开放的重点就放在浦东开发上，我们正在采取实际步骤加快开发浦东。开发浦东首先要解决越江交通问题，现在已有两条隧道，打浦路隧道和延安东路隧道，而且两条隧道之间的大桥工程——南浦大桥已经开工，1991 年可以建成。我们在浦东长江口的外高桥还要建一个新的上海港，预计 1991 年可以开工。同时，浦东的公路也正在建设，如浦东南路已经修好。浦东大约有 350 平方公里，比浦西老市区面积还要大。现在浦西已经拥挤不堪，城市要发展必须到浦东去。浦东只要把基础设施和社会公共设施逐步建起来，就可以成为最吸引外国企业家来投资的地方。另外，在浦东开发过程中，我们还准备采取更优惠的政策吸引外国投资。我们欢迎外国企业家来浦东投资，也鼓励市区现有的工业和人口迁到浦东去。希望朋友们在这个关系上海发展前途的战略性问题上多提出宝贵意见，以加快浦东开发和上海进一步开放。

振兴和发展上海的文艺事业*

（1989 年 10 月 14 日）

我们上海文艺界、戏曲界的 900 名战士，这次参加第二届中国艺术节远征北京、南京和新疆等地，征服了当地观众，获得了成功。同志们为上海人民争了光，为树立上海人民新的形象立了功，使上海人民欢欣鼓舞。我代表市委、市政府，并以一个文艺、戏曲爱好者的身份，真诚地向上海的文化艺术工作者表示衷心的敬意！

刚才听了 10 位同志的发言，我很受感动。我希望上海新闻界把今天 10 位同志的发言内容很好地加以宣传，让更多的上海人民了解文艺工作者的业绩和境界，了解他们为振兴上海做出的贡献。这不但可以鼓舞上海人民的斗志，而且也有助于澄清海外某些不负责任的谣言。现在上海政治上是稳定的。在某些高等院校里，还有一些不稳定的因素。一些青年大学生，他们缺乏新旧社会的对比，政治上比较偏激，对他们要做深入、细致、艰苦的思想教育工作。而我们上海文艺界、戏曲界表现是好的，这次参加第二届中国艺术节也证明了我们这支队伍是过得硬的。不但是广大观众，而且许多专家和中央领导同志

---

* 这是朱镕基同志与参加第二届中国艺术节的上海艺术院团部分同志座谈时讲话的主要部分。

都给予了高度评价。特别是京剧《曹操与杨修》等剧目更是风靡观众、誉满京华。希望上海演出队的同志们认真总结经验，不骄不躁，再接再厉，更好地发挥社会主义文艺对人民群众的鼓舞、激励、推动作用。

下面，我向同志们提几点意见：

第一，要发扬严肃认真的艺术精神，苦练扎实的基本功。我上次看《曹操与杨修》，上台同演员握手时看到，他们额头上都沁满了豆大的密密麻麻的汗珠，这是一种精神美。“梅花香自苦寒来”，我们要取得艺术上的成功，必须吃大苦，耐大劳，苦练基本功。舞台上的一招一式不知要经过多少个春秋寒暑才练得出来。基本功扎实，才能赢得观众。俞振老[1]是京昆艺术泰斗，他最知道有成就的演员都是

1989 年 10 月 14 日，朱镕基与参加第二届中国艺术节的老艺术家俞振飞（右）亲切交谈。

---

〔1〕 俞振老，即俞振飞，京剧、昆曲艺术家，曾任上海京剧院院长、上海昆剧团团长等职。

苦练成才的。上海文艺界有这么多剧院、这样庞大的队伍，要提倡以忠于人民、忠于艺术的态度苦练基本功，这样才能出人出戏走正路，才能使上海的文化艺术焕发出璀璨的光彩。当然，发展社会主义的文化艺术要有坚定正确的政治方向，最重要的是认真学习马克思主义，把坚持四项基本原则、反对资产阶级自由化的精神贯彻到艺术实践、艺术创作中去，使上海的文化艺术在正确的思想指导下继续发展、更加繁荣。

第二，要深入生活、发展创新。这几年，不论是京剧、昆剧，都在逐渐失去青年观众，我国传统戏曲艺术的爱好者在减少。作为严肃的艺术家，对这种现象当然不应当迁就和媚俗。一方面，要着力提高青年观众对传统戏曲的艺术鉴赏水平；但同时，传统戏曲艺术本身也需要不断推陈出新。如果没有发展、创新，只能演几个老戏，就会失去观众，特别是青年观众。当然，传统戏不能丢，还是要演，也要改良。另一方面，就是要根据今天的现实生活，创作和上演一些新戏。新戏不一定都是现代戏。例如《曹操与杨修》是传统的古装戏，但是它别出心裁，在传统戏曲的基础上有创新、有发展。观众在观看演出时，往往浮想联翩，甚至比作者想得还多，收到了很好的艺术效果。这出戏在晋京演出之前，我就估计会受到欢迎。至于京剧《盘丝洞》，我原来就认为应该演一些这类风格的戏，因为相当一部分群众喜欢看，但对于能否得到正确评价并没有太大的把握，没想到同样受到首都观众的欢迎。我们从中可以得到许多启迪，其中最重要的是，我们的编、导、演，也包括音、舞、美，应当深入现实生活，把戏演活，特别要多编多演反映上海现实生活的戏，把戏曲的观众面逐步扩大。

第三，上海各级党政领导应当重视文化艺术工作。社会主义的文艺事业是一种精神产业，从事文化艺术工作的同志是人类灵魂的工程师。文化艺术工作抓好了，可以收到精神变为物质的效果。实践证

1989 年 10 月 14 日，朱镕基与参加第二届中国艺术节的上海各文艺团体代表握手交谈。左二为中国福利会儿童艺术剧院演员顾帼一，左三为中国福利会儿童剧院副院长宋捷文，右一为上海杂技团党总支书记殷秀敏，右二为上海杂技团演员朱刚。

明，就事论事地抓经济，经济工作不一定搞得好。上海这几年经济工作的困难很多，搞好经济工作，关键是人心齐。为老百姓多办些实事，例如抓廉政建设、抓“菜篮子工程”、抓城市基础设施建设，可以得人心、顺民气；文艺工作抓好了，同样也能收到这样的效果。大家只要看一看，一曲《干部廉政歌》[1]激励了多少上海人民，就可以

〔1〕《干部廉政歌》，由中共上海市委宣传部文艺处用《三大纪律八项注意》的旋律集体填词创作。

懂得这一点了。

上海文艺界的同志要充分认识自己肩负的历史重任，多向人民群众奉献精美的艺术作品。我对上海的经济工作是有信心的，因为上海经济发展具有得天独厚的综合优势，工业门类齐全，科技人才众多、素质好；我对上海的文艺工作也很有信心，因为上海文艺界同样具有综合优势，有条件做到百花齐放。我赞成发扬上海文化艺术的优良传统，振兴和发展上海的文艺事业。

同志们都要求对文艺工作实行倾斜政策。我们对一些剧种确实要扶持，但也不能吃“大锅饭”，一味地依赖政府补贴。文艺工作的出路在于赢得观众。现在上海财政光是用于补贴粮、油、副食品的，一年就达 37 亿元，这还不包括企业拿钱补贴的 9 亿元，我们的包袱很重。我们的知识分子，其中也包括文化艺术界的知识分子，现在待遇确实很低。虽然这在社会主义初级阶段很难一下子改变，但总要下决心逐步有所改善，不然就留不住人。上海昆剧团最近出走 8 个演员，我希望她们能够回来。我们正在研究怎么逐步改善知识分子生活待遇，使大家感到党和政府没有忘记知识分子。我相信同志们会体会和体谅党和政府的心情。同时，我也相信同志们会不断增强搞好社会主义文艺事业的光荣感、责任感，鼓舞和激励上海人民风雨同舟，和衷共济，把振兴上海的事业推向前进。

上海的机电产品出口是极有前途的*

（1989年10月23日）

上海的出路和前途，就在于实施沿海地区经济发展战略，发展外向型经济；就在于“两头在外”，扩大出口。发展外向型经济，最后落脚到出口。从上海来讲，希望就在于机电产品出口，因为轻纺产品出口有原材料的问题，原材料国内不能供应，要靠进口，进口以后是收汇率降低，所以增长会有限。我不是说不要大力发展轻纺产品，还是要大力发展，但希望主要在机电产品，因为原材料基本上可以立足于国内，除了一些最精密的元器件还需要进口以外，进口的比重比轻纺工业小得多。轻纺工业也可以想办法，比如羊毛，进口很贵，你想出口创汇很多是很困难的，当然也可以考虑深加工，做成服装，卖得起价钱，所以进口羊毛搞出口也可以考虑。但恐怕光靠羊毛不行，还得考虑自己生产化纤。

机电产品的出口是极有前途的。市机电产品出口办提出来的机电产品出口目标，我认为可以，但也很艰巨，恐怕也不能再高了，实际执行时力争超过。现在是8.1亿美元，占出口创汇的16%。1995年是17亿美元，到2000年是30多亿美元，等于十年翻两番。出口

* 这是朱镕基同志在上海市政府第五十二次市长办公会议上讲话的一部分。

的比重，现在占六分之一，1995年占四分之一，2000年占三分之一。如果这个目标能达到，那上海很有希望。如果我们不能达到，上海就很困难。所以我们要千方百计想办法力争实现或超过这个目标，当然这要做艰巨的工作。

要真正能够实现这个目标，首先，你出口什么？要有一个很好的规划。这一点，市机电产品出口办选择了20种重点产品，是从宏观上考虑的，但光这么说一下不行，要落实到企业。哪些企业能够出口哪些产品？今后10至12年，出口比重怎么样增长？要有一个技术改造、技术进步的规划，而且必须落实到每一个厂，每一个厂都要制定他的产品出口规划。

我昨天听说最近市二轻局举办了一个展览会，有些新的发明、小的创造、新的产品结构调整，这个非常重要。现在不是一切产品都滞销，就是老面孔产品滞销。很多小商品，既美观，又实用，又新颖，这样的产品老百姓是会要的。我们的企业现在要摆脱困境，就要调整产品结构，开发新产品。出口也应该这样，看到世界上行销什么东西，马上就学这个东西，而且有所创新，这样才能出口。所以，出口首先要有一个比较扎实的具体的规划，而且要跟其他的规划结合起来。不重点支持，不给企业投入搞技术改造，他出口不了，出口比重是上升不了的。

其次，出口本身有三个先决条件，一个是质量，一个是市场销售，一个是售后服务，这些必须采取强有力的措施。

第一，产品质量不单是产品本身的质量，还包括包装的质量。上海工业缝纫机厂，我去年让市轻工业局抓了一年，数量上去了，但质量还是不行，特别是包装质量不行。这个厂是花了一千几百万美元用日本最新的设备装备起来的，甚至比日本东京重机厂还要先进，但生产出来的产品就是不如日本，特别是外观，加上包装一塌糊涂，散

1990 年 10 月 1 日，朱镕基到上海市第二轻工业局陈列室参观新品开发并了解出口创汇情况。左一为市第二轻工业局副局长俞南平。

架，怎么卖得掉啊？这得好好地抓。我们的产品质量往往是这样，刚出来时好，过几天稍微有一点市场，就垮下来了。所以，市机电产品出口办要想一点具体措施来督促企业改进产品质量。市技术监督局、商检局都要把重点放在突击检查出口产品上。最近，老沈〔1〕准备把出口产品质量问题搜集起来，我们开一个全市大会再来讲一讲。不花力量加强管理，不把产品质量抓上去，企业怎么生存啊？

第二，市场销售。刚才更舵〔2〕同志总结了几点，确实是这么个

〔1〕 老沈，即沈被章。

〔2〕 更舵，即孙更舵，曾任上海市人大财政经济委员会副主任委员等职，当时为上海市政府市政工作咨询小组成员。

情况，我们现在这样几种销售方式是不行的。一个叫“守株待兔”，坐在家里等客户上门；一个叫小本经营，小买小卖；还有一个叫“骡马大会”，现在“骡马大会”开到国外去了。

对销售的方式要研究，要想办法改进。我看是要“打出去”。现在我们也不是没有出去，还是有人在外面，有的搞得好，有的搞得不好。我在大阪、东京访问期间看了一下。老沈你们的办事处、各个公司都派人在那里，他们还是做了不少工作的。但我觉得，这样一些办事处、代表处，已经起不了打进国际市场的作用，其原因是层次太低。低层次的人派得太多也没有多大用处，现在要派高层次的人出去，就是同当地政府、大工业企业的头面人物要能够见得上，不一定官大，就是要水平高，活动能力强，能够跻身于商业的上层社会，这样才行。我感到现在急需要加强这方面的工作。你们代表处没有工业方面的人员，那只能管外贸的环节，工业产品的质量问题、售后问题都难以解决，打多少电报都没有人理你。所以，黄菊、传训同志，我现在考虑要成立海外公司，要派委办主任一级的人，派比较强的干部，懂外文，有国际知识、外贸知识的人来负责。要统管，不是管死，而是能够总结经验、发现问题，要能够起这个作用，研究怎么打入国际市场的战略，跟当地头面人物要能够有接触。

另外，既要考虑工业部门、外贸部门派强有力的人员到外面去，但不要又兴起一股“出国热”，派那些根本不干事、年龄也到了的人去。我的意思是不要作为一种安排，要派真正起作用的、懂外文的人员到国外去，而且要有考核条件，你干的活要值你花的钱。现在跑到外面的人没做几百美元生意，但花了多少万美元。以后要考核每一个公司，你究竟一年做了几百万美元生意，花掉了几万美元？之所以要设立海外公司，就是要考核每一个驻外人员提供的信息、客户，考核他提供的打进国外市场的建议值多少钱。如果根本不起作用，赶快把他撤了，不要这种人。

要使上海真正和国际市场联系起来。现在信息不灵通，除了派出去，我觉得最好是在国外请雇员，包括上海在外面的留学生。当然，我们对他们的政治素质也要考核，要使这批人真正为上海服务。派出去的，想找全面的人才很难，又懂生产、又懂外语、又懂外贸，很难。在国外聘一批人，多花一点钱也是可以的。最近中信公司副总经理来找我，荣毅仁办的海外公司就是他负责的，他办厂赚了很多钱。他出钱并不多，银行贷款现在他都能还，而且有盈余，赚了几个亿。他搞的那些公司都是雇用当地人，他当老板，他建议我们也这样搞。我考虑，我们有些原材料，比如纸浆，甚至冷轧薄板、热轧薄板从哪儿来啊？可多开辟一些来源，比如买一些股份。这都需要由很了解当地情况的人来筹划，才能真正和国际市场融为一体。我们要有战略眼光，要考虑选拔这样一批人派出去，上海真要打入国际市场，没有这样一批人才不行。

第三，售后服务。特别是机电产品出口，如果售后服务搞不好，不能随时买到你的零部件，那没有人用你的产品。我又想到工业缝纫机，现在市轻工进出口公司没有本事在国际市场站稳脚，索性你就跟东京重机厂谈一谈，通过他的出口渠道出口，宁可少赚钱，给人家一大块佣金，等站稳了脚，你再出来搞嘛。好多大资本家都是这样，先当伙计，学了本事就出来了，自己搞个公司，不然，这么要死不活的情况怎么弄啊？这都得研究。我们很多机电产品要考虑和国际上一些知名公司联系，通过他们的渠道出去，我们赚小钱，羽毛丰满以后再赚大钱。所以，明志澄〔1〕同志，你考虑机电产品出口，一定要考虑零部件的生产、维修，推销一个产品，首先搞维修站。我们现在“桑塔纳”汽车有点优势，就是零部件的维修站遍及全国，这一点是非常

〔1〕 明志澄，当时任上海市经济委员会副主任兼外国投资工作委员会副主任。

好的条件。“桑塔纳”将来有一席竞争之地，就是靠售后服务，靠能够很方便地买到你的零部件。市机电产品出口办应该很好地研究一下售后服务，不然机电产品没有办法出口。

所以我有一个建议，请黄菊、传训同志考虑一下，沈被章、明志澄同志再研究一下，就怎么加强海外销售和售后服务的机构，提出一个组织方案来。现在要从各工业局、各个委里面抽调很强的干部去加强海外销售和售后服务，要指挥很灵，国外一个电报回来，马上这里发货、这里去人，不然打不进国际市场。另外，对现有的驻外人员要清理，把在外面混日子起不了作用的人逐步调回来。当然，对驻外人员的待遇应该放宽。我跟沈被章、叶龙蜚同志都讲过，在驻外人员真正创造经济效益的前提下，对他们的待遇要放宽，不然也不能吸引人才。我想要有一个原则，就是一定要使外销优于内销，即各方面的待遇都是出口比内销优越。但幅度不要太大。刚才你们讲 20%的幅度太高，因为它不是一个环节能够决定问题的，你即使把他们的工资增加 100%也出不去，结果他们的工资增加了，那里的出口并没有增加，这划不来。但一定要做到外销优于内销，这要研究，明年一定要对出口有强大的鼓励政策。

克服困难，要全心全意依靠工人阶级*

（1989 年 10 月 26 日）

这次全市工业企业思想政治工作会议开得很好。有的同志反映，这次会议是在一个关键的时刻，组织关键的人物，开了一个关键的会议。这次会议，我们把 800 个大中型企业的厂长和党委书记都请来了，大家坐在一起，共商大计。会议取得了三个方面的收获：一是统一了认识；二是明确了方向；三是鼓舞了斗志，达到了“一要稳定，一要鼓劲”的目的。

下面讲三条意见。

第一条意见，贯彻中央 9 号文件〔1〕和这次会议的精神，关键在厂党委书记和厂长的团结。这种团结，应该建立在讲原则的基础上。刚才邦国同志讲了，不讲原则的“哥儿俩”是不行的，是办不成社会主义企业的。现在已经发现个别书记在包庇厂长，譬如，同意拿 30 万元给厂长盖一栋房子。这个不行啊！看起来你关心他的生活，结果使他脱离了群众。我们要的是在讲原则基础上的团结。这种团结有赖

---

* 这是朱镕基同志在上海市工业企业思想政治工作会议闭幕会上讲话的主要部分。

〔1〕 中央 9 号文件，指 1989 年 8 月 28 日中共中央政治局全体会议讨论并通过的《中共中央关于加强党的建设的通知》。

1989 年 10 月 25 日，朱镕基参加上海市工业企业思想政治工作会议纺织系统讨论并讲话。前排右一为市纺织工业局党委副书记邹木法，右二为市纺织工业局局长梅寿椿，左一为市第一棉纺织厂党委书记吴金桃，左二为市第二棉纺织厂厂长陈熙宁。

（郭天中摄）

于双方素质的提高。有些工厂的厂长、书记团结不好，工厂办得不好，很大一部分原因，就是他们本身素质不高，厂长没有当厂长的本事，书记没有当书记的品格。上海企业的书记、厂长，总的来说，水平是比较高的。但是还不够，我们还要努力。这里要强调这么几点：

第一是党性。大家都要从党性出发，什么事情不要去计较一针一线、一言一语，互相要谅解。书记要支持厂长，厂长管人是很难的，有些人无理取闹，甚至威胁厂长的人身安全，要敢抓敢管是不容易的；厂长要理解书记，什么事情都要主动接受党委的监督，遇事要多商量，重大的事情要集体讨论。我们好像很久不大讲党性了。党性锻炼的实质，就是世界观的改造、人生观的改造。有些单位的厂长、书记本来挺好的，就是为了那么一点事情，要争个你高我低，怎么也团结不好，这是党性不强的表现。

第二是作风。作风很重要。厂长、书记都应该有密切联系群众、理论联系实际、批评与自我批评的作风。大家都这样做了，团结就能搞好，工厂就有希望。现在有的同志，不深入实际，不联系群众，老坐在办公室，老去跑“横向”，老是出国，把工厂扔着不管，这是肯定搞不好企业的。

第三是水平。要学习，不断提高自己的水平。要学点哲学，看问题不要那么死、那么片面；要学点经营管理，了解国内外的市场，多考虑一些企业的发展战略。在这样的基础上，大家的共同语言就多了。我对同志们特别是40岁、50岁的同志们，是寄予厚望的。50岁的人是我们的宝贝，40岁的人是我们的希望。党培养你们很不容易。上海具有天时、地利、人和的优势，将会有大的发展。同志们身上肩负着振兴上海的重任。我们现在要搞外向型经济，要“两头在外”，而真正懂国际市场，又懂外文、懂生产、懂技术的人才很难找到。许多人在国内称王称霸还可以，到国际上就不行了。现在要培养这样的人才，造就一支很庞大的队伍“打出去”，在世界各地为上海服务。我们要组织企业集团，没有人才行吗？没有高瞻远瞩的、有经营管理才能的企业家，集团是搞不好的。同志们要看得远一些，不要光看眼前的困难。你们的目光要面向全国、面向太平洋、面向全世界，要认识到自己责任的重大，要加紧学习。你们四五十岁，是上海的中坚、骨干，你们一定要十分珍惜时间，好好学习，不断提高自身的素质，提高自己的思想、业务水平。

第二条意见，从严治厂的力量来源于干部的廉洁。我到过很多国家，看过很多工厂，他们为了占领市场，很注意产品质量，工厂管理都很严格。上海要进入国际市场，要成为一个真正的国际城市，没有一以贯之的、严格的质量管理不行。今年大家都在为完成50亿美元出口任务而奋斗，我现在最担心的就是质量。看样子，数量还有可能完成，也一定要完成，但我就怕质量出问题。质量出了问题，客户纷纷退货，牌子都倒了，明年就糟糕了。我们一定要严格管理，从严治厂。怎么才能严格得起来呢？首先，企业领导干部对自己要严，就是我们自己要廉洁。我很赞赏“吏不畏吾严，而畏吾廉；民不服吾能，而服吾公”这句中国古话，有很深的哲理，请同志们仔细思考。这次会议的主题，就包括树立我们企业的廉洁作风。今后，大家就要朝这个方向发展，只有这样，才能够把工厂办好。

第三条意见，面对当前严峻的困难形势，我们要全心全意依靠工人阶级。同志们，尽管我们讲了不少困难，但是中央认为，当前的主要问题还是我们对困难估计不足。也就是说，还有更大的困难在前面，大家要做好这个思想准备。这个困难有外部的原因，比如国外对我们进行经济“制裁”，给我们制造了很多的困难。也有内部因素，主要是我们为了治理通货膨胀采取了财政、信贷“双紧”措施。当然，紧缩银根是必要的，而且确实取得了显著的效果。十年积累的毛病，就是盲目发展，结构不协调，这必然会带来困难。东西卖不出去，资金周转不开，该关的要关，该停的要停，这些痛苦，我们大家一定要忍受。只要我们全心全意依靠工人阶级，就一定能够战胜这些困难。

同志们，我们给你们的办法不多，但是，我们给你们一颗心，我们把心交给大家，把困难告诉大家。你们要发动工人群众来想办法。只要把工人群众动员起来，认识这个大局，看清楚这个前途，大家就能够奋发起来。当然，市委、市政府也要加强宏观的调控管理，帮大家解决一些宏观上的问题。我们要积极做好思想政治工作，引导群众树立勤俭节约、勤俭办一切事业的好风尚，与党同心同德，克服困难。泽民同志说，要“活血化瘀”。如果一些同志还有思想不通的地方，也不要操之过急。当然对那些破坏生产的，必须绳之以法；对

1989 年 9 月 26 日，朱镕基到上海新客站为赴京参加全国劳模和先进工作者表彰大会的上海全国劳模代表团送行。右一为市委副书记、副市长黄菊。

那些调皮捣蛋、好吃懒做的人，还是要立足于加强教育。关键是要厂长、书记带头，形成全厂加强思想政治工作的好形势，这些人也会逐步转化过来的。我相信，我们企业的思想政治工作做好了，上海就大有希望了。

开发浦东是上海的希望*

（1989年10月26日）

第一个问题，为什么现在我们要提出加速开发浦东？

我想，这是为了上海的改造和发展。上海目前主要的问题，就是人口十分拥挤，交通非常困难，工业过分集中，污染比较严重。浦东实际上是老市区的延伸，所以开发浦东具有最好、最优越的条件。它所花费的，主要在基础设施、越江工程，除此之外，费用比东进、西进也好，南下、北上也好，都要省得多，而且可以大大利用原来旧市区的商业。浦东也是缓解和疏散老市区的人口和工业的一个最理想的地区。从长远来看，上海要面向太平洋、面向全世界，要建成现代化的城市，建成太平洋沿岸最大的经济、贸易中心，当然也要开发浦东。它靠港口、靠海，地理位置非常优越，所以现在提出加速开发浦东。

第二个问题，要加速开发浦东，最主要的问题就是基础设施建设要先行，基础设施不搞，开发浦东是一句空话。

现在讲开发浦东的基础设施，第一个就是港口。港口的建设能够带动浦东的发展，城以港兴啊。所以我觉得加速开发浦东，必须把

---

* 这是朱镕基同志在研究浦东开发专题会上的讲话。

港口建设摆在第一位。现在，经过交通部同意，上海“八五”计划期间首先要建设外高桥港口，我说这是对上海建设最大的支持。各个有关部门的同志，都要把优先建设外高桥港口作为最重要的任务，这一点无论如何不能动摇。

第二个基础设施就是道路。我想应该把环线建设放在最重要的地位，这也是结合进行老城的改造。上海内环里面的76.5平方公里是在浦西，如果这个环线不到浦东，浦东根本不能开发。所以环线作为整体规划一定要到浦东，这样将来整个市中心就是这一块了，浦东陆家嘴实际上是老市区的延伸，将来都是市中心。我想，要尽一切努力，明年无论如何要把环线修起来。学李瑞环同志在天津的办法，全市总动员，有钱出钱，有力出力。这不但是开发浦东，而且有了一条环线，市区交通可以大大缓解。我们大大落后于北京、天津，问题就在这个地方。所以现在要集中力量把这个规划做好，这条环线要几年完成？标准应该怎么定？都得好好地规划，这是一件最重要的事情。我这个任期里面能够把这个环线搞起来，我就很满足了，就是为上海做了很大的一件事情。南码头黄浦江大桥〔1〕一通，将大大有利于浦东的开发。如果再把宁国路越江工程〔2〕考虑进去，这个地方一通，我看浦东开发的步伐就很快了。这样将来过江没有很大的困难，公共汽车一通，住浦东等于住在市区一样，愿意搬去的人就多了。

外环线当然不是五年能搞成的，十年能否完成也是一个问题，但规划应该做。而且，这个环线应该考虑外高桥和宝山的发展。上海修这样的环线究竟采用什么标准都要研究。近期，一个是搞内环线，

〔1〕 见本书第141页注〔1〕。

〔2〕 见本书第141页注〔2〕。

另一个是把像浦东南路这样连接的马路都搞好。

第三个基础设施是煤气、水、电等，这些都有规划，原来投资都考虑了，要进一步考虑分期的规划。

第三个问题，就是资金从哪里来？采取一种什么开发方式？

我想，浦东规划办公室应该组织对政策的研究。靠我们政府拿钱，像搞闵行开发区、漕河泾开发区、虹桥开发区的办法是不行的，没有这个本事了，一平方公里要我们投上一两个亿，现在没有这个钱。现在要研究的政策，一个叫吸引内资，另一个叫吸引外资。利用外资和内资来搞，而不是政府拿很多钱。政府拿钱就是建设医院、学校、商业服务点、公共福利设施，特别是在已经建成的住宅区里面一定要考虑这些设施，不配套的要赶快配套，而且要把有名的医院、有名的学校搬去。否则像现在这样，是没有人往浦东搬的。所以前面说的四类设施，市政府要拿钱，国家要拿钱。后面讲的是研究政策，目前研究什么政策呢？对外资还是要采取批租土地的办法，在土地上面做文章。批租土地虽然不是唯一的方式，但可能是一种很重要的方式。现在对浦东来讲，第一步不是吸引第三产业的项目，因为第三产业的项目在上海已经太多了，浦西的宾馆现在住房率都很低，浦东再搞起来的话，浦西更没有人来了。浦东现在要吸引工业项目。搞工业，我们的地价不能太贵。给浦东规划办公室提出一个任务，你现在要把全市土地的价格定下来，这是一个大政策，因为就要在土地上做文章。这个可以再向梁振英咨询。每个地方、每个地区的地价都不一样，越靠近中心区越贵，就像日本东京的银座一样。而且根据用地性质不同，地价也不一样，这个地方盖工厂便宜，盖商业区就贵。

关于对内的政策，就是鼓励浦西的工厂和宿舍往浦东盖，这也要制定一个大政策，不然我们没钱搞。现在这些污染环境的工厂多少年没有搬走几个，就是因为没钱。我想也是要从土地的补偿上做文章。浦西的工厂，占的都是寸土寸金之地，那个地价非常贵的，如果搬到浦东去，那里地价便宜。你们各个县长来了，浦东的地，你们不能敲竹杠。浦东的地价定下来是比较低的。工厂从浦西搬出来，原来那块地可以卖给别人，可以把地价补偿的钱给他，不要大家“几马分肥”，市房管局分一块，市土地局分一块，这就完蛋了，这个做法要改变。就把地价补偿的钱给工厂，再加上市环保局返回一部分环保费，他再到浦东，地价很低，用多得的钱盖厂房，这样就可以搬过去。

宿舍也是这个道理，不能在浦西盖大楼，越盖交通问题越不能解决。让他去浦东盖，划地块，地价又便宜，不敲他的竹杠。从地价和级差地租上来做文章，鼓励往浦东搬。要想出一系列很好的政策，包括搬迁的政策。现在搬迁“吃唐僧肉”的办法一定要停止。自己一个钱不拿，一下子一步登天，原来住棚户，一下子住得很宽敞，结果所有工程的拆迁费用占很大比例，那怎么受得了？

所以，各个县要有思想准备，要有政策，但这些政策最终是有利于你们的，不要看眼前，眼前不要敲竹杠。

关于标准的问题。浦东是将来上海的窗口、上海的希望，那是最现代化的城市，但任何一个城市都不是一蹴而就的。上海老城有150年的历史，外滩是二十世纪二十年代建起来的，现在也60多年了，浦东形成一个新的城市恐怕也得50年以上。所以，开始盖住宅也好，盖其他什么建筑也好，高标准是不行的，还是按现在的标准，力所能及地盖。我觉得城市的高标准不在于现在几幢房子，而是在于城市的道路和基础设施，这一点，我们要看到50年以后，甚至100年以后。看多远我不敢讲，搞规划的吴良镛〔1〕教授讲，要有一点浪

〔1〕 吴良镛，城市规划及建筑学家、清华大学建筑学院教授。

漫主义，要考虑天时、地利、人和。上海的发展一定要考虑面向太平洋、面向未来，各种基础设施的布局一定要按这个要求。但是现在不一定盖，规划在那里，现在搞临时设施，将来扒掉也花不了多少钱。现在高标准一步到位是根本不可能的，要分步走。就像名古屋，是日本规划得最好的城市，他原是航空工业密集的地方，因为在第二次世界大战中全部被炸掉了，是战后重新规划的，确实很漂亮，规划得比较好。据说当时的市长要把马路修宽一点，大家批评他好大喜功，但他坚持自己的意见。现在一看，马路都窄了，要不是当时他坚持就更不行了。吴良镛教授讲得很好，要浪漫一点，特别是陆家嘴，就是外滩的对岸这条线，一定要很好地设计，这是上海的最中心了。外滩这一带的风景确实是了不起的，二十年代设计的规划，再过 100 年也坏不了。不但陆家嘴的设计，整个这一带的设计，要向全世界招标。这条线是跟外滩相对的，大家都知道外滩，你这一条线的设计至少不要比外滩次，要有特点。要号召全世界的建筑设计师来投标，这就一下子提高了上海的知名度。但是，你一定要做好浦东地区的规划，一定要把整体设计好，哪些地区摆生活区，哪些地区摆政府区，哪些地区是文化娱乐区，哪些地区是外商投资开发的地方，对地价要有规定。另外，关于沿黄浦江港口的调整也要有个规划。

浦东的规划是跟老市区的规划密切结合的，关系到上海的长远发展，牵涉的面非常广，涉及政治、经济等各方面的政策，这件事是传训、天增同志在领导，我建议要立刻组织一个强有力的领导小组，吸收各方面的人参加，具体工作可以由叶龙蜚、叶伯初〔1〕同志负责。这个领导小组的成员主要是建设部门，其他搞规划的、搞工业的、搞财贸的，都把他们吸收进来，分成若干小组，有的研究规划，有的研

〔1〕 叶伯初，当时任上海市建设委员会副主任兼外国投资工作委员会副主任。

究政策。还要有个综合组，能够出题目，总管全局，不要像现在单打一，今天叶龙蜚同志来两句，一会儿张绍梁[1]同志来两句，一会儿侯旅适同志来两句，搞得我没有头绪，不知道浦东怎么开发。总得有总的概念，然后怎么深入下去。你们都出单子，要多少亿元。我的钱从哪儿来？要靠你们想办法、出政策，现在就要加紧工作。

最后，我希望你们搞一个模型。你们如果没有看过这个模型，到横滨去看一看。横滨的规划有一个模型，在一个大楼里，电动的，就是给市民看的。我看了横滨的模型，也很受鼓舞，上海市民并不大知道浦东开发的意义，你就把整个上海，包括浦东的远景规划做成一个电动模型，摆在展览中心或什么地方，让市民去看，然后提意见，看这个规划行不行。然后，我们对这个模型不断地修改、不断地实现，这是对上海人民一个很大的动员力量。

---

〔1〕 张绍梁，当时任上海市城市规划建筑管理局局长。

坚决落实治理整顿的各项措施*

（1989年11月14日）

我就如何贯彻落实党的十三届五中全会〔1〕精神讲三点意见。

一、要充分估计上海面临的经济困难。

今年，上海的治理整顿取得了比较好的成绩，主要反映在以下几个方面：

（一）今年的生产保持了一定的发展速度。去年我们的工业发展速度是10%，今年7月以前，我们还是保持了这个速度，从8月开始下降，9月和10月变为负增长，11、12月有可能还会降下去，我们要有这个思想准备，但今年总的发展速度估计还可以保持4%或者更多一点。

（二）物价指数逐月回落。今年1月物价指数是26.4%，10月回落到9.2%，就是说，物价上升的趋势已经稳定住了。估计11、12月这两个月物价还会回落。这样，全年的物价指数可以控制在20%以内。去年物价指数是21%多，今年可能比去年下降3个百分点。现

* 这是朱镕基同志在中共上海市第五届委员会第九次全体（扩大）会议闭幕会上讲话的主要部分。

〔1〕 十三届五中全会，于1989年11月6日至9日在北京举行，审议并通过了《中共中央关于进一步治理整顿和深化改革的决定》。

在的情况，可以说是市场稳定，人心稳定，物价也趋于稳定，银行的储蓄大幅度上升，这是一个好现象。

（三）消费基金的增长得到了一定程度的控制。今年上半年工资总额的增长达百分之二十几，到10月只比去年同期增长9.5%。

（四）压缩基本建设规模也取得了成效。今年固定资产投资规模全国压缩20%，上海压缩35%。从绝对数来看，去年上海固定资产投资是156亿元，今年要求我们压到103亿元，压了三分之一还多。为什么呢？就是因为原来的“久事项目”〔1〕是不纳入计划“笼子”的，今年把它纳进去了。但是，我们根据中央精神，还是坚决压缩，保重点，把楼堂馆所和一般的技术改造项目基本上都砍了。今年1至10月份，固定资产投资完成103亿元“笼子”的65%，估计后两个月还可能保持在“笼子”里面，完成中央给我们的压缩计划。

（五）出口增长。刚才讲生产速度有所下降，但出口还是增长的。1至10月已经完成了39亿多美元，估计到12月份至少可以完成48亿美元，我们还是要奔原来50亿美元的目标。因为我们进口原材料的外汇花得多，今年实际的收汇率不比去年高，所以非要完成这50亿美元不可，还要努一把力。

（六）利用外资的情况还是比较好的。1至10月吸收外商直接投资3.49亿美元，这已超过去年全年的总和，外商到上海投资的意向、热情没有降低。现在有些项目我们不敢签字，是因为没有配套资金，要不然，还可以吸引更多的外商投资。

（七）基础设施的建设取得了成绩。地下铁道、黄浦江大桥、合流污水的治理等重点工程现在都在进行，而且进展较快。前几天，电话改成七位号码制，现在全市已拥有50万门电话，其中28万门是程

---

〔1〕 参见本书第75页注〔1〕。

控电话。这对投资环境的改善、经济的发展，都有很大的意义。

（八）财政状况还是不错的。尽管生产速度有所下降，但估计今年财政计划是可以完成的。我们今年上缴的105亿元是要保证的，但实际上上缴的不止105亿元，而是125亿元，因为有特别消费税、国家预算调节基金、国家能源交通重点建设基金、土地税，这些都是另外加上去的。上海是应该多做贡献。另外，粮食涨价了，今年光粮、油、副食的补贴就比去年增加了13.7亿元，这就把我们很大一块增加的收入冲掉了。应该说，上海今年的财政税收工作是做得不错的。当然，我们现在还有点困难，因为今年要提价的公交月票没提成，城市的煤气、自来水都增加了补贴，又要好几亿元，现在还没有解决。

以上是讲今年的情况。今年尽管有困难，日子还能过得去。但是我们要看到，明年的困难要比今年大得多，大家要有足够的思想准备。

第一，市场何时好转现在确实难以估计。市场疲软，是很多因素造成的。人心稳定，储蓄保值是一个重要因素。过去是超前消费、盲目消费，现在普遍的消费心理是“静观待降”。当然，从根本上讲，我们国家总体上依然是短缺经济，商品还是供不应求的。像现在这样彩电滞销，恐怕不会持续很久，但市场复苏究竟什么时候到来就难以预料。在转机到来之前，生产还可能下降。现在滞销的主要是轻纺产品、家电产品。值得注意的是，机电产品现在也已经开始出现滞销的趋势，因为固定资产投资压缩，设备的需要量减少了。

第二，能源要涨价。明年煤炭每吨涨15元，现在还不知道是否打得住。此外，原油也要涨价，涨幅比较大。这些都要直接增加企业的负担。我们计算了一下，明年要用2525万吨煤，每吨涨15元，就得增加支出近4亿元，企业的负担就相当厉害了。大家要知道，企业去年的日子是比较好过的，中央让了我们一点，我们让了企业10亿元。尽管去年原材料涨了一点价，但加工产品也提了一点价，所以，企业还是多拿了十几个亿。今年，这十几个亿都交上去了，因为煤炭加原油涨了十个亿。这样，企业就仅仅能完成承包基数。当然，企业之间不平衡，有些企业完不成，有的好一点，总的平均是刚刚完成企业承包基数。但还款和留利就发生问题了。去年企业贷款还了14亿元，今年到现在只还了6.6亿元，估计全年最多还8亿至10亿元。此外，留利也很少。如果明年煤炭价格再涨几亿元，那困难就很大了。所以，我们要千方百计地争取把煤炭纳入国家的运输计划，那就可以省一点钱。这就需要市物资局、燃料公司、电力局把这个工作做好。市计委、经委要为企业减轻负担。明年电、煤气不能再涨价了，不然，企业受不了。另外，一定要少烧油。

第三，农产品要涨价。国家今年已经把给上海的平价粮食和平价饲料减了一半，商业部告诉我，明年可能减得更多。因此，即使粮食不涨价，由于议价粮的比重提高了，仍然要增加补贴。油也要涨价，但零售价不能动，这又要增加补贴。由于棉花涨价，估计纺织工业要多负担2.9亿元，增加了他的成本。粮油补贴对上海来说是个沉重的负担。1986年对粮油的补贴只有2.6亿元，今年达到27亿元，这还不包括我们企业负担的9亿元，加上这9亿元就是36亿元。再加上中央给我们10亿元的补贴，一共有46亿元补贴在粮、油、副食品上面。如果再加上公用事业和企业亏损补贴，那就是56亿元。这样巨额的补贴使我们财政的承受能力到了极限。

第四，明年还要采取稳定物价的方针，这一点绝对不能放松，但是，有些东西不涨价也是不行的。全国预定明年物价指数增长16%，上海恐怕也不能低于16%。比方说，公共汽车票价不涨恐怕不行，不涨，2.5亿元的补贴怎么办呢？月票涨价主要是增加企业的负担，对人民生活不会有很大的影响，但是不会没有怨言，不会没有怪话，对此要有点思想准备。煤气也是个问题。现在浦东煤气厂的煤气一个立方米5角9分，卖出去只是1角钱，这个4角9分的亏损都压在政府身上，也受不了。上海的煤气，民用和工业用各占50%。今年工业用煤气涨价了，民用煤气没有涨价，把民用煤气那一部分煤炭的亏损补贴都加在企业的身上，企业负担不起，因为这个比例太大。当然，我不是说明年煤气一定要涨价，但困难是明摆着的。上海今年物价指数增长幅度预计低于去年3个百分点，明年也要明显低于今年，但还得有一定的增长幅度，因此，对居民、职工的思想工作要做好，使人们对物价的一定增长有思想准备。

第五，国家的困难比上海的困难大得多，有几百亿元的债务，内债到明年就是还债高峰，外债到后年是还债高峰。上海的对外债务期限比较长，债务负担现在不重，所以，我们要为国家多做贡献。现在，凡是有上缴任务的省市，都要提高上缴比例。大家要有思想准备，不是105亿元了。当然，我们实际上今年就已经是上缴125亿元了，以后恐怕还要增加，具体数字等国家分配。我们从上到下得有思想准备，不能有怨言。

这五大困难不是要大家都原原本本地往下去讲，但是，作为领导干部一定要了解这个情况。这样，才能充分认识当前困难的严重性，进一步提高治理整顿的自觉性和坚定性。

二、坚决落实治理整顿的各项措施。

我们现在面临的经济困难虽然比较严重，但从它的性质来说，毕竟是暂时的困难、前进中的困难，是完全有条件克服的。目前我们克服困难的政治条件和经济条件还是好的。

当前上海的政治形势是好的，是稳定的。这是我们克服困难的政治保证。前一阶段，市委认真贯彻党的十三届四中全会精神，开展了清查清理工作；进一步清理整顿了公司，查处了单位投机倒把案件；开展了反贪污反受贿斗争，严肃查处了一些以权谋私的案件；全面部署了廉政工作，扎扎实实地做了几件取信于民的实事，是得到了人民群众拥护和支持的。特别是把廉政工作从抓局级干部，延伸到处级干部以至延伸到企业，制定了有关的规定，群众反映是很好的。我们唱了一个《干部廉政歌》[1]，虽然还只是唱在嘴上，但人民群众就很拥护，说市委、市政府这个决心下得好，要求我们把这首《干部廉政歌》天天在电台广播。当然，光唱没有什么用，关键还是要做，言行要一致。现在，人民群众对市委、市政府还是有信心的，使我们的党增加了凝聚力。这对于团结全市人民，同心同德，共渡难关，会起到积极作用。

上海有强大的工人阶级队伍，过去建立了很大的功勋，我相信，在克服当前经济困难中，一定能够继续发挥主力军作用，我们的郊区农民也会发挥积极的作用。

再从经济条件看。应该说，现在各种条件都比去年的情况要好。首先，能源的准备就比去年好得多。去年我来上海工作的时候，开始是有三天的煤炭库存、十几万吨，最紧急的时候是仅有几个小时的用量。现在，电力富裕，煤炭的库存也大大增加了。经过前一段时间的抢运，上海的煤炭库存已达到 100 万吨、半个多月的库存量，到年底可能更多。其次，原材料出现了暂时松动的现象，像冷轧薄板过去是很紧俏的，现在都积压了。只要你有钱，原材料都能买得到。所以，尽管资金非常困难，还是要抓紧做好生产准备工作。另外，去年以来，抓 14 个重点项目的攻关、技术改造、技术开发，现在都逐步见效，很多产品的国产化程度在不断提高。这些都为我们进一步发展生产准备了条件。

当前，我们克服困难，劲儿往哪里使？要朝以下三个方面去努力：

---

〔1〕 见本书第 370 页注〔1〕。

（一）迅速扭转当前工业生产连续下降的局面。当前必须认真分析市场的走向，区别不同的商品、不同的情况，采取不同的方法。这是每一个企业的负责人和各委办局的负责人都要认真研究的问题。首先是赶快抓出口。出口没有很大的限制，关键是产品的质量和交货期。国内市场销不掉，你就把好的东西尽量向国外销；本市销不了，就到外地去销；外地城市销不了，就到农村去销。总之，不能守株待兔，要千方百计“打出去”。只要经营有方，产品结构及时调整，技术开发抓住不放，产品还是会有销路的。另外，资金调度工作要加强。现在市政府每星期召开一次资金调度会。资金由银行负责，但也需要政府引导，使资金的流向符合产品结构调整的方向，特别是在连环债、三角债差不多每天都发生的情况下，银行和有关部门对资金调度工作更要大大加强。这样也能缓解我们当前的困难。

再一个是要结合清理公司继续整顿流通秩序，砍掉那些扰乱市场、重利盘剥的中间环节。现在我们许多国营商业起不了主渠道作用，这种状况要改变。工商、工贸之间的衔接要加强，特别是在出口方面工贸双方要很好合作，进一步实行出口代理制，“两公开，四联合”〔1〕一定要做好。

（二）各行各业都要支援农业，切实加强农业这个基础，大力提高和充分发挥“菜篮子工程”的效益。这次党的十三届五中全会十分强调以农业为基础，号召全党全国动员起来，集中力量办好农业，强调要增加对农业的投入，增强农业的后劲。对上海来讲，同样必须把农业放在重要地位，各项经济工作都要贯彻以农业为基础的方针。“无农不稳”，郊区的粮食生产、“菜篮子工程”牵涉到千家万户，关系到我们克服当前经济困难的信心和动力，所以，一个“米袋子”，一个

〔1〕 见本书第360页注〔1〕。

“菜篮子”，都丝毫不能放松，但亏损补贴不能增加。刚才说了议价粮比重在增加，还可能要涨价，怎么办？只有提高经济效益。首先是农业生产要提高经济效益。我们花了那么多钱，建了那么多副食品生产基地，几万头猪的猪场、几万只鸡的鸡场等，饲料消耗不能还像过去那么高啊！管理要改善，成本要降低，饲料报酬率要提高，亏损要减少。对农民家庭的养鸡、种菜等，都要很好地扶持，同时要教育他们，把产品卖给国营菜场。吃了国家的补贴，不能都到集市贸易卖高价，现在这方面的漏洞还相当大。对市蔬菜公司、禽蛋公司要很好地整顿。最近不是抓出了一些“菜蛀虫”吗？这个大漏洞不坚决堵住的话，亏损减少不了。如果不从这方面想办法，明年再要求政府增加几亿元、十几亿元的补贴，那是不可能的。这个问题，需要市政府以及市农委、财贸办等有关部门采取有力的措施。还有，各行各业都要支援农业。今冬明春要大搞农田水利建设，为争取明年农业丰收打下扎实的基础。

（三）扎扎实实地开展增产节约、增收节支运动，真正提高经济效益。对于今年已经见效的治理整顿的措施，包括压缩基本建设的投资、控制消费基金的增长，这些工作一定要抓紧，要继续做下去，不能动摇。另一方面，要想一些新的办法来扭转亏损补贴大量增加这一状况。比如粮油补贴的节约潜力是很大的，压缩5%也有上亿元。对倒卖粮食的人，要按照法律严厉处罚。要教育我们的市民，不能去帮助那些倒卖粮食的贩子。另外，对行业用粮，请市政府考虑，明年除了经营大饼、油条等大众化饮食服务行业以外，一律实行按议价供应，不能再用平价补贴了。这对糕点、糖果等的价格可能会有影响，但没办法，补贴不起了。对经营大饼、油条等大众化点心的仍供应平价粮，但一定要定点、定量供应，要严格监督，不允许乱涨价。克服当前经济困难的措施，需要市政府有关部门研究制定具体的办法来落实。

三、团结带领群众战胜治理整顿时期的暂时困难。

泽民同志在中央工作会议上说，领导者的智慧和领导艺术，特别表现在遇到困难的时候有没有发现和解决问题的能力，有没有团结广大群众战胜困难的能力。正确估量和尽快扭转当前经济工作的困难局面，是对于我们各级领导机关、领导干部的严峻考验。为了团结起来，迎接治理整顿时期暂时困难的考验，我想对党员、领导干部提三点要求：

（一）要发扬党的优良传统和政治优势，转变领导作风，坚持群众路线，带领群众真正过几年紧日子。我们的领导干部、党员要以身作则，言行一致，和群众同甘共苦，一起去克服困难。这是一个关键。

1989 年 12 月 7 日，朱镕基考察上海市奉贤县泰青港水利工程进展并参加劳动。左一为中共上海市奉贤县委书记冯国勤，右二为奉贤县副县长沈云章。

有些企业搞得好，有些企业搞得不好，这与那里的领导干部、那里的党组织是有很大关系的。我们有很多厂长、党委书记团结带领群众克服困难，开拓前进，做出了很好的成绩。我建议上海的新闻单位大力宣传这些先进典型，用典型引路的办法，鼓舞大家增强克服困难的勇气和信心。

坚持群众路线，改进领导作风，积极参加劳动，认真体察民情，这是激励大家同心同德、战胜困难的一个重要途径，因为任务要依靠群众去完成，经验要依靠群众去积累，困难也要依靠群众才能克服。我们的各级领导干部要克服不下基层、不关心群众疾苦、脱离群众的官僚主义作风。当前，要大力提倡干部参加生产劳动。在转变领导作风方面，这次全会上许多同志提出意见，说要从市委开始。这个意见提得对，应当从我们开始转变领导作风。我们不但要带头勤政、廉洁、高效，而且要带头深入基层，要大兴调查研究之风，不要再浮在面上了。这一阶段以来，我浮在面上的时间比较多，参加这个会那个会，在报上、电视上露面越来越多。我并不满意这种现象，但是我也要请同志们谅解，有些会是不是不要让我们市委、市政府领导同志都去陪会，行不行？大家都下去调查、参加劳动，和群众同甘共苦。天天坐在上面开会，能开出什么名堂来？当然必要的会还是要开，现在的问题是会开得太多了、太滥了。另外，各种表彰会、总结会，这个会那个会，都叫我们去参加，好像不参加就是不重视，甚至一个小学、一个中学都要请我去参加校庆、歌唱会等，我实在是不堪负担。我老是写信说对不起，我实在没有办法去。我觉得要向大家呼吁，从上到下，都来精简会议，免除这些形式主义，大家都扎扎实实去为老百姓办几件好事。

（二）加强集中统一，加强组织纪律性，反对分散主义。我们在中央全会上也表了这个态，拥护中央加强集中统一、拥护中央加强计划性。上海是全国的上海，我们理应做出更大的贡献。陈云同志讲，现在各路“诸侯”太多，议而不决，决而不行，各自为政。上海有没有这个问题？我们自己要检查。我们各级党的组织和各级政府机关都要认真检查这个问题。

我觉得在上海，现在自作主张、各自为政、组织性纪律性松弛和淡薄的现象相当普遍。最近国务院通报批评上海擅自邀请伊朗能源部部长访问，我应该承担领导责任。我查了一下过程，每一个环节都有分散主义。外事无小事，外交权属于中央，怎么能随随便便就同意，就画个圈？这件事很值得我们检讨。我发现现在有些处长、县长、区长、局长胆子太大，干什么事一点不打招呼，自己就这么搞了，这样下去将来要犯大错误。这次已给我们敲了警钟。另外还有政策性问题，如涨工资、上项目，这些都不能自作主张，都要请示汇报。

邓小平同志在9月4日的讲话中特别交代要发挥集体领导的作用。我们市委、市政府要带头执行小平同志的指示，各级党的组织和各级政府机关也要这样做。什么事情都不能一个人做主。现在有的委办局连办公会都开不起来，个人说了算，这怎么行？领导班子这一班人要互相容忍，互相谅解，互相帮助。像小平同志讲的，大一点的事，都要拿到领导班子里来讨论，然后再分头去执行，去讲话，去发指示，不能随便乱讲。我们要有民主集中制，领导干部要发扬民主作风，要听不同意见。从我本人来讲很愿意听不同意见，只要正面提，不管在什么场合提，我都很愿意听取。但是，市委、市政府决定了的事你必须执行，尽管你有不同意见。如果你阳奉阴违，那是不行的。我希望我们的组织部门在这方面要严格，如果老是这样，当面不提意见，阳奉阴违，这种人要调开。在当前困难的时候，一定要强调党中央的权威、国务院的权威。对市委、市政府的决定，一定要采取严肃的态度，一定要执行，不得擅自做主。

（三）从市委开始，认真学习和研究马克思主义哲学，学习辩证法，改进我们的思想方法，提高决策的科学性。这个问题，江泽民同志在国庆讲话〔1〕中已经讲了，在党的十三届五中全会上又讲了，要求我们学习哲学，掌握马克思主义的世界观和方法论。陈云同志最近对中顾委多次讲过要学习哲学，讲得非常深刻，哲学学好了，一辈子都受用不尽。当前，在面临经济困难的时候，我们更要学好马克思主义哲学的基本原理，防止在执行政策、贯彻中央指示时出现片面性。

在困难面前，我们特别要强调稳定，要稳定政策、稳定人心。泽民同志一再讲，上海在全国的地位是举足轻重的，稳定了上海，对稳定全国这个大局会起很大的作用。我们在执行每一个政策时，一定要很周到地考虑，切忌“翻烧饼”。很多问题要辩证地去看，不要强调一个方面，把另外一个方面忽视了。某个政策在当时起过积极作用，现在看起来有些毛病，但你不要马上就变。如去年市政府对区县下放权限的决定，我至今认为是正确的，因为这大大调动了区县的积极性，增加了区县的财源，使区县办了很多好事。如果没有这点财源，好事就办不成，没有人给我们分忧，自己办也办不好。当然，现在出现了新情况，区县的财政收入增加得很快，市的财政出现了赤字。于是，有的同志提出，政策是否应该改一下？现在要强调集中统一啊！我的意见是，现在还是不要大变，不但要稳定这个政策，还要研究进一步下放权力的问题。有些事由区县办，比较接近人民群众、接近实际，给他们一点相应的手段，还是让他们去办好。当

〔1〕 国庆讲话，指1989年9月29日，中共中央总书记江泽民在庆祝中华人民共和国成立40周年大会上的讲话。

然，区县的同志也要注意，你们现在的财政收入增加以后，支出增长得太快了。有的区长还在叫苦，还要市里再扶持他一把，我就有点不同意见了。这也得讲点集中统一啊！也得讲点照顾大局啊！我承认你有困难，你的困难很大，但与市里比，你的困难还是小的。今年1至10月份，市的财政收入下降5.9%，区的财政收入增加18.9%，县的财政收入增加18.5%。再说支出。1至10月份，市的财政支出增加4.5%，压缩得够厉害的了；区的财政支出增加32.5%，县的财政支出增加34.6%，支出增加得太多了嘛！不要把好事一天都办了，分个先后嘛！对区县，我们不会改变财政包干这个政策，可能在副食品补贴的负担上让你们增加一点，也不会增加得很多，但是你们自己要自我约束。你们机关工作人员的工资补贴发得太多了，比市委、市政府机关发的多得多，这个不好！有的区县还在盖楼堂馆所，大铺摊子，这我都知道，这个不对，要改正！我一再讲，给你们增加财源，要你们办几件事情。第一是要把“菜篮子”搞好。你们把菜场办好，让集市贸易搬到菜场里去，把马路秩序整顿得好一点。不要嫌什么把环境卫生、清理垃圾粪便都下放给你们，这些本来就在你们那里，就是请你们搞得干净一点。第二是要把教育办好，特别是中小学的教育。另外，搞基础设施建设，市区建住宅要从严控制，要尽量盖到浦东去。你们要根据财力的可能，要分轻重缓急，一件一件地办，有先有后。有些区委书记、区长做得很好，经常到老百姓那里去走一走，访贫问苦，有什么问题及时帮他们解决，这个作风很好。我感谢你们，这免得我到处去跑了。你们区委书记、区长多走一走，老百姓就会拥护你们。还有，我们下放了合资经营项目的审批权，500万美元以下的下放到区县。现在我们发现你们搞的许多项目不符合调整上海产业结构的要求，这要吃亏的，将来要背包袱，也不利于上海经济发展。这种项目已经有几十个了。有人提出市里要收这个权，我看也要稳定一下，这个权不要收了。但区县一定要用好这个权，一定要根据市里调整产业结构的要求，不要搞污染环境的、赔钱的、重复的项目。我们不收这个权，但你们自己要很好掌握。另外，我们的主管部门，市外资委、外经贸委有否决权。你们签了合同，不利于上海发展的，我们也要否决。

关于上海金融业发展和开放问题*

（1989年12月2日）

去年，我是2月6日到上海工作的，早晨下火车，下午就听市财政局汇报，为什么呢？我觉得要是不会理财，市长没法当，首先得把财政情况弄清楚了。搞了一年，感觉到光靠财政还是不行，越来越意识到金融的重要性，差不多每天都碰到这个问题。特别是今年1月，罗时林〔1〕同志来找我，就是农村要分配了，需要10亿元，他那里钱没有了，头寸没有了，没法分配，紧张得很啊！后来，我跟江泽民同志两个人给姚依林同志打电话，把钞票厂的头寸先调出来；另外让彩电、冰箱下乡，一下子抛出了差不多四五亿元的物资，就是转个账，票子不过他的手。这样借了5亿元头寸、5亿元转账，把10亿元的农村分配问题解决了。

由此我感到，金融的问题确实重要，要把企业搞活，首先要把金融搞活，金融搞活了，可以促进企业的经营管理能力、生产能力、生存能力的提高。像现在的企业，有一点点困难都来找我们，这样搞下去不行。我确实是体会到了金融的重要性。特别是今年银根一抽

---

* 这是朱镕基同志在上海市金融工作座谈会上的讲话。

〔1〕 罗时林，当时任中国人民银行上海市分行副行长。

1990 年 10 月 14 日，朱镕基在上海金融国际研讨会上发表演讲。

紧，感到更加困难，我就跟龚浩成[1]同志说，我们是不是开一个金融的座谈会？上海过去曾经是旧中国的金融中心，有很多的专家，这方面的从业人员很熟悉金融业务，我们新一代的银行也有很多人才，熟悉国内外的情况，请大家来共同商讨一下，怎么把上海的金融事业搞好。

至于说要搞金融中心的问题，我要申明，这不是我提出来的，因为这个话要避嫌。这个首先是毛玉亭提出来的，他是香港日本劝业角丸证券（亚洲）有限公司总经理。他到上海来过好几次。我问他上海怎么搞活？他就说，上海要恢复他原来金融中心的地位。他讲银行非常重要，上海金融界应该培养出大量的人才，对上海将来的发展会起很大的作用。老实说，现在我们银行的水平不是很高，跟资本主义国家的商业银行比起来，对企业的作用不一样。起码我们的银行对每个企业的了解，不如西方国家用电子计算机，把企业信用、负债、经营等情况了解得一清二楚，我们还做不到。

另外，美国国际集团（AIG）董事长格林伯格也提了金融中心的问题。这家公司是旧中国时在上海起家的，三十年代的《大美晚报》就是这个公司办的。他从上海发迹，然后到纽约去，变成国际有名的保险公司。我不是请了 12 个国际知名的企业家组成上海市市长国际企业家咨询会议吗？格林伯格是主席，这个人对中国的态度还是好的。他就跟我讲了这个意见，他说，上海如何发展？战略思想就是要搞金融中心，你首先要宣布上海可以设外资银行。我说，我们竞争不过外资银行，把我们的生意都抢走了。他说，任何一个国家对自己的银行都是保护的，你可以立法，可以设保护条款嘛，这样就把外资银行约束、控制住了。这是向全世界发出的一个信号：上海要开放，举起开放的大旗。他说，这样可以激发和鼓动外国资本到上海来投资的信心。

---

〔1〕 龚浩成，当时任中国人民银行上海市分行行长兼国家外汇管理局上海分局局长。

根据这样一些情况，我就跟经叔平〔1〕同志说了这个意见。他跟张晓彬〔2〕同志搞证券交易研究，原来是要设在北京。他们听了这个消息，把兴趣转移到上海来了。张晓彬同志给我写了一封信，说他们愿意为上海效劳，把证券交易中心、股票市场拿到上海来搞。后来，我跟刘鸿儒〔3〕同志一商量，他对上海非常支持，表示愿意亲自到上海来，推动这个事情的发展。我觉得很好。这个事情怎么搞？刘鸿儒同志发表了指导性的意见。我很同意刚才有同志提出的意见，是不是我们就成立一个专门小组，把这些问题研究一下，提出切实可行的方案来。

我建议不要提在上海建立金融中心，这容易引起误会，而且，也不是你说中心，上海就是中心了。还要看客观的发展，政策对头、中央支持、各方协作，最后能够发展成为一个中心，那时再叫中心吧。一开始不要打这个旗号，树大招风嘛。

目前先按照刘鸿儒同志讲的，在“深化改革，发展上海的金融事业，把上海的金融搞活”这个题目下来做文章。我认为，当前要研究以下两个有现实性的问题：

第一，设外资银行。很多外国人很感兴趣。去年不知道有多少外国银行行长来找我，都是专程来见我一面，就是为了讲那么一句话：希望在上海建立分行。深圳能够容纳 13 家外资银行，上海是不是现在的 4 家就够了，多设两家怎么样？因为这是个信号，上海设外资银行的影响就不同于深圳，深圳是经济特区。上海现在再设一家外资银行，影响就很大。

---

〔1〕 经叔平，当时任中国国际经济咨询公司董事长。

〔2〕 张晓彬，当时任中国新技术创业投资公司总经理。

〔3〕 刘鸿儒，当时任国家经济体制改革委员会副主任。

当然，那天我见了郑柏林[1]同志，他有他的苦处，现在的4家外资银行竞争力相当强。他们财力雄厚，手段非常多。我们中国的银行晚上加班费是7毛6分，现在加成3块7毛6了，他们是10块钱，你竞争不过他们。但话说回来，他们这样一竞争，确实也把我们中国的银行的水平拉高了，这就是开放的好处。一方面带来一些坏事；另一方面，确实把我们的水平拉高了。没有先进的管理，上海要想搞外向型经济太困难了。但不搞外向型经济，上海活不下去。搞外向型经济，没有金融做后盾，怎么搞？设外资银行我们打了报告，去年国务院也批了，同意上海在年底以前设几家外资银行。今年不知什么原因，这个事情搁下了。开党的十三届五中全会的时候，我跟李鹏同志个别说了一下，我说这个是否可以作为开发浦东的政策措施，作为上海进一步开放的政策措施。李鹏同志倒是对我这个意见点头，他说，要马上把外资银行管理办法搞好。所以，我们正在加紧编制开发浦东的计划，我想把这个也作为一个措施。但是为了使这个措施站得住脚，我建议研究小组到深圳调查一下：人家这么一个弹丸之地，他的出口只有10亿美元，为什么能够容纳13家外资银行，能够有饭吃？我们只有4家。我们同深圳比较一下优缺点，通过比较，拿出一个有说服力的意见来，提出上海要设几家外资银行。设少了还不行，会吵架的。

第二，设立证券交易所。下一次来，你（指刘鸿儒）是否把张晓彬同志带来，研究一下这个问题。刚才鸿儒同志讲了很好的意见。我看还是要大胆试点，虽然有一点政治风险，但是上海不同于其他地方，不采取一点深化改革的措施，怎么搞得下去啊！我现在是一天一天感到捉襟见肘啊！这两年，政府的亏损补贴直线上升，去年增加9

---

[1] 郑柏林，当时任中国银行上海市分行代行长。

亿多元，今年增加13.7亿元，搞不下去了。今年承包基数都完不成，明年会非常困难。所以，再不想点措施，从国家来考虑，不只是从上海本身来考虑，上海如何为国家再多做贡献？所以我说，对金融问题的研究，意义非常重大。

这两个问题对我来讲最迫切，至于其他的一定还有很多专题要列出来，而且不是做理论研究，是做可行性研究，要拿出方案来。我要看具体的方案优劣之比较，从实践里面来总结经验。

具体的建议是：人民银行市分行牵头，出一个人，市体改办出一个人，市政府出一个人，组成一个三人小组，领导这项研究。办公室还是在人民银行市分行，你们牵头，你们是拿总的。具体人员由一些什么人组成，可以研究。另外，主要是跟上海的各个金融机构和研究机构发生联系，给他们任务，组织他们开座谈会，出题目，要他们拿成果，诸如此类，多种方式。还要做些实地调查，比如我刚才讲的外资银行资料，有说服力，很生动。上次中国银行的那个简报也是非常生动，李鹏同志一看就清楚了。所以，你们得搞些材料。市政府就出李祥瑞〔1〕同志，因为他是市政府市政工作咨询小组成员，现在马上要下聘书了。他也是老人民银行了，责无旁贷。我们希望人民银行总行能支持我们，指导我们的工作，也希望刘鸿儒同志多关心这个事。他是一身而二任，又是人民银行总行出身，现在又是国家体改委副主任，他最合适搞这个工作了。希望他把上海作为体改的试点。将来我们要搞个报告给国务院，这样有个合法的承认，我们再搞金融改革。至于具体措施，我们一项一项出台。比方开发浦东的报告，我希望年底或明年年初能打出去，包括一些金融方面的措施。

〔1〕李祥瑞，当时任交通银行董事长。

新闻宣传要实事求是 *

（1990 年 1 月 12 日）

一、关于当前形势的宣传。

前一阶段，我们对经济形势，讲困难比较多，叫作困难要讲够，这是必要的。现在看来，还要在鼓劲方面多做一点工作。因为现在大家对情况有点不摸底，消极不安，信心不足，不知道治理整顿究竟能不能奏效，过几年紧日子不知要紧到什么程度。我觉得今后一个阶段的宣传工作，应该把鼓劲提到更重要的位置。困难还要讲，期望值不要过高，还要做过紧日子的思想准备，但是要多做一点打气、鼓劲的文章。上海没有什么太了不起的问题，今年一个很重要的任务，就是要为企业创造宽松的环境。我们从去年开始做了一点工作。最近，上海的文艺工作者到山西、内蒙古、北京、河北等地的铁路、港口、煤矿去宣传、慰问、演出，反映非常好。我们要大力宣传这件事情。这次山西省省长王森浩来上海，当面向我道谢。他们省委书记、省长都去看了演出，对李炳淑〔1〕、

---

* 这是朱镕基同志在中央主要新闻单位驻沪机构及上海市主要新闻单位负责人第七次座谈会上讲话的要点。

〔1〕 李炳淑，上海京剧院演员。

茅善玉[1]、沈小岑[2]、童祥苓[3]、关怀[4]、严顺开[5]等同志的表演反映很好。我们送的是精神食粮，送的是上海人民的热情和心意。这个做法发扬了五十年代党的优良传统。现在，上海能源供应的形势很好。最近，全国煤炭订货会议在上海召开。通过这次会议，人们对上海的印象更好了。我们用热情、诚恳的服务，取得了各地包括中央各个部门对我们的支持。我看要对订货会议组织一点报道，宣传一种好的风气，宣传上海热情、诚恳的接待，宣传各省区市、中央各部门对上海的支持，也宣传上海要对全国多做贡献。总之，要多写点鼓劲的文章。

今年的生产条件比前两年都好，只要市场一转变，上海搞到10%的工业增长速度毫无问题。当然今年还搞不到10%，因为市场还难以在短时间内转变。现在要强调调整产业、产品结构，把技术进步搞上去，使上海的产品占据市场，特别是要抓出口。现在出口形势也很好。去年上海完成出口50亿美元，这是很不容易的。对外经贸部指定我们1月份到香港去举行一个外贸洽谈会，给我们的指标是成交1亿美元，第一天就成交了1565万美元。现在完成了1.5亿美元，超过了50%。3月份，我们要举行上海的外贸洽谈会，同志们要好好报道一下。

现在有些企业停工或半停工，我认为这是必须的，不这样做，上海翻不了身。国营企业停工的职工约3万人，占国企职工的2%；集体企业停工的职工是3万多人，占集体企业职工的17%。对职工

---

〔1〕 茅善玉，上海沪剧院演员。

〔2〕 沈小岑，上海轻音乐团演员。

〔3〕 童祥苓，上海京剧院演员。

〔4〕 关怀，上海京剧院演员。

〔5〕 严顺开，上海滑稽剧团演员。

1990 年 9 月 26 日晚，朱镕基观看上海昆剧团复排演出的《十五贯》后，走上舞台同演员亲切交谈，并祝贺演出成功。右一为市人大常委会副主任陈铁迪，右二为市人大常委会主任叶公琦，右四为上海昆剧团演员刘德荣，右五为上海昆剧团党总支书记兼副团长史耘，右九为上海昆剧团副团长郑利寅，左一为上海昆剧团演员计镇华，左三为上海昆剧团演员梁谷音。

待业问题，中央很重视，要防止影响社会的稳定。上海在这方面没有太大的问题。对国营企业已经有一个关停并转的调整规划。当然，我们要尽量少关停、多并转，搞点企业集团。上海要翻身，必须“金蝉脱壳”，要有“壮士断腕”的决心。城市的集体企业比较麻烦，分散、落后，产品缺乏竞争力。最近，我和各区区委书记、区长商量，关于集体企业停工人员的生活问题，由区里负责，保证每人每月 75 元的最低生活水平，不够的部分由区政府补足。对通过小改小革能够把产品更新的集体企业，区政府可以支持，但要进行真正的关停并转和大的调整，区里拿不出这么多钱。最近我有一个想法：要对上海的集体企业实施一个三年调整和技术改造规划，银行拿一笔贷款给集体企业，贷款利息由市、区政府各贴一半。这些企业都是区里管的，这笔无息贷款可以支持他们翻一个身。要通过三年调整和技术改造，把那些能源、原材料消耗高的产品淘汰掉，让集体企业改变面貌，技术水平上一个新的台阶。

同志们，你们要宣传关于基本建设要打歼灭战的思想方法。我们上海有一套基本做法，就是市重大工程建设办公室对纳入计划的重点项目，加强协调督促，集中全市的人力、物力、财力，专人负责，立军令状，限期完成。这个办法非常有成效，去年几十项重大项目都按进度如期完成了。市政工程局的工作也有相当大的改变，从浦东南路开始，到虹桥路、龙吴路工程，他们都在短期内完成了，改变了过去马路到处挖开、竣工遥遥无期的状况。老百姓年年都看到实惠，劲头就上来了。

今年在经济方面还要采取一些重大步骤，希望同志们能够配合宣传。调整和治理整顿中的困难没有什么了不起，而且必须这样做。要报道如何去调整，职工怎么关心企业的经营，企业怎么通过关停并转被救活的。另外，要报道企业在提高质量、扩大品种、缩短交货期、保证出口、加快建设外向型经济等方面取得的成绩。要多宣传、多表扬，把劲鼓起来。

上海在开放方面将要采取一些新的步骤。比方说，3 月份，我们要开一个上海市市长国际企业家咨询会议，就是请世界上有名的企业家做顾问。先请了 18 位，发出邀请后，没有一个人不愿意来，没有被请的拼命往里挤，有名的人多得很。去年，我们开了一次预备会议，今年 3 月开正式会议。这件事情，可以大大地报道一下，说明各国企业界还是心向上海的。另外，我们在开发浦东方面，正在研究各种政策，准备向中央打报告。开发浦东的条件很好，黄浦江大桥明年通车，外高桥港口建设项目明年开工，几条公路修好，浦东就具备外商大量投资的条件了。这方面要大量宣传。

二、关于如何宣传上海的问题。

中央驻沪新闻单位的同志讲要更多地宣传上海，我对宣传上海持慎重态度。宣传多了，究竟是好还是不好？我赞成适度宣传，不要大量宣传。上海的工作是不是就做得那么好了？上海有他的历史条件，文化素质、干部素质相对较好，经济实力比较雄厚，不一定都是主观做得那么好。我诚恳地向同志们呼吁，在宣传上海的工作时，不要再宣传我了，突出个人是不好的。离开市委的集体领导，离开上海的特定条件，我是做不出什么成绩的，而且我们是在党中央、国务院直接领导下工作的。我一再打招呼，不要在报纸上多发表我讲的话。为政不在多言。上海的工作有他的连续性，应该把上海现在取得的成绩，同过去的成绩、过去几年奠定的基础联系起来报道。譬如，这个“菜篮子工程”，不是从我开始搞的，在我来上海工作以前，“菜篮子工程”计划已经制订好了，资金筹集，一年八个亿，也已经有了，重点项目都已经布了点，我不过是在执行。我觉得，应该对上海几个重大的、老百姓反映比较好的事情，组织写一些专题报道，对泽民同志所起的突出作用进行一点宣传。“菜篮子”、基础设施建设，真正开始实施是泽民同志来上海工作以后。新客站、延安东路隧道，都是泽民同志亲自挂帅搞的。提倡廉政、最早提出“四菜一汤”的，也是泽民同志。关于加强思想政治工作，泽民同志在 1987 年担任市委书记后，深入各条战线调查研究，并主持召开了一次市委全会，专门研究思想政治工作，搞了一个决议[1]，也是全国第一份。这几个专题请市委宣传部考虑，系统地报道一下。最近，我感到宣传天津比较系统，这是对的、好的，但上海也有些好东西啊！譬如办实事，上海很快就抓了，而且有实效。现在看起来，为老百姓办实事，真是起很大作用。

建议大家来一个分工，新华社上海分社、《人民日报》上海记者站、《解放日报》、《文汇报》、《新民晚报》一家搞一个专题。不要马上写出来，马上写出来就很肤浅，要写得深一点，既令人信服，又不过火。这要下点功夫酝酿一下，要让大家看后觉得确实是实事求是、恰如其分的。

三、如何搞好新闻宣传工作。

发表消息，同志们要有独立见解，自主把关。我感觉到上海分散主义相当严重，有些部门主意挺多，不大喜欢请示。国务院通报过我们擅自邀请伊朗能源部部长访问上海的事情。当然，这里情况很复杂，但反正是不对的。后来我得出一个结论，各个环节都有分散主义，稍微注意一点就不会犯这种错误。因此，同志们对各个部门提供的各种消息要独立判断，自主把关。

今后，你们搞不清楚的事可以问问主管的副市长、副书记，小一点的事可以问问秘书长。对这种事情，我们从来不嫌你们请示多了而厌烦。没有把握的事，多打个电话问一问。

总之，关于总体的、宏观的评价，请你们注意把关，下结论要慎重。至于微观方面，哪个单位腐败、哪件事没有做好，我非常欢迎你们大胆揭发，再尖锐也不怕，这是对改进工作最好的舆论监督。市政府机关已养成一个习惯，只要报上登到市政府工作有什么缺点、什么建议，我们市长都要亲自过问，同志们是不是感到这一点了？

---

〔1〕 决议，指《中共上海市委关于当前加强和改进思想政治工作的几点意见》。

1990年2月3日，朱镕基与赴山西、内蒙古、北京等地巡演归来、参加汇报演出的上海文艺演出团演员亲切握手。右一为上海轻音乐团乐队队长周建华，右二为上海京剧院演员言兴朋，右三为上海滑稽剧团演员严顺开，右四为上海京剧院演员李炳淑。

（崔益军摄）

最后，向大家拜个早年，希望大家过个好春节，同时也希望大家把春节的文艺宣传工作做好。群众的口味开始向健康的、有生活气息的、现实主义的、朴实的方面发展了。好多省市已向这方面转变，我们上海不要落后。那些单纯模仿香港和西方的东西，群众已没有多大兴趣了。电视台商业性的节目要少一点，我也知道你们的困难，不搞一点活不下去，但要少一点。要强调思想宣传的作用，你们那个《在你的周围》专栏节目，办得非常好。电视台一方面要多宣传正面的、积极奉献的新风，另一方面要鞭挞丑恶的、不文明的现象。那些商业性的、软绵绵的东西要少一点，群众也不一定欢迎。我希望把春节晚会办好，这不大容易啊。我建议至立[1]同志把我们上海文艺界到山西煤矿、各地方下基层表演的这些演员集中起来，做一次汇报演出，对他们进行表扬。他们没有去“走穴”，而是为工农兵服务，为上海经济发展服务。

---

〔1〕 至立，即陈至立，当时任中共上海市委副书记、市委宣传部部长。

向杨尚昆同志汇报时的发言*

（1990年2月2日）

我们认为目前上海和全国的形势是好的，绝对不是大势不好。为什么呢？党的十三届四中全会提出了四件大事〔1〕，中央政治局又决定办七件实事〔2〕，党的十三届五中全会提出的方针、任务，都非常适应形势的要求。虽然人民群众的信心还有些不足，但人心是更齐了。上海的形势是这样，全国的基本形势也是这样。

今年，我们主要是抓党风。尽管经济工作很重要，但党风不转变，经济很难抓上去。我们提出要抓党风、促廉政，把重点放在这里，并落实到基层。据我了解，上海的农村干部是比较规矩的，但问题也不少。有些干部搞特殊化，占好地，为自己盖房。我们拍了照

---

* 这是朱镕基同志在中共上海市委向来上海视察的杨尚昆同志汇报工作时的发言。

〔1〕 四件大事，指1989年6月召开的中国共产党第十三届中央委员会第四次全体会议强调，要特别注意抓好四件大事：一是彻底制止动乱、平息反革命暴乱，严格区分两类不同性质的矛盾，进一步稳定全国局势；二是继续搞好治理整顿，更好地坚持改革开放，促进经济持续、稳定、协调地发展；三是认真加强思想政治工作，努力开展爱国主义、社会主义、独立自主、艰苦奋斗的教育，切实反对资产阶级自由化；四是大力加强党的建设，大力加强民主和法制建设，坚决惩治腐败，切实做好几件人民普遍关心的事情，决不辜负人民对党的期望。

〔2〕 见本书第338页注〔1〕。

片，盖的房如同花园。另外还存在着政企不分、党政不分等现象。我们有村民委员会，但负责人又兼任某经济组织的头头，人、财、物都在他口袋里。乡党委书记又是合作联社的董事长，账目也不健全。这种体制，党、政、经不分，很难实行监督，任用私人、贪污腐化、违法乱纪等都容易发生。我想搞一个文件，来解决这些问题。

关于廉政问题，有些群众对我们至今没有抓出个局长来不满意。的确，到现在为止，还没有抓出一个局长。当然，没问题不能乱抓；有问题，抓了出来，就要严办。一个区检察院的书记员，盗窃了该院保管的没收的金首饰等赃物，价值40多万元，已经枪决了。

关于经济问题，治理整顿要抓好。当前的困难是可以解决的，但至少要有五年时间。今年是可以熬过去的，可拖得太久也不行，老百姓有个信心问题。如果工人垂头丧气，不干活，就不行了。关于治理整顿，中央已有文件，我们要加以具体化，要使工人、农民大家都有信心。

上海虽然还能维持几年，但已经捉襟见肘。长此以往，很难搞下去。要是当“维持会长”，让老百姓不造反，这还可以做到，但要免于衰落，挽回颓势，是有困难的。上海是个加工工业城市，现在劳动生产率、产值利税率、资金利用率还是处于全国领先地位，但趋势是年年下降。因为上海所用原材料、能源都来自外地，原材料价格不断上涨，而上海产品不能相应地涨价，国家又没有大的投入，要维持这个局面，很不容易。

上海现在财政补贴已达56亿元，其中，10亿元是中央给的粮食补贴。财政收入上缴中央后留下的，几乎都用到补贴中去了。这补贴是年年上升的，1987年比1986年增加两亿元，1988年比1987年增加了9亿元，1989年又增加13.7亿元。这种情况，值得我们考虑。刚才国栋、立教[1]同志都已讲了，我不具体讲了。为了让上海更多

〔1〕 立教，即胡立教，曾任上海市人大常委会主任等职。

1989年9月21日，朱镕基在江南造船厂考察船体车间和“远望号”测量船。左五为市委副书记吴邦国。

地做贡献，就要给上海政策，因为他具有特殊的地位，这不是广东所能比的。我们上缴了125亿元，占全部地方上缴中央的四分之一；连同中央在沪企业上缴的共250亿元，占整个中央财政收入的五分之一。上海这样的地位，如果经济下降了，对中央是极为不利的。

上海具备为中央多做贡献的条件，也有条件利用这些条件。一是上海的政治条件好。我们忠于党中央，听中央的话，是坚持与中央保持一致的。上海的干部也是规规矩矩的，是管得住的。上海很集中，一个厂长、一个区长出了问题，我们都能及时了解、纠正。上海比较正统，是不会发生大问题的。二是从经济上讲，我们比广东的条件好得多，主要是科技力量强。中科院有10个最强的研究所在上海。丁肇中[1]前天来了，他在美国主持建设一个耗资79亿美元的世界最大的加速器，所需250厘米长的BGO[2]，就是上海生产的。上海的工业配套门类齐全，上天入地的都有。上海虽然没有采矿业，但煤炭部最重要的科研单位煤矿机械研究所设在上海，因为上海工业门类全。上海也有一些与外国人打交道有经验的人，素质较高。上海的统计工作，利用电子计算机，也比较好。上海的基建项目，用计算机监测、储存，要瞒也瞒不住。电话通信，上海也上得很快，一年上十几万门，现在已达到50多万门，十年可超过香港。中央可以放心，可以给我们更大的自主权。上海坚持开放的旗帜，对外资有一定的号召力、吸引力。上海已经实行了上缴财政包干，给了我们的政策并不影响中央的财政收入，我们愿意多做贡献。

---

〔1〕 丁肇中，美籍华人，实验物理学家，曾获诺贝尔物理学奖。

〔2〕 BGO，锗酸铋（$Bi_4Ge_3O_{12}$）的简称，是一种新型闪烁晶体，应用于高能物理、空间物理与核医学等领域。

对《中共中央关于加强党同人民群众联系的决定（征求意见稿）》的几点意见*

（1990年2月26日）

下面我想讲三个问题：

第一个问题，为什么现在党同群众的联系这么差？现在是党和权联系在一起。我们是执政党，我们的社会主义民主和法制还没有做到在法律面前党员和群众一律平等，总是“刑不上大夫”啊。对这个现象，人民群众非常不满。所以群众说，共产党把党员标准越来越降低了，过去说为了人民的利益而牺牲自己的利益，党员要“吃苦在前”，现在变成“同甘共苦”了，甚至连同甘共苦往往也做不到了。这个问题，如果不突出地讲不行。我们党员特别是党员领导干部，还是有一些特权的。对这个问题需要提得高一点，得有一个办法。人大是最高的权力机关、立法机关，要发挥监督的作用，党在法律面前应该和群众是平等的。

第二个问题，现在我们的一些体制，往往是党政不分、政企不分、党企不分，这也是促成腐败的一个因素。我这次在农村蹲

---

* 1990年2月26日，乔石同志在上海召集中共上海市委、江苏省委、浙江省委负责同志座谈会，征求对《中共中央关于加强党同人民群众联系的决定（征求意见稿）》的意见。这是朱镕基同志在会上发言的要点。

点[1]发现，文件讲的房子问题，只是一个方面，还有分配的问题在里面，党员干部的分配比一般农民的分配不是高一两倍的问题，是高几倍甚至几十倍。为什么会造成这个情况？就是从乡以下开始，党政不分、党企不分。这个文件讲房子问题时，提出了“乡以上”的概念。从上海的具体情况来讲，这样规定就没有抓住问题的要害，因为在上海，我们对乡以上干部抓得比较紧，已经处理了几个乡长，也处理了一个市委委员，乡以上到县的干部不敢为非作歹，因为我们盯住他们了。现在严重的是“乡以下”，因为对乡长、乡财政，稍微还可以监督一下；但是乡以下，虽有村民委员会，但村民委员会是群众性的自治组织，他不是一级政权，而村民委员会的主任一般又是合作性质的经济组织的头头，村办企业都归村支部书记主管。也就是说，党政企、人财物都在他一个人口袋里，他想怎么办就怎么办，他说给谁批地就给谁批地，他说提拔谁就提拔谁，他说怎么支钱就怎么支钱，没有监督的体制，党性再强也难免腐败。乡镇企业的厂长更不要说了，只要当上厂长，什么账本都在他口袋里，他说这个账怎么做就怎么做，他说该怎么支出就怎么支出，你管不了他。还有承包，他只要年终完成承包数，其他怎么搞，也没人去管。这么个体制要改革，我组织了一些人在调查研究这个问题，当然一下子改也难，因为村民委员会是宪法规定的，但要想办法研究，党政要分开，政企要分开，党企更要分开。

盖房子的问题，现在的写法恐怕不行。各地情况不一样，这样

---

〔1〕在农村蹲点，指为了贯彻落实党的十三届五中全会关于“全党全国动员起来，集中力量办好农业”和“各级党委和政府必须把农业放在重要地位，各项经济工作都要贯彻以农业为基础的方针”的精神，朱镕基同志带领中共上海市委、市政府干部，于1989年12月下旬至1990年3月初，先后到上海市金山、川沙、嘉定三个县就农村工作进行蹲点调研。

1990年1月14日，朱镕基在上海市川沙县就农村工作进行蹲点调研期间，参加川沙县青年“创社会新风、做四有新人”集体婚礼。前排右一为市委研究室副主任张不知，右三为中共上海市川沙县委书记孟建柱，右四为市农业委员会主任张燕，右五为市委副秘书长、办公厅主任马松山，左一为共青团川沙县委书记陈臻，左三为中共上海市川沙县委副书记项伟民，左四为川沙县县长韩坤林，左五为朱镕基夫人劳安。

的处理方法不行。我经过对三个县的调查研究，感到这个问题不好解决。乡以下的问题现在是很不好动的，盖房子的都是书记、村长、乡长、社队企业领导等等。我在川沙县专门拍了一些房子的照片，你看看就知道了。他们为什么房子能盖得这么好？四条：第一，他有权，随便批地，他可以批几百平米，地是不要钱的。我们非得推广山东省的做法不可，使用土地要有偿，不然的话不得了，上海耕地就都没有了。第二，他盖房的材料是平价的，国家批给农村的平价建筑材料都到这些农村党员干部手里去了。第三，盖房子的都是单位帮忙的。上海县一个副县长，已停职了，18 个单位给他出汽车拉砖瓦沙石、大理石，这 18 个单位出人出车都是不算钱的。第四，拖欠公款，少则几千元，多则几万元，拿公家的钱，说先借着，但多少年不还，也还不起。过去也发过文件，但是一纸空文，没有人贯彻。我们在考虑，要有个时限，根据不同时间分别处理，在文件下达前的，做些退赔。对过去的从宽，以后的坚决从严。

从上海的情况看，我体会脱离群众的问题，农村比城市更严重。如果把这个问题处理好，农民的积极性就会调动起来，农业生产可以大大提高。我们市委准备在这方面做点调查研究，非常认真地做工作。推动上海农村的发展确实要有点政策。

第三个问题，就是分配不公。现在这样一种分配政策不利于党联系群众。它不是哪一个党员的问题，实行这么一种政策，就脱离了大多数人民群众。根据调查，上海收入高的有十种人，这十种人的产生都是政策带来的。十年改革开放，从总体上说，政策是正确的，要坚持，但也产生了一些副作用。怎么掌握这个度？问题就比较复杂了。现在中外合资企业和各种公司，工资高得不得了，特别是涉外宾馆，一个月拿上千元都是平常的。一个服务员的工资比我们还多，公司经理比我们的工资高几倍，当然他们的工资比起外国人来低得多了。所以国营企业的职工都要钻门子跑到中外合资企业去。不该合资的，也打报告要合资。这里有一种因素，只要一合资，厂长十倍的工资就到手了，整个职工的工资都涨一倍，管理人员的工资都好几倍地上去。最近全国人大正在讨论一个合资企业法，我一再向阮崇武〔1〕同志提意见，不要定得太高，现在工资这么高，上海控

〔1〕 阮崇武，当时任劳动部部长。

制得比他低，要不控制，上海会瓦解的。我讲，再这么搞下去，在我们市委、市政府机关工作的人，有本事的都到公司、外资企业去了，这怎么得了！

向乔石同志汇报时的发言*

（1990 年 2 月 26 日）

第一点，稳定，这是大局。这一点，请乔石同志向中央转达。我们决心稳定上海，也是稳得住的。在政治上，我们认为目前上海的情况是好的，有一些不稳定的因素，但是可以稳得住，关键是 4、5、6 这三个月。如果这三个月上海能稳住，不出大的事情，今年就没事，今后也不会有很大的事。

我们准备在党的十三届六中全会开完后，马上召开市委全会，贯彻六中全会精神。马上做工作，首先要做各个学校的工作，市委书记和副书记、市委常委、副市长，分十几路到各个大学做思想工作，1988 年我们就是这个做法。我想，政治上我们是可以稳住的。我们对许多事情的处理是慎重的。特别是请老同志为我们把关，既要严肃处理，又要慎重，把上海的局势稳住。

我同意道涵同志的意见，经济太好是好不了。全国是这么个状况，我的态度不是很乐观，不是说今年搞半年市场形势就转变了，恐怕要较长时间。现在看起来，现有的这些启动措施，都不足以转变这个形势。要做比较充分的思想准备。就是说，恐怕不会一下子太好。

* 这是朱镕基同志在中共上海市委向来上海视察的乔石同志汇报工作时的发言。

上海条件是很好的，煤炭库存从过去仅有三天到目前一个多月，生产条件比过去好得多，只要有市场，上海就可以开足马力生产，把速度搞到10%以上，这不是吹牛皮。问题是全国这个形势，上海一下子转不过来。上海40%的产品销往全国，钱回不来，压在那里，怎么能转得动呢？但是，坏也坏不到哪儿去。我们还是能够稳住的，经济上还是能保持一定的增长，市场物价能够稳住。工人停工待业的问题在上海也不是一个大问题，主要是搞产业结构的调整，不怕关门，我们有足够的思想准备，这不是个很大的问题。上海社会治安还是好的，流窜作案比较多。我们向中央保证，决心稳定上海。我们有一些措施，有这个信心、决心，请中央放心。

第二个问题，就是国栋、立教同志上次向杨尚昆同志汇报时提出的，上海向何处去？提到了上海进一步对外开放的问题。说老实话，我作为市委书记，是不敢提这个问题的。我是说，中央叫我干什么，我就干什么，我现在就这么个想法。我能够稳住，能够守成，就觉得不错了。后来国栋同志提了这个问题，引起了尚昆同志一直到小平同志的重视和关怀，我们感到非常高兴。

上海的财政补贴，是三个10亿元。第一个10亿元，是对粮、油、副食品的补贴，每年以10亿元以上的幅度在增长。这实际上都是补贴给外省市的，他们涨价，上海不能不多付钱。第二个10亿元，是我们企业的负担，外地给我们的原材料和能源的净涨价每年10亿元，虽然我们的产品价格也涨一点，但跟不上它。第三个，给中央的上缴，平均每年也增10亿元。说是财政包干105亿元，实际上今年要交129亿元。一年30多亿元，我们从哪儿去找这个钱啊？国家没什么投入，没什么大项目安排在上海，当然也不是完全没有，如30万吨乙烯工程是原来中央安排的项目，但不多。这样下去的话，难以维持了。不是起飞的问题，是不进则退，要往下退了。我们是很担心

1991 年 3 月 30 日，中共中央政治局常委、中纪委书记乔石出席七届全国人大四次会议上海团的讨论会。图为乔石和朱镕基亲切交谈。（新华社记者刘建生摄）

的。那怎么办？确实只有走对外开放、发展外向型经济这条道路，这是唯一的出路。不然的话，一系列的社会矛盾，比如住房问题、交通问题、环境污染问题，都不能解决，老百姓的怨气越来越大。最近几年，从道涵、泽民同志开始，火车站、越江隧道等城市基础设施建设一些之后，加上现在黄浦江大桥一搞，老百姓的情绪不一样了。城市建设一点不搞是不行的。

因此，提出进一步对外开放的问题。道涵同志一直讲，关键是开放“度”的问题。刚才国栋同志讲了三个选择，我听起来，实际上只有一个选择，就是搞深圳经济特区的政策了，我们的汇报没敢这么写。我送小平同志走时，在车上他的几句话对我们鼓舞很大。他讲：“我一贯就主张胆子要放大，这十年以来，我就是一直在那里鼓吹要开放，要胆子大一点，没什么可怕的，没什么了不起。因此，我是赞成你们浦东开发的。”另外一句话说：“你们搞晚了，搞晚了。”马上，下面一句话又说：“现在搞也快，上海人的脑袋瓜子灵光。”他还说：“肯定比广东要快。”这对我们是很大的鼓舞。小平同志又说：“你们要多向江泽民同志吹风。”我和小平同志讲，泽民同志是从上海去的呀！我们不便和他多讲。所以后来小平同志说话了，小平同志接见香港特别行政区基本法起草委员会委员以后，江泽民同志、李鹏同志都在场，小平同志说：“江泽民同志是从上海来的，他不好说话。我本来是不管事的，我现在要说话。上海要开放。”当天下午，李鹏同志叫何椿霖〔1〕同志打来电话，讲了一些改革开放要注意的问题，讲了些意见，同时又问我，你有没有个东西啊？我说，我们的报告讨论了两三个月了，总是不大满意，你要催的话，今天晚上我就加班给你送去。当天晚上就改好了，第二天就送去了。这个报告，乔石同志你已经看到了。我们现在希望增强中央下决心的力量，批准我们这个报告。我们保证鞠躬尽瘁，死而后已，为全局做贡献，让上海真正在全国一盘棋中做出他应有的贡献，我们有这个决心。虽然我年纪已经大了，但我们这一班人年纪都是比较轻的，方兴未艾，精力都很充沛。我相信在老同志的帮助下，还是能把这件事情办好的。

〔1〕 何椿霖，当时任国务院副秘书长兼国务院特区办公室主任。

为上海人民办三件实事*

（1990 年 3 月 3 日）

我希望在上海工作的时间里，至少为上海人民办三件事：

第一件大事情，是把“菜篮子”建立在牢固、可靠、稳定的基础上。报上发表了我在全市蔬菜工作会议上讲的一点意见，没有讲全。真正把上海的副食品供应建立在现代化的生产体系上，真正是净菜加工、小包装、现代化的运输管理体系，效益很高，这才能最终解决我们一年几十亿元的补贴问题。我提的目标是一年试点，两年推广，三年普及。下面的同志说我是不是要求太高了，但我有信心，上海有这个能力，这是个根本的问题。今天我去看你们的集市贸易市场，好多人把我围住提意见，说蔬菜太贵了，国营菜场不起作用，全部都是集市贸易，这是一个问题。现在我们市政府每年补贴几十亿元，就像一个很长的竹筒子，上面都是眼，补贴都从眼里流掉了，好多是流到个体户的腰包里去了，内外勾结。菜场好多人“宰”顾客，短斤少两，卖大户，弄虚作假。从根本上说是要抓党风，促廉政，端正社会风气，这需要一定的时间，但也要从经营管理上下功夫。副食品生产是现代化的，销售是超级化的，经营管理是一条龙的。这是我们要办的

---

* 这是朱镕基同志在上海市嘉定县党政干部会议上讲话的一部分。

1990 年 3 月 3 日，朱镕基考察上海市嘉定县农副产品交易中心。前排右三为嘉定县副县长钱根兴，右四为中共上海市嘉定县委常委、办公室主任沈永亮。

一件大事情。

第二件大事情，是要解决上海以道路交通为中心的各项基础设施建设问题。这要有一个规划，当然几年完成不了，需要几十年，现在先开个头，要有个规划、有个目标，不能再乱来。上海没有两条环线，交通问题解决不了。现在至少要修成一条环线，规划要做出来。黄浦江的越江交通问题要解决。将来上海条是条、块是块，要有一个目标。

第三件大事情，是要解决上海的住房问题。这个太迫切了。前一段时间，停工待业的职工很多，我去访问过一些家庭，看望过一些市民。我走到他们宿舍，楼道里面都堆满了乱七八糟的东西，不要说自行车过不去，人走都困难。每家人都挤得不得了。上海的住房问题比北京要严重得多。要解决上海的住房问题，靠国家、企业来建房，几年也解决不了。现在我请天增同志组织了很大一批人在研究，拿出一个办法，拿出个大政策来。香港、新加坡解决房子问题，基本的方法都是国家、企业、个人一起来。我想，上海一定要制定一个国家、企业、个人一起上的办法来解决住房问题。我们有条件盖房子的地方就在浦东，过江的交通问题一解决，基础设施一解决，学校、医院、商店配套，房子一片一片地盖。把基础设施搞好，减少中间盘剥，房子的价钱可以便宜些，我想上海的住房问题是可以逐步解决的。棚户区苦得很，将来都把那些地方推掉，然后把它们变成绿化用地，不能再在浦西盖高楼了，否则我们的交通问题还是解决不了。要盖房子都到浦东去，浦西那些地方要绿化，增加城市的绿化面积，把整个上海都改造过来，那就漂亮了。那是一个远景，我们要有一个方案让全体市民来讨论，大家都认为这个办法合理、公平，这样才能解决上海的住房问题。我看 5 年就会见效，10 年面貌就会有相当大的改变，20 年就差不多了，我这个估计是不是太乐观了？

会见香港仲量行董事梁振英时的谈话

（1990年3月14日）

朱镕基：目前中国内地市场不景气。从上海市民的切身利益出发，我考虑启动上海市场有三条措施：第一，深化“菜篮子工程”，逐步实现副食品生产现代化、销售超级化、产销一体化；第二，搞好以道路交通为中心的城市基础设施规划和建设，带动其他产业的发展；第三，改革住房政策，开拓建筑市场。

现在上海人民迫切需要解决的一个问题，是住房问题。大量中青年教师和科技人员外流，其中也有住房困难的原因。上海人吃的方面还可以，就是住得太挤，一家人挤在一间小屋里。如果光靠国家投资造房，我看再过30至50年都解决不了上海的住房困难。现在企业也很苦，拿不出更多的钱来造房子。借鉴香港、新加坡解决居民住房问题的做法，无非是国家、企业、个人一起上。让个人也投点资用于造房、购房，像买彩电分期付款一样，把短期信用回笼变为长期住宅投资。上海有条件这样做，关键是住房建设的各个环节要提高效益，降低造价。另外，上海人的素质、能力和技术、文化水平在全国是比较高的，只要领导得力，把工作抓得很紧，任何事情都能做成功。我们就押这一个宝，只要住房政策得到群众拥护，就能启动建筑市场，加快住房建设。同时，结合开发浦东，采取新的土地政策吸引外资，并运用级差地租的办法促使老市区的工业和人口向浦东疏散。为此，要向梁先生请教香港筹集资金解决住宅问题的办法。先请天增同志再补充讲几句。

倪天增：上海原来的住房建设主要由国家负担，采取分配的办法，这几年来企业也逐步负担一部分，但个人基本没有负担。原来房改的思路就是想主要靠个人来负担，但按目前情况来看，完全靠个人解决住房问题是有困难的，只有靠国家、企业、个人一起上。同时，对现有住房分配的办法也要进行改革。现在住房分配工作很难做，有的房子建设期不到一年，而分配时间却要一至两年。另外，筹措建房资金也很困难，全部靠国家投资根本不可能。因此，在住房建设中怎样做到国家、企业、个人一起上，将建房资金的周转纳入良性循环，进一步提高投资效益，这方面很想听听梁先生的高见。

梁振英：朱市长给我出了一个大题目，我只好大题小做，谈点个人的见解。

第一，房地产市场问题。境外房产市场上楼宇增长是有一定规律的，基本上同当地的经济发展速度成正比。南朝鲜、新加坡都是这样，香港和台湾也是如此。即使香港各类机构的业务范围扩展很快，但办公用房的增长速度也只有6%，宿舍这几年来增长的速度一般也是6%，如果某一年超过了6%，就会有一部分写字楼或宿舍没人买，而且房子的价格也会下来。

从浦东开发来看，土地用途无非就是这几种：盖办公楼、商店、酒店、工厂、住宅。这几类用途的发展是有先后的，一般工业和住宅用地的发展都是较先的。其中盖工厂和酒店与发展工业和旅游业有关，因此要创造条件吸引外面的人来投资，特别是要利用上海的工业优势。盖办公楼、商店、酒店，主要看上海有没有新的需求，如果需求不足，土地卖给了地产商，也是“晒太阳”或盖了房没人买。只有工业发展起来了，很多外商来投资，人员进出频繁，才会形成对酒店和高级公寓的需求；工业和贸易发展了，外面的金融机构、律师事务所来了，才会形成对办公楼的需求，同时也形成对商业设施的需求等等。总之，房地产业的发展次序同第一、第二、第三产业的发展过程是一致的，发展速度也基本是协调的。

至于工业用地，地价不可能很高，靠土地批租能把工业区内的开发费收回已经不错了，但是其带来的技术、就业、税收和市场都很有价值。因此，重点不应着眼于地价上，而主要是看社会效益。

土地批租出去搞整片开发，要算一本账，规定土地用途后再有偿转让。现在浦东基本上是生地，搞整片开发，市场不会太好，外面人家很少搞土地整片批租开发。浦东这么大，要分片搞开发，在这过程中，把开发好的地一片一片卖出去，也许会好一些。我建议集中找一些外面的工业进来，作为浦东开发的启动。工业不起步，其他事业也是发展不起来的，而且只有人口和第三产业发展到一定的规模，浦东才开发得起来。现在台湾有些工业想把投资转移出来，已转到印度尼西亚、马来西亚、泰国等地，但那里竹杠敲得厉害，劳动力也不便宜，这对上海来讲是个吸引投资的好机会。我相信上海有很多优势可以与印度尼西亚、马来西亚、泰国竞争。

朱镕基：总的地价要等形成一定的房地产市场后再考虑，但在目前情况下，外国人还没来浦东投资，我们要不要搞级差地价，可不可以规定土地的价格政策？

梁振英：可以分级差定地价，比如浦东多少钱一平方米、浦西多少钱一平方米，而且级差的距离要大，这样才能促使浦西的工业搬迁到浦东去。级差太小，工厂认为划不来就不搬了。

倪天增：现在我们也有级差地价，例如企业交纳土地使用税，每年每平方米0.5元至7.5元不等，但由于差别不大，没有真正起到价格政策的调节作用。征收的土地使用税有一半要交给中央财政。

朱镕基：开发浦东要有一个土地政策，前提就是在开发过程中新增加的土地收入不上缴中央，留给浦东开发用。要赶快拟出这一条政策，准备向中央领导同志汇报。

梁振英：土地使用制度改革要一步一步来。你们过去是无偿使用土地，现在搞有偿使用，已经跨出了很大的一步。当然，现在的有偿使用价值还不能充分反映土地的客观环境，但也不能一下子搞得太急。

外商到上海来投资，主要是看总成本是否有利可图。对外商来说，到浦东投资和到闵行投资是一样的，如果无利可图，他不会来。地价则要根据开发能力和土地用途、大小及位置等因素来确定，总的原则是这块地能卖 100 元，绝不卖 99 元。

倪天增：现有的闵行经济技术开发区只有两个多平方公里，而且已经快挤满了。浦东是更大的开发区或出口加工区、外商投资区。

梁振英：上海现有的几个开发区应该说是搞得很好的，开发区的政策也制定得很好，但奇怪的是外面很少听到上海开发区的消息。因此在宣传上要想点办法，如漕河泾新兴技术开发区批租后，就要利用机会宣传上海的开发区，发布消息，甚至到外面去做广告。可口可乐公司的产品已经很畅销，但直到现在还每天在电视上买广告做，他们舍得花这笔钱。如果他们不做宣传，这个市场就会被别人抢去。当然，宣传的方式还有很多，可以编印小册子，请驻海外使领馆去发放，发给外面的机构，宣传外商来闵行、漕河泾开发区投资办厂的经验和效益。如美国的施乐公司、3M 公司，荷兰的飞利浦公司到上海来投资，对外界就很有推动作用。这方面的工作，香港的一些公关公司是很有经验和办法的，香港贸发局就有机构常驻上海，可以委托他们到外面去做上海开发区的广告，在当地电视特别节目中宣传半小时，当然费用不得了，但一定会引起当地商人的兴趣。还有，从虹桥机场出来到市区的路上可以做些路标，每隔一公里左右竖一块指路牌，标明闵行、漕河泾、虹桥三个开发区在哪个方向，这样无形中就强化了路过这里的人对三个开发区的印象，至少可以让人知道这三个开发区的名字。像新加坡有个叫裕廊的地方，虽然是个很小的地方，但名声很响，他们就很重视宣传。其实，上海现在的几个开发区比新加坡的裕廊、香港的大埔都大。

朱镕基：梁先生讲的都是很简单的道理，但我们就没去做。到上海来投资的外商中，有一些是国外很有名的大公司，他们来开发区投资办厂后，与我们合作经营得很成功，应当好好宣传。另外，为了开发浦东，上海还需要做哪些工作？今年6月份，我到香港去时再向梁先生登门求教。这次去香港举行关于上海进一步对外开放、开发浦东的研讨会，应该花三分之二的力量去宣传闵行、虹桥、漕河泾三个开发区，宣传进来了多少合资企业、经济效益如何、外商盈利多少等等；只要花三分之一的力量宣传浦东开发，宣传上海进一步扩大对外开放的决心和措施，外商就会来投资，浦东开发马上可以起步。

梁振英：第二，再谈谈住房问题。我认为土地有偿使用主要是技术问题，而出售住房就比较复杂，还带有一些社会因素，关键是既要考虑市民有购房的意愿，又要考虑市民具备购买房子的能力，有了这两条才能做到买房住。市民光有钱，但把钱都存进银行，就是不愿意买房子，也不成。因此，必须做到市民有买房的意愿，要宣传居民在解决住房问题上的责任，也要宣传个人买房的好处。现在香港、台湾的人基本收入的50%至60%是用于购置住房，那里的居民已经养成自己买房子的观念，只要经济上一有能力就去买房子，即便借钱也要买。一般借钱买房后，第一年收入的50%至60%都用于偿还购房的钱，第二、第三年随着工资收入逐年有所增长，还房钱所占的比例会适当下降一些，到第四年又有可能把现有的房子卖掉再去买更好的房子住。香港私人房屋的条件在一步步提高，要政府拿钱满足所有市民的居住需求是不可能的。

上海不能期望在短期内解决住房问题，现在一般的家庭没有能力买房。新加坡实行一种“公积金”的做法，帮助人民提高购买房子的能力。我看没有一个国家能包下国民的住房问题。而真要推行买房住，首先要解决观念问题，市民要肯尽最大的能力。

朱镕基：观念问题确实很重要。过去我们是无偿分配住房，实行的又是低房租的政策，所以要改变市民的观念很难。另外，在不提高工资的情况下提高房租也是不行的，得罪的人可能更多。住房政策改革有一定的政治风险，但不改革，政府也没有能力再无偿分配住房了，就看我们的工作做得怎么样。这项改革是非常仔细的，甚至需要公民投票。将来考虑住房有三种情况：一是全价出售；二是补贴出售，打对折或收三分之一的钱；三是国家、企业拿一部分钱，而相当部分由个人分期付款。总之，没有政府无偿分配住房了。同时还要形成房产市场，允许房子可以卖掉或做抵押。

梁振英：香港政府每过几年就要出售一批公共房屋，把房子卖给原来租房住的人，原住户买房的钱不够，可以向银行借钱。社会上拥有恒产的人越多，相对来说社会就越稳定。一些开出租汽车的司机奔命加班，就是为了攒钱买房子。

朱镕基：今天梁先生讲了许多意见，讲得很好。建议把市建委、规划局和其他有关局的同志召集起来，请梁先生做一个报告。今后上海还要选派一些人到香港去培训，学习你们土地批租和开发房产市场的经验。

向姚依林同志汇报浦东开发问题 *

（1990 年 3 月 29 日，4 月 2 日、7 日）

一

（1990 年 3 月 29 日）

开发浦东问题的提出，道涵同志是最大的积极分子，他比我积极得多。这次小平同志、尚昆同志来上海，我们汇报了两次，是国栋同志首先提出这个问题的。第一个问题是上海向何处去，中央究竟把上海摆在什么战略位置？第二个问题是开发浦东是一条出路，要更加开放。我赞成这个意见，立教同志也是这个意见。我现在考虑，要解决上海的问题，挤中央不行，靠其他省市也不行。比如棉花都不肯给我们了，1987 年的 30 万吨是全数分配的，1988 年的 20 万吨是靠中央费了好大劲才解决的，1989 年只有 15 万至 16 万吨，只占一半了，

---

* 这是中共上海市委、市政府向姚依林同志汇报浦东开发基本思路和总体规划设想时，朱镕基同志三次发言的主要部分。1990 年 3 月 28 日至 4 月 8 日，受中共中央、国务院委托，中共中央政治局常委、国务院副总理姚依林率领国务院特区办公室、国家计划委员会、财政部、中国人民银行、对外经济贸易部、商业部、中国银行等部门的负责同志到上海，对浦东开发问题进行专题研究、讨论，并起草了向中共中央、国务院报告的《关于上海浦东开发几个问题的汇报提纲》。

今年估计只能拿到三分之一，纺织工业要是这么萎缩，那么占上海出口的40%就没有办法完成。上海这个趋势，靠中央、压中央、挤中央不行了；现在的问题是要上海增加贡献，只能量力而行了。靠兄弟省市当然要靠，但也越来越困难。所以，我想来想去只有一条路，能不能在外向型经济方面打开一点出路，因为上海已经同外向型经济结下了不解之缘，三分之一的产品是出口，如果不出口，就活不下去了，进口原材料的外汇都没有了。另外，还有一个特殊问题：目前上海的外债余额是27亿美元，其中旅游宾馆7亿美元是借外债搞的，加上其他投资共十几亿美元，现在没有客人来，怎么还债？想来想去，还是只能更加开放，开发浦东，这才能解脱目前上海的困境。同时，浦东开发与上海是联系起来的，不向浦东疏散，上海的交通、住宅问题解决不了。向浦东疏散，要解决过江交通问题。只有把浦东开发与上海发展联系起来，才能缓解上海当前的矛盾。

另外，我们还考虑上海“生不逢时”，希望中央给上海一点优惠政策。现在这段时间是打基础，如果没有一段时间打基础，是不会有外商来的。所以中央先给个政策，喊出开放的口号，打好基础，等到国际气候一转变，那时上海就“生逢其时”了。国栋同志同尚昆同志谈话时，要求给上海比深圳更“特”的政策。正因为上海“生不逢时”，给一点优惠政策，才能有吸引力，不然更不好弄。有没有危险？根据我两年工作的感受，上海人基本上还是规规矩矩的，没有很大的邪门歪道，不会出很大的乱子，不会捅很大的娄子，也不会一哄而上搞什么大的名堂，因为没有那么多的劳动力。最近我在北京时，钱伟长同志专门找我谈了一次，说费孝通同志提了一个倡议，他们两人要联合向中央提出，长江三角洲比珠江三角洲要厉害得多，建议在上海搞个“香港”。原来小平同志就说过要搞几个“香港”。费孝通同志正在游说江苏、浙江，以上海为龙头，进一步开放，让他们都跟着上去。我当时说，要上海做好服务，我非常高兴，因为现在广东大量的钱是让香港赚去了，珠江三角洲就是个加工厂，所有金融、信息、外汇结算等赚钱的服务行业都在香港。上海这方面具有的优势，比广东不差，把银行、股票等搞起来为江浙服务是可以的。（姚依林：不光是江浙，还有长江流域。）我说我们愿意为他们搞这个服务，但上海不能当“盟主”，这里还有好多矛盾，希望中央给上海一点政策，使我们能够为长江三角洲服务。另外，我们也代替不了香港，多少年以后也代替不了香港。

总而言之，我们感觉到现在是上海的一个转折点。依林同志你两年来一次上海，这一次我希望你能彻底地解决问题，别再两年来一次了。那时再有问题，用不着你来就行了，那时是来视察，看一看。

二

（1990 年 4 月 2 日）

依林同志受泽民同志和李鹏同志委托到上海来研究浦东开发问题，听了依林同志的讲话，以及何椿霖同志和陈光健[1]同志还有其他负责同志的讲话，我们确实受到很大的鼓舞。一方面，依林同志明确表示支持浦东的开发；另一方面，各部门负责同志也给了上海实惠。当然，我们知道中央有困难，要拿出很大的力量来办这件事也不是很现实。中央的同志帮助上海，考虑得很周到、很稳妥，给我们很大的支持，确实是体现了党中央、国务院对上海的关怀，同时也体现了依林同志和其他同志对上海的理解和支持，这是我内心想讲的话。说实话，本来我们碰到这么大的困难，精神有些疲软了，困难是看得

〔1〕 陈光健，当时任国家计划委员会副主任。

多了点。依林同志一行来了以后，给我们带来了希望和鼓舞。

今天我跟天增同志讲，我是过了60岁的人了，他们也50岁出头了，我们真正要拼搏也只有这几年了，我们还是有干头的，还可以好好地为上海人民办一点事。刚来上海工作的时候，我的劲头是很大。经过这两年多的磨炼，我深深体会到上海现在像是一个进入了晚年的老头，老态龙钟，精疲力竭。我不是强调困难，而是如实反映情况。我这两年来没有在这里偷懒，一直在喊这个、抓那个，拼命地搞，但是确有困难。不是说你批评了，施加压力了，严格要求了，就能改变，而是确有历史的原因、客观的困难，形成了这么一种状况。所以，每两年需要依林同志来打一次“强心针”。其中，1987年的财政包干这“针”打得最有力，而且给上海安了一个“心脏起搏器”，给上海很大的支持。所以那时我接手市长的工作蛮有信心，中央给这么大的支持，势头确实也不错，一直到去年上半年，势头也还是不错的，这里面还主要靠中央各部委的一些支持。但到后来，一个是碰到了政治风波，国际形势也改变了；另一个是碰到了治理整顿，我们承受市场疲软的能力不如兄弟省市，从去年第四季度开始，生产负增长一直延续到今年第一季度。确实没有别的招了，只得还是请依林同志来。上海是以加工业为主，负担很重，竞争能力很差，而中央要背他又背不起。能源、原材料根据价格改革的原则不断地提价，而上海的加工工业产品不能够相应地提价，形成了财政滑坡。兄弟省市的同志说，我们要学习上海的经验就是财政滑坡，意思是财政一滑坡，中央就来支持了。但是说老实话，谁愿意滑坡呢？用财政滑坡来争取中央支持，谁愿意干这件事情？滑坡是客观的趋势。

刚才有同志提出要求中央维持平价粮食分配，这是不可能的。这几年的经验证明，平价粮食是不断地减少，一年增加十几亿元补贴进去。原材料、煤炭不断地提价，一年10亿元补贴进去。棉花计划

1990 年 4 月 2 日，中共中央政治局常委、国务院副总理姚依林听取中共上海市委、市政府关于浦东开发问题的汇报。图为姚依林和朱镕基亲切交谈。

分配的比重不断减下去，只能靠进口或者工厂被迫停工，这种情况必然提高产品的成本。为什么我跟项怀诚[1]同志讲上海几年内财政收入达不到 165 亿元呢？上海实际上是达到了 165 亿元，但被每年增加的粮、油、副食品、原材料亏损补贴冲掉了。所以，我估计几年以内是达不到 165 亿元的，收入虽然增加了，但是都冲抵了，都转给兄弟省市了。（姚依林：上海负担过重，对于这一点，我的观点始终没有变，原来设想从生产的增长中求得上缴的绝对数不变，上缴比例可

〔1〕 项怀诚，当时任财政部副部长。

以减少。在1987年时，我是这样想的，现在看起来这一点也做不到。因此，上海反映的这些困难，我认为是事实。）

我认为别的都不可怕，可怕的是现在的国营企业，他已经像个老头，老态龙钟，老牛破车。第一，上海的企业没有广东、福建、江苏、浙江的优惠政策，企业包干上缴负担很重，无法搞技术进步。第二，上海的企业缺乏山东、东北、内地省市的能源、原材料优势，这样就形成财政滑坡的趋势。上海唯一的优势就是人才、科技，但是这个优势正日益丧失，最近上海最好的胸外科专家到美国定居去了。真正在高校、科研机构中有本事的人，现在也纷纷到国外去定居。目前，企业里的工人和技术人员的素质也大大下降。上海这样一个地方，住高层楼还要搬煤饼。上海有110万个煤球炉子，煤气化的比例大大低于北京与天津，几十万户的煤气管子都接到门口了，但现在没有气源。上下班交通困难，喝的水不像水，住的房子挤得一塌糊涂，这种情况下，你要调动人们的积极性是不大容易的。国栋同志提出一个问题：上海向何处去？逼着上海面向国外，就是怎么能够吸引一点外资，引进一点先进技术和管理，产品能够赶上国际水平，销到国际市场去。在国内，上海竞争不过兄弟省市，劳动力贵，能源、原材料贵，他们的政策又比上海优惠，上海怎么也竞争不过他们。唯一的希望寄托在开发浦东上。

上海提出开发浦东的设想后，得到了党中央、国务院的支持。在这么短的时间里，形势发展这么快，可以说是出乎意料。现在的问题集中到一点，就是怎么启动？上海想利用外资，就必须有基础设施，基础设施建设又必须从全市来考虑，不可能只在浦东搞个基础设施，全市没有搞，这是不可能的。这里就需要有启动资金。这个启动资金，我们的意图是这样的：前提是我们并不想挖中央一块，就是我们不减少对中央的上缴。但是，刚才市财政局也说了一些困难，无非是说明，现在不是挖一块、不是减少上缴的问题，而是每年上缴都有相当大幅度增加的问题。我们只希望财政部考虑一下，使上海的负担稳定在一定的程度上。再增加负担，确实是无法再搞技术进步了。另外一点，希望中央能够支持我们一点启动的资金。上海现在是精光的了，财政是赤字。开发浦东，外资不可能一下子来，三年以内不可能来得很多，中央如果不给一点支持，开发浦东就可能是一句空话。（姚依林：这个估计，我很同意。）我们的工作主要就在这三年，这三年，我们把基础设施搞上去，有个大的改观。三年以后，基础设施完善了，软件、硬件都完善了以后，上海起飞就有可能，那时国际形势会有所好转。所以希望三年里面，中央支持足以启动上海所需要的资金。

我向依林同志汇报了，我确实想拼命做这个工作，就是从“菜篮子”、住房、交通，包括煤气等方面，如何能够从老百姓那里把钱拿出来启动市场。从上海的情况看，不是不可能，因为老百姓现在不买彩电等家用电器了，衣食住行、吃穿用的方面不多花钱了，都存到银行里去了。如果通过解决上海人民的切身利益问题，鼓励大家把钱用各种形式拿出来，集资也好，基金也好，分期付款也好，我相信是可以调动上海人民的积极性来解决他们的切身问题。但是必须有一个前提条件，就如我向依林同志汇报的煤气问题，必须先把煤气厂搞上一两个，然后你这个办法一出来，他们把钱一拿，半年以后，你把煤气接上了，这个才有信用啊。如果你叫他们拿了钱，两年三年看不见煤气，他们认为你是骗人，所以这个事情需要资金启动一下。

另外一个土地批租，要是还维持原来按比例上缴的政策，我说实话，谁也没法去搞土地批租，你那个钱也收不到。还不如让上海先试个点，就留给我们算了。总的我们感到，如果中央给我们这样一个支持，可以推动上海的生产，启动上海的市场，其结果是保证上缴。

如果不是这样启动，像现在这样工业生产始终保持负增长，那绝对上缴不了。

最后一个问题，就是宣布上海进一步开放的时机。那天依林同志提出这个问题，我觉得提得很好，这是一个重大的问题。我个人认为，最好是在李鹏同志到上海来以后宣布这件事。这是一张政治王牌，是会有利于国际形势的转变的。外国人现在是看我们在 4、5、6 三个月能不能稳得住。有些人希望我们垮台，但也有些人希望我们稳住了以后，他们好说话。如果在这个时候宣布上海进一步开放，公布若干优惠政策，加上上海目前在外国人心目中仍是一个有利于投资的地方，我想可能对转变形势有一定的好处。所以我希望依林同志考虑一下我的意见，建议李鹏同志在 4 月中旬到上海来的时候，能够宣布这个政策，这个宣传效果将是非常好的。

三

（1990 年 4 月 7 日）

这次依林同志和中央各部委的负责同志到上海来，受党中央和国务院的委托，在很短的时间里面给予上海人民以鼓舞，点燃起我们的希望，振奋了我们的精神。从某种意义上来讲，我没有想到。怎么说呢？就是开发浦东这件事酝酿了很久，原来我们的设想是中央能不能给个政策，就像小平同志讲的，要把开放的旗子一下子打出去，要有一个大的动作，这样有利于改善上海的形象，吸引更多的外资，收到宣传的效果。我一再讲，我这里投资十几亿美元的旅馆，要是没有人来住，这个债都还不起。外国人即使不来投资，哪怕就来住一住，我这个负担也能减轻。说老实话，当时只想到这一点。我也想到，如果没有启动资金，这个宣传也是一句空话。因为你虽然有这个政策，但基础设施不改善，人家也不会来的。我们也考虑到中央很困难，所以依林同志来，我们也没有想出要提什么要求，当时我想中央可能给个政策让我们自己慢慢去爬。现在采取这么个决策，我认为确实是党中央、国务院，特别是依林同志和中央各部委同志对上海深刻的了解、正确的判断和英明的决策。过去我一年虽然来上海三次，但还是没有亲身体会，了解不深，这两年有一点体会。就像昨天的绢纺厂，依林同志去看了一下，比较代表上海基本的面貌，主要的就是这个类型。改造了一批，就是靠这个一年 3 亿美元。但是那里面也有不成功的，买了一套设备进来投不了产，这个情况也不是没有。基本上搞了三年，总共是 10 亿美元，改造了一批厂，现在能够有点市场的还就是这批厂。从这个厂子可以看出什么东西呢？上海的工业基础还是不错的，工人的素质确实比外地高，我在全国看了好多厂，对这一点深有体会。就是说，你只要给他一点启动资金，给他一点改造的资金，他的潜力和效益的发挥要比其他地方大得多。上海人比较讲求实惠，但要求也不很高，有承担任务的光荣感，现在就是精神疲软，这个劲鼓不起来。如果能够给他们鼓一下劲，这个潜力就能够得到很大的发挥。因此，我认为这个决策的影响，远远超出了上海的范围，这样做对国家的好处要比对上海本身的好处大得多。上海这一块确实是没有人背得起。说老实话，现在我们自己心里也不大好受，每年跑到北京去要煤、要原材料、借库存棉花，给国家增加很大的负担。当然，上海对全国的贡献也要讲。上海的产值只占全国的十分之一，但从上海的上缴，以及作为一个仅次于北京的经济、文化中心，他确实起到一个举足轻重的作用。（姚依林：过紧日子，在上海很多工厂里就是这样。）

我们的干部也是这样。上次《人民日报》发表了上海几个副市长在一个房间办公的报道，有些人不大相信。也有人说办公室挤一点，宿舍是不是那样？我今天可以这样讲，住房就我跟江泽民同志两人好一点，市委副书记、副市长家里没有洗澡的设备，他们要洗澡就要到外面浴室去洗。就是这么个状况。上海有一个传统，保持了艰苦朴素。所以刚才国栋、道涵同志都讲了，中央可以相信我们上海不会乱来，不会把这个权使用坏了。

对《汇报提纲》〔1〕，我没有更多的意见，写得很好。中央各部门负责同志对上海考虑得很周到，但是，后面的几条能不能考虑稍微再肯定一点，因为根据我的了解，这个文件中央很快可以拍板的。这一拍板以后，几年都不好改这个文件，这要耽误事情。所以，我恳切地请依林同志和中央各部门负责同志再次考虑一下几个问题：

首先一个是土地批租政策和土地级差地租的政策，这对上海是至关重要的两条政策。如果要改变上海的面貌，就要靠这两个政策。土地批租的收入如果还是按现在的办法上缴，上海是寸步难行，没法再搞了。土地批租的收入是我们开发浦东的一个重要资金来源，所以我希望这个《汇报提纲》有个肯定性的意见，就是让上海先试点。如果要攀比，那无法攀比，我们也从来没有去跟广东攀比过。先试试看嘛，每一个项目都可以经过中央审批。另外，这个级差地租的政策就是我们要逼迫现在集中在浦西七十几平方公里内的工业企业赶快疏散到浦东，然后得到技术改造。像昨天看的那个绢纺厂，再在里面盖房子也没法搞了，只有搬迁才行。迁移，你必须给企业一笔启动资金，不然他怎么迁移，房子怎么盖？这就要靠地租，就是企业到那边去，他的土地使用费交得少了，成本降低了。当然，我们实行这一政策时会非常谨慎，因为我们知道现在企业已是不堪负担了。

我赞成依林同志批准我们一个幅度，我们可以在财政部规定的

〔1〕《汇报提纲》，指中央调研组《关于上海浦东开发几个问题的汇报提纲》。

那个城镇土地使用税上面，再加一块。这个幅度由上海自己通过试点逐步地来试行。我们会很慎重地来试行，不会过多地加重企业成本，否则没有后劲了。但是如果搞得好，很可能使企业改变面貌。这是第一条意见。

第二条意见，《汇报提纲》第六页里的写法是：“不改变现行的财政体制和外汇管理体制，不影响上海市对中央的财政上缴、外汇上缴任务以及在沪的中央直属企业的利润上缴任务”。我觉得是不是前半句可以不要？因为现行的财政体制也说不清楚，上海实行的是一种跟别的地方不一样的财政包干，外汇也是一个包干的体制，这个包干的体制即将到期，只有两年半了，究竟将来怎么办，都在可变的情况之下，事实上现在每年都在变。所以，就说“不影响上海市对中央的财政上缴任务”这一句就可以了，这是我们的本意。我们也没有提出要减少，只要求稳定一下，只提出新增加的税收不要再增加上海的负担了。

会见世界银行高级副行长库莱希等人时的谈话*

（1990 年 4 月 8 日）

朱镕基：世界银行与上海一直合作得很好，我们对双方合作的前景寄予很大的希望。上海已经准备了能够利用世界银行几亿美元贷款的合作项目，有些项目已进行了评估，有些项目正在评估。现在是万事俱备，只欠东风。不知副行长先生这次到上海带来了什么好的消息？

库莱希：我这次来华是一次很重要的访问，在北京很高兴与中国领导人进行了会见；来上海访问，也是访华日程中的一个内容。上海在中国过去十年改革开放中起了非常重要的作用，我期待上海进一步同世界银行合作。在这之前，我的同事已经与上海讨论过一些直接利用世界银行贷款的大项目，希望这些项目尽快得到实施。我也知道上海有几个很重要的工业技术改造项目，正在等待世界银行董事会讨论通过。世界银行还准备与上海一起举办研讨会，专题讨论上海的发展战略，包括如何集中人力、物力和各种资源来搞好建设，并探讨在这过程中世界银行能起什么作用，怎么起作用。上海是这次来华访问的

---

* 1990 年 4 月 8 日，朱镕基同志会见世界银行高级副行长莫伊恩·库莱希、世界银行中国局局长沙希德·贾维德·伯基、世界银行驻中国代表处首席代表林重庚等人。

最后一站，我想从中得到更多的收获，为此向市长先生提出三个问题：第一，上海的企业将朝着哪个方向进行改革？第二，你们目前的经济是稳定的，但按照市场经济的要求，你们的金融和外贸体制改革准备向什么方向发展？第三，今年 3 月份，你们召开了上海市市长国际企业家咨询会议，不知这些外国顾问对上海发展抱什么态度？下一步有什么打算？如何吸引外资到上海来？

朱镕基：我很愿意回答你所提出的问题。李鹏总理在会见你时强调指出：中国的政治形势和经济形势是稳定的，过去十年中出台的各项改革政策都不会改变。下面，我就上海的情况，结合李鹏总理谈到的这两个方面内容，回答你的问题。

副行长先生来上海的时间很短，但可以看到上海的政治、经济和社会是稳定的，最重要的是老百姓消除了对通货膨胀的恐惧，人民对党和政府的信心也比过去增强了。现在我们不是担心市场紧张，而是担心市场疲软。上海市场上商品很丰富，老百姓可以随意挑选，商品价格也是稳定的，特别是上海的副食品供应情况，大概在中国的大中城市中是属于最好的。这些都说明近两年来我们贯彻治理整顿的方针是正确的，已经收到了效果。当然，现在也存在着一些问题，如生产处于负增长状态，不过这个负增长的幅度也不是很大，今年一季度生产与去年同期相比下降了 1%左右。出现这个问题的主要原因，是过去的生产增长速度太高，同时也由于产业结构存在很大的缺陷。前几年发展了大量的耐用消费品工业，所以当治理整顿中抽紧银根、市场需求下来后，这部分工业就发生了困难，有些工厂只得停工或半停工，影响了工业生产的发展速度。但上海企业出现停工、半停工的面大概只占职工总数的 2%，并没有影响到上海的稳定。

我们的对策就是调整产业结构和产品结构。例如，上海的彩电生产能力是每年 100 万台，今年大概只能生产 50 万台，所以产品要赶快转向，开发新的电子工业产品，并按照市场需要来组织生产。当然，这种产业结构、产品结构的调整，离不开技术改造和产品开发，既需要时间，又需要资金。这项调整工作，上海从去年开始已经进行了一年，今年还要继续进行一年，没有两年或更多一点时间，调整是很难取得效果的。因此，我认为上海经济今年不会有很大增长，能有点增长就满足了，如果调整工作做得好，明年经济就可能有较大的增长。但在整个调整时期，经济还是低速稳定地发展，这比过去盲目过热的发展要更扎实。现在的一个问题是怎么启动市场？目前上海的生产条件比以前好得多，电力充裕，煤炭的库存比以前多得多，原材料也不成问题。我考虑的办法，就是生产上调整结构，需求上大规模地开展城市基础设施建设，包括修环线、盖住宅，满足市民的需求，启动当前的市场。

我还要告诉你一个有关上海的好消息：今年以来，党中央、国务院特别支持上海进一步开放，加速开发浦东。最近，党中央、国务院委派姚依林副总理率领一个代表团来上海视察工作，对上海怎么进一步开放、改善投资环境、吸引更多外资改造老市区和开发浦东新区进行专题研究论证，还同上海市有关部门就一些重要问题和政策细节做了充分讨论。在中央没有对外宣布这些政策之前，我向你先透露一点情况。

外滩一带过去是“银行街”，旧上海就是从这里开始发展的。解放前的市区面积并不是很大，现有老市区的许多地方是解放后逐步建设起来的。现在的市中心区主要在浦西，以外滩为中心，浦西只有半个圆，另外半个圆在浦东，还没有开发。浦西这一边的老市区有 300 多平方公里面积、近 1000 万人口，已经很拥挤。而浦东这一边规划开发的新区也有 350 多平方公里，但目前只有 100 多万人，因此有很大的发展余地。现在已经确定把黄浦江以东、川杨河以北、长江口西南的这块地区350平方公里划为经济技术开发区，在区内可以享受目前中国最优惠的投资条件。当然，上海的情况与深圳、珠海、厦门有所不同，但这些地方的特殊政策基本上在浦东开发中都可以实行，包括土地批租期限和外商投资企业合作期限都可以经过商量做适当延长。

伯基：浦东开发区内现在不是空的，已有100多万人，请问上海在开发浦东时，对这部分人打算怎么安置？

朱镕基：现有这100多万人基本集中在浦东靠近市区一带，居住的条件也并不好。我们打算结合开发浦东，有计划地成片建造住宅，对原有居民重新进行安置。

当然，开发浦东是一项跨世纪的工程，需要一步步开发。不仅要宣布更大胆开放的政策措施，以吸引更多外资，还要进行大量的基础设施建设。我们已经有了一个关于开发浦东基本建设的庞大计划。首先要在浦东外高桥建一个新的港口，明年开工先搞4个顺岸式的万吨级泊位，以后再陆续建一批挖入式泊位，总共建40多个万吨级泊位，相当于现有上海港的泊位数。现在的港口码头都在黄浦江以内，等新港建成后，很多运输船就不用进黄浦江了。目前中国最大的造船厂江南造船厂也在黄浦江边上，将来要逐步搬到外高桥去。外高桥还要建一座装机容量为120万千瓦的电厂，另外还要搞加工区、保税区，发展出口加工工业和转口贸易。总之，外高桥港口周围将成为浦东开发的重点发展地区。

库莱希：在浦东开发区内建一个新港的设想很好。我还想请问一个问题：整个浦东开发与老市区发展有什么关系？

朱镕基：我们规划把老市区的企业结合工业调整和技术改造搬迁一部分到浦东去，缓解老市区人口过分密集和市政设施紧张的状况。浦东陆家嘴—花木地区，与老市区仅一江之隔，遥遥相对，这里将逐步建设成为上海新的金融、贸易、信息、咨询和对外服务中心。

开发浦东首先要解决过江交通问题，现在过江主要靠轮渡，还有两条越江隧道。明年年底，南浦大桥就可以通车。紧接着在你们世界银行专家主张修越江工程的宁国路，明年再开工造一座大桥，也是两年建成，1993 年通车。建设这两座大桥的同时，还要修市内交通环线，把浦东与老市区连接起来。考虑到老市区比较拥挤，拓宽道路拆迁量太大，所以准备利用空间，在老市区造一条有四车道的高架公路。这些基础设施建设需要大量的投资，如大桥、地铁等项目已经利用了亚洲开发银行和外国政府的长期低息贷款。我们尽量争取世界银行、亚洲开发银行、国际货币基金组织和各国政府的优惠贷款，加上自己的力量，把浦东地区的基础设施建设搞好。我们将采取多种形式吸引国外资金，在修建基础设施和标准厂房后吸引外商来投资，也准备通过土地批租让外商来成片开发或带资金和项目来浦东建设，以加快开发的步伐。

库莱希： 听市长先生介绍后，给我的印象是你们的这些工程是非常巨大的。因此，在吸引投资方面你们也要有更大一点的动作，比如利用国外私人的投资，不仅可以盖饭店、办企业，也可以用于搞基础设施建设。这部分私人贷款不用国家担保，可以通过将来项目建成后收费偿还。

朱镕基： 我们当然欢迎外商来投资参与开发浦东，但在开发起步阶段主要是搞基础设施建设。我担心外商可能不愿投资给基础设施，因为近期无利可图。

林重庆： 在吸引私人投资方面，世界银行已经取得一些经验，把私人投资加上世界银行的一部分贷款用于道路、桥梁、电站等建设。如巴基斯坦的一个电站项目利用世界银行贷款 15 亿美元，其中就吸引了一部分私人投资。

1990年5月3日，朱镕基出席上海市人民政府浦东开发办公室新闻发布会。右一为副市长倪天增，右三为市委副书记、副市长黄菊，右四为市政府副秘书长夏克强，右五为市科学技术委员会副主任沙麟。

库莱希：这是世界银行发展的一种新的筹资技术。吸引的这部分私人投资是与世界银行贷款一起来的。世界银行准备召开的上海问题研讨会，其中一个研究课题就是怎么在基础设施建设中吸引私人投资。我回去后可以先寄一点有关的资料给市长先生，让你有个初步的了解。

朱镕基：对你们的提议和世界银行将要研讨的这个问题，我很感兴趣。我们可以通过一切渠道、采用一切国际通用的做法来筹集开发浦东的资金。今年3月份召开的上海市市长国际企业家咨询会议，也提议要邀请世界各国的银行家来研讨上海金融业的发展问题。为了浦东和整个上海更多地吸引外资，中央已经允许在上海开设外资银行。

库莱希：据我所知，已经有好几家外国银行在上海开设了办事处，但目前还不能开展正常的银行业务。

朱镕基：上海现有41家外资包括侨资银行及国外证券公司驻上海办事处，另外已有4家外资银行分行，包括汇丰银行、麦加利银行（即渣打银行）、东亚银行、华侨银行。目前这4家外资银行只做结算业务，不做存贷款业务，因为外资银行现行的所得税税率比较高。

库莱希：新的外资银行什么时候成立？

朱镕基：现在要求到上海设分行的国外银行很多，我们只能有步骤地一家一家设立。在浦东开发前期准备阶段，重点是加强基础设施建设，在这方面中央给了上海很大的支持，加上上海地方自己的积累，前三年的启动资金已经准备得差不多了。当然也希望得到世界银行的支持，欢迎你们参与浦东开发。相信通过这些措施，今后几年上海经济一定会稳步发展，在吸引外资上会有很大发展。

副行长先生很关注今年3月出席上海市市长国际企业家咨询会议的顾问们对上海的发展抱什么态度。我可以告诉你，他们对上海发展的前途非常有信心，对来上海投资也很有兴趣。当然也有一个担心，就是美国对中国的态度会如何。特别是日本人等着看美国的态度。

林重庚：我看这方面，美国企业家还没有日本企业家担心多。

朱镕基：我衷心希望中美关系很快得到改善，这不仅是为了中国的利益，更多的还涉及美国的利益。中国不怕经济"制裁"，无非是发展得慢一点。没有美国的帮助，中国绝对不会垮台，经济照样稳定发展。

我们希望你们多做工作，促进世界银行与中国，特别是与上海的合作。

市委今年的工作重点是抓党风和廉政建设*

（1990年5月5日）

今年市委要下最大的决心，用最主要的精力去抓党风，把廉政建设搞好。现在头痛医头、脚痛医脚也是必须的，产品质量出问题得抓质量，市场疲软得抓市场，这些都是必须做的，但最根本的一条是，如果不把党风抓好，不把廉政建设好，群众的劲就总是鼓不起来，心气就不顺。怎么抓法？市委报告中提了六条措施，大家认为还是切实可行的，但是觉得还不够具体，希望还能具体一点。我们还要研究、修改一下，使落实的措施更具体一点。

今年抓党风，究竟抓哪几个方面，是不是也可以突出一下重点？贪污受贿、犯法的事毕竟还是少数，这方面我们查处得还是比较得力的，我们的公安机关、检察院、法院、纪委、监察局的工作还是比较得力的，群众对我们还是有信心的；在实行举报制度，审查、调查、处理问题这方面，群众也是有信心的。现在我们的党风大量发生的问题主要在以下三个方面：

一是以权谋私，包括有些人虽然自己手里没有权，但他们可以

* 这是朱镕基同志在中共上海市第五届委员会第十次全体会议闭幕会上讲话的一部分。

1990年10月17日，朱镕基在中共上海市委、市政府召开的加强廉政建设、纠正行业不正之风动员大会上讲话。

通过各种关系来达到个人目的。比如千方百计地为自己捞好处，为自己搞到更好的房子、捞到更高的收入，或者是安排自己的亲属。归根结底，这是严重的个人主义。老百姓没有办法来做这些事。这就是党风不正。这个问题应该很值得我们注意，这是脱离群众的一个很要命的因素。

二是庸俗的官僚主义、自由主义作风。什么事情都当老好人，什么人都不敢得罪，不能坚持原则。现在很多企业、事业单位和机关死气沉沉、管理混乱，主要还是党员领导干部不能从严治厂、从严治党、从严管理造成的。发生了很多很严重的问题，从来没有听到领导班子内部有什么自我批评，一直到群众揭发了、问题很严重了才知道，领导干部没什么相互的监督。这也是当前党风中存在的一个很严重的问题。

三是行业和企业里存在的不正之风。每一个行业、每一个单位、每一个企业都可以利用手中掌握的一点权力或者职权，来谋取好处。苛捐杂税、摊派，加重了人民群众的负担。我们党员领导干部应该教育职工，不能这样搞。这种不正当的手段，会激起人民群众的不满，影响我们党和人民群众的关系，必须管。邮电局、自来水公司、煤气公司、公交公司等，不能老是纵容职工出去敲竹杠，脱离群众。所有这些直接关系到人民群众利益的机关和企业、事业单位，都要把自己行业的风气整顿好。我们一直提倡公开办事制度，开展廉洁为民的教育活动，要牢记这个宗旨，我们一切单位都要廉洁为老百姓。我希望在今年的后八个月，下很大力气从这三个方面纠正当前党风方面存在的严重问题。

在措施方面，很多同志提出来尽管有六条，但这六条还不是很便于检查督促，还应该更具体一点。我想我们还要有进一步的要求：

第一，这次会后，市委、市政府系统各级领导干部都要根据本系统、本部门、本单位的实际情况，抓住群众意见集中的问题，通过组织系统，通过一定的会议形式，一件件地去抓落实，扎扎实实地抓出成效来。

第二，要贯彻整风的精神，开展批评与自我批评来加强领导班子的建设，自我监督。就是学习延安整风的精神，发挥我们党的优良传统，大家在学习文件、提高认识的基础上，自觉地联系思想实际，清理思想，开展批评与自我批评，达到弄清思想、团结同志的目的，恢复和发扬我们党的三大作风。这方面，市委首先要带头。去年下半年，我们开过一个市委常委内部的民主生活会，在会前，我们市委常委之间进行了交谈，然后互相之间开展了批评与自我批评。在这次会上，包括过去同志们对我们市委常委、对我们市政府的领导同志所提出的问题，我们都进行了认真的检查，并且把群众的意见都一一告诉了当事的同志，提请他注意。请同志们相信，我们绝对不会搞自由主义，也不会搞官官相护，是什么问题就是什么问题。但应该讲，我们经常的批评与自我批评开展得很不够，民主生活会开得很少，今后要加强这方面的工作。同时我们希望，各级党委和政府部门的领导班子都要定期地或者不定期地，但是要比较多一点地开展民主生活会活动，进行批评与自我批评，思想见面，不要搞自由主义。对我们领导班子同志的思想作风上存在的毛病早一点给他提出来，对他是个帮助，不要让他越陷越深。另一方面，市委组织部要通过会议的形式把这件事很好地抓一下，定期地督促检查。

我过去引用过岳飞讲的一句话："文臣不爱钱，武臣不惜死，天下太平矣。"〔1〕尽管当前我们面对很多困难，确实存在精神不振、信心不足的问题，但是只要我们党员，特别是党员领导干部振作起来，把自身的作风建设好，我看这些困难是可以克服的。也就是说，党员不谋私、干部办实事，上海就振兴了。我说党员不谋私，大家说是否要求太低了？我看能够做到无私，他就无畏，他就会去全心全意为人民服务。现在就是私太多了，部分党员谋私，严重地脱离群众。不管你有权没权，你谋私，就脱离群众。干部要办实事，现在很多干部是不大关心群众的疾苦。我们也有很多好的干部，比如说区长里很多同志很重视人民来信。前天报上表扬了普陀区的何全刚〔2〕同志。据我所知，还没有发现一个区长是官僚主义地对待人民群众的来信，完全不关心人民群众的疾苦，恐怕绝大多数的区长都不是这样的。但这里

---

〔1〕 见《宋史·岳飞传》。

〔2〕 何全刚，当时任上海市普陀区区长。

面有做得好一点的，有做得差一点的。有些区长接到了人民来信就马上去拜访、去研究解决问题，这个多好！这样，人民群众的心气就比较顺了。所以归根结底，要把今年“一要稳定，二要鼓劲”的总要求落实好，根本上还是要靠抓党风，把廉政建设好。

在上海市海外交流协会成立大会上的讲话

（1990 年 5 月 11 日）

我首先对来自世界各国的海外华侨、父老乡亲们回到祖国，访问上海，表示热烈的欢迎。

我想大家都跟我一样很高兴，最近上海是喜事临门。开发浦东、开放浦东的决策基本上是在三个月中间决定下来了，这是上海人民盼望多年的事。姚依林同志最近在会见一个外国企业家时说，开放浦东意味着中国的开放和经济发展的部分重点已转移到长江流域这方面来了。也就是说，以上海的开放促进长江三角洲经济的发展，使上海和长江流域各个省在中国的经济发展中做出更大贡献。对上海，这是一件鼓舞人心的事情。

现在全市人民都很高兴，很多同志写信、捐钱。有位老同志身体不好，寄来 5000 元，要为开发浦东做出自己的贡献。一位工人同志寄来了 3000 元，赞成我讲的，用国家、集体、个人一起上的办法来解决上海的住宅和煤气问题。

中央的决策得到上海各阶层人民的拥护，而且热情非常高。现在决策已经有了，我们的工作要跟上去。首先要改善投资环境，这有软的和硬的两方面。软环境方面，尽管我们有十年改革开放的经验，但还很不完善，外商意见很多，我们正在研究如何进一步改善。

首先上海人的思想要转变。外国人说，上海人太精明、不高明，“too smart, not wise”。太精明了，什么事都要斤斤计较。斤斤计较要有一点，凡事要讲经济效益嘛，但过分计较就不好了。应该看到，只要对我们有利的事，我们就要去办，不管对方有多大的利。人家赚钱多，是人家本事大，不要眼红。过分计较的思想要改变，不然，外国人还是觉得广东、福建、大连、青岛好，上海不好。思想首先要转变，要解放一点，胆子要大一点。

各位父老乡亲，我不是自吹，上海有两个别的地方无法比拟的优点：

第一，中国没有一个地方像上海的工业这样配套齐全。上海除了采矿业没有，其他什么行业都有，一般来讲水平还不错。这对你们的投资是一个有利条件，也是将来为你们的投资降低成本的一个有利条件。

第二，上海人的科技素质是中国别的地方无法比的。我在国家计委、经委工作了 30 多年，深刻体会到上海干部的水平是高的。现在办事效率提不高，是上海人的弱点。上海一些人总觉得自己高明，互相扯皮，互相卡，把事情耽误了。分工、职责、办事的规则要搞得严密些，不要互相卡、互相推、互相拖。我相信，随着上海的开放，随着对十年改革开放经验的总结，我们的工作一定会改善。请海外父老乡亲要有信心，我们确实在改进。

硬环境不是马上能解决的。交通基础设施要解决，不解决，你们不会来。我请市侨办组织父老乡亲去看看南码头黄浦江大桥〔1〕，工程很雄伟。两个主塔高 150 米，桩打到地下 50 米，桥面离水面 46 米，6 个车道。这个桥是用亚洲开发银行贷给我们的资金建设的，前年

〔1〕 见本书第 141 页注〔1〕。

年底动工，明年通车。北京来的同志问是造五年还是十年，我说明年通车，他们不相信。这件事感动了我，上海人办事还是扎扎实实的，是能干的。这个桥的设计在世界上是先进的，主跨度423米，世界上列在前几名。两年多不到三年的时间就通车，8亿多元的投资，很不容易。这个桥修完，我们还要修第二座桥，这样才能形成一道环线。把上海全城环起来，把老城区环起来，修立交桥、高架公路，估计要两到三年时间。港口建设的时间还要长一些，将来整个黄浦江的港口有可能搬到外高桥去，因为那儿可以建45个万吨级的泊位，现在全上海也就45个万吨级的泊位。码头搬一部分到黄浦江以外去，那样黄浦江就可以变成一条非常美丽的城市河流，为上海的景色增光。

当然，45个万吨级泊位的建设时间很长，但两到三年的时间内，浦东的基本规模、基本框架就形成了。我估计上海真正大量吸引外资搞基础设施建设，使软环境比较完善，需要两到三年的准备时间。我向大家交个底，不要认为现在宣传浦东开发喊得那么厉害，到那儿一看什么也没有。现在是我们披荆斩棘开拓的时期，远景是宏伟的。林同炎[1]先生说，世界上再也找不到一个城市像上海这样，能在市中心的旁边有这么一块900平方公里的没有开发的宝地。两座大桥一通车，环线一修成，从浦东到市中心——外滩非常方便。天时、地利、人和的条件，上海都具备。

在两到三年的准备过程中等不及了，怎么办？上海已有三个开发区：闵行，两个多平方公里，已经有60多个中外合资经营项目，其中已投产的有40多个项目，地方还有，我们还准备扩大；漕河泾，

〔1〕 林同炎，华裔美国工程专家、美国加州大学伯克利分校教授，当时任林同炎国际顾问公司董事长。

是高科技开发区，项目更没有摆满；虹桥，第三产业比较多，从机场出来，一路上可以看到已建起许多大楼，也还没摆满，还可以建很多大楼。这三个开发区可以享受的条件与浦东一样。

中央宣布浦东不但享受经济技术开发区的优惠条件，还可以享受某些经济特区的政策。我们不一定要深圳、珠海全部的政策，有些并不适于上海的情况。经济特区有的优惠政策，浦东基本上都可以享受。上海这三个开发区，姚依林同志来沪时，授权我们协调，可以参

1990 年 3 月 30 日，朱镕基陪同中共中央政治局常委、国务院副总理姚依林考察正在建设中的上海南浦大桥浦东工地。前排左一为南浦大桥建设总指挥朱志豪，左三为财政部副部长项怀诚。

（新华社记者张刘仁摄）

照浦东的优惠政策，享受经济特区的政策。现在有兴趣来上海投资的可以先到这三个开发区去，因为那儿的基础设施完全配套了，条件已很好。你们不会失望的，投资是会有地方的。

如果要在浦东批租土地的话，现在就可以批租。所谓批租，就是土地转让使用权为 50 到 70 年，可以在上面进行基础设施与厂房的建设。现在你可以划一块，你愿意要哪一块都可以，只要条件合适、双方满意。这样就可以快了，我们共同来开发，因为等我把基础设施搞起来，要三年以后，你现在着手搞就比我快。主要的基础设施还要我们来搞，比如公路、电信。电信、电话我们搞得很快，因为上海有个贝尔电话设备制造有限公司，对这个技术的转让，比利时政府给了很大的帮助。设计能力为年产程控交换机 30 万线，一年订货已达 40 万线，而且很快可以把生产能力扩大到 50 万线、60 万线、80 万线。集成电路的技术也转让给上海了。我们专门成立了上海贝岭微电子制造有限公司，生产 2.5 微米的通信专用大规模集成电路。我们投了很大的资金来发展集成电路，还有一年左右就可以完全掌握技术，这样，程控电话技术就完全国产化了。

与此同时，根据形势需要，我们正集中力量解决上海人民迫切希望解决的三大问题：

第一是“菜篮子”问题，解决得还可以，大家比较满意，但也还有待改进。我们还要把“菜篮子工程”建立在现代化的技术基础上，从生产、运输到销售，通过各种环节的现代化来降低成本。

第二是交通问题，修环线、修大桥。上海的交通问题，需要三到五年的时间才能从根本上扭转。

第三是住房问题，包括煤气问题，这在上海是个非常难办的问题。最近我们提出一个口号，要解决这个关系上海人民切身利益的问题，需要国家、集体、个人一起上。这个口号已得到上海人民的响应。我们打算在住房、煤气方面发点公债，来加快住房和煤气的建设，这样，煤气问题用三年、住房问题用十年就可以解决。最近想把这个方案〔1〕拿出来，供全市人民讨论，掀起一个高潮。我们要开展大规模的公共设施建设，特别是住宅、煤气的建设，吸引老百姓口袋里的钱，拉动市场需求，建筑材料、化学工业、钢铁工业都可以发展起来，这是推动生产的一个重要措施。

我们市委、市政府提出八个字：廉洁、高效、求实、为民。政府是廉洁的，办事是高效的，做事是求实的，我们全部出发点是为人民的。

我相信，在党中央、国务院的领导下，在全市人民的支持下，在海内外侨胞、国际朋友的帮助下，上海一定能振兴起来。我热忱欢迎海外父老乡亲到上海来，对我们的工作多提宝贵意见。希望你们在上海就像在自己家里一样过得愉快。

〔1〕 方案，指《上海市住房制度改革实施方案（草案）》。

做好城市规划工作*

（1990年5月16日）

为什么我一直想到市规划院来？因为规划很重要，也听说大家有些意见。今天来主要是沟通一下思想。首先要讲的是规划的重要性。建筑工程质量是百年大计，而规划是关系子孙后代的大事，能影响到很长一个历史时期。规划搞得好不好，直接影响到经济效益和社会效益。虹桥路为了几棵香樟树当时修两车道，只过了一年多就不行了，现在四车道一修，中外人士都拍手称快。要是规划时坚持一下真理，坚持修四车道，这个效益该有多大，会给国家节约不少钱。城市规划不单是经济效益的问题，还是个社会问题、政治问题。市规划局、规划院的同志应该意识到自己所担负的责任重大。你们的工作是否细心、是否认真负责，都关系到上海人民的前途和幸福。我希望同志们意识到自己责任的重大、光荣，安心地、鼓足干劲地做好自己的工作。这是第一条。

第二条，应该肯定上海市的这支规划队伍，素质还是比较高的。你们做了大量工作，做出了很大贡献。同志们很辛苦、很努力，应该

---

* 这是朱镕基同志在上海市城市规划设计院同五十余位规划专家及管理人员座谈时讲话的主要部分。

肯定这个基本的方面。

第三条，上海的规划工作有它的困难，也有好的条件。上海是从半殖民地发展过来的，所以造成上海城市总体布局很不合理，道路也不合理，各种设施也不配套；但上海是较开放的城市，吸收了各个国家城市建设的优点，堪称世界建筑博览，各种各样的建筑都有，这样的城市恐怕全国仅此一家，这为人们保留了一笔好的财富，能看得到各个国家的风格，城市就不单调。在城市规划中要注意保护城市的特点，年代久远的房子不要随便拆掉，应该修复。对上海今后城市规划的要求是，既要保持上海城市本身的风格，又要符合现代化城市发展的潮流，这两方面都要兼顾。要考虑对外开放的、国际化的、以外向型经济为主的这样一个城市特点。一定要考虑到城市的远景，不能把标准定得太低了。

第四条，要考虑到人民的切身利益和迫切需要解决的问题。这是城市规划的一个很重要的内容。一方面，眼光看得远一点，远景是建一个很大的国际城市；另一方面，要考虑现在老百姓迫切需要解决的实际问题。住宅小区建设要有学校、医院、幼托、花园、购物、娱乐等配套，正像有同志所说的“建一片、管一片、美一片”。上海的土地是很珍贵的，要成立一个高层住宅的研究小组，论证一下上海住宅究竟盖多高最经济。煤气化非搞不可，规划里面要补地下管道，坚持先地下、后地上的建设程序。所以，规划工作要把国际化的大城市和人民迫切需要解决的生活问题结合起来。

第五条，规划工作应具备三个观点：一是全面统筹的整体观点。全面规划，统筹安排，特别是市规划局、规划院一定要整体观念非常强。有同志说现在只有道路规划，没有交通规划，没有很好地研究交通的布局。现在成立城市综合交通规划研究所、浦东开发规划研究设计院，就是要加强整体性，加强整个上海市的总体规划。市规划院要对这两个部门加强工作指导。最近浦东准备划块地给台商投资，但所划的那块地已经盖了好些工厂，划给人家怎么得了？上海已经搞了总体规划，但工作还太粗，详细规划没有，分区规划也没有做得很仔细。所以，要下决心加强规划的力量。市规划院一线技术人员有90多人，这不够，是否搞到150人左右？另外，还要强调加强区县政府的规划工作，也要充实人员。从区到市规划院、规划局都要加强一下。上海市要加强规划，不然将来要吃亏。

开发浦东就是为了疏散上海的人口，上海人口不疏散，交通问题解决不了。今后每年建500万平方米住房，可以解决10万户30万人，10年300万人，其中200万人要安排到浦东去。另外，浦东的发展，要调动各个区县和外省市的积极性。我主张规划里面每个区、每个县都在浦东搞一块“飞地”。这要有优惠的政策，吸引住宅往那里盖，工业往那里摆。再划几块地让外省市来。崇明的开发是很值得研究的问题，上海最好的地方在崇明，气候也好，规划部门要赶快规划。以后岸线的批准可不能随便，一寸地都要慎重考虑。

二是高瞻远瞩的发展观点。规划要有超前意识。李瑞环同志修了三条环路，一下子把天津的交通和城市布局定了下来，这就是有超前意识。一个城市没有快速环线不行。要根据其他城市的经验，把上海的快速环线修起来，整个浦西段用高架，与两座大桥相接，浦东段可以修立交。究竟如何修，要快点论证拿方案。时间不等人，要赶快搞。如果三年搞不好交通，开发浦东就是一句空话。

三是上下结合的群众观点。做规划一定要上下结合，调动各方面的积极性，倾听各方面的意见，绝对不要坐在房子里做规划。现在要总结经验、理顺体制，做得不对的改过来。首先要依靠区县，从基层就开始加强规划力量，成立区县规划机构。市规划局要加强监督检查，严格管理，办训练班，组织区县长来听上海的规划，学习《城市规划法》，讲上海的发展远景，讲规划的原则，使他们掌握一些知识，不要瞎指挥。其次，总结这两年的经验、教训，赶快制定出相应的规章制度，以法治城。

你们的工作是超前的工作，如果你们的工作不超前，我们整个上海就要落后。希望同志们要百倍地鼓起自己的干劲，进一步做好规划工作，以不断适应上海战略重点转移、飞速发展的形势要求。

“双增双节”工作要扎实、敢管、真干*

（1990年5月24日）

当前上海工业生产遇到了不小的暂时困难。从去年10月份开始的产值负增长，一直持续到今年的3月份，4、5月份才开始回升，1到5月份恐怕勉强维持去年同期的水平。我们现在碰到的是新问题，它不是局部性的，而是全国性的问题。应该说，我们是有条件克服当前面临的困难的。从政治上讲，上海人民的凝聚力比过去有所增强，埋怨、谩骂少了，对党和政府的信任感增强了。从经济上讲，现在人心和物价稳定，生产增长虽是低水平的，但还是稳住了。另外，生产条件比那个时候要好得多。煤炭已有一个月以上的库存了，没有哪个月出现拉闸限电的情况，原材料供应也比过去宽松多了。现在的问题就是要干。今天开“双增双节”〔1〕动员大会，我就讲三条意见、六个字：第一，扎实；第二，敢管；第三，真干。归纳起来也就是一个“干”字。

第一，扎实。这是针对当前的经济形势来讲的。现在碰到一个新的问题，叫作市场疲软、资金困难。没有市场，很多东西生产不

---

* 这是朱镕基同志在上海市工业系统“双增双节”动员大会上讲话的主要部分。

〔1〕 见本书第30页注〔1〕。

了或者积压在仓库里，造成资金周转不灵，生产转不动，部分劳动不能创造价值。我们现在开展“双增双节”运动，就是要开拓市场，加速资金的周转。因此，绝对不是要大家回去增产不适销对路的产品，否则，那就糟糕了，那叫不扎实，是刮风。大家要看到，3、4月份生产虽然回升，但付出的代价较大，因为产成品资金比去年同期增加了 30%，比今年年初增加了 15%。这说明东西卖不出去呀，是把银行里的钱或者是把企业的自有资金压在仓库里面了，没有变成效益，这样越搞越困难。另外，亏损企业增加了，亏损额增加两亿多元。特别严重的是，调出去的商品数量下降了 21%，上海货卖不掉，这个问题相当严重。现在财政赤字八个亿，这样下去，今年的计划就要吹了，开发浦东不就成了空话？所以，我们在这里开“双增双节”动员大会，叫大家回去鼓实劲，不要鼓虚劲。如果回去开足马力生产那些老面孔的产品，那是错误的，那是不扎实。应该抓什么？就是抓质量、抓品种、抓效益。首先要抓质量，没有质量就没有一切。这次“双增双节”运动中，企业千万不能离开质量盲目追求速度。当前上海货调不出去，为什么？质量下降了嘛。市技术监督局检查产品质量，12 种葡萄酒没有一种合格，没有严格执行检验制度嘛。另外就是财贸系统拿回扣，把那些假冒伪劣产品都弄进来，看了触目惊心，报纸上应该多揭发。同志们，上海已经不是过去的上海了，外省也不是过去的外省了，好多都赶到上海前面去了。我们生产的煤饼大多是不合格的，对这个我就奇怪透了。上海连火箭也生产出来了，人造地球卫星也生产出来了，合格的煤饼却做不出来，这真是笑话！不认真到这个程度了。去年外贸索赔的产品为 149 万美元，比前年增加 105 万美元，这样的产品质量怎么开拓国际市场？质量是上海的生命，我希望不要光是在嘴上说得漂亮，大家要干，要认真去贯彻。

1990 年 5 月 17 日，朱镕基考察上海航天局卫星工程研究所。

今天来了 1500 个厂长、1500 个厂党委书记，你们每个厂长要亲自抓质量。我一再讲，正厂长是抓质量的。居然有这么一个厂，说我这个正厂长是不抓质量的，那你赶快下去嘛，不要当厂长了，你厂长不抓质量谁抓？大家要认识到上海产业结构的弱点，我们没有能源，没有原材料，能源、原材料从外面运来，加上上海的工资高、成本高、设备陈旧，上缴国家的利润又占了很大一个部分，价格降不下来。因此，上海的产品在国内越来越没有市场，竞争不过人家。现在好几个省已经赶上上海了。我们唯一的出路就是发展外向型经济，就是利用上海的科技优势，搞一点高精尖的产品，打到国际市场上去，卖得出一点价钱。国内市场不是要放弃，但是，要看到你占的市场份额越来越小，你还想保持上海原来那个比例？保持不住了，这是发展的趋势。所以说，你得赶快转外向，搞外向就得靠质量啊，没有质量，怎么能打进国际市场？厂长、书记同志们，你们要对工人同志进行教育，质量确实是我们的生命啊！要是产品质量下去了，我们是活不了的，生存不了的。每个人都要有强烈的质量意识，每一个工人都要有强烈的质量意识。不单是你们厂长管、书记管，每一个工人都要自己来管，谁要是对质量不认真，你就告诉他，你这是损害上海的声誉，你这样做是叫上海垮台，包括你自己也好不了。

当然，还有个品种的问题，要抓品种，调整产业结构、产品结构。现在上海产品还是老面孔多，厂长同志们要赶快调整产品结构，更新产品，提高质量。你得有新面孔、新花色、新品种、新标准，符合顾客的要求，这个产品才能销得出去。那天我开厂长座谈会，听第三制药厂厂长黄成新同志讲，他就是把原来的产品都甩掉了，搞新产品，冒风险啊，最后问题都解决了，效益上去了。如果你不去研究市场，加强开发，敢于冒风险，把新产品推出去，当前的困境是很难摆脱的。当然，我知道调整产品、更新产品、调整结构，是要有投入的，没有钱干不了。我就给黄菊同志建议，今后上海的技术改造，还是一个口子，由市经委负责。一些重大的技术改造项目、一些投资大的项目，还要经过市计委综合平衡，但基本上由市经委安排。我就认市经委一个头，搞不好，你负责。金融机构要支持技术改造，不要卡企业，看准了的事情、市经委拍了板的事情，要大力支持把它搞上去，上海才有希望。企业自己也要千方百计积累资金增加投入，把技术改造搞上去。

第二，敢管。这当然是对今天在座的厂长、党委书记讲的，企业现在再不严格管理不得了。首先，厂长、书记要以国家利益为重，要敢管。敢管的首要条件，就要自己行得正、坐得稳，所以首先要抓党风。现在我们不少厂长、书记之所以不敢管，就是他们自己不那么

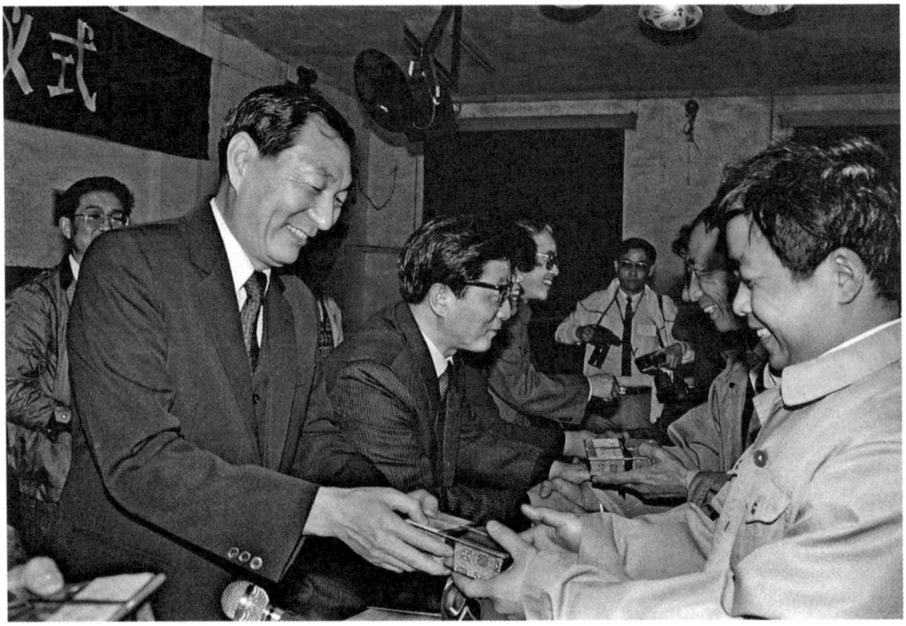

1990 年 4 月 30 日，朱镕基为上海市全国五一劳动奖章和五一劳动奖状获得者颁奖。前排左二为市委副书记、副市长黄菊。（郭天中摄）

“正”。我们最近做了一些调查，有些厂长、书记在刚上任那两年积极肯干，能够跟工人同甘共苦，工人群众反映比较好。干了两年以后，房子到手了，工资提了，出国每年有那么一两次，什么高级经济师、高级工程师的职称评上了，他们就认为“革命”到头了，工厂里再也看不到他们了，跑“横向”去了，还带着个女秘书。这样的工厂必然垮台。这样的厂长、书记是绝对不敢管工人的，他们敢管吗？他们敢处分一个人吗？今天应该把这个问题提到政治高度来看。我们共产党人是一切为了人民群众的，我们一切要依靠人民群众，要和人民群众同甘共苦，应该吃苦在前、享受在后，否则算什么共产党员！没有这一条，你们能调动群众的积极性吗？所以，我提醒我们的厂长、书记同志们，你们都是党组织苦心培养、精心挑选出来的，我希望你们还应该保持上台时的那种本色，这样才能取得工人群众的拥护和信任，他们才服你们管。

其次，我们的党委，我们的其他组织，包括工会、共青团等群众组织，要合力地支持厂长去管，支持他们的工作。现代化工厂必须有严格的纪律和统一的指挥，谁违反了纪律，就得处理，直到开除。没有这一条，不能进行现代化的生产。当然，我们的厂长要置于群众的监督之下，但是他们的指挥大家必须听。

再次，我们工人也要增强主人翁责任感，积极参与企业民主管理，不要迁就落后意识，自觉地同违反劳动纪律等歪风邪气做斗争。我相信，只要经过我们细致的思想政治工作，把马克思主义理论和党的政策交给工人群众，厂长、书记经常同工人群众谈心，了解他们的疾苦，帮助他们解决实际问题，他们会支持严格管理的。

第三，真干。同志们，现在我们既处在困难之中，也面临一个千载难逢的机会，至少是40年没有遇到过的机会。我听到各个地方的反映，对上海开发浦东、开放浦东羡慕之极，认为中央的决策是完全正确的，发展战略重点应该转移到上海来。现在人民群众精神很振奋，外商、港商、台商对浦东都很感兴趣。我们要抓紧干，不能让这个热情冷下去。如果人家来问了几次，一问三不知，他就再也不来问了。所以，我们现在要加紧制定浦东开发的规划、政策，并具体化。各级领导干部要以身作则，带领全体人民群众，趁热打铁，认真干下去。基础设施的建设，比如说两个大桥、一条环线、一个港口、“七通一平”〔1〕，大体上用两年半到三年可以完成。到1993年，吸收外商投资就具有比较好的条件，上海经济就有可能起飞。所以，从今年开始的两年到三年是关键，我们一定要把这个道理给工人讲清楚。大家要拼搏，要实干，要真干，要披荆斩棘地干，要开拓前进。我们

〔1〕 见本书第194页注〔1〕。

讲“一要稳定，二要鼓劲”，厂长、书记同志们首先要把劲鼓起来。你们的精神振奋，工人的精神一定振奋；你们的精神不振奋，工人的精神振奋不起来。所以，我们在这里树标兵，学先进，就是希望在座的1500个大厂的厂长、书记的精神振奋起来，来带动全市的工人。大家都要讲奉献，要跟这14个标兵企业、14个标兵个人比，每天问一问自己，我们究竟比他们做得怎么样？究竟为开发浦东、振兴上海做了些什么，做了多少工作？我相信只要大家都能像这些标兵一样，上海经济就会上去，开发浦东、振兴上海的事业，就一定会在我们手里完成。

在上海市计划委员会干部大会上的讲话

（1990 年 6 月 1 日）

我跟大家是同行，我是搞计划工作出身的，跟大家有一种渊源的关系。我是很关心市计委的工作的，下面我讲几点意见：

一、计委在国民经济发展中的重要作用。

大家应该充分认识到上海市计委在上海经济社会发展中极为重要的作用，要意识到自己肩负的重要责任。可以说，市计委应该是上海市政府的参谋总部，是管理全市经济的参谋总部，当然也包括社会、文化事业的发展。我在国家计委工作了二十多年，在国家经委工作了近十年，我始终认为计委工作是最重要的。中国经济搞得如何，很大一部分责任应在国家计委。1988 年我到上海工作后，一直是这么想的，计委应该是一个出方针、出计划、出政策的单位。当然，不可能什么东西都由计委自己搞出来，要依靠各个部门，方案要从那里先提出来，到计委来综合平衡。目前，市计委还没有完全起到这个作用，同各委办局的关系也没有完全理顺，好多事情不顺手，层层耽误了，该放的权没有放，该集中的权没有集中。我今天到这里来，再一次地明确市计委是市政府管理全市经济的参谋总部。怎么起到这个作用？市计委要好好研究。

二、在当前经济模式下计委的作用。

党的十三大确立了“一个中心、两个基本点”的基本路线，经济上叫作有计划的商品经济，“国家调节市场，市场引导企业”。邓小平同志在去年政治风波后的讲话非常重要，他说，党的十三大制定的路线不能改变。现在统一的提法是计划经济和市场调节相结合。这究竟是什么具体内涵？还需要探索。我希望同志们考虑一下这个问题，我也准备对这个问题结合上海的情况进行一点研究。

我认为有中国特色的社会主义，关键就是坚持公有制为主体。坚持公有制为主体是为了实现共同富裕的目标，但这并不排斥股份制。坚持以公有制为主体，要有一个统一的计划，同时又要充分发挥市场的作用。单靠主观的计划去确定价格，确定上什么项目或不上什么项目，几十年来我们犯了很多错误。行政手段是必要的，但行政拍板一定要根据市场来决定。每个企业不仅要对领导负责，更要对市场负责，对企业效益负责。这一点与计委今后工作的指导思想有关系。如何搞活市场？企业要成为一个有机的实体。企业要有自己的利益，才能对市场负责，而不只是对领导负责。像过去那样过分迷信企业放开，什么东西都下放到企业，不仅下放到工厂，还要下放到车间，这个搞法是不行的。我们要考虑到在公有制条件下，监督制度如果不完善，谁都能挖一块。如果把权力都下放给厂长，他是完全可以把企业挖空的。如果没有其他手段，光靠市场也是引导不了企业的。没有上面直接的行政干预，企业可能就无法无天了。我们的企业不能只强调下放权力。要做到企业完全由市场引导，需要很长的时间，首先是企业的监督制度要完善，其次是企业的领导班子要成长。所以，在相当长一段时间内还是要有计划，完全靠市场调节不行。一方面要看到行政手段有许多弊病，但另一方面还得用行政手段，否则要乱套。特别是在上海，分散主义严重，“能人”很多，各自为政，并不是真正代表企业的利益，往往是瞎指挥。如果不加强计划，重点就保不了，经济就搞不上去。所以，特别要强调计委在建设有中国特色社会主义中的重要作用。

计委要有手段。对这个手段怎么理解？我觉得最重要的是政策手段，不是直接确定一个项目、一个计划指标，这不是很主要的，最终还是要靠政策措施、经济杠杆来调节市场，市场引导企业要有赖于刚才讲的几个条件。国家调控市场，还是要靠政策杠杆，包括价格政策、金融政策、财政补贴政策、劳动分配政策等。重要的是要把政策制定好，这个手段应该是计委的。一个政策往往能产生预料不到的效果，把大家都动员起来，计委就掌握了最大的手段。

三、对计委工作提几点具体要求。

市计委的机构设置，由市计委党组根据我上面说的去研究，怎么顺怎么走，但目前不要动，要稳定。对机构分工不合理的问题，目前可以通过以下两条解决：一是每个专业处室都应有综合平衡的观点，都要搞综合平衡，委领导不能分兵把口，工作可以有所侧重，但情况要经常沟通，加强横向联系；二是专业处室不要变成各部门的代言人，要全面权衡，对各委办局提出的意见，都要有个扬弃的过程，然后提出自己的看法供领导研究。下面对市计委的工作和工作方法，提四点要求：

第一，重视搞好经济分析。

在进行深入细致的调查研究基础上，进行经济分析，特别是数量分析，这是计委最重要的任务。调查研究需要深入基层，收集大量的资料。经济信息中心要想办法用最简短的文字压缩最大量的信息，“高手过招，点到为止”，这对领导才有用。我希望处长要带头看大量的经济分析、综合材料，包括上海的、全国的、国际的，以及人民来信。不收集大量的情况，很难做出正确的判断和决策。在现阶段，计划对经济干预的作用是很大的，搞不好就会犯错误，背上很大的包袱。市计委是参谋总部，市政府决策层的主意是要从你们这里来的，你们判断失误是要影响我们的。比如当前的经济形势如何？有许多数字，对这些数据如何判断？现在有两种判断：一种是认为从今年 4 月份开始，工业生产走出低谷，开始爬坡了，国民经济已经好转。我看这种判断有点过于乐观。第二种判断是悲观失望，认为上海今年的财政收入任务完不成了。到目前为止，我还相信上海的人民，相信上海的企业，只要大家正确认识形势，扎实、敢管、真干，下决心抓产品质量和产品更新，下半年还会补上，完成今年的任务还是有希望的。请市计委的同志讨论一下，我的估计对不对。一方面要充分认识困难，另一方面要看到转机。我们不强调抓产值，而强调抓调整。另外，三大实事即交通道路、住房和煤气、“菜篮子工程”的建设，随着资金投入，也会推动市场，这个工作做得好，下半年会见效。

经济分析要强调数量分析。计委掌握了大量的数字和信息，有条件用数据说话。只有进行数量分析，才能指导我们做出正确决策。我现在每两个月请理论界、经济界、文艺界的同志来开座谈会，今后，经济方面的这类座谈会可以由市计委来组织。市计委应该经常邀请各方面的理论家、研究工作者、教授、厂长、财会人员、技术人员召开座谈会，进行经济分析，出一些主意。

第二，编制计划方案，提出政策措施。

计划出自各个口，计委要综合平衡，关键的问题要抓住，重复的工作不必做，要抓大的方面，不去争权。我现在担心，一个决策错误会造成几年的工作很被动。在这方面，市计委要替市委、市政府把关。在经济上想不犯错误，很大程度上要靠计委把关。我到上海工作以后，定的重大项目只有一个冷轧薄板，搞多了不行。现在的一些大项目都是原来定的，我只是落实。现在有很多项目要搞，工业要技术改造，利用外资要配套资金，如何综合平衡，市计委要慎重，量力而行。计划要保重点，几个骨干项目搞不好，今后要吃大亏。要做好资金、外汇、信贷和物资四大平衡。平衡是相对的，不是绝对的，又不是静态的，而是动态的，情况在不断变化。现在有很多问题得不出结

1990 年 10 月 1 日，朱镕基到上海益昌薄板厂建设工地看望节日坚持生产的职工。左一为市委副书记、副市长黄菊，右一为市经济委员会副主任、冶金工业局局长李其世。

论，希望同志们很好研究。主要有以下几个问题：

价格问题。价格是最重要的经济杠杆。许多外国人说现在是中国进行价格改革的好时机，他们最反对的是财政补贴。我从两方面考虑：一方面，1988 年的抢购风记忆犹新，如果再动荡一次，人民群众对政府会失去信心；另一方面，价格不调一点也不行，老是一年几十

亿元补贴下去，什么事也办不成了。因此，价格杠杆如何运用得出神入化，既不造成恐慌，人民群众能够接受，又能刺激生产发展，计委要很好研究。

分配问题。现在很大的问题是分配不公，机关干部、知识分子的工资太低，挫伤了他们的积极性。合资企业工资水平高，对国营企业影响很大，弄不好要瓦解国营企业。这些矛盾如何解决，要拿出办法。

能源战略问题。上海的弱点是没有能源。这几年电搞了不少，但代价也很大，一旦没有煤，仍不解决问题。一方面要从开源上去研究；另一方面，节约也是个很大的问题。你们提出成立能源节约和综合利用办公室，看来有这个必要，办公机构可以设在市经委，但市计委要抓这件事，包括粉煤灰的综合利用。对解决上海的能源问题要有数量的概念，分几步走、花多少钱，都要具体化。

冶金行业发展方针要赶快定，不能再争论下去。上海钢铁工业今后要吃"品种饭"、"质量饭"、"效益饭"，向深加工发展，基本配套，多了不要，一年搞500万吨钢，主要在现有能力上进行技术改造，填平补齐。对冶金行业当前的亏损也要赶快研究对策，能否提高质量，多搞一点出口，市计委要拿出办法。

纺织行业发展方针。纺织工业也是要向深加工发展，以出口为主，打向国际市场；在国内搞不过别人，只能萎缩。棉纺纱锭少一点没有关系，关键是改进产品质量、品种，提高卖价。

高技术产业发展方针。究竟怎么发展？像上海贝岭公司的产品很有前途，我们的工作却没有做好。对看准了的高技术产业一定要下决心搞上去。要有全盘的计划，把现有设备利用起来，引进技术、管理、资金、市场，与外国人搞合作。

第三，加强对计划执行情况的督促、检查和反馈。

不加强对计划执行情况的检查，想靠一个本子安天下，是不行的。过去曾说过，要把90%的力量用在对计划执行情况的检查上，及时了解执行中的问题，并把情况反馈上来。比如现在推行外贸代理制过程中，矛盾还是很多，市计委要与外经贸委、经委、体改办等抓紧研究。一是今年已定的改善代理制的办法要执行好，协调解决执行中的矛盾；二是要赶快考虑明年的改革，明年要再走一步；三是要建立海外销售网络，组织定点出口工业企业集团，开拓国际市场，提高产品卖价，搞好这方面的调研和试点。又比如当前财贸经营问题上，外地许多伪劣商品靠回扣手段打入上海市场，而上海产品却被外地封锁住了。对这些问题，市计委都要参与研究，加强检查。

第四，协调解决计划执行中的问题。

对检查中发现的问题，要及时协调解决，有的要对计划做适当调整。计委是最大的协调机构，一般问题下面解决，下面解决不了的问题，计委要主动协调，这是计委的责任。计委如果否决别人的计划，一定要提出替代的计划，不要轻易使用否决权。

市计委要同市政府的主要决策者如我和黄菊同志，保持密切的联系，随时反映情况。经济方面的主要决策会议，市计委可以多去一些人，对你们不加限制。只有这样，才便于决策，便于协调，便于及时沟通情况，及时解决问题。

四、加强对战略目标的研究。

对上海今后五至十年发展的战略一定要明确，需要集中办哪几件事情，要很清楚。我初步想，五至十年内，上海要解决这么几个问题：

第一，完成工业企业的调整和产品的升级换代。大体上，五年要明显见效。所有企业，起码百分之七八十的企业要改变面貌，或是合资、合营了，或是引进了技术，总之要换个样。要根据市场来决定生产，对技术改造要有一系列的政策，亏损的企业一律关停并转。

第二，市政建设和三件实事无论如何要办好。交通，五年要形成基本格局；煤气，五年完成，已经有了方案；住房，每年搞500万平方米，估计要十年解决；“菜篮子”主要是消灭补贴、理顺价格。其实我所讲的都是争取在五年内办成，实在办不了的延长到十年。

第三，企业改革要完成。实行有监督的企业自主权，企业要研究设立监事会，既有约束，又能充分放开经营。

第四，把几个大项目安排好，这很要紧。高桥石化公司的乙烯扩建项目完全可以搞合资经营，引进一点技术，搞深加工，风险少，搞大路货没有前途。贝岭公司要搞好。浦东开发一定要拉几个世界上有名的大公司来投资，没有这些大公司带头，中小企业是不敢来的。我们搞证券交易市场、搞外资银行都是一种姿态，让外国人对我们改革开放有信心。轿车生产，主要是把质量搞上去，改型要考虑，但根本的是零部件国产化体系要形成，而且是大批量生产，占领了国内市场之后，再考虑下一步，集中力量搞零部件出口，市场需要量很大。将来很可能轿车工业成为上海的第一大产业。

投资咨询公司很重要，在项目评估论证方面是市计委这个参谋总部中的一个参谋部，市计委要支持他们的工作。投资咨询公司也要尽量提高项目评估的科学性，对宁国路越江工程〔1〕、黄浦江上游引水二期工程等大项目，要抓紧评估论证，关键是要把各方面的意见、不同方案的优缺点讲清楚。

最后再讲一句，我今天到市计委来，是为大家撑腰的，希望市计委的工作要硬气一点。

---

〔1〕 见本书第141页注〔2〕。

上海要进一步向世界开放*

（1990 年 6 月 12 日）

衷心感谢各位接受我的邀请，光临这次研讨会。上海经济代表团这次到香港来，第一是考察和借鉴香港的发展经验、城市建设和管理的经验；第二是为了增进上海和香港相互之间的了解，寻求发展沪港之间的合作。几天来，我们看望了许多老朋友，对他们曾经为沪港之间的经济合作做出的卓越贡献登门致谢；也结交了许多新朋友，和他们一见如故，坦率交谈，我从中获益良多。到港那天，香港某家报纸发表了一篇评论，这个评论的最后一句话是："市长不远千里而来，亦将有利吾港乎？"我想我的回答可以是："君何必单曰利？以友谊合作互利而已矣。"只有增进了解，才能导致友谊，友谊才能导致信任，信任才能合作，合作必须两利。上海经济代表团抱着真诚的愿望，到香港来寻求了解、友谊和合作。这就是我们在这里举行研讨会的目的。我的发言稿已经发给大家了，我想没有必要再宣读了。根据几天的接触，我想就大家所关心的几个问题做一点补充。

第一个问题。很多朋友都问我，在当前国际国内的形势有很多

---

* 1990 年 6 月 8 日至 15 日，朱镕基同志率上海经济代表团访问香港。这是朱镕基同志在香港举行的"九十年代上海经济发展——沪港经济合作展望研讨会"上的演讲。

不利的情况下，提出这么一个雄心勃勃开发浦东的计划，是否能够实现，或者只是黄浦江上的“南柯一梦”？对于这个问题，我想做三点分析：

第一，所谓国际不利形势，就是指对我们实行的经济“制裁”，这确实有一些影响。比方说，世界银行跟上海有很多合作关系，对上海的基础设施建设有很大的支持，但是，已经达成协议的几亿美元贷款现在暂时被推迟了。但大家都会看到，经济“制裁”终将结束，国际间的经济合作总要发展，因为这是有利于合作双方的，有利于世界和平的。同时，我们从来是把本国的发展和建设建立在自力更生的基础之上，我们完全有信心用自己的双手把浦东开发起来，把上海振兴起来。国际合作能够加速我们的发展，如果这个条件差一点，也无非是延缓几年。我对于前景是非常乐观的。至于国内的不利因素，无非就是现在正在治理整顿，抽紧了银根，产生了一些暂时困难。但是，中国的经济，包括上海的经济正在逐步好转，虽然这种好转是缓慢的。上海正在进行扎扎实实的产业结构调整、产品的更新换代、企业的技术改造以及管理工作的加强。我相信经过一段时期，经济会从根本上好转起来。还有很多朋友关心国内的政治局势能不能稳定，能不能保证投资者的利益。我想，经过去年的政治风波之后，全国绝大多数人都已经认识到，中国不能够再乱了，中国只有安定团结才能发展。中国要乱起来，那就不像东欧，世界就会大乱。根据我对上海人民的了解，我经常接触上海的大学生，根据对他们的了解，绝大多数的学生、知识分子是希望稳定的。所以我可以说，到上海来投资，政治局势保证稳定，不会发生什么大问题，而且这种稳定的局势会继续发展下去。

第二，中央给了上海一个政策，这个政策将会释放上海所蕴藏的巨大能量。中央做出开发浦东、开放浦东的决定是一个战略性的决策。有些朋友问，中国已经有很多经济特区和经济技术开发区，包括上海已经有 20 个了，在这种情况下，浦东究竟有什么特点或突出的地方能够保证这个计划的实现？和现有的经济特区和经济技术开发区相比较，浦东开发开放有四个特点：第一个特点，我们以建立一个“自由港”为目的，建立一个保证商品、人员、商船关税豁免，自由出入的自由贸易工业区。在这个区内，可以允许外商来进行转口贸易，发展批发业。这一点在其他经济特区是没有的。第二个特点，我们要以引进外资银行、搞活金融为先导，开放和发展各种配套的服务性行业。当然，设立外资银行不仅上海有，深圳、厦门等经济特区内也有设立。我们正在一家一家地审查外资银行的申请，力求很快根据业务进展情况一个个批准。我深刻体会到：银行金融、资讯信息、会计等各方面的服务行业是经济发展的润滑油，应该说香港在这方面是做得非常出色的，有许多值得学习借鉴的地方。我们要致力于这方面的发展。第三个特点，我们将要在土地的使用权转让，或者叫作土地批租和发展房地产市场方面，做一些新的探索。香港在这方面也有很多成功的经验。我们将对此制定一些灵活的政策来加速开发浦东。第四个特点，我们要进一步改进吸收外商直接投资的办法，准备采取股份制的办法，包括在基础设施建设方面也可以吸收私人投资。这是世界银行高级副行长库莱希先生到上海时向我建议的。他说世界银行到上海来贷款支持上海的基础设施建设，但是你们也应该采取一些办法吸收外国的私人投资。在这方面，我们将会保证他们投资回收并允许他们参加管理。此外，我们将要改变单纯的地区倾斜政策，实行一种产业倾斜政策，将允许所有的现有企业出让他们的股权，或发行股票来吸引外商参加企业的改造和发展。关于这四个特点和一系列政策，我们正在制定实施细则和政策法规，如果抓紧的话，将于今年 8 月份公布。我已经和一些香港朋友商量，准备邀请香港工商界的一些头面

1990年6月12日，朱镕基在香港举行的“九十年代上海经济发展——沪港经济合作展望研讨会”上发表演讲。右一为市政府顾问汪道涵，右三为香港恒生银行董事长、香港联合交易所主席利国伟，右四为香港工业总会会长、香港立法局议员张鉴泉，右五为香港上海总会会长王剑伟。

人物，如香港总商会、香港中华总商会、香港厂商联合会、香港工业总会等团体组织的一些高层人士到上海座谈。我将热烈地欢迎他们对制定这一类法规发表意见，使这些法规能够适合各方面的投资者。

第三，上海所特有的优势。与其他经济特区和经济技术开发区比较，对上海的劣势，大家都很清楚。但是，我们也有自己的优势，包括三个方面：一是工业配套的优势，二是科技人才的优势，三是服务配套的优势。所谓工业配套的优势，上海除了没有煤矿、铁矿因而没有采矿业之外，中国所有的工业，上海都有；而且有相当一部分工业，技术是领先的。这个条件在中国其他任何一个城市是找不到的。

所以在上海要搞一个大项目，只要谈成了，建设将会很快，许多配套协作和服务都可以就地解决。所谓科技人才的优势，上海有51所大学、15万在读大学生，还有500多所职业专科学校、大量的成人教育；有1100多个科研院所，中科院10家最有名的研究所设在上海，包括电子、原子能、生物科学等；有140万技工，占现有400万工人的很大部分。这个优势可以保证项目建设获得成功。关于服务配套的优势，上海是中国最早和国际经济社会进行交往的城市之一，他有大量的适应和熟悉市场运行机制的人才。我们要发挥这些人才的优势。

根据以上三点分析，我相信尽管当前有种种不利因素，但对浦东的开发开放、上海的进一步振兴，我们是完全有信心的。梦想也好，理想也好，最终都会实现的。

第二个问题，大家都很关心，上海的投资环境和其他经济特区比起来，名声不大好。跟上海人谈生意十谈九不成，所以一直到现在，很多朋友都说上海人保守，我们上海人头上戴着的保守的帽子至今还没有摘掉。投资环境包括两方面的内容：一是硬件，二是软件。硬件指基础设施方面的建设，我认为，这方面在汪道涵、江泽民前后两任市长主持工作时就已经打下良好基础，使现在能够大规模地进行基础设施建设，并且已初具规模。和其他城市比较，我们的硬件并不存在明显劣势。浦东现在并非一块荒地，沿黄浦江岸已经建设了上千家工厂、发电厂、煤气厂、自来水厂等等，电信、公路也都建设起来了。我预计在三年内，浦东的基础设施就比较完备了，包括建成现在正在建设的两座跨越黄浦江的大桥和一个快速的环形公路系统。明年7月，浦东外高桥的现代化港口打桩，28个月建成。同时，外高桥的大型发电厂和其他基础设施也在加紧建设。三年左右，浦东一定会成为发展工业和各种产业比较理想的地区。如果有兴趣把大项目放进浦东，现在正是时候，从谈判到建成总要两三年时间，完全可以同步进行。最重要的是软件，很多朋友抱怨上海这方面很不理想。之所以造成这种现象，第一是历史的原因。大家知道上海过去是吃“大锅饭”的，中央给原材料、能源，然后把产品调走，上海的财政收入80%上缴中央。因此，上海人对于是否要搞对外合作、合作后有什么好处兴趣不大，不像江苏、浙江，特别是广东、福建，对外合作的好处可以明显地看出来。因此，推动力就小一些。中央从1987年年底对上海实行财政包干后，情况有所改善，这方面的动力机制比以前好得多。第二是上海人心态的原因。上海一直是中国最大的工业技术中心，从来是朝南而坐、老大自居。现在地位下降，但架子仍然不小。大家都说上海人精明，其实我看并不见得。上海人论精明不如广东人，更不如香港人，也就是缺乏商业意识。几十年搞计划经济，导致上海人的市场观念、商业意识、开放意识都比较差，往往见小失大，盘算很精，却疏于深谋远虑。我常讲：“决千金者不计锱铢。”[1] 没有这种气魄，如何同别人合作呢？这种情况，我认为正在改变。第三是体制方面的原因。在实行了几十年的计划经济体制下，上海的管理非常集中，市政府一个命令一下子就可以到企业，管得很死。很多问题在广东，村长一个图章就解决了，在上海就要跑到市政府来。现在情况也有所改变。我们设立了市外资工作委员会，“一个图章”解决问题，尽管两年来执行得还不甚理想，但我认为已有很大改进，今后会越来越好。在这一方面，我特别希望香港朋友多提意见，因为你们对上海已经看透了。你们提的意见，我们一定会非常重视。诸位是否注意到上海《解放日报》开辟了专门刊登批评上海意见的专栏？现在已有两篇，都是转载香港《南华早报》的。我是非常注意看的，但光我

[1] 语出自《淮南子·说林训》，原文是：“逐鹿者不顾兔，决千金之货者不争铢两之价。”

一个人看不行，要上海1000多万人都来看才行。尽管存在种种投资环境上的弱点，但香港在沪投资企业的成功率在内地数第一。十谈九不成，但一谈成就能成功，经营运作都是好的。全国评选十大优秀合资企业，上海占了一大半，这一点也是不可忽视的。

所以，我认为上海的投资环境正在改善，我们会迎头赶上，有信心、有决心不断改善，使之满足国际惯例的要求，让境外企业家、投资者在上海能够获得一个公平发展的机会。

最后一个问题。中央决定浦东开发、上海进一步开放，是不是意味着要和广东、福建竞争，超过他们，甚至取代他们？还有香港的朋友也提出来，是不是搞一个上海来取代香港？这就更玄了。对此，我认为应当这样看：随着浦东的开发开放，上海肯定会同一些经济特区和经济技术开发区进行竞争。竞争可以促进进步，有一点竞争比没有好，但我相信总体上还是合作多于竞争。因为上海和其他地区产业结构的层次不同、优势不同，很多产业在其他地区能搞，在上海不能搞；相当多的产业在上海搞得快，在别的地区则搞不成。我想，这样一种竞争会成为互相补充，各自发挥自己的优势，更多的是合作的局面。至于说超过广东、福建，现在我们在很多方面，如科学技术实际上是超过他们的；但另一方面如轻工业等等，华南地区这几年产品的花色品种超过上海，各自的特点不同。开发浦东，上海进一步发展以后，就可以带动长江三角洲、长江流域、东南沿海这整个中国经济的精华地区的发展，这将有利于中国国民经济的整体发展。上海也一定会按照中央的政策，为其他地区做好服务工作。我们将正确地引导这种竞争的关系变为服务关系，更好地促进兄弟省市的发展，对这一点是可以放心的。至于某些香港报纸说上海在不久的将来就可以建成一个与香港媲美的金融、技术、经济中心，我想这只能说是对我们的鼓励，但几乎不可能，至少在几十年内不可能。香港发展到今天这个地步，是由于各种条件的综合，有许多天缘机遇，不是随随便便地就形成的。所以，香港作为东南亚地区最大的金融、信息、贸易中心，我们是很难赶上的，当然更谈不上取代。而且为什么要取代呢？但在某些方面，上海早已超过香港。上海作为内地最大的工业技术中心，尖端科学技术等都超过香港。今后如果上海不睡觉的话，这些方面仍然会保持领先地位。所以我认为，香港之所长，正是上海之所短。我们要借鉴香港的经验，虽然两种制度有很大差别，但是很多经济运行机制和操作方法是完全可以借鉴的。上海之所长亦为香港之所需，我认为上海和香港的合作可以是一个发挥各自优势、互利互补、共同繁荣发展的模式。这种合作是有着光辉前景的。

综合前面三个问题，我可以断言，开发浦东，进一步开放上海，不是一句空话、一个招牌、一个广告，而是上海人民的根本利益之所在，是上海经济发展现实的前途。我们相信自己有能力来完成这个事业。在北京工作时，我就了解上海；当了两年上海市市长，更知道上海人民能够干出什么样的事业来，我确实以作为一个上海市民而自豪。我相信，上海人民能够用自己的双手振兴上海，建设上海光辉的未来。同时，我也抱着真诚的愿望到香港来寻求友谊，寻求信任，寻求合作。这种合作不但将有利于上海、香港的繁荣，而且一定会促进上海、香港乃至中国经济在东南亚、亚太地区经济中崛起，这是有利于国际合作与世界和平的。

在结束讲话前，我特别要提及香港贸易发展局为举办这次研讨会所做的努力，也要感谢所有联办、协办此次研讨会的各个团体、各界人士。再一次向他们表示衷心的感谢。没有他们的支持和帮助，这次会议是难以成功的。

访问香港、新加坡引起的一些思考*

（1990年7月4日）

6月8日到20日，我和道涵、储文〔1〕同志和有关委办的一些负责同志到香港、新加坡进行了一次访问。下面我给同志们汇报一下这次访问引起的一些思考。

第一，要进一步解放思想，转变作风，改革体制，提高效率，来适应改革开放的新形势。在香港、新加坡，特别是香港，有很多人对上海目前存在的思想保守、办事拖拉、生意谈不成，是很有意见的。最近，我特别请上海的报纸注意把境外尤其是跟我们联系较多的香港对我们一些缺点的评论，大胆地登在我们自己的报纸上，不要害怕。我不是说登那些恶意的攻击，凡是善意的带有批评性质的意见，哪怕是讽刺挖苦的都可以登，这有利于我们警惕自己存在的问题，找出这些问题的根源并加以改正。报纸已开始做了，但不够经常。外国人谈上海，不都是提批评的，表扬的也可以登，但也用不着以表扬为主。登批评意见，目的是为了揭露缺点，为了改正嘛。我们有好多事

---

* 这是朱镕基同志在上海市党员干部会议上讲话的主要部分。

〔1〕 储文，即李储文，当时任上海市政府外事顾问、市政府市政工作咨询小组召集人之一。

干得确实使人感到有点气愤，对这些事情应该予以揭露，不然上海没办法成为一个国际城市。兄弟省市对我们也有很多批评。这次黄菊同志带了一些人到广东、福建去考察，也深有体会。很多同志都反映：上海的同志如果还是这么思想保守，中央再给你们多少优惠政策，你们也搞不好的。你们如果还是架子那么大，总是老大自居，你们就什么都搞不成。福建某个市的市长说：你们“一个图章”对外是假的，什么“一个图章”？还是多少个图章在那儿扯皮。这些事情值得我们高度警惕，没有一个高效率的政府，没有一支高效率的队伍，上海的开放是搞不好的。中央宣布了浦东的开发开放是一个战略决策，确实震动了中外，外国的评论非常多，都认为将来对中国经济的发展是有很大好处的。这同时也刺激了好多兄弟省市，他们现在开放的速度比上海快得多。但我发现上海是循规蹈矩，搞来搞去还是中央给我们的那几条。我现在非常担心这件事情。我这话，意思不是说我们不要循规蹈矩，可以乱来，而是说我们现在这样搞法，喊了半天浦东开发，我们还没有做，别人都上去了，我们还在原地没动，很可能出现这个结果，这很值得我们注意。好多事情并不一定是靠优惠政策能解决问题，而是要靠我们自己的办事效率。从这个意义上讲，我们每个人都是投资环境。我在香港引了一句话，“决千金者不计锱铢”，你是做大买卖的人，就不要计算小钱了，着眼于未来、着眼于未来的经济效益，最后就会赚大钱了。

第二，从香港、新加坡的经验看，还是要集中力量把城市的基础设施建设搞上去。这个认真地搞上去了，而且面貌有显著的改变，中外投资者才不会把浦东开放看成是一句空话，才会真正地来了。基础设施建设不先行，工业是发展不起来的，外资也是不会来的。过去我们常常有一种想法，包括我自己，总认为生产是根本，首先得把工业搞起来，把钱都花到这方面去，搞一些大项目。我不是说这个观点不对，工业生产确实是个基础，要很好地重视发展和技术改造，但基础设施没有，效益就发挥不出来。所以，基础设施建设必须先行，对这一点，我们必须有更深的认识。

第三，要充分认识第三产业在国民经济发展中的作用。第三产业不光是旅馆，还包括金融、信息、咨询等为整个经济和工业生产服

1990 年 6 月 12 日，朱镕基访问香港期间在上海实业公司酒会上与长江实业集团董事局主席李嘉诚亲切交谈。

务的行业，这些行业非常重要，发展起来赚的钱要比工业企业赚的钱多得多。上海是一个没有原材料、没有能源的城市，想过多地把工业发展到多么高的地步是不大可能的。你就搞高精尖，又能搞多少？高精尖那么容易搞？所以，真正把经济搞上去，还是要靠发展各种各样的第三产业。香港为什么这十年发展这么快？我是1983年路过，住了三天，现在已经不是那个时候可以比的。他是前店后厂，前面店在香港，后面厂在广东，我们几千万人给他做后盾，大部分钱都是他赚了。为什么？因为值钱的东西都在香港，就是第三产业，包括金融。当然，广东也得到了很大的好处，经济也发展起来了，特别是工人能就业了，人民生活水平提高了，但最大的好处是给香港得了。上海旁边没有香港，上海要发展起来，只有靠我们自己。我们要把第三产业发展起来，才能为长江流域、为长江三角洲服务，把他们带动起来。作为一个窗口，我们在这方面的作用，比单纯搞几个工厂的作用大得多，而上海本身的繁荣也是要靠这个。上海也有这个基础，特别是人员素质，几十年前上海一直是作为远东很大的国际城市，超过香港。我们应该很好地考虑浦东开发、上海开放走什么道路、采用什么模式、朝什么方向发展、抓住几个什么产业来发展，确实值得我们大家来思考、讨论。

最后一条，根据香港、新加坡的经验，就是要大规模地选拔、培养、吸引人才，提高各类人才的素质。没有这一条，上海很难很快地发展。现在上海进来的能源、原材料不断涨价，自己的产品总是老面孔，成本越来越高，利润越来越少，财政越来越困难。这样搞下去有何前途？必须考虑向高一些的层次发展，工业要向深加工、高精尖、效益高、赚钱的方面去发展，开拓新的市场，搞人家不能搞的；另外一方面，发展第三产业，这是人家搞不了的，我们作为一个集中的国际城市，有各种综合的优势，要扬自己之长，避自己之短。这首要的是要有人才，有一批熟悉国际惯例、能够与国际社会交往的人才，没有这个本事，怎么把钱从外国人口袋里赚回来？最近有一个外贸界的老前辈给我们提了个建议，比如出口到美国，不是跟美国的用户直接接触、挂上钩，而是通过好多中间商，隔一个中间商，钱就给赚了一半，你最后收到的没几个钱了。现在工业为什么外销不如内销，不愿出口？就是最后收购价很低，中间商把钱赚掉了。所以，现在外贸出口要真正打开局面，真正把亏损变成盈利，你就要直接与用户挂上钩。与市场直接挂上钩很不容易，至少要跳过几个环节，这就要靠我们的本事。他们做了个调查，如医疗用品，我们生产的医疗用品，卖纱布是一大捆、卖棉花是一大包、卖医疗器械和刀叉剪子是一大把，这没人要。人家医院怎么用呢？纱布是一小卷，棉花是一小包，里面配上一把剪刀、一把镊子等，然后弄一个包装，这个价钱就高得不得了。这位老前辈建议我们直接和美国的几个大医院挂上钩，按他们的需要都做成成套的小包装卖给他们，这个需要量大得不得了。所以，我请沈被章同志专门为这事到美国去考察，带回来许多样品，证明这条路子是走得通的。但挂钩也不是那么容易的，他要招标，一个大医院一年需要多少东西，他看谁的便宜、谁的质量好就买谁的。我们应该有竞争力，我们的劳动力成本比人家低啊！我们要组织一批专业厂去生产这些东西，所以必须培养一批了解国际市场、国际社会，能与高层的人打交道的人，有的甚至要聘用我们的留学生，他不回来也没关系，我们雇用他，这样来改造我们的外贸体系。在这方面，要选拔、培训人才，提倡干部学英语，作为一个国际城市要普遍提倡学英语。

联系上海的工作，当前我们主要应办好市委五届十次全会提出的三件大事：一是“菜篮子”，二是交通，这两个问题我已经讲过了，第三个问题是住房和煤气，这也是人民群众迫切需要解决的问题。煤气的问题已经基本做了安排，开过几次会议，决定少则三年多则五年，把上海的煤气问题基本解决。关于解决居民住房的问题，去年建了371万平方米的住房，我们考虑今后每年要搞到500万平方米，现在就开始，加快建设的进度。但完全靠国家是不行的。靠企业？企业现在已给挤得精光了，也很困难，拿不出钱来。还是要国家、企业、个人三家都来努力，要有住房制度改革的办法。这个问题，我们借鉴香港、新加坡的经验，结合我们自己这几年房改的经验，成立了市住房问题研究小组，由叶伯初同志负责主持，研究了几个月，广泛听取了意见，讨论了多种方案，最后确定了这么一个方案〔1〕。这个方案，我建议提交全市人民讨论，把这个方案发到各个机关、各个企业、各个街道，大家讨论，讨论半年，明年1月1日起实行，有充分的时间听取大家意见，进行修改。我认为这个改革是我们上海最大的改革，因为它牵涉到人民的切身利益。房子问题解决了，就极大地鼓舞了人民的斗志，一定会促进生产和各项工作的进展。但是如果得不到人民的支持，住房问题就解决不了。靠我们现在这样的建房速度，20年、30年也解决不了，而且会越来越挤。要得到人民的协作和谅解，大家都要尽心尽力。

这个方案的要点基本上是三点，我今天可以给大家透露一点，但不是最后定了。

第一点是实行住房公积金制度。参考新加坡的经验，每个人从工资中交5%，企业也拿5%，作为住房公积金，存到国家银行里，现在是由建设银行作为住房公积金的专业储蓄银行，专门用于购房和建房。现在已经有房子的也得交公积金，也得做点贡献，因为过去房子是无偿分配的。

---

〔1〕 见本书第467页注〔1〕。

第二点是认购住宅建设债券。完全像新加坡那样个人拿25%的公积金，我们是受不了的，25%扣下来就没有饭吃了。所以这个5%只能是“意思意思”，你还得要买公债。大家都提出来浦东开发要卖公债，我们不主张卖很多公债，因为人民群众的负担能力、承受能力有限。但是我想，为了解决自己的住房问题，买一点公债还是可以的，买了还要还给你嘛！不采取新加坡那种办法，完全把房子卖给你，这个我们现在还做不到，只能够你先借点钱给国家，房子造好分配给你，将来过了五年、十年再把借的钱还给你。利息要低一点，只能按单利，不能按复利计算。当然，利息要跟活期存款的差不多，就这个水平。交多少钱呢？就按你分的房子的地段好坏和面积多少定，大体上每平方米为20元到80元。具体到一个人是多少呢？如果按平均数计算，每平方米为50元，一对小夫妻结婚只要一间房子的话，可能就要买1500元的公债；如果房子比较大一些，就要买3000元的公债。大体上就是两三千元左右，五年或者十年还清。我为什么要大家讨论呢？因为这里面的怪话很多。有人讲，你们这些当官的，过去都把房子分完了，都有房子了，现在轮到我们小老百姓分房子，你们就要收钱了。我们考虑，你说你不付这笔钱也可以，但是国家是没有办法解决这个问题的，那你就等着吧，十年、二十年你拿不到房子。那怎么办呢？国外都是这样，从一参加工作就省吃俭用买房子。你也应该先别考虑买彩电、冰箱，而是先把住房的钱出了。这个钱是国家借的，并不是不还给你，因为国家现在匀不开这笔资金。这要做点工作，要大家讨论，自己教育自己。如果大家都不同意，那只有不改革了。另外一个是承受能力，两三千元是不是拿得出来？这就要让各个不同收入水平的人讨论了。一般认为是可以的。这次我从北京回来，在火车上和列车员谈话，拿这个方案征求他们的意见，他们都举双手赞成。我想，列车员的工资也不是太高吧，他们说承受得了，只要有

1989年10月12日，朱镕基考察上海市曲阳新村小区并听取汇报。左一为市委副书记、副市长黄菊，前排右一为市居住区开发公司副经理黄永林，右二为市建设委员会副秘书长沈冠军。

房子，愿意拿这个钱。当然，不光是住房的两三千元，还有个煤气。煤气怎么办呢？交500元初装费，用于发展，再买1000元公债，五年以后还给你。对一个新的居民来说，又是住房，又是煤气，你就得买3000元到4500元的公债。

第三点是提租发补贴。现在的房租太低了，连维修的钱都不够，把房子都糟蹋坏了。今后要改革，要加强管理，改善维护状况。因此，房租要提高一些，大体上提高一倍，才能保证它有良性的循环。提了房租以后怎么办？增加工资。这一点已经决定了，我们把你的钱补回来，但补只能按平均的补，每人平均多少平方米，就按这个标准补多少钱。如果你住的面积超过这个标准，住得多了，就得多付钱。这个叫作累进，我看也公平嘛！提租这个政策对大家的生活水平不会影响很大。

如果这次改革能够成功，上海就会进入一个欣欣向荣的阶段。我们现在已做好准备，可以进行大规模的住宅建设。建设资金投下去以后，又会启动市场，促进生产。建筑材料如钢材、水泥等都会发展起来，就业问题也会解决，购买力也可以提高。有一个好的条件，那就是开发浦东。把大桥修通、环线修成以后，在浦东离黄浦江不远或者离环线不远的地方，一个区一个区地修建住宅，交通非常方便，从浦东到市中心就比从闵行等到市中心方便得多。我估计居民是愿意去的。当然，住宅建设要配套，包括学校、医院、商业网点，方便居民，现在正在做详细的规划。这个计划不会是空的，只要我们下定决心，坚定不移地去搞这件事情，就一定会把它搞成。

现在我只担心一个问题，大家考虑一下，特别是市建委的同志要很好地考虑一下，就是资金一投下去，大规模地展开城市基础设施建设，每年 500 万平方米的住宅，需要大量的建筑工人。现在工程质量是一个大问题，大家看了昨天的报纸吗？上海实验幼儿园是上海最贵的一个建筑，完工以后被评为全优工程，但漏水，从顶一直漏到底。这是哪个工程队施工的？谁给它评全优的？这方面的反映多得不得了，质量差极了，还没用就漏水，有的都垮了，什么原因？就是招标问题，来投标的公司没几个人，用了不正当的或者正当的手段中标以后，再包给外地的一个什么公司，这个公司再包给另一个什么公司，再包给几个农民，给你弄得一塌糊涂，还找不到人。那些经理都没有责任啊？层层转包，中间盘剥，搞得造价高得不得了。这怎么办？如果大规模地开工，一系列的问题都会发生。有关部门要共同商量一下，改革现在的建筑体制，要组织几个专业化的建筑队伍，硬碰硬的，由上海人来施工。如果外地人来，不能搞转包，进来的就是成套的施工队伍，负责从设计到安装。要审查他是否有施工队伍，没有施工队伍转包给农民的不能进上海。搞住宅建设，几个专业队伍，5万人、10万人，年年都是由他们施工，把1500万平方米住宅搞完。这样就专业化了，提高施工队伍的机械化水平，加强管理。要组织指挥部，确实固定队伍，打硬仗。

关于访问美国的情况 *

（1990 年 8 月 25 日）

这一次访美，是经过中央批准的，中国人民外交学会应美国的美中关系全国委员会的邀请，组织了一个中国市长代表团，从 7 月 7 日到 7 月 26 日访问了美国。7 月 26 日以后，我和汪道涵同志又应美国工商界的邀请，多留了几天。代表团在美国先后访问了 11 个城市，我和汪道涵同志访问了 13 个城市，这里面主要是大城市，也有中小城市。我们计算了一下，大概一共会见了几千人，包括听我们报告的人。从东部到西部，从北部到南部，我们都去了。

在四五月份的时候，中央就已经考虑这次访问，江泽民同志亲自过问这个事情。因为当时考虑美国要取消我们的最惠国待遇，一年要议一次。如果美国对华最惠国待遇取消了，我们就要反“制裁”，这就必然会导致双方外交关系的大倒退，影响我们对美国 120 亿美元的出口和美国对我们 80 亿美元的出口，这样整个 200 亿美元的买卖就吹了。这个影响相当大。因此当时要去美国做一下这个工作，晓以利害，主要是做议员的工作，因为主要问题在国会。这件事，当时一直由江泽民同志亲自过问，跟国务院、外交部一直在研究怎么去法。

* 这是朱镕基同志在上海市党员干部大会上讲话的一部分。

1990年7月7日，朱镕基率领中国市长代表团抵达纽约肯尼迪机场，并回答记者提问。右一为代表团顾问、上海市政府顾问汪道涵，左一为美国美中关系全国委员会主席兰普顿。

四五月份，江泽民同志就给我打电话说准备让我去，美国专门邀请上海市市长和其他的市长去访问，正好有这个机会，也符合我们的要求，所以我们就接受这个邀请去访问了。

这次去一共是六个市长，上海、武汉、重庆、合肥、宁波、太原。我们接受这个邀请的时机是比较好的，因为在我们去之前，布什总统已经向国会提出来要延长对华最惠国待遇，就是说我们去的主要目的有了个很好的开头。当然这个问题还没有解决，因为还需国会批准，中间还有很长一段辩论的时间。但开头是好的，便于做工作。这次去的目的是要巩固最惠国待遇，使美国国会最终能够通过。另外一个目的，就是在取消对华经济“制裁”方面能够阐述我们的观点。

我们接受邀请以后，美国政府通过驻华大使表示了热烈的欢迎。美国现在是不允许中国高层人士访美的，所谓高层人士是指部长级以上干部，对中国部长级以上干部不予接待是布什总统宣布的。但这一次我们这个代表团去，美国政府特别表示热烈欢迎。我们这个代表团，是去年政治风波以后中国派出的规模最大、层次最高的代表团，也是受到很热烈欢迎的代表团。我们到了 13 个城市，都受到了非常热烈的欢迎。我们在几个大城市都举行过报告会和聚餐会，每一次都是上百人出席，最多的一次达到 300 人。他们必须是知名人士才被邀请，同时吃饭还得交钱。像在洛杉矶那一次，原来说一个人交 100 美元就可以了，后来要来的人越来越多，没那么大地方，门票涨到 250 美元，就是说吃这顿饭要花 250 美元。场场爆满，特别是我们会见的侨胞很多，上海人很多。招待会、聚餐会前有小的交谈会，大家可以自由交谈。我们每到一个地方，都被上海人包围了，有老的上海人，最近十年过去的上海人也有不少，都是非常热情。我们这次去的目的也是想广泛接触美国的各界人士，通过人与人之间的接触，增进相互之间的了解，消除一些误解，从而能够达到改善中美关系的目的。

政界方面，美国政府这次对我们还是比较友好。美国总统国家安全事务助理斯考克罗夫特出来见了我们，而且非常友好，讲了很多友好的话，还代表布什总统向江泽民同志问好。美国国务卿贝克当时不在华盛顿，国务院的第二把手、副国务卿伊格尔伯格和白宫的办公厅主任出来会见。这种接待规格，据驻美大使朱启祯讲是比较高的。我们也去了美国商务部，当时部长也不在华盛顿，是常务副部长莫林出来接待。我们跟他们谈话的时候，他们都表示了要改善中美关系的愿望。

美国一些在野的政界领袖，我们也都会见了。尼克松非常友好，请我跟道涵同志到他家里去，谈了很久。基辛格前后出席了我们三次会议。一次是在纽约，外交关系委员会举行的宴会由他主持，这个机构是非常重要的一个机构，都是很知名的人士在里面。到那里去演讲的都是比较高层次的人。这次特别邀请我和其他市长出席宴会，由我演讲而且回答他们的问题。然后我们在驻纽约总领事馆举行了一个招待会，基辛格也出席，并在会上发表了长篇讲话。第三次是他召集了一个早餐会，请了很多知名人士。在这个会上，大家都比较坦率和友好。

1990 年 7 月 12 日，中国市长代表团在华盛顿中国驻美大使馆举行记者招待会。图为朱镕基发表演讲。右一为武汉市市长赵宝江，右二为代表团顾问、上海市政府顾问汪道涵。

之后，我们到了国会，因为我们这次主要是做国会的工作。由于我们事先做了很多联系工作，使我们能够在华盛顿一天的时间里面会见了24位参、众议员。我们会见了参议院多数党的领袖多尔，他很友好。我们邀请他访问上海、访问中国，他当场就接受了邀请。朱大使讲这就是一个突破。多尔是美国共和党的国会领袖，迫于民主党的压力，他也不敢到中国来。朱大使说："我多次请他到中国去，他始终没有肯定。他今天很痛快地答应了，这是个突破，说明中美关系的气候变暖。"我们会见的主要是民主党的领袖。大概这一次访问美国二十多天，最难受的就是这一天，你要改变这些议员的观点几乎是不可能的，他们不跟你提尖锐的问题也不可能。比如国会人权小组最厉害的几个议员，我们还没有到，就约我们到他们那儿，我们就去了。他们这次还比较有礼貌，尽管还是提"人权"问题。一到，他们就给我递了个单子，说你们抓了多少人，北京一个单子、上海一个单子，完了还提出好多问题。我都一一答复了，反正就是跟他们针锋相对。我讲完以后，他们也不反驳。我们在任何原则问题上都没有放松，但是我们的讲法是比较策略的，所以这样的辩论不是吵得面红耳赤、不欢而散，而是双方阐明了各自的观点。我认为还是消除了很多误会，因为好多话我讲完以后，他们无法反驳，当然也很难改变他们的观点。所有这些议员都还是表达了对中国的友好。每个参、众议员不管他是怎么反华，我都邀请他到上海来。我说你们来看一看嘛，你们对好多情况不了解，不是你们想象的那样。他们都接受了邀请。

我们这次主要是做人民中间的工作，政界、国会的工作。工商界我们访问比较少，但是也去了一些，像黑格〔1〕的联合技术公司、

〔1〕 黑格，即亚历山大·梅格斯·黑格，曾任美国国务卿，当时任美国联合技术公司董事会主席。

美国电话电报公司、3M 公司，还有麦道公司这些在上海有合作企业的公司。这些公司对我们的接待都是很友好，接待的规格都是一把手和二把手出来。

我们本来 7 月 26 号就要回来了，但是布什总统的哥哥非要我们再到伊利诺伊州的狄克多市去看阿丹米公司。阿丹米公司是美国最大的植物油精炼公司，是年产 50 万吨的大规模的工厂。现在他要在上海浦东建一个年产 100 万吨的工厂，就是全世界最大的。他非要我们去看不行，所以我们只好去，还有达拉斯的工商界、旧金山的好几个公司、美洲银行也邀请我们多待两天。

代表团到了 11 个城市，我和汪道涵同志到的是 13 个。有 8 个城市的市长是在家的，我们都会见了，他们都非常友好。在这十几个城市里面，特别是华侨，热情得不得了。每到一个城市，华侨总是要请我们吃一顿饭，发表一次演说，照相。我们所到这些城市，每一次的欢迎会上都有很多华人，当然美国人居多。特别在加利福尼亚，不仅开饭馆、打工的有好些华人，好多科学家、管理学家、办公司的也都是华人。对于加利福尼亚的建设，华人出了很大的力气，做出很大的贡献。但是他们对国内的真实情况了解不够，所以在这个会上我讲了一些情况，他们都说："我们都没有听过这么说的，你这样一解释，美国人就接受了。"

如何能够把我们的观点很巧妙地在美国宣传，这是很重要的。美国的新闻媒介是很难弄的，对我们是封锁的，我们讲的很多话，他无可辩驳，想造谣也无法造谣，他就不报道。所以我到处去讲，你们美国不是讲新闻自由吗？但我讲了好多话，你们都不登。我到处去讲这个问题，后来当地的报纸听了我这个讲话就登了。代表团每到一个地方，当地的报纸都还是比较热情的，都有报道，但纽约、华盛顿的大报还是不登我们的消息。在华盛顿由福特基金会举办的复旦大学留美知名人士的聚会上，我又讲了一下这个问题。美国一家比较有影响的大报《洛杉矶时报》的记者说：“我来给你登。”他就专门派了一个编辑在洛杉矶对我进行采访，采访以后全文发表，而且事先把这个稿子给我看，我修改以后再发表。这篇文章后来发表了，但我修改的地方，他实际上没改，当然也无伤大雅。此后，我们就感到还是要搞电视采访，不搞电视采访，就不能够直接跟美国人民见面。美国人要提问题也就提这些东西，我差不多都把这些问题摸透了，就按这一套答复他们。所以，我们在旧金山搞了一个电视采访。美国公共广播电视公司（PBS）有专门采访公众人物的栏目《新闻一小时》，主持人叫麦克尼尔，这一次电视采访在美国还是产生了很大的影响。我在那里听到的反映是很好的。在达拉斯，我在所住的安娜托旅馆的大厅里等着出去参观的时候，就有美国人跑到我面前来说，你是不是上海的市长？我昨天在电视里看见你了，你这个讲话非常好。还有一个美国人跑到我面前来跟我握手。在旧金山我住的旅馆旁边有一个书店，我去逛了一下，也有人跑过来问我，你是不是上海的市长？可见这个电视采访还是产生了一定的影响。

我回来以后收到了很多信，当然好多信是朋友写的了，也有美国的老百姓给我写的信。我念一封佐治亚州一个普通老百姓的来信给大家听：“朱市长，上星期在麦克尼尔的《新闻一小时》节目里面见到了你，并且听到了你的讲话，深感荣幸，你向我们精彩地谈了一整套有关你们伟大国家中国发展的事实情况……”所以我觉得这一次访问，还是一次非常成功的访问。

朱启祯大使跟我讲，这次访问是一个突破，是去年政治风波以来的一个转折。他自从去年上任以后，没有见过一个美国国会议员，过去对华很友好的议员现在也不见他，没有任何一个高级一点的美国官员到驻美大使馆来。很多知名的学者，过去都是很友好的，去年政治风波以后就不到中国大使馆来了。但是这一次，朱大使跟我一起见了二十多个议员，白宫的官员也都见了。在驻美大使馆为我们举行招待会的时候，从美国国务院的第一副国务卿开始，第二把手、第三把手、第四把手，美国国务院全体管中国事务的官员都到了。那天晚上，我们举行记者招待会，我跟朱大使两个人站在那里与来宾一一握手，站了一两个小时。记者招待会完了以后是招待会。来宾几百人排得很长，一直排到大使馆外面。很多过去不来大使馆的学者现在来了，包括任之恭[1]教授、顾毓琇[2]先生等人都从很远的地方赶来。所以说，外交的形势是在逐步地转变。

我的意思就是讲，不要听信那些谣言。在美国的报纸上，尽管也有一些保守的话，或者是怀疑的话，但整个没有不友好的话。7月17日，《纽约时报》——这是美国的大报，用很大的篇幅介绍浦东开发，有浦东开发的彩色地图。这是很少有的，看来美国对浦东开发还是很感兴趣。当然这里面也有一些保留的话，比如说“朱镕基能不能把浦东开发搞好，我们表示怀疑，这还在于中央能够给他多少权力”。你要知道，这些话它不讲是不可能的。但它能够用这么大篇幅来宣传浦东开发，就说明我们国家和上海的影响。

---

〔1〕 任之恭，美籍华人物理学家。

〔2〕 顾毓琇，美籍华人教育家。

关于浦东开发开放政策答记者问

（1990 年 9 月 10 日）

美国《时代》周刊记者：浦东新区的开发与中国其他经济技术开发区是否一样？浦东开发的前景令人鼓舞，但目前吸引外资的优惠条件还不够，基础设施还很差。另外，上海的官僚主义像长城的石头一样坚硬，你们如何来改变这种状况？如何使浦东新区对外商投资更有吸引力？

朱镕基：国务院总理李鹏今年 4 月份在上海宣布开发和开放浦东，这是党中央、国务院的重大战略决策，这个决策是中国继续坚持改革开放政策的一个重大的发展。我在今年访问香港、新加坡的时候就讲过，根据中央的决策，我们正在制定具体的法规。这些法规的制定工作经过差不多四个月的努力，在 8 月份已经完成了。党中央和国务院对上海开发浦东十分关心，江泽民总书记、李鹏总理对这项工作亲自过问。今天有三个法规〔1〕由国务院有关部门的负责同志到这里

〔1〕 三个法规，指在 1990 年 9 月 10 日上海市政府举行的新闻发布会上，国务院有关部门发布的关于浦东新区开发开放的三个法规文件，即：中国人民银行总行颁布的《上海外资金融机构、中外合资金融机构管理办法》，财政部颁布的《关于上海浦东新区鼓励外商投资减征、免征企业所得税和工商统一税的规定》，国家海关总署颁布的《中华人民共和国海关对进出上海外高桥保税区货物、运输工具和个人携带物品的管理办法》。

来宣布，这就增加了立法的权威性和严肃性，而且一定能够更加坚定外国投资者的信心。

我要告诉大家，我们在这么短的时间里，把九项法规[1]制定出来，都译成了英文和日文，而且举行了这么一个隆重的新闻发布会，这不是官僚主义而是高效率。我们相信，在党中央、国务院的支持下，这些法规对促进浦东的开发、吸引外国投资者是很有作用的，浦东开发的前景是非常光明的。当然，对这些法规我们还将继续加以研究、完善。

但是我觉得，一个好的投资环境并不完全在于减免税等一些优惠政策，而在于综合的投资环境。这就是我经常讲的，上海的工业是配套的，科技的力量是雄厚的，管理水平是相当高的。这就是上海的综合优势。

当然，基础设施的完善是我们的一个重大任务，我们正在大规模地开展这方面的建设。但我认为目前上海的基础设施也并不是那么差，已有闵行、虹桥、漕河泾三个经济技术开发区，在那里有很多成功的外资企业，而且还可以吸引更多的外资企业到那里去。浦东新区有一些地方也具备了基本的基础设施条件，现在就有条件开始进行项目的建设。

顺便说一下，现有三个经济技术开发区的优惠政策跟浦东新区的优惠条件是完全一样的。当然，保税区设在浦东，这是一个比较大的政策，但现有的三个经济技术开发区里也有保税仓库。外资银行可

〔1〕 九项法规，指除第513页注〔1〕所述的三个法规外，由上海市政府颁布的六项法规：《上海市鼓励外商投资浦东新区的若干规定》、《上海市外高桥保税区管理办法》、《上海市浦东新区土地管理若干规定》、《关于上海浦东新区规划建设管理暂行办法》、《关于上海浦东新区外商投资企业审批办法》、《关于上海浦东新区产业导向和投资指南》。

1990 年 9 月 10 日，朱镕基出席上海市政府举行的新闻发布会。前排右一为财政部副部长项怀诚，右二为市政府顾问汪道涵，左一为中国人民银行副行长陈元，左二为市委副书记、副市长黄菊；后排左三为市对外经济贸易委员会副主任兼外国投资工作委员会副主任叶龙蜚，左四为市对外经济贸易委员会主任沈被章。

以允许在上海设立分行，但不一定要设在浦东，浦西也可以设立。所以，我们不但欢迎大家到浦东去投资，也欢迎大家到现有的三个经济技术开发区去投资。

至于你说的官僚主义，这个我也不否认，我跟你一样痛恨官僚主义。但也可以说，官僚主义是世界流行病。上海过去批准一个项目要盖一百几十个图章，我们已建立了市外国投资工作委员会，目标是审批外资项目只盖一个图章。尽管现在还没有完全做到，但工作总还是比过去改进了，要不然为什么全国评选的十个“最佳合资企业”中，上海就占了六个呢？那不就说明上海的投资环境还不错吗？我这次访问美国也经历了你们那里的一些情况。你如果说我们这里的官僚主义像石头一样，我看，你们美国有些地方的官僚主义就像不锈钢一样。

英国路透社记者：刚才朱市长提到的投资环境不仅仅是指税收减免，而且涉及全面的投资环境，这是否包括政治上稳定和法律上保护外国投资商的权利？我个人认为，去年以来这两个方面在退步，这种退步是否会影响浦东地区的开放和开发？

朱镕基：投资环境当然包括政治上的稳定。我认为上海的政治环境是稳定的，其稳定的程度超过了去年政治风波以前，很多到上海来访问的外国朋友都可以证明这一点。我希望外国投资者、企业家对上海的投资环境应该有信心，这里是稳定的，投资风险很小，是一个很好的投资环境，欢迎你们到上海来。

英国《金融时报》记者：刚才介绍有关外资银行在浦东搞分行，可以享受减免税。那么，四家已经成立、营运的外资银行，他们的税收如何算，是不是按照现有50%的税率？刚才朱镕基市长也提到，现在浦西的三个经济技术开发区的企业都可以享受与浦东一样的优惠税率。那么，四家外资银行分行是否可以享受与浦东一样的优惠政策？

朱镕基：关于在上海设立外资银行分行的文件，昨晚才由陈元〔1〕副行长带来，我只能谈我对这个法规的理解。就是说，只要外资银行向中国人民银行提出申请，并经过批准，就可以在上海设立分行，不论设在浦东还是设在浦西都可以，其所得税税率从50%减到15%，与现在深圳经济特区的外资银行享有同样的优惠。但是现在已在上海设立的四家外资银行如要享受法规规定的业务范围和优惠税率，还要重新提出申请，并不能自然地享受这个优惠。总之都要按法规办理，一视同仁。

---

〔1〕 陈元，当时任中国人民银行副行长。

英国《独立报》记者：朱市长，你在香港访问时说，外滩要成为“银行街”，现在上海市政府很多办公室要从过去的银行大楼里搬出去，是不是有困难或有什么问题？另外，在海外，浦东开发在很大程度上是同你的名字联系在一起的，今后一旦你离开上海，这个局面将会怎样？

朱镕基：我是希望外滩成为一条“银行街”的，至于说搬出来有什么困难，那就看你出什么价钱了。因为我们批租土地都要作价，外滩这个地方的地皮作价是比较高的。

我认为浦东开发不是与我的名字联系在一起的，而是党中央和国务院的战略决策，不管谁在上海当领导，这个决策是一定要实现的。至于我嘛，我的任期还有三年。

美国《时代》周刊记者：上海目前发展落后或者比较缓慢，都是由于上海上缴中央财政过多了。今后，浦东的税收有多少要上缴国库？目前上海已经有三个经济技术开发区，为什么还要建立浦东新区？这个新区的成立，是不是表明你们现在正在制定一个新的经济政策？

朱镕基：上海之所以能先期进行开发浦东的基础设施建设，是得到了中央的大力支持。中央对上海实行财政定额包干，完成这个定额上缴任务后，多余的财政收入就可以用于浦东新区的开发和其他建设。

目前上海现有的三个经济技术开发区内的项目基本上已经摆满了，而浦东恰恰是一块可供开发的宝地，是外商投资的理想地方。中央批准浦东新区的350平方公里为开发区，这是我国迄今为止最大的一个开发区；中央批准外高桥地区建设保税区，这在国内也是从来没有过的，说明上海拥有足够的实力和优势来进一步执行开放政策。浦东新区实施的政策，基本上是经济技术开发区的政策，加上经济特区的某些政策，基本上是现行开放政策的继续，但也有上面说的一些新的内容。

给上海市环卫工人的信

（1990 年 10 月 9 日）

最近，周杏喜、陆燕飞等 16 位环卫职工和杨浦区长阳环卫分所的同志先后给我来信，要求我当一名名誉环卫工人，并提出了许多搞好环卫工作的意见。我深为感动，感谢同志们对我的信任。

我觉得，问题并不在于我当不当名誉环卫工人，重要的是环卫工作必须得到全社会的理解和支持，环卫工人理应受到全市人民的关心和尊重。

我去年访问日本，观看了横滨市的一次节日游行。走在最前面的是着特别制服的消防队员，我以为这很有道理，城市消防队员是不惜自己的生命来保护人民的生命、财产安全的。但是，环卫工人却是成年累月，栉风沐雨，在非常艰苦的条件下，同粪便、垃圾打交道，这也是一种默默无闻的无私奉献。

城市是一个社会大家庭，每个市民都应当爱护自己的环境，尊重他人的劳动。支持环卫工人的工作和服从市容监察人员的执法，应当成为一种社会公德。请同志们相信，我的心始终是和环卫工人连在一起的。我一定会和你们一起，为美化和净化上海市的环境做出坚持不懈的共同努力。

朱镕基

1990 年 10 月 9 日

搞好浦东新区的规划设计*

（1990年10月15日）

今后十年上海的城市规划和建设，前五年还是着重解决浦西的问题，兼顾浦东起步；后五年再把重点转到浦东去，因为开发浦东要依托浦西。从目前内部条件和国际条件看，也考虑到经济效益和社会效益，首先要解决浦西的交通问题。如果三年以后两座大桥、一条快速高架环线到不了浦东，开发浦东就是一句空话。按现有的资金和力量，用三年左右时间完成两座大桥和一条环线是不成问题的。除此以外，浦西的南北交通也要打通，在中心区修几个立交桥；还要加强管理措施，设机动车专用线和单行道等；加上三年后地铁一期工程投入营运，上海整个城市的交通状况就会明显改善。这对经济的影响、对社会的影响、对人心的影响不可估量。在这基础上，后五年再把建设重点放到浦东去。

浦东开发既要考虑给外商提供良好的投资环境，又要提供良好的生活环境。这是开发浦东的一个目标。不仅是给外国人提供良好的投资环境和生活环境，而且也是为浦西的工业向浦东搬迁提供条件，给市民在浦东安家提供理想的居住条件。

第一步，在浦东主要是大量盖住房，市政、商业、医院、学校

---

* 这是朱镕基同志在上海城市发展规划研讨会上讲话的一部分。

都要配套。此外，再分片建设若干个开发小区，如外高桥保税区、金桥出口加工区、陆家嘴金融贸易区等。相信内环线修成了，大桥通车了，轮渡再改善一点，在浦东沿着内环线两侧盖大量住房，浦西的市民是肯搬过去居住的。与此同时，要把与外滩隔江相望的陆家嘴地区规划好，搞几个现代化的建筑，如中银集团的金融大楼、电视塔、大歌剧院等。

第二步，把外环线浦东段尽量往海边靠，沿着东海边修一条外环线，连接新的航空港。这样把路一修通，路边的地就有人买了。可以设想从延安东路隧道过江，经过花木地区一直到海边机场再修一条干道。我主张学习天津市修环路的做法，规划要跳出来，修好外环线，里面全活了，而实施规划时可以“组团式”发展，一块一块逐步地搞。

第三步，再回过头来改造、整治整个黄浦江的东岸，沿江边修一条林荫大道。

最后，还设想在浦东新区最北端（外高桥港口上面的一块地方）建一个迪斯尼乐园。总之，要按现代第一流国际城市的要求搞好浦东新区的规划设计。

会见世界银行副行长阿蒂拉·卡劳斯曼诺古时的谈话

（1990年10月31日）

朱镕基：今年7月我与原市长汪道涵先生一起访美时，访问了世界银行总部，受到了热情接待。今天欢迎副行长先生来上海访问。你已经听取了有关方面的介绍，还去浦东看了一下，对上海有什么意见，请你谈一谈。

卡劳斯曼诺古：这次来中国访问的时间很短。除了到北京和上海之外，还去杭州参加了一个关于中国体改问题的研讨会，因为我对中国的体制改革很感兴趣。我认为，上海在中国的经济地位是举足轻重的，因此对上海方面进行的经济体制改革试验特别感兴趣，相信上海的改革会影响到中国其他地区的改革，进而找出中国经济体制改革的路子。我来上海后，听了有关部门领导的介绍，了解了上海改革的进展情况及今后计划，觉得你们做得很成功，也很谦虚。当我问到在改革方面与中国其他地区相比较，上海是否先进时，回答是除了金融改革之外，其他改革都落后于人家。（朱镕基：就是在金融方面，上海的改革也落后于广东、福建。）总的来说，这次访问给我留下了深刻的印象，回去后将把你们对改革的讨论及实施的情况向世界银行领导汇报。

至于开发浦东，我认为是一个非常雄心勃勃的计划。就其基础设施的建设规模来说，不仅是中国的一个大项目，也是太平洋西岸的一个大项目，而且浦东的发展将带动上海乃至中国对资源的进一步开发利用。如果世界银行被邀请参加这样一个大项目的合作，在参与投资时必须考虑到以下一些问题：第一，宏观计划问题。开发浦东是上海整个发展计划的一个组成部分，还是单独的一个发展项目？从世界银行准备明年春天在上海召开宏观经济研讨会来看，浦东的发展计划应该是上海整个发展计划的一部分。第二，环境方面问题。浦东的发展项目对周围环境会有很大影响，特别是上海人口密集，工业集中，未来的发展对环境影响是非常重要的。第三，财务方面问题。开发浦东需要大量投资，这个问题你们已予重视，并合理编制了财务计划，大体估算了开发成本。就世界银行来说，只被邀请参加过多次有关开发浦东的会议，但还没有直接参与深入的研究，我期待着明年召开的宏观经济研讨会将成为世界银行参与开发浦东的开端。

朱镕基：感谢副行长先生提出这些值得思索的问题。上海的改革方案是完全按照中央对“八五”期间改革的要求制定的。实际上，上海的改革落后于其他省市，并没有走在全国的前面。在价格改革方面，广东、福建比上海做得好，上海每年用于这方面的财政补贴高达几十亿元。因此决定明年要进行主副食品的价格改革，像广东现在那样，放开一些价格，逐步减少财政补贴。但听说广东的改革又要进一步，几乎把食品价格全部放开，又走在我们的前面了。金融改革方面，深圳现在就有十多家外资银行，福建也已经有外资银行。而上海说要设立外资银行，实际上还没有开始。不久前刚批准一家中外合资财务公司[1]，原来的四家外资银行仅限于做结算业务，没有存贷款业

---

〔1〕 一家中外合资财务公司，指上海国际财务有限公司，由中国银行上海市分行、交通银行上海分行、日本三和银行、香港东亚银行有限公司合资组建。

务。目前上海的证券交易量是全国最大的，今年12月份将成立第一个联合证券交易所，也有可能到那时不是全国第一个了。另外，正在进行住房制度改革，目标是逐步实现住房商品化。这项改革其他很多省也都走在上海前面，只是他们实行小规模的改革，而上海这样大规模实行住房制度改革，将会走在全国的前面。现在这项改革的方案正在市民中讨论，还没有实行。总之，上海要加快进行改革，不改革，我们就无法前进。坚持改革开放的政策是上海的首要任务，我们希望改革的步子走得快一点。

关于开发浦东的问题，我们始终把开发浦东作为上海发展的一部分。当前最重要的是基础设施建设，而这些项目主要在浦西，不是在浦东。比如正在建设的南码头黄浦江大桥〔1〕和明年将开工建设的又一座大桥，以及连接这两座大桥的一条环城快速高架公路，都主要是为了疏解浦西的交通，把浦西过于拥挤的人口向浦东疏散，浦西的一部分工业经过技术改造后也要搬到浦东去。我们的目标是把浦东建设成为一流的国际城市，与此同时，浦西由于人口和工业的疏散，也会得到更新。所以，最近几年的建设投资主要还是花在浦西，特别是基础设施没有完善之前，浦东不可能吸收大量的投资。在未来的五年内，浦东主要是开发三个地区，每个区域2至3平方公里，这就是浦东新建港口边上的自由贸易区、外滩对面的金融商业区和快速环路旁边的工业加工区。这大体就是浦东开发与上海发展的关系。我认为将来不管浦东怎么发展，城市的中心还是在浦西。浦东可能会建设得很漂亮，有很大的绿化面积，有高技术产业和发达的商业，但最繁华的商业中心还是在外滩附近的这块地方。

最大的问题是建设资金。现在中央给了上海一笔启动资金，利

〔1〕 见本书第141页注〔1〕。

用这个条件，我们可以不失时机地大规模开展基础设施建设，使一些交通项目同时上马。但要把这些工程很快建成，还要大量地利用外资，这也是迫切需要解决的一个问题。到目前为止，有些项目的资金已经解决了，有些项目还没有解决。如地铁在德国政府贷款的帮助下进行得非常顺利；合流污水治理工程在世界银行贷款的支持下进展很快；南码头黄浦江大桥在亚洲开发银行承诺贷款的条件下，建设进度也很快，去年开工，明年建成。最近一个美国工程专家代表团参观南码头黄浦江大桥工地后，惊叹地说："这种建设速度在世界上也是罕见的。"每一批来上海的亚洲开发银行官员或专家都说大桥项目的贷款很快就会被批准，但至今还没有批下来，我们是借了商业贷款在搞建设。另外，计划明年开工的第二座黄浦江大桥，特别是连接两座大桥的快速高架环路需要很大投资，两个项目大约要 10 亿美元，这些资金都没有落实。环路有一部分是与世界银行合作搞的，但项目贷款还没有被批准。我坦率地说，这个项目不管你们批不批准，明年我们都要开工建设。上海与世界银行的合作关系一直很好，我们非常希望已经评估过的项目能加快批准实施。我在美国访问世界银行时，副行长库莱希先生对我说，以后一个月批准一个项目。我希望"一个月批准一个项目"能赶快实施。你们的行长科纳布尔先生也说过，上海的交通项目应列为世界银行对中国贷款项目的第一位。我认为快速高架环路这个项目完全符合世界银行所提出的"满足人类基本需要"的投资要求。交通问题解决了，也有利于改善上海的投资环境，吸引更多的外商到上海来投资。

卡劳斯曼诺古：我也希望科纳布尔行长和库莱希副行长所说的意见现在就能兑现。世界银行执董会已经讨论过一批中国贷款项目，有关援助中国"星火计划"的项目也包括了上海崇明的项目，即将在执董会讨论。期待下一批讨论工业项目时，也会把上海的项目摆进去。

我并不满足于一个月批准一个项目，希望比这还更快一点。世界银行过去提出的“满足人类基本需要”并不是一项长期的投资原则。执董会在审批项目时，特别是利用国际开发贷款，往往要考虑到一个国家或地区资源总的配置情况，相当部分贷款是用于扶贫和人力资源开发，同时还要考虑到项目对环境的影响以及当地改革进展的情况，包括产业结构调整和组织机构调整。因此，希望上海方面予以合作，在开始选择项目的时候就注意到扶贫、改革、机构调整、环境保护等方面的问题。现在，欧洲共同体已经宣布取消对中国的经济“制裁”，预期亚洲开发银行的态度也会有所改变。我们希望提供给中国更多的贷款，对此不会多加限制。但上海如此之大，世界银行也不能完全满足你们的需要，因为世界银行提供的贷款总金额和软、硬贷款比例都有限制，这些因素制约着上海能利用世界银行贷款金额的多少，只有等整个资本增加了，才能增加。希望下次我们会见时，能就具体的项目再交换意见。

朱镕基：我欣赏副行长先生所说的贷款不能仅是满足人类基本需要，而且还应超过一个月批准一个项目的速度。希望尽快实现这个目标，并感谢你为此做出的努力。我认为，解决上海的交通问题对上海的发展是至关重要的。上海对城市总体发展规划已经研究过多次，明年在联合国开发计划署的支持下，还将在上海召开国际城市交通研讨会来讨论这个问题。上面提到的大桥、环路等交通项目都是非常具体的，希望世界银行帮助我们建设，在投资方面给予支持，目前最重要的项目是环城快速高架公路。至于改革的问题，我们一定要坚持改革的方针，而且还要加快改革的速度，这些改革包括了产业结构调整和组织结构调整。中国不能像有些国家那样在几百天内就要使改革达到什么样的目标，也不准备这样做。我们的办法是把改革方案交给人民群众讨论，比如上海这次实行的住房制度改革。因为改革牵涉到传统观念的转变，不得到人民的支持，改革不会成功。副行长先生下次来上海时一定会进一步看到我们改革开放的成果，看到上海基础设施建设取得的成就。

谈上海市十年规划和“八五”计划*

（1990年11月3日）

今天，我主要是和大家交换看法，沟通思想，谈几点意见，供你们思考。

一、关于“八五”规划汇报材料。

向市委常委汇报“八五”规划，主要讲观点、讲思想、讲政策，数字可以少一点。规划要多讲一点长远的东西，把今后五至十年的发展讲清楚就可以了。还要把上海过去的发展战略、规划找出来，认真看一看，有用的东西不能丢掉，因为我们的规划是建立在历届市政府工作的基础上，要体现工作的连续性。但也要看到现在情况发展了，不能完全照搬过去的规划，要结合实际，继往开来。规划的目标要十分明确，才能鼓劲，最好能提几句简单明了的话，做到家喻户晓。对发展远景要有鲜明的描绘，不然，起不到鼓舞士气的作用。同时，综合平衡也要合情合理。总之，要把规划的骨架搞清楚，不必太细，对细节问题可以有不同的意见，继续进行讨论。

---

* 这是朱镕基同志在听取上海市计划委员会关于上海市十年规划和“八五”计划准备情况汇报时讲话的主要部分。

二、战略设想。

九十年代是至关重要的历史时期，我们如果再找不出一条计划经济与市场调节相结合的道路，把经济搞上去，就很被动。现在，两德统一后，欧洲会很快强大起来；日本越来越厉害，东南亚国家也发展很快，连越南也想赶上去。中国是社会主义国家的中流砥柱，我们如果再搞不上去，社会主义的优越性如何体现？这关系到社会主义、共产主义事业的生死存亡。上海作为中国的经济中心，在这五至十年里找不到解决困境的办法，就没有时间了，我们将愧对后人，要有这种危机感和责任感。在这样一种形势下，我考虑九十年代上海发展的战略应是“振兴上海，开发浦东，服务全国，辐射全球”。

三、目标的制定。

我们的目标是要在五年内集中优势力量做几件事情，把人民的信心鼓起来，使人民真正感到生活的确改善了，上海一天天在起变化，城市面貌改观了，社会经济综合发展了。具体来说，我想“八五”期间要完成三大实事和十大基础设施工程。你们提出的浦东十大工程要重新排一排，不要光讲浦东。开发浦东，意在振兴上海；振兴上海，主要靠浦西，至少五年内靠不了浦东，五年后也只能部分靠浦东，十年后浦东才有可能崛起。因此，我们要利用浦东，做好浦西的文章，不要提“把开发浦东作为重点”。开发浦东，首先是把浦西搞好，进一步把企业效益提高，把潜力发挥出来，作为开发浦东的基地。

三大实事也是三大目标或三大任务，一定要完成。一是市内交通。五年内必须完成两座大桥、一条高架快速环线和几个市中心立交桥，加上地铁（规划要考虑地铁和轻轨系统结合，并延伸到浦东），我看可以基本解决上海的交通问题。二是住房建设和煤气。五年基本实现城市煤气化，住房明年竣工450万平方米，十年竣工5000万平方米，平均每年建房500万平方米，配套设施要全面统筹安排，基本解决住房问题。三是副食品供应。要立足于本市，做到稳定、可靠、便民。

提出上述目标，总的思路是在五年内主要搞基础设施建设，通过重点抓交通和住房建设，提高社会效益，改善外部环境，启动市场，降低企业成本，并且要用改革的办法去推进和实现这些目标。

四、改革问题。

深化改革要认真考虑。我想，除了中央出台的财政、外贸体制等改革措施外，上海要着重抓五大改革。现在已经明确的住房制度改革、主副食品价格及购销体制改革和社会保障制度改革，要进一步测算，并研究需要建立一些什么具体制度和措施。此外，再抓两大改革：一是企业体制改革，内容很多，如组建企业集团、重点企业建立监事会等，改革的中心环节是提高企业经济效益；二是金融改革，主要包括建设证券市场、吸引外资银行等等。

五、规划的基本方针。

我觉得要研究制定四条基本方针：

（一）集中优势兵力打歼灭战，搞好城市基础设施建设。

城市基础设施建设主要是十大工程，重点是改善交通。这步棋走活了，上海就全盘活了，城市繁荣，效益提高，人民群众高兴，整个面貌会有明显变化。十大工程主要包括两座大桥、一条快速高架环线、外高桥港口，还有地铁、合流污水治理工程等大项目。引水工程要不要摆进去？看来上海的引水工程要放到“九五”期间去完成，但最好能在五年内解决，是取水口从黄浦江上移，还是从长江取水，要认真比较、论证。煤气建设，关键是石洞口煤气厂建不建，要赶快论证。十大工程究竟怎么摆？你们去研究。但要排出进度，包括三大实事，什么时候开工、什么时候完工，都要明确。“八五”期间，就是要集中力量打歼灭战，把这些基础设施建设搞好，要一天到晚抓住不放。

（二）有重点、有步骤地稳步进行现有企业的技术改造。

上海的工业结构调整和技术改造，我概括为两句话，一是“金蝉脱壳”，二是“返老还童”。“金蝉脱壳”，就是浦西的工业不能再铺新摊子，要适当收缩、“减肥”，要下决心关掉一批亏损企业，有的要经过技术改造后搬到浦东去。“返老还童”，就是传统工业要逐步更新，把老的甩掉一点，使工业年轻化。同时，要发展新兴工业，主要搞技术密集型的，高技术、深加工、精加工和成龙配套的产业，资金和劳动密集型及耗用能源、原材料多的项目，我们搞不了，更不能再铺摊子了。

关于冶金工业，现在有不同看法。我认为，要从现实出发，上

1989 年 3 月 4 日，朱镕基考察上海梅山冶金公司梅山铁矿。

海的500万吨钢是出品种的，全国70%的品种就在这500万吨钢之中，历任市长都没有把钢减下去，因为钢铁工业在中国还不是“夕阳工业”。因此，不要轻易讲减少生产能力，至于生产多少，根据当时市场需要决定，少一点产量、多一点品种也可以，但500万吨钢的能力不要动。今后上海钢铁工业就是向两头发展，一头是前道填平补齐，一头是后道搞高质量、多品种、小批量。冷轧搞好后，马上搞热轧。生铁尽量配套，现在的一个750高炉先搞上去看看，如果污染情况和成本、效益还可以，“八五”期间再搞一个，“九五”期间再搞一个。可以考虑搞大一点的，这样三个高炉就有200万吨生铁，加上梅山的150万吨生铁，再吃一点废钢，就基本满足需要了。你们按这个设想，认真算一算究竟要花多少钱。利用一点外资，还是拿得出的，十年就能解决问题。这样搞上去，上海钢铁工业还可能是一个积累资金的来源。现在，之所以不赚钱，一方面因为生铁靠外地运来，成本不断提高；另一方面，一部分钢材平价供应给机电工业，保证了机电工业的竞争力。没有钢材，上海的机电工业就不可能发展，因此，有钢的时候，要想到没有钢的后果。对钢铁工业怎么发展，争论还可以争论，该动手的还是要动手，不这样搞，上海钢铁工业就保不住了。冶金工业的体制，准备以上钢一厂、三厂、五厂为主搞成三个集团，把承包基数也划到三个集团。不一定把市冶金局所有工厂全搞到集团里去，集团里面的企业是紧密型的，有的企业可以游离在外面，党政关系在市冶金局。三个集团的改造要规定任务和目标，重点把一厂搞好，三厂、五厂进一步完善，提高质量、增加品种。

关于纺织工业，我的看法是要减少一些锭子。纺织工业要大改组，要组建企业集团，现在的管理办法基本上还是过去那种靠计划安排、棉花统购统配的老办法。行政性公司取消了，市纺织局面对550个企业、80万工人，鞭长莫及，权、责、利关系不明，这样不行。

纺织工业要多搞深加工，要发展针织和纺织机械，逐步使其变成盈利的行业。原材料来源要多样化、多元化，要定点，要考虑每年究竟能吃多少进口棉花，能否与澳大利亚签订长期供应棉花合同。同时，要结合外贸体制改革，研究扩大出口问题。代理制没有成功，因为是垄断的代理制，现在不是要退回到收购制去，而是要研究怎么进一步前进。除了吃进口棉花，本市郊区还可以多种点棉花，我看在“八五”期间发展到 40 万到 50 万亩棉田没问题，不能仅稳定在 20 万亩水平上。现在种棉的政策对农民来说还是能调动积极性的，而且自己种棉花总比进口棉花便宜。可以考虑适当少种一点粮食，只要能保证郊区农民的口粮就行了，当然还有市区居民的大米供应问题。郊区要多发展经济作物，采取纺织企业集团与乡、村直接挂钩的办法，用经济手段调动农民种棉的积极性，也提高农民的收入。

关于仪表工业，最近市仪表局在开展大讨论，这很好。上海仪表行业犯了一个历史性的错误，这是全国性的，大家一哄而上搞电视机、录音机，结果吃亏了。仪表行业是上海的新兴工业，是发展方向，除了要搞装备性的电子仪表，还要认真研究市场，找出拳头产品。比如彩管是搞 21 英寸，还是搞 25 英寸，我说要出奇制胜，现在大家都搞 21 英寸，我们就搞 25 英寸，搞人家不搞的产品。

关于机电工业，我不赞成提“上海工业重点向机电倾斜”的口号，光搞机电工业也不行，可以具体点出哪些项目需要重点支持、优先发展。机电工业要到部里去争项目，主要是发展一些有特色的、有基础的行业，如轿车、发电设备等，一般通用的不一定发展了。我看上海还是要发展轻工业，包括食品、钟表、自行车等，恢复过去在全国的领先地位。上海轻工业要成为积累资金的大户。

我总的想法是，“八五”期间，工业不能花更多的钱去改造，只能维持在原来的规模上，主要靠企业的自我积累、自我改造。中央给的开发资金，3亿元用于技术改造的不要动，其余新增的财力都用于集中搞基础设施建设，上钢一厂改造的钱也要算在技改里面。我是搞工业出身的，现在看来，搞工业风险很大，往往投下去，出不来效益，所以，技改项目一定要看准，有效益再干。对工业技改还要研究一点政策，比如一部分技改项目在建设初期，可以搞一点贴息贷款，扶植它一下。14亿元专项基金能留住，这几年主要用到基础设施建设上去。

（三）大力发展第三产业。

上海的第三产业究竟发展什么？要具体化。我看首先是发展商业，把上海变成商业中心。浦西的商业设施要扩大，南京路、淮海路本来就很繁荣，要把沿街商店后面的居民搬出来，疏散到浦东去，这样商店的规模就可以再扩大。二是外贸中心。三是金融中心。四是旅游，这非常重要，考虑要成立一个上海市旅游委员会，把旅游、交通等统管起来，加强协调，提供从航空到出租车，从饭店、商店到旅游景点的一条龙服务，特别是把上海对外友好城市的外国人组织来上海观光旅游，还可以组织从上海到苏州、杭州、南京甚至西安的旅游。搞迪斯尼乐园是最生动的科技教育，办法是我们出地皮，外商出钱，门票收入大部分用于还款，但我们可以赚游客消费的钱，这样可以带动市场繁荣。当然，目前还不具备条件，先进行谈判、接触，规划要留出地皮。总之，第三产业的发展要很好规划一下。

（四）适当加强科教文卫事业建设。

上海的文教卫生设施太落后了，今后五至十年要考虑适当增加投资。教育是最根本的，这方面要花钱。浦东应建一所大学，也可以是职业学校，可以从浦西搬一所过去，也可以新建。地方大学可以适当收缩一点，多发展职工教育和培训。根据今后十年上海大规模开展基础设施建设的需要，可以多办一些土木建筑专业的技工学校。我认为，上海教育的重点应该放在中小学。1988年我刚到上海工作时就讲，上海历来中小学教育基础很好，要恢复上海中小学教育在全国的领先地位。文化事业的发展，现在没有全面规划，要认真研究。每个区都要搞一些文化设施，现在区县有钱，市计委可以给点指标，让他们自己拿钱建一些文化、体育设施。

六、综合平衡问题。

市计委对财政、信贷、外汇、劳动力等几大平衡都要搞，但主要是资金平衡。十大工程究竟要花多少钱？要算一算。如果初步匡算要200亿元投资，考虑到土地、拆迁的改革等节约投资的因素，除掉已经落实的一部分项目，剩下的估计还要150亿元左右，平均每年30亿元，中央给一部分（除了3亿元技改贷款外，还有10亿元开发资金，全部用于基础设施建设），自己再拿一部分。只要工作做得好，14亿元专项基金还能留得住。人民群众在煤气、住房上集一点资，加上再利用一些外资，基本可以解决资金问题。

浦东的三个开发区，包括你们设想的科学园区，都要采取集资的办法搞。土地作为政府投资，按最低需要补偿的价格由政府征地后交给开发公司去开发，让开发公司自己去滚动经营，基础设施也可以收费还款，政府不能再在开发区里花更多的钱。关键是要改革体制，借鉴新加坡、香港的做法，十大工程成立十个公司，都具有法人资格，把责、权、利结合起来，先建后管，自己搞开发经营。同时，成立十个监事会，由政府代表、人大代表和经济界人士参加，一年至少开两次会，一次听计划目标，一次搞审计检查，发现问题及时纠正，以至罢免公司总经理，这样才能保证开发建设顺利进行。

劳动力不仅要加强培训，也要注意平衡。能不能把第二产业的劳动力转向第三产业，把工业的劳动力转向建筑业。今后地铁、大桥、住宅建设都要培养专业化的施工队伍，不断提高技术水平和质量。

十大工程投资很大，要改革现行投资办法。武汉修一座长江公路桥只花 5 亿元，九江的长江大桥只要两亿元，而我们搞一座黄浦江大桥就要 8 亿至 10 亿元，其中一半的钱都用于动迁，这样搞不起。因此，要修改动迁办法。一律按房改政策执行，拆迁户只给分房的优先权，债券要照买，任何单位都要为开发浦东、振兴上海做贡献。

市计委要把各种基金、收入都管起来，要检查基金使用情况，监督用途，防止流失。现在资金不够，要想办法集中一点上来。

一定要保护好崇明这块净土 *

（1990 年 11 月 6 日）

我实地看了崇明，崇明确实还是我们郊区里面比较穷的一个县，还属于上海的“第三世界”。老百姓富裕的程度甚至还低于金山。市里有关部门要支持崇明，帮助崇明更快地发展。但另一方面也说明，现在不能搞得太快，条件不大具备，大量吸引外资还不够条件，外国人来了连招待所都没有。我想崇明应该贯彻这样一条方针：扬长避短，因势利导。现在崇明的长处和优势究竟在什么地方？短处又是什么？要搞清楚，因势利导，该发展什么就发展什么，这样搞下去，积蓄力量，让人民能够富裕起来。老百姓要再富一点，积累还是要多点，不能消费得太厉害，盖房子要慢一点。崇明新房子很少，一方面说明人民还不够富裕，另一方面也是一个优点，一片白纸，将来盖高楼大厦就好办了。现在宁可慢一点，要搞就要搞得好一点。对崇明的发展，我就是这么一个看法：扬长避短，因势利导，积蓄力量，打好基础，“八五”准备，“九五”起飞。“八五”以后上海投资的重点就要转移了，可以转移到崇明来，“九五”期间崇明就可以起飞了。我

* 这是朱镕基同志在上海市崇明县县乡党政负责干部、市属国营农场党政负责干部会议上讲话的一部分。

对崇明的这个看法，不知大家同意不同意，可以议论议论。崇明开发不要着急，一着急就搞不好。根据这个战略考虑，我下面讲几条设想：

第一，一定要坚持以农业为基础的方针。崇明还是要搞农业。一定要保护好崇明这块净土。现在上海已经没有多少干净的地方了，空气是污染的，水是污染的，土地也是污染的，解决这个问题要几十年。崇明这样一个好地方，不要把它搞坏了，要坚持以农业为基础，保持这样的特点。我和老姚〔1〕、老田〔2〕讲过，你们在崇明保留一点田园风光吧，城区居民到了假期能够到崇明来领略一下田园风光就好了，所以要把农业搞上去。农业搞什么呢？我还是说粮食要稳定发展。我在这里吃新米，好吃得很，在上海市区吃不到。还要大力发展经济作物，一是种棉花，二是种桑养蚕，三是种柑橘，还要建成创汇农业和特色副食品生产基地。甜玉米是出口的，要多搞。之所以说副食品是特色的，是因为这里蔬菜是没有污染的，农副产品没有公害，金瓜丝也有特色，除了崇明，别的地方不生产金瓜丝。我今天吃的香芋，也是崇明的特产吧。我还吃了一次蟛蟹，蟛蟹虽然很小，但里面蟹黄很大。所以，要建立有这些特色的副食品生产基地。将来城区居民到崇明来，可以带一点回去，把金瓜丝、香芋、蟛蟹、芦笋做成小包装，要包装精致，这样效益就高了，就赚钱了。总之要扬长避短，有什么优势就搞什么。将来卖出去的牛奶要贴上一块牌子“崇明无公害牛奶”。崇明大白菜是无公害大白菜，到一定时候，崇明的蔬菜价格可以贵一点。我们的土壤比市郊其他县的土壤好啊，所以一定要把农业放在第一位，搞有特色的农业、创汇的农业，经济作物及粮

〔1〕 老姚，即姚明宝，当时任中共上海市崇明县委书记。

〔2〕 老田，即田长春，当时任上海市崇明县县长。

食发展更稳定。

第二，集中力量建设崇明的基础设施。现在不要着急地盖房子，应该着急解决崇明的交通问题。一个港口、一个公路，要把崇明搞得四通八达，交通非常方便。崇明的开放对谁开放呢？我看首先对上海人开放。上海人都到崇明来，崇明就好了。我看了几个单位，看了光辉自动化仪表厂，看了长江农场仪表厂，确实干得好，效益也高，还有前卫村的牙膏厂，都是和市区的联营厂。崇明人勤劳，劳动力也比较便宜。交通要方便，一定要做到一个港口半小时一班船，这就方便了，城区居民肯定会来，游览的人也就多了。港口也要规划得很好，不能凑合。整个港口区要搞规划，要搞第三产业，商店很多，特产金瓜丝、香芋什么的都有，大包小包，买几包回去，这不就赚钱了吗？效益不就好了吗？要规划好。将来要增加一个车客渡，要做广告。我建议要修一条沿江大道，沿着长江的、环岛的、高标准的公路，周围都种上树，非常漂亮。这样的话，外商就会来的。经过“八五”期间的建设，全岛的交通就会发展。崇明岛的绿化要发展，昨天我到绿华乡，公路旁的绿化搞得不错，到处是林带，一片一片的，这种田园风光，在上海市区就看不到。上海有 1300 多万人，这里只有几十万人，城市人口 700 多万,一年来一次崇明就够了。

第三，大力发展旅游业。崇明要变成上海的明珠、一个非常漂亮的田园风光的岛，周围要绿树环绕，这件事我回去后要商量一次。现在上海要成立一个全市性的旅游组织，可能叫旅游规划建设管理领导小组，把市园林局、民航局、交通局、旅游局都包括进去，统一规划上海的旅游业。总之一条，要搞旅游业，要把崇明变成一个点。你们这里的东平林场也好，其他几个景点也好，都要统一规划，看怎么样使外国人愿意到这些地方来，使城区居民愿意来旅游，这个效益肯定也是好的。现在没有钱，你们就慢一点搞，别把景点搞坏了，将来

1990 年 11 月 6 日，朱镕基考察上海市崇明县前卫村牙膏厂。

后悔莫及。要搞就标准高一点，没钱就不搞，我就提这么一个方针。要请高手来规划，不要只听一两个人的，要请专家包括国外的专家来研讨，怎样把崇明的旅游业搞上去。

第四，发展工业。我不是说崇明岛搞了农业、旅游业，工业就不要搞了，工业还是要搞，要搞没有污染的，精加工、深加工的工业，符合上海产业结构调整的方向，这一点特别重要。现在不要急于去搞乱七八糟的东西，搞了将来要后悔的。现在有几个工业项目的发展是不错的。一个是仪表，崇明的空气好，环境比较干净，人民比较纯朴，发展高技术的产业，像仪表是很有前途的。另外搞点轻工业，不要搞重工业，搞食品工业也可以，你们的农产品可以就地深加工，环境条件、卫生条件都比较好。食品工业的产品可以出口创汇，也可以供应上海的高级宾馆。

重视和做好信息工作*

（1990年11月28日）

市政府的信息工作还是很有成绩的，这与大家的努力，与各个区县、委办局信息员的努力分不开。在前面就座的都是信息工作先进单位的代表，我向你们表示祝贺。最后我走的时候一定跟你们握握手，表示一下我的心意。希望各个单位都向你们学习，把信息工作搞得更好。

市委、市政府对信息工作是非常重视的，因为我们的党和政府要代表人民群众的根本利益，我们没有任何其他目的，我们的一切工作都是为了人民。要为人民服务得好，就需要了解群众的疾苦，了解他们的要求，同时也要了解我们工作中的成绩和缺点，特别是各种制度的弊端和我们队伍中的腐败现象。如果我们不能了解这些情况，就没办法为人民群众服务好，执政党的前途就有危险。

在这一方面，大家做了很多工作。市政府信息系统的工作还是做得不错的，办的一些刊物，如《每日动态》就办得很好。我认为它是目前上海办得最好的一个刊物，里面能够反映很多问题。全市各级领导都非常重视这个刊物。从这里面了解到的问题，各位副市长、有

---

* 这是朱镕基同志在上海市政务信息工作会议上讲话的一部分。

关委办局都非常重视，及时去解决。市政府办公厅是不是现在还在做这个调查？例如《每日动态》反映出来的问题，过了一天两天，去查问一下，有关的副市长和委办局对这个问题有没有批示？有没有去查办？这个事情要检查。

同志们当信息员，就是要宣传、联系群众，把大家的劲鼓起来，报道我们中间很多鼓舞人心的事情。我们确实有各种各样的先进事迹，也有先进的人物，像最近在宣传的曾乐〔1〕同志。大家都这样，上海就有希望了。我想，这方面是比较好做一点的，只要大家认真地去做。有一个比较难做的，就是揭发缺点，特别是揭露我们的腐败现象。这个不容易，同志们，这是要得罪人的。但是，如果不解决这个问题，我们一定会脱离群众。所以，你们报道的时候，不仅要报喜，而且特别要报忧。报喜比较容易，报忧比较难，难就难在要突破关系和情面。但是，你们报忧的时候，一定要实事求是。这个问题，我上过很多当的。同志们，我刚来上海工作时，对好多揭发、批评、暴露的东西，过分地相信了，结果我就批得很严，但最后一查，没有那么回事，这样人家就要骂我是“瞎批评”。所以现在我就比较聪明一点，批的时候，先加上一句“如情况属实”。希望在报忧时扎实一点，那样起的作用也大，我批的时候也放心一些。

对各种不正之风、官僚主义也要揭露，以引起大家的注意。虽然没有达到犯罪的程度，但是由于不负责任、搞不正之风、以权谋私等等，给国家造成的损失可是大得不得了。而对这种人往往没有办法把他们绳之以法，现在还没有渎职法，但是可以叫他们下台。现在一些领导干部就有点手软，有一位局长就当面跟我讲：“我是下

〔1〕 曾乐，焊接专家、全国劳动模范，当时任上海宝山钢铁总厂工程指挥部副总工程师，1989 年被评为上海市科技精英，1992 年被评为上海市科技功臣。

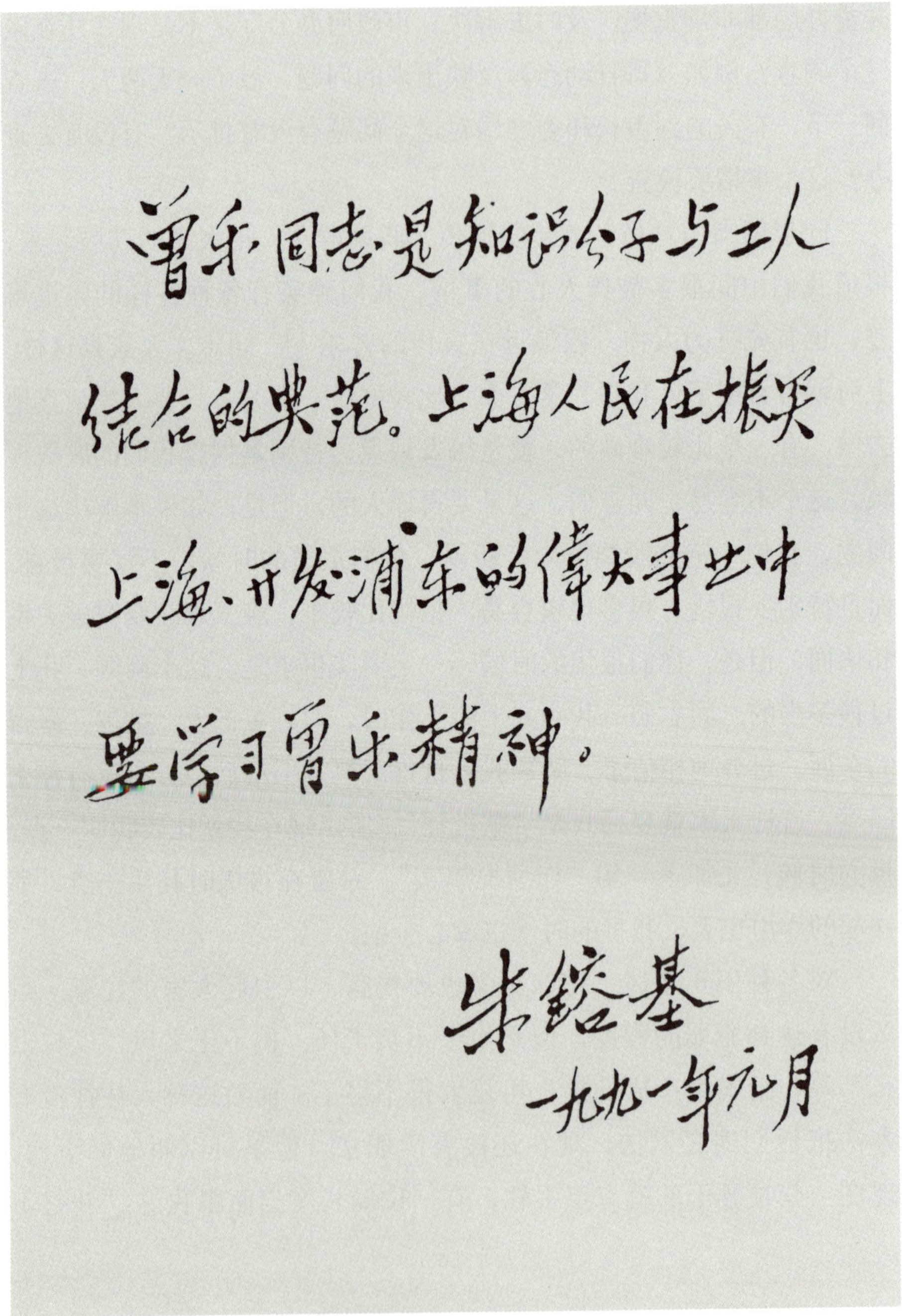

曾乐同志是知识分子与工人结合的典范。上海人民在振兴上海、开发浦东的伟大事业中要学习曾乐精神。

朱镕基
一九九一年元月

图为 1991 年 1 月，朱镕基给曾乐同志的题词。

不了手。”你为什么下不了手？你要是为人民利益着想的话，有什么下不了手？当然，很重要的一条，就是自己要行得正、立得稳。你自己吃吃喝喝，接受人家送礼请客，讲交情、关系，你敢得罪人吗？所以，我们应该扶持和鼓励正气，一定要压倒这个邪气。大家都来根据党性、党的原则办事情，绝对不能讲情面、讲关系，不要怕得罪人。

从我个人来说，很多同志都很爱护我，说我的脾气太大了，批评人家太狠了，往往当着别人的面使人家下不了台，而且今天要撤这个人的职，明天又要撤那个人的职，有没有想到自己将来是怎么样的下场？同志们，我不是没有考虑到这个问题，但是我看到另外一面，就是看到人民群众疾苦的时候，看到我们的事情办得这样慢吞吞，特别是那种不负责任的情况时，我的心里就发急。当然，我这个毛病要改，批评要注意方式，要注意效果，要肯定成绩，多进行个别谈话。但是不公开批评，往往难以使大家吸取教训。所以，我把自己个人的安危置之度外。同志们，我没有别的目的，我只是要为上海人民服务好。特别是我作为第一把手，如果不能严格地要求大家，我不来说话，谁来说话呢？我想应该提倡一种精神，就是为了人民的利益，不惜牺牲一切，什么情面、关系也不要讲。我将来是什么下场，我从来就没有考虑过。当然，首先得严格要求自己，这方面，我不能说我做得够了，还有很多要求自己不严格的地方，但是我每做一件事情，总得考虑一下这是不是符合人民群众的利益，会不会带了一个坏头。我想只要我们上海有一个好的党风，有一个好的社会风气，大家都一心一意奔着工作，上海一定可以搞好。

希望你们深入生活、深入群众，把他们的先进事迹报道出来，把他们的喜怒哀乐反映给我们；同时，你们要大胆地揭露和鞭挞各种腐败现象和社会陋习。这样，在振兴上海的事业中，你们会起很大的作用，就可以带出一个好的风气。所以，我不但希望你们成为好的信息员，而且是好的党员、好的干部、好的群众，在各方面都发挥先进模范作用，来带动我们党风和社会风气的好转。

对发展证券市场的几点意见 *

（1990 年 12 月 21 日）

刚才刘鸿儒同志做了系统的发言，我完全同意。

第一，发行证券宁肯慢一点，但要稳一点。搞乱了，出了大一点的问题，就搞臭了。

第二，希望中央允许我们试点，不要收。证券交易所〔1〕已经开业，上了马，下不来了。如果不允许我们一步步往前走，改革就会受挫，国际上的影响也不好。

第三，这件事要搞成，要争取中央的支持。考虑在党的十三届七中全会期间，向江泽民同志汇报一次。回来后，包括定法规、搞试点等各项工作就往下做。争取明年一二月份正式向国务院领导汇报，到那时，交易所已开业一个多月了，到底搞得怎样也有眉目了。向中央正式汇报时，我们要讲清楚搞这事政治上没风险，社会主义性质不会因此改变，扩大股份制改革试点工作可以交给上海办。

第四，有关几项工作：

---

* 这是朱镕基同志与来上海研究金融体制改革和证券市场问题的国家经济体制改革委员会负责同志谈话的主要部分。

〔1〕 证券交易所，指上海证券交易所，1990 年 12 月 19 日正式开业。

1990 年 12 月 19 日，朱镕基出席上海证券交易所开业仪式。前排左一为市政府顾问汪道涵，左二为香港贸发局主席邓莲茹，左四为市委副书记、副市长黄菊，左五为国家体改委副主任刘鸿儒，左六为市政府外事顾问李储文；第二排左一为中国人民建设银行行长周道炯，左二为香港联合交易所理事、第一副主席黄宜弘。

1. 利用发行证券，筹集外国资金。同意先搞 A、B 股。同一家企业发股票，设 A 股向境内居民发行，设 B 股向境外发行，A、B 股之间暂设“三八线”。上海特别重要的是要筹集基础设施建设的资金，凭上海的信誉，不是没有可能。我考虑搞一个试点，利用发行债券、股票筹集基础设施建设资金，目的就是用于建高架快速环线，还有集装箱码头。

2. 制定股份制公司法规。上海已经有一个搞股份制公司的五十条草案，国家体改委同志如认为可以，建议请锦华[1]同志再看一看，如认为没问题，就告诉我们。上海就作为地方性法规先试行。同时要排一个时间表，排出一批准备搞股份制，发行债券、股票的企业和项目。江泽民同志已经说过，要扩大股份制试点。企业发行债券、股票要经过批准，希望中央要给地方政府这个审批权。

3. 加强管理，防止投机。

（1）证券交易的管委会要迅速成立。发现内外勾结要判刑，要搞得非常严格。

（2）适当增加筹码，缓解供不应求的矛盾。

（3）赞成借鉴外国搞基金的办法搞“合作基金”试点，也可以按系统组织起来去买股票，这也要搞试点。

（4）请晓天同志通知新闻处：一段时间内停止对股票市场的一切宣传。有关股票市场、股份制试点的工作都在内部搞。

〔1〕 锦华，即陈锦华，当时任国家经济体制改革委员会主任。

十年内基本解决上海人民的住房问题*

（1991 年 1 月 3 日）

今天，我们市委、市政府的同志来慰问参加中原小区住宅建设会战的职工同志们，向你们表示感谢！

借此机会，我想通过电视与市民同志们谈一谈房改的问题。房改方案〔1〕交给市民群众讨论有一个多月了，现在已经告一段落。根据讨论的情况来看，绝大多数人赞成这个房改方案，拥护市委、市政

* 这是朱镕基同志在考察上海市杨浦区中原住宅区建设情况并慰问建设者时的讲话。

〔1〕 房改方案，指《上海市住房制度改革实施方案（讨论稿)》。1990 年 9 月，上海市第九届人大常委会第二十一次（扩大）会议听取朱镕基所做《关于当前上海经济形势和住房制度改革方案（草案）的报告》，通过《关于同意市人民政府〈上海市住房制度改革实施方案（草案)〉交市民广泛讨论听取意见的决定》。之后，《上海市住房制度改革实施方案（草案)》交由上海市 17 个单位内部讨论。同年 12 月，《解放日报》、《文汇报》和《新民晚报》全文刊登《上海市住房制度改革实施方案（讨论稿)》，供全体市民讨论。据统计，上海全市 80%的职工和居民参加了讨论。1991 年 2 月，国务院批复原则同意这个方案，并于同年 5 月 1 日实施，上海在全国各大中城市中率先实行住房制度改革。这次住房制度改革的基本原则是：逐步实现住房商品化和自住其力，改变低租金、无偿分配住房的制度；建立国家、集体、个人三结合筹资建设住宅的机制，改变由国家、集体包下来的建房办法；建立公正、权威的推行住房制度改革的决策研究、管理和监督机构，纠正住房分配中的不正之风。主要内容是：推行公积金，提租发补贴，配房买债券，买房给优惠，建立房委会。

府关于住房要商品化和由国家、集体、个人共同集资，加快住房建设这一方针。大家认为，这个方案增加市民的负担并不太大，经济上是可以承受的。当然，心理的承受能力不是一点没有问题，要由过去无偿分配住房改为大家做点贡献，这个心理的转变不大容易。但是通过讨论，大家也看到这几年地方财政很困难，企业效益在下降。从 1986 年以来，本市盖的房子一年比一年少，如果再不进行住房制度改革，解决上海的住房问题就会遥遥无期，所以大家达成了一个共识：房改势在必行，不改不行。我看没有哪一次改革像这次房改这样深入人心，吸引了这么多的群众参加讨论。这给了我们一个启示：深化改革要走群众路线，群众拥护改革，改革就能够成功。所以我相信，这次房改一定能够成功。

下一步怎么办？首先，要根据讨论中大家提出的许多非常好的意见，来修改完善这个方案，然后提请市人大常委会审议批准，时间可能是在今年 1 月底或 2 月初。然后再用两个月的时间来试运行，或者叫“空转”。什么叫“空转”呢？就是“实习”，把收公积金、分房买债券、提租给补贴，都来个实习。不这么试一下就没有经验，工作上可能衔接不好。我们估计如果试运转顺利，4 月 1 日就可以正式实施这个方案；如果准备不足，还可以再延长一点时间，到 5 月 1 日实施。总之，要让这个改革能有条不紊地进行。

下面，我想对讨论中大家提出的几个比较集中的问题，讲几点意见：

（一）不少同志建议，过去已经分配到住房的住户也要做贡献、买债券。对这个问题，房改方案中已经规定了，所有的人都要交公积金，已经分配到住房的人也要交公积金，这就是做贡献。将来房改进一步深化，对这些老住户也要实行住房商品化，他们还会做贡献。但如果要求他们现在也买住宅建设债券，牵涉的面就太广了，具体规定也很复杂。所以我们认为，可以在房改方案中加一条，提倡大家根据自己的经济条件，自愿买一点债券，做一点贡献，来支持房改，但不做硬性规定。

（二）不少同志提出，那些多住房的同志应该多付房租，既不要封顶，也不给补贴。对这个问题，我想先说明一下，房改方案中规定了提租发补贴，提高一点房租是为了弥补修房的费用，发补贴是为了尽量不过多增加个人的负担。这样，房改方案才能得到绝大多数人的拥护。对于老住户中少数住得比较宽裕的同志也要做具体分析，这些同志大多是对革命、建设有贡献的人，他们住得宽裕一点，也是过去政策规定的，是历史上形成的。我们不能否定过去的分房政策，再要他们多付很多房租，那也不一定合理。所以这个问题，还是交给每个单位根据实际情况处理比较好。这里，我顺便讲一个问题，现在大家都强调要公平、公正，我相信通过这次房改，由于有了一个比较合理的经济机制，再建立一个公正的、有权威的住房委员会，一定会有助于公平地分房、公正地处理住房制度改革中的问题。但是大家也要看到，这个问题不可能在房改中一下子解决，只能随着体制改革的深化、党风和社会风气的好转逐步地解决。

（三）房改资金如何返回的问题。在沪的一些中央企业，还有那些经济效益比较好的企业，都要求把房改资金全部返回原单位，而那些困难的单位、经济效益差的企业则要求国家给予照顾。我们认为本单位筹集的资金，包括公积金、债券、买房的资金，原则上全部返回原单位，不能够搞一平二调。搞平调，会损害单位的积极性，事情就办不好。但是，资金返回原单位一定要有两个条件：一是资金一定要用于盖房，不能挪作他用；二是建房计划、施工准备一定要落实。至于有困难的企业，政府应该给予支持，实际上去年我们就已经这样做了，对一些有困难的企业给予贷款，甚至是贴息贷款。要不然，去年

1990年9月27日，朱镕基在上海市第九届人大常委会第二十一次（扩大）会议上做《关于当前上海经济形势和住房制度改革方案（草案）的报告》。

400万平方米的住房是盖不出来的。当然，任何一个单位都不能躺在国家的身上。现在政府的负担很重，要盖房子首先要搞好基础设施建设，政府今年要花几十亿元来进行基础设施建设，包括道路交通、上下水道、公用设施配套，不可能拿出更多的钱来支援有困难的企业，所以每个企业还是要自力更生，提高效益，勤俭节约，挤出更多的钱来盖房子。

（四）关于解决住房困难户问题。第一，我们打算在三年以内对人均居住面积在2.5平方米以下的住房特困户，由政府提供一定的贷款或贴息贷款给企业来帮助解决。第二，对危房和棚户区要进行成片改造，这样既有利于改善居住条件，也有利于城市面貌的改变。闸北、虹口、普陀、南市等几个区的棚户和危房比较集中，其他区也有一些。各区要做出规划，采取自建公助、合作建房等多年行之有效的改造办法，市、区财政也给一点支持，来进行成片改造，在五到十年以内，使上海居民的居住条件和城市建设面貌有一个显著改变。

现在有个问题，实行房改以后，大家期望值很高，都想早点拿到房子，如果房子盖不出来，就会大失所望。去年，我们在研究房改方案时，就已经考虑了这个问题：能不能在十年里建5000万平方米住宅，基本解决上海人民的住房问题。现在看起来，只要大家齐心协力，不仅可以完成，还可能提前。去年一年，我们做了大量的准备工作，采取了各种措施。现在的问题就在于各行各业、全体市民要齐心协力，做出自己的最大贡献。为了实现这个目标，当前我们要做好以下几方面工作：

第一，要做好规划。去年年底，上海在建的住房面积共800万平方米，今年一定要保证再开工500万平方米。在这1300万平方米中，今年一定要竣工450万平方米，明年要竣工500万平方米。“八五”期间（1991至1995年）一定要竣工2500万平方米，这是有保证的。我们已经规划了11个住房基地，共可建住宅250万平方米，分布在今年就要开始建设的高架快速内环路的两侧。我们准备用三年时间建成这条快速环路。这样，11个住房基地的交通就十分方便。当然，我们还要把其他配套设施，包括学校、商店、医院等建设好，提高居住环境质量。规划工作是非常重要的，规划设计人员应该把这个工作做好。

第二，设计问题。今天我一下车，看到这里有一种房子的式样相当漂亮，但更多的还是过去传统的“鸽子笼”、“火柴盒”，这就不行了。当然，这个方便又省钱，但太单调。可以多搞几种式样，组合在一起，总之要适用、经济、美观，这是一个原则。在设计中特别要

1991 年 1 月 3 日，朱镕基考察上海市杨浦区中原住宅区。左二为市建设委员会代主任吴祥明，左三为副市长倪天增，左四为市委副书记、市委宣传部部长陈至立，左六为市委副书记吴邦国，右三为副市长庄晓天。

考虑如何提高使用面积系数，我相信只要发动全市的设计人员，大家都来开动脑筋，我们一定能够把使用面积系数提高，使大家住得更舒服。最近市政府决定，选择康健新村，发动设计人员，进行设计竞赛，在这里设计建造一批样板房，然后让全市群众参观，评出优秀奖，再把优秀设计推广到全市的住房建设中去。

第三，施工问题。施工一定要搞工业化、机械化、标准化。不但是构件，还要包括房屋装修、组合家具。现在好多工厂没有任务，可以组织起来生产室内装饰用品、组合家具，这有利于调整结构，推动工业生产。质量问题是个关键，我们决定了一条：所有在上海盖的房子，也包括市政建设工程，在住户搬进去以后一年内要实行包修，一年后才算真正竣工。不实行这个制度，上海大规模住宅建设的质量是不能保证的。

第四，科技攻关问题。要拿出一笔钱来，鼓励上海的科技人员投入到住宅建设中去。比如说高层建筑，有些同志反对在上海建高层建筑，我看这种看法有些片面，上海也要建一点高层建筑，不然，像个国际城市吗？另外，高层建筑能够节省用地。但是盖高层建筑，造价要比多层住宅高一倍。怎样去降低造价？这里面大有科研文章可做。刚才我们看到的那个房子，涂料就没有过关。1988 年，南京路上的房子粉刷过一次，现在有的变成花脸了。总之，科技攻关是有许多工作可以做的，能够多快好省地推进住宅建设。

第五，征地拆迁。这是一个非常重要的问题。要盖 2500 万平方米房子，需要几亿元的征地费，拆迁费更多。我在这里向郊县的党政负责人、各级政府、农民同志发出呼吁，你们大家都要为上海的住宅建设做点贡献。所有被拆迁的单位，不管是在郊区还是城区，都不要去吃“唐僧肉”。南浦大桥投资花了 8 亿元，其中 4 亿元是拆迁费，这怎么得了呢？

有些被拆迁的单位态度非常恶劣，乘机敲竹杠，挖国家墙脚，应该受到谴责。我相信，只要大家齐心协力，发扬多做贡献的精神，住宅建设和基础设施建设投资就可以大大节省，建设的速度就可以大大加快。

让国营企业走出困境*

（1991 年 1 月 11 日）

昨天的市委常委会上，很多同志都要求对今年的工作向大家交个底，我想就这个问题讲点意见。

有的同志讲：难忘的 1988 年，难过的 1989 年，难熬的 1990 年，难测的 1991 年。这四句话，前面三句有一定道理，但这个“难测”的 1991 年，我看现在不难预测，应该说看得还是比较清楚的，是可以预测的。1988 年是上海实行财政包干的第一年，中央财政给上海的企业让了十几个亿，国营大中型企业的日子是比较好过的，确实是“难忘”的 1988 年。但是 1989 年，大中型企业的留利水平大大降低了，企业就比较困难了，就叫作“难过”了。1990 年呢？因为 1988 年紧缩方针的影响是到 1990 年体现的，所以 1990 年国营大中型企业就更加困难了，就是说这一年就有点“难熬”了，但是熬过去了。我认为，今年总的形势一定会比去年好。政治形势不用讲了，这几年是一年比一年好。总的经济形势也是一年比一年好。这几年里面，我们

* 这是朱镕基同志在中共上海市第五届委员会第十一次全体会议闭幕会上讲话的主要部分。本文中的国营企业均指上海地方国营企业。1990 年的上海地方工业企业单位数为 12990 家，占上海全部工业企业单位数的 98.3%；地方工业企业总产值 1372.08 亿元，占上海全部工业总产值的 84%。

1990 年 4 月 17 日，朱镕基陪同中共中央政治局常委、国务院总理李鹏出席上海宝山钢铁总厂二期工程冷轧、连铸投产和热轧负荷试车仪式。图为李鹏在宝山钢铁总厂热轧厂控制室按下启动电钮。右一为宝钢工程指挥部副指挥、副总工程师杨广，右二为冶金工业部部长戚元靖，左三为冶金工业部副部长兼宝钢工程指挥部总指挥黎明。

（新华社记者夏道陵摄）

的城市基础设施建设有很大的进步，我们的财政还是保证了上缴，人民的生活水平得到了提高。但企业是越来越苦，这是不可否认的，应该看到这个问题的严重性。所以，我觉得今年已经是时候了，应该提出来制止国营企业的经济效益进一步下降的趋势。我们希望能够一年稳住，两年扭转，三年走出困境。今年先稳住，留利不要继续下降。1988 年，14 个工业局的国营企业留利是 30 多亿元，到 1989 年只有 20 多亿元了，去年只有十多亿元。如果再这么一年七八个亿滑下去，就什么也没有了。所以今年要稳住，至少稳定在去年的水平。明年无论如何要回升，要扭转。三年后，到 1993 年无论如何要恢复或者超过 1988 年的上缴或留利水平。同志们，上海的国营大中型企业不仅仅是留利下降了，上缴财政的收入也减少了，实际上，市财政局去年对企业做了很大的减税让利，光减免税就 8 亿多元，对纺织工业挂账两个多亿，这个挂账实际上就挂掉了。将来还能缴得上吗？恐怕是缴不上了。实际上，财政也少收了十几个亿。所以，这个趋势无论如何要制止，不能够让它再滑下去。

今年把国营企业经济效益稳住有没有可能？我们认为是有条件的。起码有三个条件：第一个条件，就是宏观控制的影响在今年应该对我们的经济产生正面的效应。怎么讲呢？1988 年，紧缩基本建设、紧缩银根，1989 年全国固定资产投资规模减少了 11%，上海减少了 12%，这种效应反映到生产上面主要体现在 1989 年第四季度，对上海的影响是去年一年。后来，中央感到紧缩的力度太大了，在 1989 年的下半年特别是 1990 年又大大地放松了，1990 年全国固定资产投资规模增长 4.5%，上海增长 5.7%。这种效应一定会在今年感受到。特别是去年第四季度，我们上海自己也大量地投入，技术改造贷款增加了 3 个多亿，开发贷款我们提前拿两个亿用于搞基础设施建设。这也必然会启动市场、推动生产。1991 年的计划是，全国固定资产投资总额增长 14.8%，上海是 15.8%。所以我想，外部环境、市场的情况，今年可能好一点，至少比去年好一点。

第二个条件，就是结构的调整。我们在 1988 年制定的产业结构和产品结构调整两年规划，到今年会收到比较好的效果。尽管调整做得很不够，有重重困难，特别是投入太少，但是经过两年多的努力，我们相信今年会收到比较显著的效果，这样可以促进上海商品市场的开拓。

第三个条件，就是由于基础设施建设进展比较快，为人民办实事做得还比较好，所以我们相信今年上海市民生产和工作的积极性会提高，心情会顺一点。如果我们大家齐心协力，一定能保证经济形势比去年好，制止国营企业经济效益滑坡是可能的。

接下来大家就提出问题了：怎么让国营企业走出困境呢？昨天大家讨论说，这个问题应该让全市人民去做文章，特别是我们党和政府的各级领导干部要深入实际调查研究，走群众路线，找出办法来，把国营企业搞活，促使国营企业走出困境。归纳一下大家讨论的意见，初步提出这么几点：

第一点，无论如何要把重点行业、重点企业的技术改造和结构调整抓好。这次搞不能够再撒胡椒面了，一定要真正地对上海的产业结构、产品结构进行一个实质性的比较大的调整，要抓出若干个拳头产品和拳头行业。比方说轿车，我今天看报纸上说，上海大众汽车公司的“八五”计划是 1995 年达到生产“桑塔纳”轿车 10 万辆。我看

1989 年 12 月 30 日，朱镕基到上海磁带厂考察并调研企业困难。左一为市经济委员会主任郁品方，左二为上海磁带厂厂长唐秋明。（张蔚飞摄）

这个目标应该是三年完成。现在轿车的几个主要生产车间，包括发动机、车身已经达到年产七八万辆的能力了，发动机是 10 万辆的能力，关键是一些小的零部件只有 3 万辆或 6 万辆的生产能力，要赶快赶上去。所以，我想上海大众提出的“八五”计划也不要改它了，对外面不要吹牛，不要说得很大。文本这么写可以，1995 年达到生产“桑塔纳”10 万辆。实际目标应该是 1993 年年底达到 10 万辆的生产能力，1995 年年底达到 15 万辆的能力。达到这么一个目标，是完全可能的。这样，轿车就成为上海第一大产业，有几百亿元的产值，上海就活了，因为它的配套厂有 170 多个，这个行业搞上去以后，零部件还可以出口。这个行业的规划一定要做好，这个行业是了不起的行业，是投进去几十个亿、出来几百个亿的行业。

以程控电话为代表的电子工业也要搞上去，去年搞 40 多万线，今年搞 60 万线，这样“八五”期间搞 100 万线没问题。集成电路要相应跟上，2.5 微米的集成电路一定要搞出来，实现国产化。

纺织工业要进行大调整。要根据现在的棉花供应情况，有计划地关掉几十万锭子。有些厂房是危房，就拆掉搞市政设施或绿化，好的厂房腾出来发展新兴产业。纺织工业要往高精尖方向去发展。现在全市搞服装太多了，有工业系统、外贸系统，有国营企业、“三资”企业、乡镇企业，谁都搞。怎么把服装行业真正地搞上去，应该有个统一规划。纺织工业的结构调整是我们这三五年的一大课题，这篇文章要做好。

冶金行业要配套，要向质量、品种、效益发展。这还是上海的一个大产业，还是一个出效益的产业。市计委、经委、科委、财政局都要行动起来，把规划做好，建立贴息贷款，有重点地把它抓好。

第二点，积极地利用外资，加快国营大中型企业的技术改造。这次小平同志说要想办法抓紧时机多利用外资，在搞活国营大中型企业方面冒点风险也要干。有些同志问，冒点风险指什么？也有的同志理解冒点风险就是放手多利用点外资，没什么危险。当然各人理解不同，但是小平同志指出来了，改造现有企业要利用外资，这是很重要的。在党的十三届七中全会上，中央领导同志也都强调了利用外资改造现有企业这个问题的重要性。对上海来讲，现在特别要发挥这个优势，因为我们有一个350平方公里的浦东开发区，这在全国其他地方都没有。我们为什么不充分运用中央的政策，把上海的国营大中型企业搞活呢？所以现在就要很好地规划，拿出一部分国营企业，有的不能够拿出整个企业，就拿出一个车间、一个部分，利用各种形式跟外国合资经营，以合作经营或者是股份制的办法来吸引外资。这既可以加快搞活国营大中型企业，也有利于浦东开发和上海繁荣。

但是，一定要有两条。第一条，上海搞合资经营有我们的特点，我们一定要按产业政策办，绝对不搞那些重复建设、盲目建设，跟人家碰头抢国内市场的事不干；也不去搞那些劳动密集、根本没有什么技术、到处跟现有企业碰头的事，这个是没有前途的。尽管对上海也许还有点利，我们还可以挤得过别人，但那不还是把中国人挤了？也不行。劳动密集型我们也搞不起，没有那么多劳动力。所以，我们的两个主要方向，这是国务院都有规定的。一个方向就是搞外向型，就是要出口，市场在国外。另外一个方向，一定要引进先进技术或者是先进管理经验，没有这个，我们就不去搞。所以，项目的选择、项目的导向是非常重要的，市外资委一定要牢牢掌握这一条。前个时候，浦东有些地方提出来要跟香港人搞出租汽车合营，我说我们出租汽车管得挺好，搞出租汽车合营干什么？是引进了什么技术，还是引进了什么管理？而且你搞出租汽车合营，很明显的就是外国人或者香港人要求你进口汽车免税，合资企业可以免税进口汽车。你进口汽车干什么？他得利很大，外国汽车便宜得很，但是我们的“桑塔纳”汽车卖给谁呀？所以，项目选择一定要抓好。第二条，就是一定要研究调整合资企业的中方职工和管理人员的工资水平。我不是讲要调整现有的这些合资企业，那要引起恐慌了。我是讲今后市劳动局以及有关部门要很好地调查研究，中方职工特别是高级管理人员的工资跟我们现在国营企业工资待遇的差距要缩小一点。我们国营企业的厂长一个月拿两三百块钱，跑到合资企业去能拿1000多块钱，这样搞下去的话，国营企业只有瓦解。对这个问题要很好地进行研究。我相信，只要我们能够很好地解决这两个问题，多利用外资来改造现有企业，就没有什么风险。

第三点，要研究逐步扩大债券和股票的发行，开辟一条筹集资金的渠道。关于这个问题，中央在关于十年规划和“八五”计划的建议讲了：继续鼓励居民储蓄，开办住房储蓄和住房信贷。逐步扩大债券和股票的发行，并且严格加强管理。同时提出，要继续进行租赁制、股份制等改革的试点。所以，我们这样做是符合中央精神的。现在老百姓手里的钱很多，拿上海来讲，去年年底储蓄的余额是250亿元，如果加上手持现金，恐怕要超过300亿元。这个钱我们直接拿来搞建设是搞不起的，因为这个资金的成本很高、利息很高。我们现在为什么要搞房改呢？就是通过房改利用这些储蓄资金，降低筹资的成本。因为卖公债，利息只有3.6%。但这究竟是有限的，我们只能搞一个煤气公债、一个住房公债，不能再搞了，再搞老百姓就有意见了。现在怎么搞？同志们在讨论中也提出，是不是让企业发行债券？也有同志提出发行股票。关于这个问题，国家体改委副主任刘鸿儒同志带了好几个专家，到上海来工作了一段时间。市政府在国家体改委的帮助下制定了一个逐步扩大股份制试点的方案，制定了51条管理的办法。我们准备有计划地、逐步地扩大一些股份制企业的试点，然后从中选择若干比较成熟的到证券交易所去上市。对这个试点，我们是非常慎重的。我们不准备几十个企业几十个企业地来试点，我们只准备几个企业几个企业地来试点，宁可慢一点，但是一定要好一点。上海的证券交易所是全国第一家，中央批准的，但是现在有危险，上市的股票太少，只有8种股票，发行额很少，真正发行个人股票只有6000万元，供不应求，这就会引起股票市场的波动。拿电真空公司的股票来讲，现在已经是1元股票卖到4元、5元了。如果我们不逐步扩大股份制企业的数量、上市股票的种类，游资没有出路，股票的投机就更厉害。所以我们认为，逐步地扩大一点股票的发行是有好处的。这没有什么很大的风险，只要我们加强管理就行了。这次在参加党的十三届七中全会时，我已经把市政府制定的这个法规和扩大股份制试点的计划，送给了陈锦华同志，请他转呈李鹏同志，批准我们来逐步实行，授权上海来试验。最近锦华同志有个电话来了，说李鹏同志现在委托李贵鲜同志到上海来，跟我们共同研究怎么样实行。所以市人民银行的同志还要抓紧，请贵鲜同志早一点来，早一点批准这个计划，早一点实行。这样反倒可以稳定证券市场，越是不搞，市场就越是稳定不了。深圳前一时期股票波动得很厉害，最近我们上海吸取他的经验教训，加强管理以后，情况还是比较好的。现在深圳的情况也还是稳住了，所以我看有计划、有步骤、有秩序地加强管理的试点，没有什么很大的风险。但是我们要采取非常慎重的态度，刚才我讲，搞一批试点，只能几个企业几个企业地搞，绝对不能一哄而起。

第四点，通过深化改革来改善企业的外部环境，减轻企业负担。现在企业负担还是非常沉重，各方面的摊派名目繁多，另外，各个部门对他经营自主权的限制也很多。我希望各个部门的同志在新的一年里都深入到大中型企业，去调查、分析这些问题，主动地提出改革方案，来减轻企业的负担和束缚。我把这种负担和束缚概括为“卡、拿、要”。一个是主管部门“卡”他。卡企业，没有必要。总以为自己去卡一下、管一下比较好，实际上不见得，这是费力不讨好，害人又害己，你也管不住的。你那个管法，增加了好多官僚主义的手续，层层审批增加了企业的负担，所以最好减少审批，加强监督，发现问题及时查处嘛！这样让企业能够有适当的经营自主权，把企业搞活。一个是“拿”，都到企业去摊派，包括我们各种名目繁多的学会、协会，还有文艺界，都到企业里去“拿”，美其名曰“赞助”，实际上是摊派，搞得企业负担很重。这里有的也是可以搞一些的，但是大家都得考虑一下企业的前途和命运。另外一个就是“要”，要企业搞这个、搞那个，多种评比、检查不胜其烦，形式主义花样很多，对企业经营管理没什么实际帮助。当然，有些是中央规定的，有些是国务院的有关部门规定的，我们不实行也不行。但属于我们自己职权范围里的事是不是应该少搞一点，或者不搞。有关部门规定的那些东西，我们搞得简单一点，别越搞越烦琐，劳民伤财。我想，这方面还是需要各部门去做文章。

第五点，深化企业内部经营机制的改革，挖掘企业内部的潜力。企业虽然很困难，但潜力也很大，大家都得承认这一点。我们上海也出现了很多的厂长，在同样的条件下带领企业走出了困境，克服了困难，搞得很好，效益很高。这个在报上经常有报道的，上海确实有一批这样的很有作为的企业家。他们能搞好，其他企业为什么搞不好呢？所以，我希望我们的厂长不要躺在国家的身上。一讲要搞活国营大中型企业、要冒风险，就什么都依赖国家，这样不好。还是要眼睛向内，挖掘自己的潜力。市财政局减免企业的税收也减免得不少了，但是有些企业减免税收后发高额奖金，这就不对了。你已经很困难了，国家的税收都给你减免了，那你就刻苦一点嘛。也有些厂长反映，上海抓廉政抓得太厉害，使他们搞不活。我对此有不同看法，我们不能跟外地的企业比这个东西，不能乱来，不能搞“小金库”，不能个人拿回扣。搞这种事是不行的。我们要在管理上拿出真功夫，拿这个跟人家比，我相信比得过他们，这些方面我们有优势，搞歪门邪道没有优势。我们在管理上面的真功夫、在技术上面的真功夫、在工人素质方面的真功夫，是完全可以克服我们的弱点，把企业搞活的。

关于上海旧城区改造的几点意见*

（1991年1月18日至2月26日）

一、旧城区改造要跳出原地拆建的老路子，确立“打到外线去，挺进大别山”的战略思想。

这次我跑了五个区，亲身感受到上海棚户区居民居住困难的情况和困难的程度，深感这个问题再不解决，就会严重影响群众的积极性。今年春节中央领导同志在上海视察工作时，勉励我们要把上海的工作搞得更好、更快、更大胆一些。现在哪一方面可以搞得更好、更快一点呢？我看是住宅建设。现在上海人的吃、穿、用都不成问题，就是住宅不行。怎样加快解决棚户区的住宅问题呢？我们通过调查，形成了一个“打到外线去，挺进大别山”的战略思想。实行这个战略思想，是从根本上改变上海旧城区面貌的唯一出路，也是最快、最好、最行之有效的解困举措。

上海住宅建设的“大别山”就在内环线两侧，特别是在浦东新区。各个区要先集中力量把自己的新区建设好，例如南市区、杨浦区都有

---

* 1991年1月18日、24日，2月1日、12日、26日，朱镕基同志率领上海市有关方面负责同志深入闸北、南市、普陀、杨浦、虹口五区调查棚户区改造问题，先后察看了这些区的居民新村和居住条件比较困难的棚户区，并听取了这些区负责同志的汇报。这是朱镕基同志在调查期间讲话的要点。

相当一块面积在浦东，要集中力量到浦东去成片建房，等到有了一批周转房后，一次性把棚户区居民搬出去。我们不要担心居民不肯搬出去。规划中的新住宅区都紧靠即将建设的快速高架内环线两侧，将来再建一条外环线，把住宅区都包在里面了，交通很方便，居民是愿意搬出去的。

在腾出的旧址上原则上不搞回搬，也不盖一般的居民住宅。棚户区拆掉后，第一，搞商业设施。像南市区是商业很发达的地区，靠地租差可以赚很多钱，这钱归到建房资金里去，就形成良性循环了。搞商业也不能像过去那样完全由国家包下来，应该叫个体户集资搞商业设施，标准要高。另外，大量的区属工业很困难，可以把他们调整过来搞商业，每个区都有商业特色、旅游景点的特色，把上海变成一个万商云集的地方。第二，搞土地批租。让外国人来盖房子，盖花园洋房，盖高楼。香港在 1997 年回归，很多香港人考虑叶落归根，台湾很多人也考虑要回大陆。所以就是土地价格高一点，也会有人要，总比台湾、香港要便宜多了。我们准备定个政策，批租土地的收入一半归市政府，一半归区里。实际上，我们赚的钱是地皮的钱，这也是积累住宅建设资金最好的办法。第三，也可以盖点高标准的商品房卖掉，一部分高收入的人还是买得起的，原来住在这里的人只要出得起钱也可以买。第四，要腾出地方搞点绿化。这样一搞，把市区面积充分利用，发挥它的效益，形成资金的良性循环。这是改造旧城区的最好办法。各区领导要好好研究怎么规划、怎么摆商业设施。市财贸办也要搞全市规划，发展有特色的商业设施。这样一片一片地改造十年、八年，上海的面貌就会大大改变。

二、旧城区改造要着眼于疏解，着力于改造，做到几个结合。

旧城区改造首先要与市容改造结合起来，特别是与整治上海几个重要“窗口”结合起来。一片一片地改造旧城区，首先要去改造最繁华、最容易被人看到、经济和社会效益最好的地方，如商业区、交通干线和车站等。其次，旧城区改造要与每个区搞一条特色商业街结合起来，这要作为一个专题研究。第三，旧城区改造要与工业搬迁、污染改造结合起来。工业搬迁、污染改造要优先考虑那些位于需要成片改造地区的工厂，把他们列入技术改造规划，有的要安排贴息贷款予以支持。

三、当前加快住房建设的中心问题是提前预征建房基地，并加快基础设施建设。

选建房基地的工作要很科学，浦东、浦西都得找。浦东好找一点，但浦西也不是没有，浦西要找拆迁量很小、离现有市政配套设施又很近、按照规划将来交通比较方便的地块作为建房基地。为此，需要征地1.2万到1.5万亩，目的是为了实现1993年一年能够竣工700万到800万平方米住宅。如果没有这个规模，这两三年内不形成一个住宅建设高潮，人民群众对党和政府、对房改还有什么信心呢？北京城区人口比上海少，但一年竣工住宅1000万平方米。所以，上海一年竣工800万平方米是做得到的，关键是思想认识和具体工作要跟上去。看看棚户区居民住房那样困难、解困解危的心情那样迫切，我们还能按部就班慢慢来吗？作为领导干部，我们每办一件事情，就要让老百姓对党和政府建立一次信心。

吸取以往的教训，住宅基地要先把基础设施建设搞好，这样后两年盖房的速度就会大大加快。1993年要开工和竣工的800万平方米住宅基地的基础设施建设，今明两年就要预先搞好。为此，要把几个市一级的房屋开发公司改成基础设施建设公司。要求明年年底完成这些住宅基地的基础设施建设，1993年施工队伍就能开进去大规模建房。这样建设速度就可以大大加快。

四、加快住宅建设，在体制上有几个问题需要解决。

第一，市、区要明确分工，各有侧重。今后，市一级施工力量要逐步转向搞基础设施建设，区一级施工力量逐步转向建房。市建委的工作重点要放在通盘规划、搞基础设施配套上。市建委在划地给区里建房时，就要考虑把大市政配套设施跟上。为此，区规划机构要把规划做好，与市政工程局密切联系，搞好衔接。每个区的领导同志都要亲自过问住宅区建设的规划问题和住宅设计问题。要学习上海县马桥乡旗忠村的办法，在一个住宅建设区内，先搞一批各种设计型号的样板房，组织群众参观、挑选，然后再去建设。

第二，条块要结合，逐步增加以块为主的比重。住宅建设采取以块为主的做法看来比较合理、比较科学，但现实情况是条条手里有钱，而且各条条的建房机构比较完备。为此，要采取一些合乎经济规律的办法，吸引条条同块块搞合作，充分调动条块两个积极性。市建委可以考虑采取一些宏观调控的措施，例如少分点地皮和建房周转金贷款给条条，多分一点给区里，让区里把房子盖好以后，发动企业去向区里买房子。当然，区里也不要敲条条的竹杠。如果区里盖的房子比条条自己盖的还便宜，质量又好，条条就会把建房的重点放到区里来了。

第三，建房审批手续要简化。过去盖房时间长，一个重要原因是审批手续太繁杂，“条条专政”太厉害。其实一些条条大事办不了，小事何必卡得那么紧？98个图章必须结束了。今后就是吴祥明[1]、沈冠军[2]、桑荣林[3]几个人到现场联合办公、当场批，我来签字，大刀阔斧地把那些繁杂的手续、图章砍掉，用革命性的办法来加快住房建设。

---

〔1〕 吴祥明，当时任上海市建设委员会代主任。

〔2〕 沈冠军，当时任上海市建设委员会副秘书长。

〔3〕 桑荣林，当时任上海市房产管理局局长。

1991年1月18日，朱镕基在上海市闸北区考察苏家巷棚户区。

第四，要选一批党性很强的同志来办这件事。这些人要一心一意为人民谋利益，为子孙后代造福，而不能趁机以权谋私，甚至干出伤天害理的事情。过去有的区出现过这样的情况，要从中吸取教训，防微杜渐。

五、加快住房建设，资金是关键问题。

我们要充分估计到棚户区居民解决住房困难的迫切心情，充分估计到他们的承受能力。从五个区实地调查的情况来看，棚户区居民对解决住宅问题的承受能力大大超过房改方案，他们愿意自己出钱集资建房。我们要认真总结这几个区发动群众联建互助的经验，把办法搞得更加完善一点，包括棚户区的拆迁法规也要抓紧搞好。这样，我们在房改基金之外，又可以增加一块棚户区居民集资建房的资金。

为了多积累资金，区政府要发展经济，使投资形成良性循环。你们提出“三个一点”的集资办法，即区政府、企业、个人各拿一点，我看再加一点，市政府也拿一点，主要是贴息，变成“四个一点”的办法。今后市政府在这方面的责任，就是负责提供贴息贷款，支持和鼓励各区的积极性。

今年，市财政准备拿出2.5亿元，交给建设银行，建设银行按一比二的比例发放建房贴息贷款5亿元，作为住宅建设征地周转金和建设资金。市里用于建房的贴息贷款要统一平衡，重点是帮助解困。旧城区改造要尽量利用级差地租的效益，求得资金平衡。

在中共上海市纪委全体扩大会议上的讲话*

（1991年1月24日）

这次市纪委全会扩大会根据党的十三届七中全会和市委五届十一次会议的精神开了三天，开得很好。我来和大家讲话，就是来支持市纪委的工作，表示市委的态度，和大家交交心。我任市委书记后第一站是到市纪委来。这一段时间，市纪委对端正党风、惩治腐败、提高党员素质做了很多工作，我认为应该再一次对市纪委、对纪检战线上的各级干部表示感谢！也代表市委再次表示支持！我和第一次来市纪委时的态度一样，我本人始终是纪检工作的后盾，绝对不会拿原则做交易。纪检工作中如果发生了什么问题，责任由我承担，那都是我们指导工作的偏差，不是同志们的问题。你们的工作很努力、很辛苦、很负责，我们始终支持你们的工作。下面讲几点意见：

一、未来的十年是关键的十年，任务既艰巨又迫切。

这十年如果再不能解决把社会主义经济建设搞上去的问题，不能完成我们党第二阶段的战略任务，那么社会主义的优越性就不能体现，我们会处于被动的地位。所以在九十年代开始的一年，就要给人

---

* 这是朱镕基同志在中共上海市纪律检查委员会全体扩大会议上讲话的主要部分。

们树立这样一个信心，能把这个任务完成。对上海来讲，我们一定要实现“振兴上海，开发浦东，服务全国，面向世界”的战略目标。不完成这个任务，上海也难以稳定。

最近我去了闸北区，今天上午到南市区，都去看了棚户区。到闸北区在车站大楼上看，到南市区在招待所大楼上看，上海的棚户区改造任务太艰巨了。普陀区、虹口区、杨浦区的棚户区也不少。我两次到棚户区看，老百姓确实是苦。棚户区住的都是普通职工，有些是模范职工。今天我们去了被评为“全国十佳老人”的一位老人家里，这位老人93岁了，住的条件差极了，危房、阁楼，头顶天花板，阁楼爬上爬下。棚户区里面人山人海，我一进去，人都出来了，但没有一个老百姓指着我鼻子说要我解决一下问题。上海的老百姓是顾全大局的，反倒认为市长来看他们是关心他们的，说现在什么都不缺，什么都不要，就要房子。所以，要解决上海人民的生活问题是非常艰巨的。面对这样一个任务，我觉得我们党应该有信心、有能力，一定要完成这个任务。要完成这样一个艰巨任务，必须有一个有战斗力的党。如果我们不深入联系群众，代表群众，全心全意为人民服务，这个任务就完不成。我们党一定要站在最前线，密切地联系群众，跟人民同呼吸、共命运，时时刻刻了解他们的脉搏和意愿，身先士卒，带领群众前进。一定要这样，我们也一定能够这样。但是，要建设这样一个有战斗力的党，必须有一个好的、铁面无私的纪律检查委员会。我今天讲话没什么新的观点，就讲这么一个观点：要完成本世纪最后关键十年的艰巨任务，必须有一个好的、有战斗力的党；要建设这样的党，就必须有一个好的、铁面无私的纪律检查委员会。

为什么这么讲？当前我们在肯定抓党风、促廉政取得成绩的同时，必须看到我们党存在的种种问题是相当严重的。舟山渔民到上海来卖鱼、虾，要层层“进贡”，要过几道关卡，经过港监、水上派出

1991 年 1 月 24 日，朱镕基到上海市南市区棚户区居民家慰问。左一为副市长倪天增，左二为南市区区长顾启良，右三为副市长庄晓天。

所、渔政管理所、加油站，都得送“外烟”，没有就得把鱼、虾扣下。最近，市人大常委调查菜场，菜场里面的问题到了相当严重和相当普遍的程度，这样搞下去怎么得了？这些单位都有我们的党支部，党员占相当的比例，但贪污受贿成风、坑害顾客成风。现在贪污受贿案件越来越多、越来越大，过去是几千元、几万元，现在是几十万元。最近发生的经济要案涉案金额越来越大，比去年成倍地增长。有三个区是相当出格的了。闸北区一个物资部门被人家坑骗了1500多万元，收不回来了。虹口区建房办公室到一个乡镇企业订货，明明已经倒闭了，还把几百万元汇出去。南市区去年拆了棚户区几千户的房子，集资1200多万元借给外地的乡镇企业，房子盖不起来，钱也没有了。这些住户投亲靠友，五六年都回不来。这是渎职，严重的官僚主义。看起来这是不负责任，实际上是犯法，是对人民犯罪，这都是人民的血汗钱。以权谋私、动用公款，这种事例多得不得了。这次查了农村建房，这里面问题也相当严重，开除了好几个人的党籍。城市突击分房，报上公布了一个例子。现在我们有些干部经不起考验，但群众的眼睛是雪亮的，干部的一举一动，群众都看得清清楚楚。我每年收到人民来信4万多封，没有减少，说明人民群众对党还是有信心，不然就不写信了。写信就因为我们有个纪律检查委员会，还有个监察局在那里。另外，有些党员干部革命意志衰退相当严重，有的局一级领导干部，乱搞男女关系，还有什么心思搞工作？这些都说明，我们党在新的形势下，党员的素质存在着严重的问题。

党内有问题不可怕，党总是要新陈代谢，要纯洁自己的队伍，这样，我们党才能发展、前进。可怕的是资产阶级庸俗作风在腐蚀我们党，讲情面，拉关系，“与其种刺，不如种花”。40多岁的人想着怎样上去，能为自己说好话的人多一些好；50多岁的考虑自己要下来了，何必得罪人呢，为自己谋一个后路。这种作风传染到我们的同志身上、领导干部身上，这个党就好不了。很多事情在一开始的时候就要注意，可我们被这种庸俗的作风耽误了。我不知道各大口、各区的党委民主生活会开得怎样，是不是认真地开展了批评与自我批评。我反思自己做得不好，不是说我做好了坐在这里批评你们。一年过不了几次党内小组生活，过去我在市政府研究室过党内生活，参加过几次。市委常委民主生活会，中纪委规定，一年必须有一次，我们是开了，还是认真的。事前委托市纪委广泛征求意见，然后，我找市委常委一个个谈心，最后召开市委常委的民主生活会，相互提意见。上次会我们开得很好，有很多同志尖锐地给我提意见、提批评。这种民主生活会一年只有一次，太少了。我不知道你们怎样。市纪委有过一个报告，说一般开一次是有保证的。我现在越来越感到，平常的批评与自我批评很重要。最近，我准备找区委书记、大口党委书记、县委书记谈谈心，今年起码有一次。应当经常开展批评与自我批评，不然的话，大家不愿意提意见，不愿伤面子，许多干部陷进去不能自拔。现在有人民来信，无论是涉及哪一个领导干部，我们都要交市纪委查处。也可能没有来信说的那些事，一般道听途说的比较多，但有不少是确有其事，只是程度不同而已，诬陷、诬告的还没有发现。有一点要讲清楚，就是如果市纪委、本单位纪委在调查你的问题，你不要对党有任何不满的情绪，这也是组织原则。不论告的是哪一个同志，是市长也好，局长、处长也好，既然有人检举揭发，就要调查了解，查完了没事就没事，每个人都要胸怀坦荡，不必计较。有时我也知道是一件小事，没有什么大问题，但还是要告诉他本人，让他自己提高警惕，严格要求自己。我们各级党组织，不管是党委领导，还是纪委领导，都要建立党的正常生活制度，不要讲情面，严格的要求是爱护和帮助。因此，我希望市纪委和各级纪委能根据党的战略任务、上海的战略任务，把我们的党建设好，把我们的纪律检查委员会建设好，保证经济建设、发展规划的实现。一定要从我们的队伍里清除庸俗、腐败的作风。刚才听说，去年全市共处分党员近2900人，占党员总数的2.8‰，说明党存在的问题相当多。但是根据市纪委的检查，处理过轻的还有相当大的比例。比如贪污受贿，在3000元至6000元的，有40多人没有开除党籍。一般3000元以上就要刑事处分了，贪污受贿6000元的还留在党内，这值得考虑了。还是要从严治党。我不是提倡处理过头，现在绝不是过分的问题，而是处理太轻，纪律松弛，已经不大害怕了。

疏浚黄浦江的挖泥船，挖了泥，本该送到长江口以外去的，但1万多立方米挖了以后就倒在长江主航道旁边。怎么处分的呢？罚那船2000元，对船长没任何处罚，这能解决什么问题？我感到我们的物价局、工商管理局、公安局，以罚代法，罚得很轻，没人害怕。我想我们市纪委要坚持原则。在这样的环境里，如果我们不硬着头皮，从严治党，我们党就会慢慢地在群众中丧失威信，非常可怕。我们作为一个党员把一生交给了党，在这时候确实要下决心，坚持原则，在原则面前不动摇，不怕得罪人，这样才能使我们党恢复原来在人民群众中的光辉形象。

二、继续抓好廉政建设，纠正行业不正之风。

很多同志提出，对廉政建设不要自我感觉良好，不要估计过高；问题还是很严重的，对存在的问题不能估计过低。特别是行业不正之风相当厉害，今年要突破一下菜场。今天我给各区的领导同志打招呼，菜场整顿的主要责任在各区。请你们从各机关抽调比较得力的人，把主要的菜场整顿好，年底进行评比，领导同志亲自动手。我们市里面也派人帮助，市人大常委会要抽人出来帮助。现在商业系统的服务态度老是突破不了，好像顽症，顾客来了不给好脸看。出租汽车那么难以监督也能搞好，为什么菜场就不能搞好？关键是你有没有决心。这可是牵动千家万户，服务态度好了，影响很大，同时也为今后的改革打下基础。再好的体制、再好的改革，队伍不行也难以成功。上海有几个行业整顿得不错，大楼的电梯服务这两年是有所改进的，群众觉得是好的；公共汽车不如出租汽车，但也有点进步；市煤气公司、自来水公司比过去稍微好一点，都还是有进步的。所以只要领导亲自去抓，都还是可以搞好的。要恢复到五十年代的党风、社会风气，大家都重视，那就好办了。菜场究竟怎么抓好，我们还要具体化。各区要讨论、研究一下这项工作。国营企业垄断起来以后，腐败比个体企业还厉害。比如菜场，如果党支部失掉战斗力，整个菜场就都腐败了。是不是把区属工业调整搞些商业设施，发展一点个体经济。市工商局加强管理，工商局的人进菜场，进商业网点，天天监督，接受人民群众投诉，重罚也可以。个体户有一个竞争的机制，弄虚作假、短斤少两搞久了就没人光顾了。希望纪检部门围绕这几个方面开展工作。

三、建设一支好的、铁面无私的纪律检查队伍。

要加强自身的建设，建设一支党性强、自身硬、能战斗的纪检队伍。上海的纪检队伍是好的，是经过1989年政治风波考验的一支队伍。纪检干部在政治上、思想上、行动上与党中央是保持一致的，立场坚定、旗帜鲜明。从党的十三届四中全会以后，纪律检查队伍在抓党风、促廉政方面做了很好的贡献。

今后要继续重视这支队伍的建设。一是要党性强。如果纪检干部党性不强，是很危险的。纪检干部在党性原则上应毫不含糊，什么事都要讲党性原则。纪委坚持了党性，事就好办了。二是要自身硬。打铁先要自己硬，这一点，市纪委还是不错的。纪检干部确实是两袖清风、一身正气，基本上是做到的。我也接到人民来信反映纪委干部的问题，查了一下，基本上没有什么出格的事情。我们纪检机关的干部应以自己两袖清风感到光荣。奖金少一点，物质利益少一点，但看作是光荣，党就有希望。这样想想，自己也可以得到一点安慰。最大的幸福就是人民群众把希望寄托在你的身上，这就无愧于做一名共产党员。三是能战斗。关键是掌握好政策，发挥政策威力。自己的政策、思想水平要提高。你坚持原则是很重要的，但过分了会起反作用，往往做得过分容易，做得恰如其分不容易。现在主要倾向不是过头，主要倾向是松，是纪律松弛，处理时总是下不了手。现在还是要强调从严，但也不要太过分。对一个案子要反复推敲，要对人极端地负责任。掌握政策还有一个很重要的事，就是要深入群众，重视人民来信来访工作。三年来，我是很重视信访工作的，每天不断批人民来信，当然不可能每封都批，有专门的人负责催办，每封信都有着落。现在有人反映，有些问题非要到我这里来批才能解决，这怎么得了？这里有两方面的道理：有些问题确实不是我批就解决不了，这里有责任的问题，没有主要领导做决定，下面的人不好办；另一方面，有些事不需要我来批，各级领导自己负责，大家分担一点。有些是条条块块的矛盾，要耐心协调，不行再向上反映。

不克服官僚主义，上海没有前途*

（1991年1月31日）

此文可称“官僚主义大全”，呜呼上海，不改革，要完蛋。请送与“黑箱”有关的所有人员看看（如有一万人，就印一万份，市政府出钱），议论一下，看这样下去，浦东能否开发，上海有无前途，然后请叶龙蜚〔1〕、杨昌基〔2〕同志拿起大斧来砍。我希望不要一砍又要砍几年，成为另一个“黑箱”。我只提一句忠告，我们为什么要自己跟自己过不去呢?!

朱镕基

1.31

---

* 1991年1月12日，中共上海市委研究室《内部资料》增刊总第1期上发表了调查报告《对“投资黑箱”的初步剖析与若干建议》。“投资黑箱”是上海市一些外国投资商对投资项目批准后，申请项目基本建设开工这一漫长而复杂过程的描述。报告以大量资料列举了外商在这一阶段中需通过上百个关卡，盖上百个图章；剖析了“投资黑箱”内涵及消极影响，分析了其特点和成因，并提出了规范化、公开化、变“黑箱”为“明箱”等九条改进建议。这是朱镕基同志在该报告上的批语。

〔1〕 叶龙蜚，当时任上海市对外经济贸易委员会副主任兼外国投资工作委员会副主任。

〔2〕 杨昌基，当时任上海市浦东开发领导小组常务副组长兼浦东开发办公室主任。

此文可称"官僚主义大全"，呜呼上海，不改革要完蛋。请送与"黑箱"有关的所有人员看看（如有一万人，我们印一万份，市政府出钱），议论一下，看这样下去，浦东能否开发，上海有无前途，然后请叶龙蜚、杨昌基同志拿起大斧来砍。我希望不要一砍又要砍几年，成为另一个"黑箱"。我只提一句忠告，我们为什么要自己跟自己过不去呢?!

朱镕基

1.31.

内部资料

增刊 总第 1 期（经济第 1 期）

中共上海市委研究室编 1991 年 1 月 12 日

·调查报告·

对"投资黑箱"的初步剖析与若干建议

关于做好干部工作的四点意见 *

（1991 年 3 月 9 日）

这几天和同志们一起学习、讨论，与几个同志个别谈话，我有一些感受。下面讲四个问题：

第一个问题，干部的培训和选拔、考核。我在学习班开学时讲过，中央对上海的期望是很高的。小平同志在上海期间，要求我们要把上海的工作搞得更快、更好、更大胆一些。回顾这几年，主要在泽民同志直接领导下，上海的工作进展不错，形势很好。尽管有困难，但也有对策。现在看来，上海工作搞得更快、更好、更大胆的关键在干部，干部是决定因素。上海干部队伍的思想水平、领导水平，特别是宏观管理水平，还不适应发展的要求。现在，我们做党的工作，要将重点转到干部培训、选拔、考核工作上来。我们已经抓晚了，如果现在还不抓，将来会后悔，而且会对工作造成不可弥补的损失。上海人很聪明，会打小算盘，把自己的小家庭经营得非常好，但房子外面不管；很能干，但善于扯皮，一说别人的毛病头头是道，对自己不严格要求，力量都抵消了，像一筐螃蟹，你咬住我，我咬住你，谁也走

---

* 这是朱镕基同志在中共上海市委党校第一期区县委书记和大口党委书记研究班结业式上的讲话。

不动。现在我们虽然还没那么严重，但你抓我一下，我抓你一下，反正是走得慢了。为什么我们引进外资、利用外资不如广东、福建、大连、青岛，甚至不如其他一些兄弟省市？就是126个图章把你拴住了。一个图章盖不上，项目就引进不了。加上好多人事关系，互不服气，效率很低，好多事被耽误了。总之，要把上海的工作搞好，必须抓好干部工作。在座的很多同志快到退休年龄了，谁来接我们的班，我们心中要有数。我们的干部应该是既有坚定的马克思主义立场，又掌握唯物辩证的工作方法、思想方法，思想解放，熟悉业务，勇于开拓，能独立负责，大胆决策。我希望同志们这次学习回去后，要将干部的培训、选拔、考核作为重要一环抓起来。

我们搞改革开放，要努力学习和吸收外国的先进技术、科学管理经验。要建设一个有中国特色的社会主义经济体系，就要把人类历史几千年，包括资本主义发展几百年来所有优秀的东西都吸收过来，为社会主义所用。我感到就是公有制这一条绝对不能变，其他经济形式都可以根据我们的需要来鉴别和选择。坚持公有制，就能防止贫富悬殊，防止产生两极分化。我们作为领导干部，要进一步把社会主义制度的优越性体现出来，就要有一点魄力，敢于去探索。在探索的过程中要准备失败，失败了也不要紧。

今后十年是关键的十年。我们的经济如果能蓬勃地发展，各项制度都上轨道，形成一套有中国特色的社会主义经济体系，那么我们社会主义就稳住了，下世纪就可以较快地发展。要做到这一点，就要学习。我们说要有魄力，要有开拓精神，都要基于你懂。你无知、不懂，哪儿来的开拓？我现在还有很多东西不懂，到处去听，到处去问，和人家谈话、向人家学习。

1988年我到上海工作时，就提出干部培训问题，要求把全市干部培训的问题统一起来，但三年来这件事始终没有什么成果。现在要把这件事再抓起来，我要石涛[1]同志开100个局级干部的名单给我，要40岁上下的。我们如果能在五年、十年之内培养100个企业家，上海的经济就有希望了。上海要成为一个改革开放的国际性城市，就必须培养一批企业家。另外，也要培养一批专门和外国人打交道的人。上海要利用外资、吸引外商，就要有懂得这一套的人。我们还必须有一批熟悉市政管理的人，了解世界上主要大城市的问题是什么、是怎么解决的。要有这个知识，懂得市政管理。现在上海的管理水平太低，譬如垃圾的处理，就是大学问。一个大城市的管理，都是有一套办法的，要真正地去钻研这门学问。

当然，最重要的是党的领导干部。我们要培养一批高瞻远瞩、有比较高的马克思主义水平、能够看出问题、保证社会主义永不变色的人。我今天在学雷锋会[2]上讲，我们既要高举改革开放的大旗，又要坚持四项基本原则，防止资本主义的和平演变。总之，要有掌握全局的人，不然的话，上海要是走歪了，就不得了。我们当党委书记的人，脑子里要有一根弦。

今天我提出这个问题，希望大家共同研究一下，应该如何培养、选拔、考核干部？要用什么标准？有人说，八十年代初选拔干部，着重选拔了一些出身好、老老实实听党话的人，这样选拔出来的干部开拓性比较差一点；现在选拔干部又太看重业务，不重视品德。考核干部，还要敢于开展批评。我们现在领导干部之间缺少一点批评和自我批评的精神，抹不开面子。我们对干部还是要严，现在帮他一把，免得他日后犯错误。

第二个问题，如何精简机构，将重点放到基层，提高办事效率。

---

〔1〕 石涛，当时任上海市人事局局长。

〔2〕 学雷锋会，指1991年3月8日至9日召开的上海民兵为民服务、南京路民兵为民服务十年总结表彰大会。

1991 年 3 月 9 日，朱镕基和市委副书记倪鸿福，中国人民解放军总政治部副主任于永波，南京军区副政委裴九洲，市委常委、上海警备区司令员徐文义及政委朱晓初到上海市南京路看望并慰问坚持十年为民服务的上海民兵。

这次大家都谈到，我们有一个共同的认识：政府机关过于庞大，效率很低，相互牵扯，把精力都消磨掉了。看来，政府机关非精简不行。精简方向是减少条条，增强块块。对条条，根据情况“拆庙”、减人、放权，这样使块块里有更高素质的干部队伍去完成为人民办实事的工作。政府无非是办两件事：一是把经济搞上去；二是把市政建设搞上去，为老百姓排忧解难。经济如何搞上去？要靠企业。企业要靠自主经营、自负盈亏、自我积累、自我改造，光坐在上面指挥是绝对搞不好的。我们在宏观方面掌握要稳，一切微观决策的责任都要交给企业。为人民办实事，就是要靠区县，区县接近群众，了解群众的疾苦，掌握群众的情绪，能把事情办得多快好省。那天我去看菜场，几百人围在外面，有几个人在里面拉住我，又哭又说的。他们生活上有极大的困难，无处投诉，没有人帮他们解决问题，好像我市长一句话，什么都能解决。这些事，如果我们的街道关心群众的疾苦，解决了多好，何必要到我们这里来！人民群众对我们共产党是信任的，是有血肉感情的，问题是你如何帮他们办实事。现在这个机制，想办事的人办不了，能办事的人不办事。怎么办？我看，将来什么环卫、环保、上下水道管理等统统都得下放到区里。发送电力搞不了，供电可以管，不然连路灯都不亮了。路灯不亮，我说了好多遍，谁听你的？他不害怕，他想你总不能为了路灯不亮，把我电力局长撤了。当然，把这些工作下放到区里，也要加强干部队伍建设，提高干部的素质。现在就区里这个力量，什么权力都下放给他，也会出很多问题，因此，不调一批干部到区里不行。看来，上海要真正解放思想，改革走在前面，把工作飞跃地推向前进，必须改革体制，这个任务一定要提出来。

有的同志向我建议，说现在正是调整行政区划的一个最好时机，把上海的行政区划搞少一点，分区分少一点。有的同志甚至提出搞城乡一体化。这个问题不是不可以考虑，如果将 12 个区、9 个县共 21 个单位合并成 10 个单位，甚至再少一点，有一定的好处。浦东 350 平方公里，一个行政区。但这种合并一定是成建制的合并，不要再调整区县之间的边界，原来是这个县的，统统合到那个区去，干部好安排，扯皮的事情也可以减少。现在研究这个问题时机正好，1993 年换届时一次性解决，免得以后把这 6 套班子统统配齐了，你再调整，人往哪儿安排？因此，政府机构精简，既有必要性，又有可能性。必要性是现在抵消力量大；可能性是政府放松对企业的束缚，企业独立经营，组织集团，政府机关的经济管理职能大大减少。条条向块块放权，管理职能交给区里，有些要市里统一管理的还是要保留，但很多的职能可以下放，加上行政区划的调整，市级机关可以精简。根据过去的经验，每精简一次过后，机构反而更加膨胀。如果要真正收到实效，就要有充分的准备，不能仓促从事。从现在开始的三年，是上海的关键时期。方针定了，基础设施建设的钱也投下去了，这三年的工作做好了，上海今后十年发展的格局就定下来了。所以，不能让机构改革的工作干扰了我们在三年内集中力量把上海的经济建设和市政建设搞上去。我想，精简机构这件事情三年内还是不动，但要做好这个准备工作。到 1993 年换届时，机构、人员、干部一起搞。那时的形势更好，人心较顺，干起来也较方便。当然，在这三年里也不可能一点不动，因为三年里干这么大的事，如果还是 126 个图章怎么受得了？要做一些必要的调整，但是不搞大规模的调整，以免搞得人心惶惶，还是要稳定，一心一意去搞建设。为了使机构改革、干部选拔、人员调整有条理地进行，我建议委托吴邦国同志抓这件事。在这一两年里，集中力量把这个问题研究一下，怎么改革机构、怎么调配干部，要组织一批智囊来研究。

对同志们来讲，你们多数人年龄快要到线了，但绝对不要以为"船到码头车到站"，我今天讲话最重要的就是这句话。上海能不能振兴、今后的工作能不能开创出新局面，就在于这三年，也就在于你们。你们一定要奋发图强，绝对不要以为自己年龄差不多了，都在想将来自己的出路。你们的出路由组织上来考虑，你们自己不要想。集中力量把这三年的工作搞好，这是有决定性意义的。因为这三年，我们要进行大规模的基础设施建设，要进行一系列关系到国计民生和经济发展的改革，要有很大的魄力才能进行这些改革。我希望同志们要鼓起劲来。当你们有一天离退休时，上海人民不会忘记你们。

第三个问题，谈谈工作方法。我现在感到干部越来越脱离群众，这不是怪干部，是我们这一套工作程序、工作方法、机构、体制把人都拴死了，一天到晚开会，一天到晚发文件。文件发得很多，好多人没有好好看过。我要把送给我的文件全看过，什么事情都不要干了。我这个人又喜欢看东西，还老要翻一翻，所以累得要死。我不是说不要掌握情况，而是要到下面去体察民情，了解真实情况。特别是对区一级的工作，我希望你们第一把手带头，摆脱事务，深入基层，沉下去，到群众里去。这样，你们才知道这个区的工作怎么抓？重点抓什么？如何抓上去？我们提出这个办法、政策，群众会有什么反映？我们既不要犯急性病，更不要犯慢性病。上海现在急性病不太多，慢性病是常发，领导落后于群众的觉悟。

我们怎么带头摆脱一些事务，深入基层，深入群众？空谈误国，空谈恐怕还少些，但清谈不少，清谈也误国。成天开会，什么事情也办不了。我们有的区长主持开会，一讲话三个小时，从主持会议第一句话讲起一直讲到散会，这个习惯要改。哪里有这么多话要讲？第一次肯定可以讲这么多，还有不少新的内容，第二次我相信你有 20% 是重复的，再讲第三次肯定有一半是重复的，干吗要浪费大家时间？尽是自己讲话，怎么能听别人的不同意见呢？我们的区委书记、区长要带头少讲话，多干实事。

区委书记当然要抓党风，抓党的建设，抓思想政治工作，这些工作都要落到实处。一些重大的经济建设问题，区委书记也是要抓的。比如，为人民办实事，就是一个重大问题，这关系到人民群众的利益。当前，如何使干部适应形势的发展，你们也要抓一抓，要结合具体事例来抓。首先，如住宅建设这件事我去抓，你们是不是也可以抓一抓？这个抓，不是代替区长去抓，你们要去调查研究，体察民情，了解各方面关系的平衡、矛盾的交叉，最后给区长提出一些比较切实的原则性意见，让他去组织实施。这着棋是很重要的，因为你把全区的困难户都摸清楚了，然后对这个区有多大的财力，人民群众有多高的积极性，经过我们的工作可以搞到什么程度、开辟哪几个新区、在几年里改造到什么样的情况，怎样把腾出来的地方成片改造成商业区、步行街或者商品房，做一些深入的调查研究，坚持不懈地把这件事抓实了，不但联系了群众，而且繁荣了经济，整个区都活了。我认为这着棋是调动人民积极性、为人民办的最大的实事，也是繁荣经济的重要的一着棋，走对了，老百姓满意，子孙后代得益。其次，对于以菜场为代表的关系人民生活的迫切需要解决的问题，大家要去做调查研究，一个个地解决。区委书记带头解决一个，区政府就会举一反三。千万不要认为体制还没有改革，权力没有下放，既无权又无利，什么事也办不了，就无所作为。只要你们过问，总还是可以办不少事的。这种实事办得越多，上海就越稳定，人民群众的情绪就越高，对完成三年的转折大有好处。现在人心较顺，人们迫切想改变现状，人心可用。我们要更加深入群众，把劲鼓起来，我看工作会搞得更好。

第四个问题，如何当第一把手。上海各级领导班子，包括区这一级的领导班子，党政一把手的关系基本上是好的，是团结的。但据我了解，你们区委书记和区长多多少少有点矛盾。有一种情况，区长是区委书记培养下带出来的，矛盾不太大；另外一种情况，两个人的资历、经验、水平差不多，这就难免产生矛盾；还有一种情况，是从外面调进来的，彼此不了解，更是有点问题了。这个问题值得注意。党内的团结，最重要的还是领导班子的团结，其中最重要的是党政一把手的团结。如何搞好党政一把手的团结？我觉得关键的一条是书记要主动把责任担当起来。党政一把手的团结，责任在书记。我们大家要统一这个认识。作为第一把手，应该严格要求自己。如果我们总是将团结的责任放在自己身上，这个班子就会团结得更好。

为什么会引起一些问题呢？往往是由于个人的经历不一样，经验不一样，因此对工作的看法就会不一样。有几个区委书记是从区长上去的，对后来的区长的缺点看得特别清楚，往往觉得自己可以干得更好一点。你要帮助区长，也要讲点艺术，不要让人家难堪，感到是在教训他。也不必什么事情都去指点，还是放手让他工作，这样才能锻炼人。我这样讲，并不是说我搞得好。我是搞经济工作出身的，许多事情都管得很具体，这就是我的一个缺点。靠一个人，再有本事也搞不好。我一天最多时看上百份文件，批了 92 件，管得很具体。你解决了 92 件，上海还有 92 万件。现在，我就想得开一点了，尽量少批，除了我非批不可的才批。现在我明确一条，我是市长，但屁股坐在市委，市政府那边黄菊同志没有表态，你不要送到我这里来。黄菊同志表态了，我就画圈。错了，他好吸取教训，总结经验。但有些事情我认为是重大的，必须参与。比如住宅建设，我觉得我不去下这个决心，别人都很难下这个决心，当仁不让。因此，我花了很多时间到各个区跑，听大家的意见。每当要决策时，必须把黄菊同志请来。重大事情，拿到市委常委会上讨论，不要个人决定，要发挥集体的智慧，包括老同志。泽民同志这点做得很好，大事都在市委常委会上定，包括冷轧薄板工程。但他非常信任我，放手让我去工作。我们都应该学习泽民同志的工作方法，气量大一点，特别是大家应该从全局的利益出发。今后三年，是振兴上海关键的三年，上海的工作搞得好不好，与我们在座的第一把手有重要的关系。同志们一定要有高度的责任感，胸怀坦荡，气量宏大，勇于负责，严于律己，把整个班子团结起来，拧成一股绳，把工作做得更好。

对于领导班子中的问题和缺点，要进行诚恳耐心的帮助，可以进行个别谈心。我们应该根据党的原则，满怀热情地对同志进行帮助。通过批评和自我批评，一个热情，一个诚恳，总是可以得到谅解的。我想，大家只要以诚相见，不搞权术，同志之间的关系是会处理得好的。

改革开放是上海发展的动力*

（1991 年 3 月 13 日、15 日）

改革开放是上海发展的动力。我们改革的目标是要在本世纪末以前，按照发展社会主义有计划商品经济的要求，把中国创造的计划经济与市场调节相结合的运行机制具体化。我们已经进行了十年多的改革开放，取得了很大成绩。今后要在这个基础上继续深化改革。

首先，住房制度改革。

住房制度改革的目的是要实现住房商品化。过去市民住房都由国家（包括国营企业）全部包下来建设，而且无偿分配，租金很低。上海住房制度改革的第一步，就是要把住房完全由政府和企业包下来改变为由政府、企业、个人共同建设。目前还不能一下子实现住房商品化，因为我们不能把工资水平提高到市民都拥有买房的能力。所以，第一步改革只能采取居民交住房公积金、买住宅建设债券的办法筹集一部分建房资金；对于收入水平比较高的人，也可以把房子便宜一点卖给他，用这个办法可以筹集到三分之一的住房建设资金。随着居民生活水平的提高，公积金的提成比例还将增加，逐步达到更多的

---

* 这是朱镕基同志在 1991 年 3 月 13 日会见世界银行高级副行长托尔维兹，3 月 15 日接受美国《新闻周刊》记者、日本广播协会（NHK）记者采访，介绍上海改革进展情况时谈话的要点。

建房资金由个人承担，最终实现住房商品化。这个改革方案经过全体市民的讨论，得到了绝大多数市民的拥护。这是很重要的，因为改革首先要使人们的传统观念有转变。

虽然住房制度改革的方案经过国务院批准后从 5 月 1 日开始实行，但我们已经有能力进行较大规模的住房建设。上海去年竣工住房 420 万平方米，预计今年可达到竣工 500 万平方米，明年竣工 500 万至 600 万平方米，后年竣工 700 万至 800 万平方米。这样，上海市民的住房状况会得到很大改善。

这次改革在上海经济发展的历史上具有重大的意义。从未有过一次改革像住房制度改革这样经过市民如此广泛的讨论，而且深入人心，这是很不容易的。我们从中也得到一条经验，即改革要求人民在利益上做出一点牺牲，但只要像住房制度改革方案这样，交给他们讨论，当他们看到实行这项改革可以加快住房建设进度，同时也可以改变住房分配不公，符合人民的长远利益，绝大部分人就接受了，要他们多拿一点钱也愿意。

最近，我和分管城市建设的负责人一起去看了部分居民住的地方，愈加体会到，住房问题是上海市民最大的困难，因此实行住房制度改革并加快住房建设是最得人心、最受市民欢迎的一件事。

第二，金融体制改革。

搞活金融是开发浦东的最重要条件。去年 12 月份，上海开设了中国第一家联合证券交易所。在这之前上海已经开始有证券交易，但成立交易所以后，使证券交易更规范化，交易量也有增加。另外，上海原来有 4 家外资银行〔1〕，最近中央又批准了 6 家外资银行〔2〕，他

〔1〕 4 家外资银行，指汇丰银行、麦加利银行（即渣打银行）、东亚银行、华侨银行。
〔2〕 6 家外资银行，指三和银行、日本兴业银行、花旗银行、美洲银行、东方汇理银行、里昂信贷银行。

们的业务经营范围比原来规定的扩大了。有两家中外合资的财务公司〔1〕也已开张营业。今后还将陆续批准一些外资银行来上海开设分行，如日本第一劝业银行、法国巴黎国民银行都提出了强烈的要求，我们尽量帮助他们能如愿以偿。

目前，股票市场上市的股票数目比较少，我们正在选择一批国营企业，扩大股份制试点，增加股票的上市量，准备不仅向国内发行股票，而且还向国外发行股票。股票实行 A、B 制，A 股向境内居民发行，B 股向境外发行，这两种股票暂时还不能融通。

我不认为，只有搞计划经济才是社会主义，而利用市场机制就是资本主义。社会主义和资本主义的主要区别不在这个地方，社会主义的重要特征是以公有制为基础。在社会主义初级阶段并不排斥其他经济成分的存在，我们只要求社会主义公有制占主体地位。所以搞股份制和股票上市，只要把私股的比例控制在一定程度内，就不会出问题。既然要对外开放，就要利用国际惯用的办法来融通资金，使股票买卖规范化。股票行情要能反映企业经营的状况，股票交易要符合国际金融体系的规范。这方面，我们还缺少经验，正在试验和探索之中，所以不能着急，要一步一步来。但改革的方向是肯定的，在不久前通过的党的十三届七中全会文件〔2〕中已明确提出，要逐步扩大股份制企业的试点和股票的发行。

第三，社会保障制度改革。

目前国营企业的劳动用工制度，不管劳动好坏，工人的生老病死都是包下来的，这不利于调动劳动者的积极性。同时，这种制度也

---

〔1〕 两家中外合资的财务公司，指上海国际财务有限公司、上海联合财务有限公司。

〔2〕 党的十三届七中全会文件，指中国共产党第十三届中央委员会第七次全体会议于 1990 年 12 月 25 日至 30 日审议并通过的《中共中央关于制定国民经济和社会发展十年规划和“八五”计划的建议》。

给企业带来了沉重的负担，使劳动纪律和产品质量受到严重影响。这项改革的第一步是先搞待业保险制度，工人与企业签订合同，职工可以退出企业到社会上去待业，享受社会救济，而不是由企业把他包下来。第二步搞养老保险制度，第三步搞医疗保险制度。这些改革是非常难的。如公费医疗制度为人民谋了很大福利，但也造成极大浪费，现在要改革很难，而且不是上海一个地方能够改的，要在全国范围内一起改。

第四，价格体制改革。

价格体制改革一直在进行。目前是要搞主副食品价格改革。这个改革意味着食品价格要放开，按市场机制来定价。现在我们平抑物价，主要靠财政补贴，每年用于主副食品的价格补贴至少40亿元。而放开价格后，这40亿元补贴都得变成工资，不然百姓承受不了。因此实行主副食品价格改革，要进行比住房制度改革更广泛的市民讨论。而且，这项改革要分步走。大米现在的销售价是0.17元一斤，而收购价是0.6元一斤，如把大米价格一下子提高到购销同价，涨价太多，百姓就会不满意。现在有把握的是把蔬菜价格先放开，因为上海蔬菜的供给大于需求。

第五，企业体制改革。

企业体制改革除了组建企业集团、加强内部管理、试行股份制等内容，还包括外国人关心的一个问题：中国的企业让不让倒闭。我很早就赞成，办得不好的企业应当破产。我们所说的工业调整，就包括了对企业的关停并转，其中企业关门、停产、兼并，实际上就是破产。现在要关掉一个工厂，很不容易。如上海纺织企业约有五分之一的纱锭，由于没有棉花，就不得不关掉。企业关闭后对生产第一线工人的安排问题不大，因为上海缺少第一线劳动力。问题是后勤人员不好安排，所以现在要立即实行企业关门也有困难，只能一步一步来。

如果将来社会保障制度完善后，工人可以实行社会待业保险，企业宣布破产就好办了。

还有政府机构改革。

现在外国人抱怨我们办事效率低，官僚主义严重。我认为：第一，官僚主义是常见病、多发病，哪个国家和地方都有，至少上海的官僚主义不是最严重的。第二，对上海在吸引外资方面表现出的官僚主义问题，我们已下决心解决，如成立了市外国投资工作委员会，这方面的工作已有改进，但还不理想。有改进，表现在外国投资者称赞上海这两年来在办理投资手续上有改进，基本表示满意；不理想，表现在还有外国人批评上海在审批项目过程中手续繁，时间长，效率低。我觉得根本原因是政府机构太庞大，人员太多，部门太多，而且每个部门都有法规，不执行这些法规就是渎职，所以不好办。解决这个问题的根本办法是精简机构，只有精简机构才能克服官僚主义。我想，企业和劳动工资制度改革后，不需要有这么多部门去管企业了，政府机构会逐步减少。当然现在也不是无所作为，我们正在采取措施精简审批项目手续。针对文件周转速度太慢、耽误时间的状况，我建议市外资委现场办公，把计划、工业、土地、税收、环保等几个主要部门的负责人都找来，并且带着图章，一周开两次会审批项目，做到开完会，盖上章，当场就把问题解决了，真正体现"一个图章"办事的效率。

总之，改革的方向已确定，改革的步伐不会停。现在一些省、市的改革已走在上海前面，经济发展也比上海快。我们希望在今后几年内把上海的改革搞得更好一点。

开创街道工作新局面*

（1991年3月20日）

下面我想谈几点感想。

第一，要充分认识街道工作的重要性。市委常委会在讨论时都感到街道工作十分重要。现在我们面临着一个重要的战略任务，就是要把上海建设成为开放型、多功能、产业结构合理、科学技术先进、具有高度文明的社会主义现代化城市。这个任务怎么完成？我看首先是人的因素，要形成社会主义的道德风尚，提高人的思想觉悟，提倡我为人人、人人为我、敬老尊贤、克己让人。这样，大家才能真正振奋精神，鼓足干劲，完成本世纪的重要任务。改变社会风气与街道工作密切相关。要治理好上海这么个特大城市，让1300万市民有一个安居乐业的环境，我们的各项工作还要进一步跟上。我们应该学习国外先进的城市管理经验，但也应该看到我们社会主义的性质和发扬党的优良传统。不从这方面考虑，我们的城市就管不好。国外有些城市的物质文明比我们发达得多，但繁荣背后的阴暗面解决不了。所以，要真正把上海治理好，还是要靠党的优良传统和过去40多年来积累下来的经验。工作要做得比五十年代更好。

---

* 这是朱镕基同志在上海市街道工作会议上的讲话。

现在上海基本上是稳定的，但我们也不能掉以轻心，各种不稳定的因素还相当多。如对外来人员的管理，知青尤其是新疆知青回城问题以及自费就读生问题，这些问题光靠市政府不行，还得靠街道，区别不同对象，有针对性地做工作。街道、里弄的治安工作是人民战争、无形的战线。最近我们一再强调要综合治理，就说明了街道、居委会工作的重要性。

上海基础设施建设欠了几十年的账，比较落后。虽然上海目前的人民生活水平还是高于一般城市，但是交通堵塞、住房拥挤、环境污染，也比人家严重。这些问题可以通过搞房改逐步解决，我们要把旧区改造与新区建设结合起来，把棚户区拆迁与市政建设结合起来。所以，现在我们提出要“打到外线去，挺进大别山”。棚户区要成片地拆，让居民都搬到环线两侧去。那里空气比棚户区好，环线建成后交通也方便，然后在原地建一些商业用房。这样连续搞几年，上海的城市面貌就会有显著改变。一个住房、一个交通，涉及的拆迁等工作都要依靠区、依靠街道做工作。动迁不能敲竹杠，否则再花几十个亿，环线也建不起来。因此，街道在上海的市政建设中也是能起很大作用的。

还有一个精神文明建设工作。现在大家都看到精神文明建设很重要。街道、居委会要把这方面的工作做到每一个家庭中去。加强社区文化建设，组织健康的文化活动，净化环境，移风易俗，都要靠街道同志的努力。上海人口日趋老化，老年人越来越多，抓好敬老工作也很重要。还有居民之间的纠纷，扯皮打架，也要依靠街道做好调解工作。所以说，街道、里弄在精神文明建设中做了大量扎实的工作，否则，光靠条条发指示，没有人去落实，不解决问题。这些都说明，街道工作是非常重要的，是城市建设、市政管理的基础。搞好城市建设、管理，加强精神文明建设和社会治安、综合治理工作，都要靠各区和街道的同志做十分细致的工作。

第二，要多为群众办实事。最近发表的邓小平同志题为《重要的是做好经常工作》[1] 的文章里，以及最近他在上海视察时的讲话中，都强调了要多办实事。为群众办实事也是江泽民同志在上海工作时倡导和坚持的。如果我们不为群众办实事，就会脱离群众。

这次办区委书记研究班，我们去看了黄浦区的一些菜场。在八仙桥菜场时，我听到群众对菜场的供应还是比较满意的，但也有人告状。上海 1300 万人，有问题都找市长一个人怎么行？我们办了不少实事，说起来是我批的，但实际上都是区和街道的同志们做的。我们

1990 年 7 月 1 日，朱镕基到上海市徐汇区天平街道第十五人口普查登记站进行普查登记。

〔1〕《重要的是做好经常工作》，见 1991 年 3 月 10 日《人民日报》。

希望区、街道的领导都把自己看作是“市长”，主动地去解决问题。这里我特别要强调一下，街道的工作要当群众工作去做，不要当机关工作去做。街道干部是党和政府联系群众的纽带，要真正沉下去，为居民群众办实事，少搞公文程式、迎来送往、形式主义。

第三，区县、街道干部要关心政治。江泽民同志最近在一个批语中提出，我们的干部要关心关心政治了，绝不要金钱挂帅、麻木不仁。现在，我们有些领导干部是哪里有钱去哪里，组织上调动他们的工作也不服从。我们不能忘记自己是党员，我们在入党时都宣过誓，要为党和共产主义事业奋斗终身。今后我们培养、选拔、考核干部，首先要从政治立场上，从是否能全心全意为人民服务上去看一个干部。那种以权谋私、搞特殊化的人，不能提拔到领导岗位上来。我们还是要提倡向雷锋同志学习，做焦裕禄式的干部，心里时刻装着1300万上海人民。只有与群众心连心，群众才会跟我们前进。

同志们，你们的工作做好了，对改变上海的面貌，无论是市政还是精神文明建设，都会起很大的作用。你们的工作同完成上海的战略任务密切相关。为此，我恳切地希望同志们拿出共产党员的气概来，继续努力，开创街道工作的新局面。

责任编辑：任　民
责任校对：任　校
装帧设计：徐　晖　梁　韵

图书在版编目（CIP）数据

朱镕基上海讲话实录 /《朱镕基上海讲话实录》编辑组 编．
–北京：人民出版社，2013.8
ISBN 978–7–01–012403–2

I. ①朱…　II. ①朱…　III. ①朱镕基–讲话　IV. ① D2–0

中国版本图书馆 CIP 数据核字（2013）第 174553 号

朱镕基上海讲话实录
ZHU RONGJI SHANGHAI JIANGHUA SHILU

《朱镕基上海讲话实录》编辑组 编

人民出版社
上海人民出版社 出版发行

（100706　北京市东城区隆福寺街 99 号）

北京盛通印刷股份有限公司印刷　新华书店经销

2013 年 8 月第 1 版　2013 年 8 月北京第 1 次印刷
开本：700 毫米 ×1000 毫米 1/16　印张：38.25　插页：3
字数：466 千字

ISBN 978–7–01–012403–2　定价：95.00 元

邮购地址 100706　北京市东城区隆福寺街 99 号
人民东方图书销售中心　电话（010）65250042　65289539